Copyright © 2022 Ler Editorial

Texto de acordo com as normas do novo acordo ortográfico da língua portuguesa (Decreto Legislativo Nº 54 de 1995).

Todos os direitos reservados. Proibida a reprodução total ou parcial, de qualquer forma ou por qualquer meio, mecânico ou eletrônico, incluindo fotocópia e gravação, sem a expressa permissão da editora.

Editora – Catia Mourão
Capa – Gisely Fernandes
Diagramação – Catia Mourão
Revisão – Halice FRS e Catia Mourão

---

F961c

FRS, Halice
   Cisne azul : parte 2 / Halice FRS. - 1. ed. - Rio de Janeiro : Ler, 2022.
   392 p. ; 23 cm. (Apple white ; 2)

ISBN 978-65-86154-48-1

1.   Ficção brasileira. I. Título.

22-75739                   CDD: 869.3
                                   CDU: 82-3(81)

Camila Donis Hartmann - Bibliotecária - CRB-7/6472
27/01/2022     31/01/2022

---

Foi feito o depósito legal.
Direitos de edição:

# Cisne Azul

Parte 2
Série Apple White

## Halice FRS

1ª Edição
Rio de Janeiro — Brasil

Agradeço a Deus, aos amigos (as) e leitores (as) fiéis
pela inspiração e pelos incentivos constantes.

Dedico à minha família real e virtual.

# Sumário

| | |
|---|---|
| 007 | CAPÍTULO 1 |
| 014 | CAPÍTULO 2 |
| 023 | CAPÍTULO 3 |
| 035 | CAPÍTULO 4 |
| 046 | CAPÍTULO 5 |
| 058 | CAPÍTULO 6 |
| 072 | CAPÍTULO 7 |
| 088 | CAPÍTULO 8 |
| 102 | CAPÍTULO 9 |
| 114 | CAPÍTULO 10 |
| 129 | CAPÍTULO 11 |
| 136 | CAPÍTULO 12 |
| 143 | CAPÍTULO 13 |
| 156 | CAPÍTULO 14 |
| 168 | CAPÍTULO 15 |
| 183 | CAPÍTULO 16 |
| 193 | CAPÍTULO 17 |
| 200 | CAPÍTULO 18 |
| 210 | CAPÍTULO 19 |
| 228 | CAPÍTULO 20 |
| 244 | CAPÍTULO 21 |
| 254 | CAPÍTULO 22 |
| 272 | CAPÍTULO 23 |
| 280 | CAPÍTULO 24 |
| 298 | CAPÍTULO 25 |
| 311 | CAPÍTULO 26 |
| 324 | CAPÍTULO 27 |
| 338 | CAPÍTULO 28 |
| 353 | CAPÍTULO 29 |
| 367 | CAPÍTULO 30 |
| 386 | EPÍLOGO |

# Capítulo 1

O tempo se perdia com velocidade impressionante, como o avanço do trem. À medida que a paisagem mudava, deixando para trás palácios, parques, óperas, o rio de odor peculiar, o grande relógio e tudo que se passou em Altman Chalet, Marguerite sentia crescer sua aflição. Antes do que podia prever, separou-se de Logan; ele também ficava para trás.

Exalando um suspiro ela olhou para além da janela, custando a crer que voltava para Castle sem o marido. A mudança de planos ocorreu quando estavam prontos para a partida, depois das despedidas.

Um mensageiro abordou o duque antes que este entrasse na carruagem que os levaria à estação de trem, logo depois de a esposa ter se acomodado. Logan leu o recado e, por sua expressão, sabia-se que as notícias não eram boas.

— O que houve? — Marguerite, inclinada para a porta da carruagem, quis saber.

Logan disse algo ao mensageiro antes que respondesse a ela:

— Acabo de ser convocado pelo líder de meu partido para participar de algumas sessões no Parlamento. Temas importantes serão discutidos e precisam de apoio.

— Então, ficaremos? — Ela inocentemente se alegrou e tentou saltar.

— Espere! — Logan a deteve com a mão em riste. E novamente houve um grande espaço de tempo antes que respondesse. Daquela vez, depois de uma silente deliberação até que viesse a sentença: — Eu ficarei e você seguirá viagem.

— O quê?! — Marguerite se alarmou. — Por que eu não posso ficar?

— Acabou nosso passeio, Marguerite — Logan explicou com calma que não a afetou. Nem mesmo quando ele segurou sua mão e beijou ternamente. — Eu não teria tempo para estar com você senão à noite.

— Estará bem para mim!

— Não para mim. Ficaria pensando em você, sozinha aqui. Não seria útil ao partido.

— E ficará tranquilo sabendo que estarei sozinha em Bridgeford?! O que faria lá sem você?

— Cuidará de Dirk e Jabor, também de Krun — Logan dissera, tocando seu rosto com dedos enluvados. — E será isso que me tranquilizará.

— Gosto de todos eles, mas não aceito esse argumento! — teimou, sentida. — Sabe que estão sendo bem cuidados por seus respectivos tratadores. Eles não precisam de mim, alguém que nem sequer existia na vida deles há pouquíssimo tempo. Quero ficar com você!

— E eu, que você volte para Dorset — Logan foi carinhoso, porém incisivo. — Não ficarei aqui mais que quinze dias.

— Por Deus! Ficaremos separados por quinze dias?! Eu não...

— Marguerite! — Pelo tom ela soube ser inútil insistir. Não importava que estivessem unidos, nem que a espontaneidade dela fosse apreciada. Ele era o marido e queria ser atendido. — Quanto antes se acostumar, melhor será. Esta não será a única vez que nos separaremos, pois nem sempre a trarei para Londres quando for chamado. Não torne pior do que está. Não quero ficar longe de você tampouco, mas é preciso. Se ficar, irá me distrair.

Em algum lugar, bem no fundo, Marguerite o compreendia. Entretanto, o que estava à borda era a inconformidade e ao se despedir, sem mais argumentos, foi fria e breve. Sob as vistas de Nádia, diante dela na boleia, de Lowell e Finnegan parados à porta e Ebert ao lado, na calçada, não houve muito que Logan pudesse fazer e se contentou em beijar a mão que ela estendeu de modo altivo, orgulhoso.

— Escreverei para você todos os dias — ele prometeu depois que Ebert entrou na carruagem e se acomodou.

Marguerite não se deu ao trabalho de responder. Não devia atendê-lo e acostumar-se com a separação? Pois estava sendo obediente ao seu modo. Empertigada no assento, olhando para um ponto entre Ebert e Nádia, apenas pediu:

— Diga a Murray que estamos prontos, por favor!

Logan a olhou longamente, então, dirigiu-se a Ebert.

— Cuide para que cheguem bem a Castle, descanse e, no dia seguinte, retorne com Murray.

— Sim, milorde. Até amanhã!

Logan fechou a portinhola e por fim pediu que o cocheiro seguisse viagem. Agora, quando não tinha mais jeito, Marguerite se arrependia da infantilidade. Não teria um beijo para recordar, pois estavam sob muitos olhares, mas qualquer afago teria sido melhor que separar-se do marido como se ele fosse um odioso estranho. Quando tinha se tornado tão mimada?

Não era mimo, ela sabia. Sim, amor.

— Milady, não chore... — O pedido de Nádia livrou Marguerite dos pensamentos.

Surpresa, Marguerite tocou os cantos dos olhos. Não notou que chorava. Secando as fortuitas lágrimas com dedos enluvados a duquesa tranquilizou a criada:

— Estou nem, Nádia! Foi apenas um cisco que todo esse vento trouxe ao meu olho.

— Com todo perdão, milady — disse Nádia, olhando para Ebert fortuitamente —, se devo ser vossa amiga, não precisa de disfarces para mim. Sei que está triste.

— Tem razão — Marguerite aquiesceu, ignorando a presença do valete do duque. — Estou.

— Não sofra! Poderá se desculpar quando responder a uma das cartas que o duque prometeu escrever todos os dias.

— Tola ou não, não tenho de me desculpar por desejar estar ao lado de meu marido.

— Foi um comentário infeliz. Perdoe-me, milady — pediu Nádia, baixando os olhos.

— Se vai ser minha amiga não se desculpe tanto — disse Marguerite, moderando o tom. — Tem certa liberdade. Sou eu quem lhe deve um pedido de desculpas. Estou mal-humorada.

— Como disse o duque — falou Ebert, gentilmente. — Quinze dias passarão depressa. Acalme vosso coração, milady.

Marguerite sorriu para o criado e, mesmo sem ser retribuída, assentiu e deixou que o silêncio dominasse a pequena cabine do vagão de primeira classe. Com um novo suspiro, Marguerite se esqueceu de Nádia, de Ebert, de Logan e considerou que seria preferível estar na carruagem, não naquele trem sacolejante e barulhento. Entretanto, como o duque explicou ao irmão, os tantos embrulhos — fruto de sua *extravagância* — não puderam ser acomodados apenas nos suportes externos do veículo. Se não tinha jeito de mudar uma coisa ou outra, Marguerite tratou de se conformar com a volta, fosse como fosse.

Chegaram à vila pouco depois das duas horas da tarde e seguiram diretamente para o castelo. Ketlyn, primorosamente vestida e penteada, esperava pela chegada da carruagem ao lado da criadagem com ares de proprietária do lugar, das pessoas, de Logan. Quando Marguerite saltou com a ajuda de Ebert, Ketlyn se aproximou já a escrutinar o interior da boleia. Ao ver que não havia ninguém além de Nádia, voltou-se para a duquesa e perguntou sem preâmbulos:

— O que aconteceu? Onde está o duque? Por que vieram em uma carruagem de aluguel?

— Foi necessário — explicou Marguerite, sucinta. — Logan teve um contratempo e precisou ficar. Murray deve chegar logo mais, no início da noite, com algumas compras. Ebert e ele voltarão para Londres amanhã.

— Folgo em saber. Fez boa viagem, querida? — Marguerite apenas assentiu e viu Ketlyn sorrir sem calor, como sempre. — Que ótimo! Entre, refresque-se e descanse. Já que seremos nós duas, podemos nos reunir para o jantar. Será um prazer providenciar tudo.

— Aceito a sugestão, mas dispenso a ajuda — disse Marguerite, sorrindo do mesmo modo. — Agora que estou de volta, eu posso assumir minhas obrigações.

— Como queira, duquesa... — Ketlyn inclinou a cabeça e se retirou.

— Ela me dá arrepios — disse Nádia, estremecendo cenicamente.

— Esqueça-a — recomendou Marguerite, já a sorrir para os criados que se aproximavam. À guisa de cumprimento, disse: — Sr. Griffins... Sra. Reed...

— Bem-vinda de volta, milady! — disseram em uníssono. O mordomo foi além: — O patrão não vem? Foi o que entendi?

— Sim, Sr. Griffins, o duque virá em quinze dias.

O senhor assentiu e foi ditar ordens aos criados que tiravam a bagagem da carruagem.

— Ouvi que fez boa viagem, milady, mas não seria o caso de descansar? Asseguro-lhe que tudo corre na mais perfeita ordem para o jantar. E posso providenciar que lhe sirvam algo agora, caso esteja com fome.

— Agradeceria se providenciasse uma xícara de chá. Se tudo está encaminhado eu farei como disse e descansarei até o jantar. — Não estava cansada, apenas dormiria para abreviar o tempo, mas antes... — Onde estão Dirk e Jabor?

— Devem estar correndo pela campina ou no canil. É o que fazem quando o duque não está, mas estão bem, se for o que deseja saber.

Era exatamente o que ela queria saber, afinal, fora mandada de volta para que zelasse pelos animais de estimação do duque. Sem mais perguntas Marguerite se dirigiu para o quarto do qual saiu às pressas há mais de uma semana. Uma eternidade, pois a Marguerite que entrou não era a mesma que saiu um tanto triste por ver o marido voltar do quarto de outra.

Esqueça isso! Marguerite demandou para si.

— Deixe-me ajudá-la, milady — pediu Nádia. — Irá se trocar?

— Sim, mas não agora. — Marguerite deixou que a criada tirasse sua capa, entregou as luvas e foi se sentar na cama. — Vá também descansar. Volte em tempo de me ajudar para o jantar.

— Devo desfazer vossa bagagem e servir-lhe o chá quando for trazido.

— Terá tempo de sobra para a bagagem e ainda sei como servir chá, especialmente para mim. Vá em paz, Nádia.

— Sendo assim... Obrigada, milady!

Sozinha, Marguerite levantou e passou a andar pelo quarto. Por vezes se aproximou da porta de ligação, lamentando a falta de Logan do outro lado. Não devia nem queria pensar no que ele estaria fazendo em Londres, mas a mente traiçoeira há algumas horas recordava-a de que na corte seu marido colecionava amantes. Ao ver-se sozinho ele ficaria longe de todas elas? Logan sentiria sua falta como fatalmente sentiria a dele?

— Argh! — Marguerite exasperou-se. — Quando me tornei tão fraca e dependente?

Quando se entregou ao duque, era a resposta. Agora que conhecia a cumplicidade do amor e as delícias do sexo temia que com a separação os ventos soprassem em favor de outra. Não de possíveis amantes, mas de Ketlyn, a mulher amada por tantos anos. Longe das duas, Logan podia pensar friamente e reconsiderar, afinal, Ketlyn era esplêndida.

— Não! — Marguerite ergueu o queixo com orgulho. — Sou Marguerite Bridgeford. E Logan declarou me amar, pediu que eu confiasse. Que...

Marguerite se calou ao avistar a correspondência acumulada na escrivaninha. De imediato reconheceu o papel timbrado dos Westlings, mas sua atenção foi atraída para as bordas rosadas de um envelope quadrado, lacrado, sem um sinete, endereçado à Lady Marguerite Bridgeford.

Distraída de suas questões, Marguerite separou o envelope dos demais, sobre a escrivaninha, como se temesse que este ganhasse vida e a mordesse. Reler o nome escrito com segurança e rebuscamento elevou a curiosidade. De posse da misteriosa carta ela sentou na poltrona próxima, abriu-a e leu:

*Caríssima senhora,*
*Passaram-se dias desde que a vi pela última vez e, para mim, é como se milênios nos separassem. Sinto vossa falta. Também de vosso riso sincero e graça ímpar que tornaram minhas noites sombrias em as mais belas manhãs de sol.*
*Quisera eu ter o privilégio de ainda estar contigo. De provar a doçura de vosso beijo uma vez mais...*

— Oh, não! — Marguerite baixou a carta e olhou em volta, temendo que o autor estivesse atrás das cortinas. — Mitchell? Mas, como...?

Confusa, com o coração tamborilando freneticamente, Marguerite retomou a leitura.

*... a doçura de vosso beijo uma vez mais. Maldigo o minuto em que aceitei a imposição de Bridgeford e me afastei. Devia ter honrado meu sangue anglo-escocês e lutado.*

— Não! — ela ordenou ao papel, incapaz de parar.

*Devia ter exposto a farsa que a enreda, ainda que traísse minha amizade. Bridgeford não a quer. Ao menos, não para legítima esposa. Serve-lhe somente aos seus propósitos, calando a maledicência. Merece mais que isso, meu amor.*
*Sei que não tenho muito a oferecer. Sou um mero súdito de Sua Majestade, segundo na sucessão de um marquesado, mas eu a amo sinceramente e sei que posso fazê-la feliz como merece.*

*Basta um sinal, mínimo que seja, e irei buscá-la. Eu...*

— Não! Não! — Incapaz de ler mais, Marguerite se levantou. — Não, Mitchell!

Trêmula, Marguerite pensou no que faria. Não podia responder à carta. Nada dizer ao marido foi decidido sem muita deliberação. Antes que mudasse de ideia, Marguerite atirou a carta ao fogo e não se afastou da lareira até que o papel se convertesse em cinzas.

Marguerite mirava o fogo distraidamente e era como se visse a carta de Mitchell se agitando nas labaredas sem nunca ser consumida.

— Está distante.

— Nossa! — Marguerite se sobressaltou ao ouvir a voz da mulher ao seu lado. — Perdoe-me, estava mesmo distante.

Esquecera-se de sua companheira de jantar, este já no fim. Vivas!

— É compreensível... — disse Ketlyn, bebericando o vinho servido por Griffins, olhando-a com atenção. — Acaba de se casar e já está longe do marido.

— Foi necessário — ela repetiu. Acreditou mesmo que Logan não fosse citado em momento algum? Zombou intimamente, prevenindo-se. — O líder do partido precisa da ajuda dele.

Ketlyn riu de súbito, divertida. O som era musical, combinando à perfeição com a bela dama que naquela noite escolhera um vestido de cetim bordô e rubis que lhe enalteciam a beleza. Ao vê-la, Marguerite reprimiu o desejo de subir e trocar o singelo vestido amarelo-canário e o colar de ouro. Sim, a mulher era um acinte de tão bonita, mas no momento tinha a atenção de Marguerite pelo modo que agia.

— O que é engraçado? — Marguerite indagou, olhando-a seriamente.

— Perdoe-me! — Ketlyn pediu, domando o bom humor. — É tão nova e ingênua.

— Continuo sem entender.

— Pois bem — Ketlyn respirou longamente e assumiu ar compenetrado. — Somos mulheres e devemos cuidar umas das outras. Para tanto, não permitir que sejam iludidas é parte da tarefa. Pelo menos eu não deixarei que a duquesa o seja.

— Iludida? — Marguerite uniu as sobrancelhas. — Como?

— Ora, querida... Não acredita mesmo que o duque esteja sozinho em Londres, tratando de política, não é mesmo?

— Talvez não agora, mas...

— Hora alguma — Ketlyn a interrompeu, esboçando um sorriso. — Quantas vezes você já o ouviu tratar de política?

— Nenhuma, mas esse não é o tipo de assunto que homens tratem com mulheres.

— Asseguro-lhe que Logan não trata de política com ninguém. Ele não é como o pai, não se envolve nas questões partidárias. Logan é um *bon-*

*vivant*, um libertino. Tendo socorrido o irmão problemático e apresentado a jovem esposa à corte, vai aproveitar seu tempo livre com pôquer, uísque e várias mulheres.

— Não! — Marguerite reagiu, afetada pela visão que sua mente imaginativa formava.

— Não deve se agastar... Os maridos sempre voltam para suas esposas.

— Logan não é assim! — Por muito pouco Marguerite não revelou que o marido a amava. Não o fez por saber que cabia a ele resolver a relação com aquela mulher.

— Todos os homens são assim Marguerite — Ketlyn insistiu. Havia prazer em cada palavra. — Uma mulher nunca é o bastante para saciar a fome de seus pênis.

— Ketlyn?! — Marguerite se escandalizou e olhou para os criados que esperavam. Não afastados o suficiente que não pudessem ouvi-las. — O que diz é inadequado!

— Oh! — A duquesa viúva agitou uma das mãos, minimizando sua ação. — Não se importe com eles. São como as paredes.

— Paredes têm ouvidos. É o que dizem — retrucou Marguerite, contrariada.

— Não aqui! Nesse castelo as paredes são surdas, mudas e cegas.

— Mora aqui há mais tempo que eu, então, você deve ter razão...

— Sim, eu tenho. Até mesmo os moradores não sabem o que o outro faz porque os criados não são indiscretos.

— Que alívio! — Marguerite desdenhou e se pôs de pé. — Bem, agradeço a noite agradável!

— Já vai tão cedo? — Ketlyn também se levantou. — Pensei que pudéssemos conversar um pouco mais já que estamos sozinhas. Logan não dormirá antes que seja madrugada.

— Isso é com ele — Marguerite retrucou, afastando-se. — Eu pretendo me recolher agora mesmo. Boa noite, Ketlyn!

Marguerite seguiu para o quarto, recriminando-se por ter caído na teia de intrigas de Ketlyn.

Não queria, mas era verdade que agora não confiava totalmente no que Logan dissera. Não, ela não queria duvidar, mas novamente pensava em quão fácil foi para Logan mandá-la de volta. E, com exceção à menção a fazer parte do Partido Liberal, jamais ouviu Logan se referir à política.

— Que Logan não esteja mentindo! — rogou antes de chamar Nádia para ajudá-la.

## Capítulo 2

No gabinete em Altman Chalet, Logan apertava a ponte do nariz prevendo que a dor atacaria sua cabeça aquela noite. Talvez o uísque a tornasse pior, mas não havia outro modo de aplacar o vazio. Sentia falta de Marguerite, do ar jovial e leve. Mesmo as dúzias de flores que comprou da pobre florista pareceram ter perdido o viço com a partida dela.

E que partida! Logan recordou ao tomar um gole de uísque. Marguerite ainda o odiaria ou estaria pensando nele com a mesma angústia e ânsia de estar perto? Ao receber o recado de Lorde Townsend, líder do Partido Liberal, pareceu certo que se afastasse dela, mas agora ele não tinha tanta certeza. Evidente que não mentiu quanto a Marguerite ser uma distração, mas quis resguardá-la de seu humor, sempre afetado pelas infindáveis discussões entre Liberais e Conservadores em tais sessões extraordinárias. Porém, talvez ela fosse seu alento e ânimo.

E somente Deus podia prever como Ketlyn se comportaria; o que diria a Marguerite.

— Que estúpido! — ofendeu-se, esboçando um sorriso descrente. O riso leve vindo da porta indicou que ele não estava sozinho. — Há quanto tempo está aí?

— Acabo de chegar — disse Lowell, entrando no gabinete. — Vi que havia luz e vim ver se não tinham se esquecido de apagá-la, mas você ainda está aqui, dizendo coisas que me alegram. Estaria novamente bêbado?

— Não estou — Logan garantiu, olhando para Lowell que parou ao lado de sua poltrona. — Beba comigo.

— Estou satisfeito, mas... Por que não?

Deixando o sobretudo na mesa, Lowell foi se servir. Na volta sentou-se diante do irmão, ergueu o copo num brinde mudo e bebeu um largo gole.

— Ao que brindou?

— À nossa aparente trégua. Admira-me ver o quanto estamos civilizados.

— Eu brindo a isso! — Logan ergueu o copo e bebeu um gole. — À trégua e à civilidade! Já que estamos nos entendendo, poderia me dizer por que a guerra começou?

— Ah, não vamos estragar tudo com assuntos aborrecidos. Prefiro ouvi-lo. Diga-me você por que se considera estúpido.

— Este é outro tema aborrecido. Diga-me onde esteve até agora. Que horas são afinal?

— Passa um pouco da meia-noite e eu estava onde solteiros, e alguns homens casados, vão para ter um pouco de *amor*... em um bordel.

— Então, já se recuperou de todos aqueles ferimentos? — Sem soltar o copo Logan apontou para a testa do irmão. — Ao menos este parece bem melhor.

— Estou bem... E, mesmo que não estivesse, seria bem cuidado pelas prostitutas.

— Antes assim. Apenas espere para se meter em outra encrenca de jogo, está bem?

— Nada de encrencas, prometo! — Lowell bebeu todo o uísque e se levantou. — Vou deixá-lo. Acha que ficará bem? Não seria melhor ir dormir?

— Irei num instante... — disse vagamente, retomando um pensamento que o acompanhou por todo dia. — Lowell.

— Diga... — O rapaz parou e o encarou ao dobrar o sobretudo em um dos braços.

— Por acaso conhece algum detetive, investigador, alguém que o valha?

— Alguém que o valha, sim... — Lowell se aproximou, olhando-o com desconfiança. — Em *Blue Gate* tem um homem capaz de descobrir o que quiser em troca de algumas moedas. O que quer investigar?

— Quero encontrar o presente perfeito para Marguerite — revelou Logan, intimista. Tanto que não notou o alívio que desanuviou os cinzentos olhos do irmão.

— E o que seria esse presente perfeito, grande irmão?

— Quem, é a resposta.

— Uma pessoa?! Quem seria?

— Saberá se ela for encontrada. E você não conhece outra pessoa? — Logan o olhou de esguelha. — Preferia que esquecesse o caminho daquele lugar.

— Ficarei bem e o homem é bom — Lowell insistiu. — Enviarei um recado, pedindo que o encontre no Red Fox. O nome é Ralph West.

Antes de se admirar ou parabenizar Lowell pelo cuidado, Logan franziu o cenho e o olhou com maior atenção.

— Por que estou com a sensação de que já se valeu dos serviços desse homem?

— Porque está levemente ébrio e com sono. Apenas sei quem sou, ao contrário do que você pensa às vezes. Frequento todo tipo de lugar, mas não quero todo tipo de gente onde moro.

Com a explicação restou a admiração. Fosse o álcool ou a trégua, Logan via Lowell com novos olhos. Como não o elogiaria por afinal ser responsável, disse:

— Se possível, marque para quarta-feira, às sete horas da noite.
— Considere feito. Boa noite, grande irmão!
— Boa noite, irmãozinho!

Se a noite não foi boa, ao menos foi tranquila e Logan dormiu até que Finnegan fosse acordá-lo para vesti-lo, assumindo a tarefa de Ebert.

— Devia ter designado um lacaio para esse serviço — disse Logan, acertando a gravata carmim diante do grande espelho, quando o mordomo já escovava seus ombros, eliminando qualquer cisco que maculasse o paletó cor de creme que escolheu para vesti-lo. — Esta tarefa está aquém de suas obrigações.

— Não considero indigno servi-lo, milorde — garantiu o empoado senhor, devolvendo a escova ao cabideiro de mogno. — É, antes de tudo, uma honra. Primo John tem muita sorte.

— Por que disse isso? Não sou melhor que outros senhores. Ou em vez de elogio a mim apontou uma falha em Ebert? Ele foi algum tipo de malfeitor que se emendou? — Logan riu do próprio gracejo. Seu valete ser um degenerado era inimaginável.

— Fiz um elogio apenas porque o admiro, milorde, nada mais. Deseja mais alguma coisa antes que desça para o desjejum?

— Isso é tudo, Finnegan, obrigado!

Com a saída do mordomo Logan olhou demoradamente para a cama desfeita, voltando a pensar em Marguerite. No bolso do uniforme de Finnegan estava a primeira carta que enviaria para ela. Contava com seu cuidado e também com o detetive de *Blue Gate* para restabelecer a paz entre eles e provar o quanto a amava.

No final da tarde Logan se alegrou ao ver Murray a esperá-lo próximo ao Parlamento. Não perguntaria a ele sobre Marguerite, sim, a Ebert assim que o visse.

— É bom vê-lo de volta — disse apenas. — Fez boa viagem?
— Sim, milorde, obrigado! — respondeu o cocheiro antes que fechasse a porta. Depois de assumir seu posto partiu para Altman Chalet.

Logan ansiava por uma taça de xerez, um bom jantar e um perfumado charuto depois de ter um dia aborrecido no qual descobriu serem verdadeiros os boatos repassados por Lowell. Também de ter ouvido por horas intermináveis parlamentares exporem razões que justificassem a reconquista das treze colônias estadunidenses sem que partidos rivais chegassem a uma conclusão. E, antes de tudo, queria notícias de sua esposa.

— Ainda precisará de mim, milorde? — Murray perguntou ao chegarem.
— Não voltarei a sair esta noite. Bom descanso!

Sem despedidas Logan entrou. Como sempre Finnegan foi recebê-lo à porta e estendeu os braços para que o patrão entregasse seus pertences.

— Milorde, bom que chegou! — Ebert se mostrou aliviado ao surgir da sala Harriette em tempo de ver seu senhor passar o chapéu e a bengala para Finnegan.

A intenção de Logan era perguntar sobre Marguerite, mas diante do alívio de alguém que claramente esteve a esperá-lo, sem tirar a capa Logan indagou:

— O que aconteceu? É algo com a duquesa?

— Vossa esposa está bem, milorde. Aqui se encontra o problema.

Dito isso, Ebert estendeu ao patrão um pequeno envelope. Com os olhos postos no criado Logan abriu o recado e baixou o olhar apenas quando o papel estava desdobrado. Enquanto lia a expressão do duque endurecia.

— O que significa isto? — Logan perguntou ao valete, agitando o papel.

— Exatamente o que provavelmente está escrito, milorde. Mas posso ler para que...

— Cale-se, Ebert! — demandou o duque, recuperando o chapéu e a bengala.

— Vai sair? — Finnegan o olhava com assombro.

— É o que parece, não? — Logan não queria ser grosseiro, mas não conseguia evitar. Até mesmo Murray foi vítima de seu péssimo humor. — Aonde pensa que vai?

— Entendi que estava liberado, milorde... — começou o cocheiro, confuso. — Eu ia...

— Ia voltar ao seu lugar agora mesmo — ciciou Logan, mostrando o papel. — Leve-me a este endereço. Depressa!

Murray apenas obedeceu. Com o bilhete amassado em sua mão Logan contou os minutos até que chegasse ao Soho. Quando Murray parou, Logan saltou diante da casa de três andares e escrutinou a fachada de pedra escurecida, considerando haver algum engano.

— Tem certeza de que é este o lugar? — perguntou ao cocheiro que parou ao lado dele e igualmente analisou a decadente construção.

— Sim, milorde. Número 27, Carnaby Street, Soho.

— Espere-me aqui. Não irei demorar...

— Tem certeza, milorde? Não prefere que eu dê voltas em vez de deixar vossa carruagem aqui, aos olhos de todos?

— Não farei nada que demore tanto ao ponto de gerar mexericos. Apenas espere.

Logan procurava por aldravas para que batesse à porta, quando uma senhora surgiu em uma das janelas do térreo e, olhando-o com curiosidade, informou:

— Basta entrar, cavalheiro... A porta está sempre aberta. Em qual andar pretende ir?

Logan não respondeu. Agradeceu a informação por educação e entrou. Deparou-se com um corredor que dividia o pouco espaço com uma longa escada. Ele devia subir até o terceiro andar. A cada barulhento degrau que galgava o duque reforçava a ideia de ter se enganado em algum momento.

Ou talvez estivesse sendo vítima de uma brincadeira de mau gosto arquitetada por Dempsey. Seria uma vingança pelo modo como o tratou.

Era isso! Logan determinou e, ao bater à porta indicada, preparava-se para socar o queixo do temerário amigo. No entanto, descobriu não ser trote nem engano quando a porta foi aberta. Era tão somente a confirmação de que a paz, para ele, era um sonho distante.

— Querido, por que demorou tanto? — Ketlyn se lamuriou ao fazê-lo entrar. Em choque, Logan foi abraçado e beijado por sua amante coberta apenas pelo penhoar. Demoraram alguns segundo até que ele reagisse e a afastasse.

— O que faz aqui?!

— Dê-me isto — ela pediu, pegando o chapéu e a bengala para acomodá-los ao lado de uma velha cômoda. — Nem pôde me abraçar — disse ao voltar e tentar beijá-lo.

— Perguntei o que faz aqui — Logan a deteve, segurando-a pelos ombros. — Por que veio a Londres?

— Poderia dizer que vim às compras, mas a verdade é que vim vê-lo. Sinto sua falta!

Novamente foi preciso mantê-la longe, impedindo-a de agarrá-lo.

— Pois não devia ter vindo por uma coisa nem por outra — retrucou, afastando-se o tanto que o diminuto cômodo permitia, recriminando-se por ver a amante seminua e não se excitar. Seria honesto revelar que se apaixonara e se Ketlyn fosse também sensata, compreenderia. Tolo desejo, pois não havia sensatez em sua história. — E para cá! Que lugar é esse?

— Um ninho de amor acima de qualquer suspeita.

— Isto é um pardieiro, não um ninho. — Logan torceu o nariz. Nem que ainda a amasse loucamente se deitaria com ela naquela cama enferrujada, com colchão irregular.

— Não seja tão crítico — ela pediu languidamente, abraçando-o por trás para retirar a capa.

— Pare com isso, Ketlyn! — Ele se livrou do abraço e a encarou. — Precisamos conversar.

— Sim, precisamos. Foi também para isso que vim.

— Então, diga primeiro o que a trouxe até aqui — pediu, porém ela nada disse. Como se pensasse em algo importante, Ketlyn o olhou com atenção. — Tive um dia exaustivo, Ketlyn. Esta não é uma boa hora para testar minha paciência.

— Está bem! — ela aquiesceu ao se prostrar diante dele. — Pensei muito a respeito e creio que será o melhor a ser feito.

— Poderei opinar quando conhecer os fatos.

— Toda essa ideia de casamento foi absurda.

— Creio não ter entendido. Disse que...?

— O óbvio que nunca quisemos ver. Não sei no que estive pensando para sugerir que se casasse. Sempre esteve certo, ainda é jovem para se preocupar com herdeiros. E não precisa da fortuna de Alethia. Sua tia pode...

— Esta conversa segue um rumo totalmente inadequado — Logan ciciou, interrompendo-a. — Até mesmo aqui. Bem sabe que as paredes têm olhos e ouvidos.

— Tem razão! — Ketlyn baixou a voz. — Mas simplesmente não pude esperar mais. Isso tem de acabar, Logan! Foi péssima ideia. Não precisamos de uma esposa entre nós.

— Por isso veio a Londres sem se importar como possa parecer para Marguerite?

— Isso já não importa. Ela tem de partir, Logan! Pouco mais de vinte dias se passaram e o casamento não foi consumado. Anule-o!

— É uma ordem? — Logan indagou seca e desafiadoramente, empertigado, odiando o que ouvia, odiando o cheiro de mofo do quarto sufocante, odiando Ketlyn.

Percebendo o erro Ketlyn piscou algumas vezes, confusa, e meneou a cabeça.

— Jamais teria esta pretensão. Tomo a liberdade de aconselhá-lo, mas nunca imporia uma autoridade que não possuo — respondeu, reverenciando-o. — Sou uma humilde serva.

— Espero que nunca se esqueça disso, minha cara! — Logan domou a contrariedade ao perceber que era analisado. — Assim como espero que não me julgue estúpido ou canalha. Anular o casamento, alegando não consumação depois de tantos dias deporia contra minha hombridade. Ou, caso não me atribuíssem alguma disfunção, todos apontariam Marguerite. A reputação dela estaria arruinada.

— A anulação não precisaria partir de você. Seria fácil fazer chegar aos ouvidos dela tudo que se passou para que hoje fosse duquesa. Marguerite, por si só, iria embora.

Logan franziu o cenho. Aquilo que via nos olhos verdes era ciúme? Despeito? Fosse o que fosse que movesse Ketlyn, ele não deixaria ir adiante.

— O que está tramando?

— Não estou tramando, apenas quero que sua esposa se vá. Sinto que algo está mudando e não gosto nada disso — disse Ketlyn, empertigada. — Não a quero entre nós.

— Então, temos um problema porque a duquesa não vai a lugar algum — Logan retrucou seguramente. — Não empenhei meu tempo, minha palavra nem meu nome em vão. Marguerite nem eu somos peões em seu tabuleiro, Ketlyn. Não pode dispor de nossas vidas assim.

— Ela ou eu, nossas vidas... — Ketlyn salientou com desprezo. — É sobre isso que estou falando! Essa menina se infiltrou em *nossa vida* e está invertendo a ordem de tudo.

— Marguerite não se infiltrou. Seguindo seus conselhos eu a tirei da casa que conhecia e da família. Bridgeford Castle é o lar dela agora.

— Logan, você consegue se ouvir? Não percebe que também mudou? Olhe para você! Onde está o homem alinhado que eu ajudei a compor? — Ela indicou o cabelo cacheado.

— É apenas cabelo — ele replicou, enfadado. — E desde antes de meus vinte e quatro anos sou velho demais para mudar. Engana-se caso acredite ter me moldado. Sou o resultado da criação de minha mãe, dos ensinamentos de preceptoras e dos exemplos de meu pai.

— Sim, era educado e culto, mas resistente a certas normas. Quando eu o conheci era um diamante bruto, menosprezado pelos lordes por sua péssima fama. Eu o lapidei para que fosse respeitado por quem é, não por ter herdado o título certo. Tanto sabe que costumava ser grato.

— Que seja! Então, eu a ouvi quando reforçava o que até mesmo Griffins estava cansado de repetir. Vesti-me de acordo, tornei-me apresentável, mas, veja que curioso... Nada mudou na Câmara dos Lordes! Uma casaca alinhada e um cabelo engomado não apagaram o passado nem tornaram melhor meu presente. O suposto amante da madrasta é chamado em última instância apenas para engrossar a voz do partido.

— Logan... — Ketlyn tentou interrompê-lo, mas não foi ouvida.

— Não tenho voz no Parlamento. E se tenho algum respeito é, sim, por ter herdado o título certo. Não confunda minha condescendência com gratidão.

— Logan, escute-me...

— Não! Escute-me, você! Fui cumprimentado com real respeito e aprovação quando apresentei a nova duquesa. Marguerite ser filha do barão que produz a famosa sidra reiterou minha boa escolha. Vi que meu casamento pode trazer muito mais vantagens do que imaginei. Portanto, senhora, perdoe meu pouco tato ao reafirmar que minha esposa não irá a lugar algum, especialmente para atender aos seus caprichos.

Ao final do discurso, Ketlyn estava lívida, mas mantinha a postura.

— Eu não tinha como imaginar — ela disse por fim. — Nunca me falou essas coisas.

— Porque meu envolvimento com a política não é assunto seu — redarguiu o duque. Não gostava de atacar daquela maneira, mesmo que usasse a verdade para se defender.

— Está apaixonado por ela? — Ketlyn indagou sem se mover. — É tudo que preciso saber.

— Não, não estou apaixonado — garantiu, pois o que sentia por Marguerite ia além da paixão.

— Então, nada mudou? É apenas impressão?

Um estranho talvez acreditasse na fragilidade que Ketlyn apresentava. Logan a conhecia bem e não esqueceria a ameaça nada velada de expô-lo para que a esposa o deixasse.

— Não pelos motivos que imagina, mas, sim, muita coisa mudou. Especialmente depois da bem-sucedida apresentação de Marguerite. Eu não posso dar margem para dúvidas sobre meu casamento. Até mesmo Lowell questionou sua legitimidade.

— Não pode levar em consideração o que diz alguém que o detesta.
— Quem me detesta não se acanha de expor o pensamento comum e considerei. Aliás, eu reconsiderei. Se tudo está diferente não vejo razão para esperar até dezembro para sua mudança.
— O quê? — A expressão estoica que há bons minutos ruía desabou de vez. — Está me expulsando do castelo?
— Vejo que também mudou. Costumava ser pragmática, mas se não tenho razão... O que me aconselha? — Logan achou por bem contemporizar para não acirrar o ânimo feminino.
Ketlyn pensou por um instante, sustentando o olhar do duque.
— Tem razão, mas para onde irei? Ainda não comprou a nova casa.
— Não, mas farei o quanto antes. Até lá, irá se mudar para o chalé da vila. Temporariamente — ele acrescentou, quando ela fez menção de retrucar. — Leve Phyllis, contrate um mordomo, uma cozinheira. Nada lhe faltará.
— Para que eu iria querer um mordomo num chalé?
— Para me servir, quando for visitá-la. — Logan sorriu com estudada cumplicidade. Como esperado os olhos da duquesa viúva brilharam. Retribuindo o sorriso, ela avançou um passo.
— Oh, Logan!
— Não neste lugar! — Logan a deteve e indicou o entorno nada inclinado a trair quem dava a ele tudo que precisava. — Deve haver mais doenças naquele colchão que no Tamisa.
— Possua-me de pé, na cadeira, mas acabe com a falta que sinto de você.
— Estou cansado, Ketlyn.
— Nada do que diz foi problema um dia — ela redarguiu, abraçando-o, beijando-o.
Sem escapatória, Logan se deixou beijar, sem empenho. Ketlyn continuava linda, mas matou o pouco que ele ainda pudesse sentir com aquela visita inesperada, com a ameaça. No entanto, tinha de ter cautela. Não poderia repeli-la. A salvação veio de onde jamais imaginou. Seu corpo desestimulado, nada interessado, simplesmente não reagia aos avanços dela.
— Por que não me beija como antes? — Ketlyn mordiscava seu queixo, apalpava seu sexo. — Por que não endurece?
— Estou cansado, eu avisei... — ele disse, ocultando sua repulsa. Não tinha dúvidas quanto à sua virilidade, apenas certeza de quem queria. Para não aborrecê-la, lembrou-a: — Eu não a esperava, contrariou-me, então nem pode me culpar. E o dia foi realmente exaustivo.
— Passe a noite comigo. Pela manhã nós...
— Não escutou o que eu disse?! — Logan arrumava a roupa que ela desarranjou. — Nem você devia passar a noite nesse lugar. Reconheça que agiu intempestivamente e reveja o plano.

— O que sugere? — Ketlyn levou as mãos à cintura, aborrecida. — Não posso ir para Altman Chalet, não é mesmo?

— Preferencialmente, não! — ele aquiesceu, pensando. — Vista-se e venha comigo. Eu a deixarei em algum hotel perto da estação, assim poderá partir no primeiro trem.

Ketlyn não objetou, mas se vestiu olhando-o de esguelha, com indisfarçada desconfiança. Antes assim! Enquanto não fosse certeza ele não correria riscos, Logan considerou.

— O casamento ainda não foi consumado? Mesmo depois de tantos dias em Londres?

— Mesmo depois de tantos dias. Talvez com sua saída do castelo Marguerite se torne mais próxima. Palavras suas! E como invariavelmente está certa... Terei meu herdeiro, querida. Terei a herança de minha tia. Terei tudo a que tenho direito.

Logan novamente acertou ao jogar com a vaidade e a ambição de sua ex-amante.

— No que depender de mim, terá. Pedirei que abram a casa — disse Ketlyn, ajeitando seu chapéu. — Assim que eu chegar a Castle, Phyllis começará a organizar minha mudança. E, por mais que sinta sua falta, agora vejo que ter vindo foi um ato impensado. Perdoe-me!

— Farei de conta que nem sequer aconteceu — assegurou, indicando a porta. — Vamos?

Logan não pôde afastá-la, quando Ketlyn foi até ele e depositou um beijo em seus lábios. O que fez foi tornar o contato o mais breve possível sem denunciar seu desagrado. Agora via uma nova Ketlyn e não gostava dela.

Antes que saíssem Logan olhou ao redor. A cama em péssimo estado era nova se comparada às cortinas manchadas, à ânfora lascada e ao piso sem lustro. O cenário escolhido para um *ninho de amor* denunciava o desespero daquela mulher. Todo cuidado seria muito pouco, pensou. Com o peito estranhamente oprimido, Logan finalmente a seguiu escada abaixo.

Amou aquela mulher por tanto tempo, admirou-a por tantos motivos e agora não entendia a razão. Com exceção ao sexo, não havia algo bom, conversas memoráveis, passeios agradáveis, risos, nada. Bem medido e bem pesado, restava apenas um grande espaço vago que rapidamente era preenchido pelo alívio.

Era pouco, Logan reconhecia, mas a saída de Ketlyn do castelo, sem alarde, representava uma batalha vencida. Que aquele fosse o prenúncio de sua vitória naquela guerra.

## Capítulo 3

Ao despertar Marguerite imediatamente sentiu o mesmo sufocamento que a acompanhou por toda terça-feira ao descobrir que Ketlyn partira para Londres na carruagem do duque, com Ebert e Murray. Era verdade que chorou algumas vezes desde que Nádia lhe contou sobre a viagem até que dormisse de exaustão, por ciúme e medo de que o recado fosse de Ketlyn, pedindo que Logan a esperasse e, portanto, livrasse-se da esposa.

Fosse como fosse ela não se abateria! Determinada, Marguerite deixou a cama e, depois de tocar a sineta para que a criada fosse ajudá-la, aliviou-se, lavou o rosto, o colo e as axilas. Marguerite se secava quando Nádia bateu à porta.

— Bom dia, milady! — murmurou a criada, com cautela. — Como se sente?

— Muito bem, obrigada! E você? — Marguerite esboçou um sorriso para reiterar suas palavras.

— Sentindo-se culpada. Não devia ter dito nada sobre a viagem da duquesa viúva.

— Alguém o faria, então, não se sinta assim. Venha me ajudar, estou faminta.

— Ah, vosso apetite voltou! É bom sinal. — Nádia sorriu e foi ajudar a patroa. Já abotoava o vestido rosa, quando indagou: — Milady, eu posso fazer uma pergunta?

— Claro que sim.

— É que... Desde que nós chegamos, eu ouço alguns boatos... Sobre o duque e a madrasta... E ontem, ao saber que ela foi para Londres, milady ficou em péssimo estado... Então, eu...

— Quer saber se os boatos procedem — Marguerite concluiu.

— Sim, milady... — Nádia confirmou num fio de voz. — Se não for aborrecê-la.

— O que ouviu foram boatos ou relatos? Responda-me isso e direi o que quer ouvir.

— Bem... — Nádia foi se prostrar diante da duquesa e a olhou com pesar. — Fiz amizade com algumas criadas e elas me fizeram jurar que não contaria a ninguém o que me dissessem, mas é minha patroa e... e é minha amiga...

— É verdade, Nádia. — Por que negar se as paredes não eram surdas nem mudas afinal?

— Oh, milady! Acredita que os dois nesse momento possam estar...

— Tudo é possível, Nádia, mas não tenho como saber — Marguerite a interrompeu. Não queria piedade, não queria pensar mais naquele assunto. — Conhece a história. Sabe que não me casei por amor, então não tem com o que se preocupar.

— Pode não ter se casado por amor, milady, mas agora há sentimento. Notava-se mesmo antes de trancar-se aqui todo o dia. E chorou. Não quero que se entristeça.

— Não estou triste. Hoje é um novo dia e não estou chorando — orgulhou-se Marguerite. — Enquanto tomo o desjejum, escolha um chapéu que combine com esse vestido. Darei um passeio pela propriedade.

Marguerite sorriu para a boa e fiel criada. Ao ficar pronta, desceu para a sala de jantar. Um lacaio a esperava ao lado do aparador, no qual havia comida servida era suficiente para uma pessoa. O contentamento por ver que sua ordem ainda era cumprida minguou ao se servir e se sentar sozinha à longa mesa. Ela tentou entabular uma conversa com o lacaio, mas anos de subserviência e ferrenha obediência ao Sr. Griffins não alimentaram os temas que morreram em instantes até que restasse o silêncio.

O passeio ao redor do castelo não foi igualmente deprimente por ter a companhia de Jabor e Dirk. Desde que os conheceu Marguerite estabelecera uma boa relação com os *Staffies*. Não sentia por eles o mesmo que por Nero, mas igualmente se enternecia com as peraltices. Ainda não tinha boa relação com Krun e era no que trabalharia naquela manhã.

O aviário ficava anexo ao canil, no qual Marguerite descobriu haver mais cinco cachorros. O tratador deles explicou que os três Beagles auxiliavam nas caçadas, os dois pastores australianos guardavam o castelo à noite juntamente com os *Staffies*. Ela não conhecia a raça estrangeira, mas considerou os cães muito bonitos. Pareciam lobos mesclados de caramelo, branco e preto.

Ao sair do canil a duquesa passou ao aviário. Logo viu Krun pousado no galho de uma seca e pequena árvore, peça central da pouca vegetação que dava cor ao viveiro circular. Marguerite se compadecia com os pássaros em suas gaiolas. Para ela, prender as pobres aves por sua beleza e belo canto era crueldade. O mesmo valia para Krun, mas vendo o espaço em que vivia o falcão e as constantes solturas, considerou que estivesse em melhor situação.

— Olá, Krun! — cumprimentou-o, aproximando-se e prendendo os dedos nos vãos da tela. — Lembra-se de mim? Por minha culpa comeu um pedaço do dedo de seu dono.

— Krun virá comer um de vossos dedos se estiverem ao alcance dele. — Marguerite soltou a tela do viveiro e, sobressaltada, fitou o homem que se aproximava a falar: — Ainda mais dedos longos e cobertos por luvas brancas, como apetitosas larvas.

A duquesa olhou para o falcão, então de volta para o homem, parado a poucos passos dela. O cabelo era preto, com fios brancos despontando nas têmporas. Apesar do nariz saltado, como se tivesse sido quebrado, e dos lábios grossos, era atraente. Os olhos eram castanho escuro. Talvez ele tivesse entre trinta cinco e quarenta anos de idade. Usava botas de montaria, vestia calça caqui e camisa branca. O colete era preto como a gravata surrada e o casaco de lã. O olhar fixo era ameaçador.

— Sou... Sou Lady Bridgeford — disse Marguerite num fio de voz. — E o senhor é...?

— Emery Giles, vosso criado — apresentou-se o homem. — Sou o tratador de Krun.

— Oh, sim, claro! — Desconcertou-se. O homem atraente, de olhar ameaçador, não era um invasor de propriedades. — Prazer em conhecê-lo!

— Bondade vossa! A duquesa veio ver o falcão? Chegou a tempo de ver a alimentação — disse Giles, indicando um balde com carne crua. Marguerite torceu o nariz reflexivamente. — Também não é algo que eu escolhesse para mim — ele comentou com uma piscadela.

— Compreensível! — Marguerite riu, divertida e foi retribuída. Com um sorriso suavizando a expressão sisuda o tratador não era nada assustador. — Precisa entrar para alimentá-lo?

— Gosto de levá-lo para a campina, mas o tempo não está dos melhores, então será aqui.

Dito isso, Emery Giles calçou uma luva de couro, semelhante à usada por Logan, pegou o balde e se encaminhou ao viveiro. Não fechou a porta depois de entrar.

— Krun não fugirá? — indagou Marguerite, apreensiva ao ver a porta apenas encostada.

— Não com um encantador obstáculo rosa do lado de fora — gracejou Giles, sorrindo para ela. — Ele teria de estudar os riscos de enfrentar o desconhecido, mas não terá tempo, afinal, prefere a comida.

— Entendo... — Marguerite murmurou, dispersa, vendo o falcão pegar o pedaço de carne e engoli-lo, mantendo erguido o bico ágil e pontiagudo. As garras que o prendiam ao galho eram também impressionantes.

— Gostaria de tentar?

— O quê?! — Ela maximizou os olhos. — Alimentá-lo?!

— Sim, venha duquesa — Giles a chamou. — É seguro.

— E se Krun me estranhar? Se me bicar? — Marguerite se lembrava do ferimento no dedo do marido, do modo como espantou a ave ao se aproximar. — Não acho aconselhável.

— Prometo que será seguro. Tire o chapéu, entre e aproxime-se devagar, sem baixar o olhar.

O falcão-peregrino era tão bonito! Marguerite queria aquilo. Depois de acariciar a cabeça de Dirk e Jabor, adquirindo confiança, ela fez como recomendado. Precisou se inclinar um pouco para entrar, como fizera Giles, mas logo estava ereta, fitando os olhos dourados de Krun.

A ave ignorou um pedaço de carne, preferindo analisar a intrusa. Marguerite parou nesse momento e esperou até que Krun voltasse a comer.

— Muito bem! — Giles a elogiou. — Tem bom instinto. Agora venha... Devagar. Isso! — Rogando para que Krun não ouvisse as batidas de seu coração, Marguerite se aproximou mais, até que estivesse ao lado do tratador, que lhe passou um generoso naco de carne. — Agora, segure por uma ponta e deixe que a outra fique pendida.

— Ele pode bicar meu braço. — A probabilidade era grande, ela considerou.

— Não se não deixá-lo ao alcance dele — garantiu Giles, dando o exemplo. — Viu só?

Ver ou falar parecia bem mais fácil que fazer, mas Marguerite não se acovardaria estando tão perto. Enchendo-se de coragem, apreciando o frenesi que o medo proporcionava, ela pegou a carne e imitou o gesto de Giles. Nem bem terminara a ação Krun pegou o petisco. Marguerite imediatamente levou as mãos à boca para calar seu grito de contentamento.

— Mais uma vez? — Giles ofereceu, rindo mansamente.

— Sim, por favor! — Quando conseguiu repetir o feito ela sorriu, feliz. — Eu o alimentei!

— Gostaria de tocá-lo?

— Eu posso? — Esperançosa, ela nem sequer cogitou negar.

— Enquanto o distraio com a comida, acaricie as penas da cabeça, assim... — Novamente Giles deu o exemplo. Depois de tirar a luva, passou a oferecer a carne com uma das mãos e a tocar o falcão com outra. Com o novo surto de coragem, lentamente Marguerite fez o mesmo. Livre das luvas ela tocou a cabeça da ave enquanto esta comia. — As penas são macias, não?

— Sedosas — observou Marguerite, encantada. — Eu poderia...

— Lady Bridgeford, está aí?

O chamado do lacaio fez com que Jabor latisse. E tudo aconteceu numa fração de segundo. Assustado, Krun bateu as asas ameaçadoramente antes de alçar voo e vez ou outra se debater contra a tela aramada. Antes que pensasse em correr Marguerite se viu presa a um corpo forte que a fechou num casulo de casaco, braços e cabeça.

— Milady! Milady! — gritava o lacaio, fazendo com que os *Staffies* latissem mais.

— Cale a boca, Alfie! Saia daqui e leve os cães para que a ave se acalme! — ordenou Giles. Marguerite não via a ação, apenas ouvia. O bater das asas ainda era intenso, mas os latidos ficavam cada vez mais distantes.
— Fique calma, milady... Logo Krun voltará para o tronco.
Como dito o falcão se acalmou e pousou no galho mais alto da árvore seca. Marguerite olhou para ele com receio quando Giles finalmente a soltou, mas a ave parecia ignorá-la.
— Vamos sair lentamente — disse Giles, tomando a liberdade de segurá-la pelo braço. Fora do viveiro, com a porta trancada, escrutinou-a com atenção. — Foi ferida?
— Graças ao senhor, não. Obrigada por me proteger!
— Não me agradeça — Giles refutou seriamente. — Fiz mais por mim que por Vossa Graça. Se Krun a ferisse no viveiro o duque me mataria.
— Talvez, sim, mas não diminua seu gesto. Agiu por reflexo. Não teria tempo de pensar em seu pescoço, então, aceite meu agradecimento.
— Aceito se me prometer nunca mais chegar perto de Krun.
— Não posso prometer — ela negou, mirando a ave, agora tranquila em seu poleiro. — Virei vê-lo todos os dias e gostaria de participar das solturas. Por favor, Sr. Giles, não me negue isso!
O tratador pensou um instante e assentiu, suavizando a expressão com um sorriso.
— Se não estiver chovendo, venha amanhã às dez.
Marguerite sorriu, agradeceu e partiu. A perigosa aventura ajudou a distraí-la do que talvez estivesse acontecendo em Londres. Ocupando a mente com o encontro marcado a duquesa retornou ao castelo. Se o lacaio foi procurá-la, devia haver um motivo. E havia!
— Milady, eu pedi que Alfie a procurasse e o pobre rapaz voltou em choque. Foi preciso dar-lhe um copo d'água para que explicasse a razão — falou a governanta ao se encontrarem no pátio principal, medindo-a de alto a baixo. — Ele contou que Vossa Graça estava no viveiro e que Krun a atacou. Estava indo agora mesmo verificar, mas vejo que não está ferida.
— Krun não me atacou, Sra. Reed. Acalme-se! Apenas se assustou e se debateu, mas o Sr. Giles me protegeu. Agiu como um verdadeiro herói.
— Pumft! — A governanta bufou e meneou a cabeça. — Aquele lá, um herói? Pois sim!
— Não gosta dele, Sra. Reed? — Marguerite uniu as sobrancelhas, desconfiada.
— Não tenho de gostar, milady. Emery Giles está sob a responsabilidade do Sr. Griffins, mas para mim ele não passa de um folgado displicente e irresponsável. Onde já se viu? Deixar outra pessoa entrar no viveiro além de Lorde Bridgeford! Homem odioso!
Para Marguerite ficou claro que, tendo de gostar ou não, Agnes Reed detestava Emery Giles. A curiosidade se instalou, mas ela não perguntaria. Também era explícito que não teria uma resposta. Com isso, achou por bem esquecer o tema.

— Por que mandou me chamar, Sra. Reed?

— Por dois motivos — disse a senhora, mudando a postura. — Um bom e outro aborrecido.

— Comece pelo bom.

— Deve ver. Milady se incomodaria de seguir-me?

— Não. Para onde?

— Apenas venha... — pediu a governanta, esboçando um sorriso.

Direcionando sua curiosidade para a boa razão que quase lhe custou cortes profundos ou olhos arrancados por Krun, a duquesa seguiu a senhora. Durante o percurso elucidou o mistério.

— Estamos indo para as masmorras... Enfim, foram convertidas em dormitórios?

— Ah, estragou minha surpresa — lamuriou-se a governanta.

— Devia ter me contado — disse, divertida. — Lembro-me do caminho, Sra. Reed.

— Tem razão! — Agnes riu brevemente. — Acabei me animando com o término do serviço e me tornei óbvia. E, sim, precisaremos decidir quem se mudará, pois algumas criadas estão com medo de fantasmas.

— Que seja a ala masculina — sugeriu Marguerite. — Com o tempo veremos.

Antes as masmorras causariam medo. Agora pareciam quartos com paredes de pedra, cada um deles com cama, cômoda, guarda-roupa, cadeira e escrivaninha; de madeira comum, sem ornamentos, porém novos e lustrados. Ela dormiria ali se fosse preciso, sem medo algum.

— As portas foram consertadas? — Marguerite foi testá-las para ver se ainda rangiam.

— Bastou limpá-las e lubrificar as dobradiças, Lady Bridgeford. Ficaram como novas.

— Estou vendo... — Marguerite assentia, olhando em volta. — Bom trabalho!

— Agradeça ao Sr. Griffins. Ele foi o responsável. Pode não parecer, mas aprovou a maioria de vossas mudanças.

— Assim farei — garantiu, admirada. O mordomo, quem diria? Desde o incidente com o café da manhã eles pouco se falaram e o homem parecia sempre tão rígido e distante. Por certo o agradeceria. — Bem, já me mostrou a boa razão. Agora, tenho de ver a aborrecida?

Sim, Agnes Reed fez questão de levá-la à lavanderia para mostrar o estrago acidental.

— Vê? — Agnes indicou o vestido suspenso num cabide. — Veio com uma mancha e Nádia o trouxe para cá. Todas sabem que ela é responsável por vossas coisas, mas uma das criadas que passava roupa quis ajudá-la. Por descuido ou infelicidade, no ferro havia brasa demais e...

— Agora tem uma meia gota, negra e gigante, no vestido que escolhi para o aniversário do duque... — Marguerite concluiu ao seu modo, olhando com tristeza para o belo vestido azul.

— Já repreendi a desastrada, milady.

— Certamente ela deve ter mais cuidado, mas repreendê-la não resolve meu problema.

Comprou outros vestidos, bonitos como aquele, mas nenhum com saia tão rodada e fluída. E a cor era tão bonita! Como os olhos de Logan.

— Não, não resolve... Mas se faz questão de usá-lo, posso tentar dar um jeito.

— Como? O corpete foi queimado. O bordado está arruinado.

— Bem, posso fazê-lo, mas... Um detalhe me intriga.

— E qual seria, Sra. Reed?

— A cor... Não quero ser mexeriqueira, mas creio que deva saber o modo como a duquesa viúva se refere à Vossa Graça.

— De cisne azul? — Era fácil matar a charada. Agnes apenas assentiu. — Não imaginava que se referisse a mim dessa maneira, mas foi o que me disse em nosso primeiro jantar. E não me aborrece. Em nada me diminui, pois acredito que um cisne azul seria muito bonito.

— É mesmo o que pensa? — Agnes não escondia sua admiração.

— Exatamente o que penso. E como disse à duquesa viúva, todos gostam do que é diferente.

— Assim sendo... — A senhora sorriu abertamente. — Considere o reparo feito!

— Se a senhora acredita que há conserto, faça seu melhor. — De súbito a jovem suspirou, ensimesmada. — Sra. Reed, tenho outro problema além deste.

— O que seria? Se eu puder ajudar, milady.

— Não sei o que dar ao duque em seu aniversário. Creio que alguém como ele já tenha tudo. E ainda haverá os presentes que ganhará. Gostaria que o meu fosse diferente, especial.

— Não sei o que poderia ser — disse Agnes com pesar —, mas pensarei a respeito.

— Obrigada, Sra. Reed! Já será de grande ajuda. Agora, aceitarei um copo com água e uma xícara de chá. Poderia mandar que me servissem na biblioteca?

— Pedirei que preparem chá calmante. Não parece, mas depois do que passou deve estar nervosa. Que perigo! Talvez seja o caso de ficar longe daquela ave, milady.

— Sim, foi arriscado entrar no viveiro, mas não ficarei longe. Krun é fascinante!

— Minha nossa! — A senhora meneou a cabeça. — Milorde encontrou mesmo seu par.

Logan ainda era visitado pela incredulidade. Outra sessão findava na sede do partido, quando Lorde Townsend o convidou para se juntar a alguns amigos e a ele numa *alehouse* nos arredores do Hyde Park. Nunca pensou ser incluído no seleto grupo nem imaginou que refinados senhores se reunissem em estabelecimentos criados pelos anglo-saxões no século X ou que substituíssem o vinho, o uísque e o xerez pela forte cerveja, mas era fato.

Além dele, ao redor da mesa estavam Palmerston, Townsend, Yardley, Luton e Harlen. Todos discutiam extraoficialmente a possibilidade de uma interferência britânica na guerra civil americana para a retomada das colônias perdidas há décadas. Todos eram contrários e estudavam a melhor abordagem para mais um discurso de *elevada conscientização*, como chamavam as explanações acaloradas. E queriam a opinião do novato, quem diria?

— Como disse desde o início, votarei com os senhores assim que a moção for apresentada — falou Logan depois de tomar um gole da encorpada cerveja. — Pendo para a paz, mas mesmo que fosse diferente não veria quais benefícios uma retomada traria à Inglaterra. Em todo caso, não creio que vencêssemos.

— Duvida da capacidade de nossas tropas, Lorde Bridgeford? — indagou conde Yardley, general das Forças Armadas.

— Decerto que não — respondeu o impassível duque, descobrindo que o pacifismo do general era suplantado pelo ardor militar. — Apenas não subestimo o inimigo. Duvido que os americanos se rendessem. Bastaria que recordassem as imposições tributárias e comerciais às quais eram submetidos para que se unissem em prol da liberdade.

— União e Confederados, lutando juntos? Que belo delírio! — desdenhou o general.

— Considero-me lúcido. Em todo caso... — Logan se voltou para o banqueiro, único cavalheiro entre eles. — Sr. Harlen, quanto custaria aos cofres britânicos provar que deliro?

— Quantia considerável que no momento seria temerário dispormos — este respondeu. — Precisaríamos de aliados que nos apoiassem financeiramente.

— E quem apoiaria uma causa vencida há quase um século? Em minha opinião seria um dispendioso e desumano retrocesso, mesmo com chances de vitória.

— Em todo caso, esta não é mais a *nossa* causa — interveio o primeiro-ministro —, sim da oposição. Viemos aqui para encontrarmos argumentos eficazes para encerrarmos de vez essa questão. Temos nossos próprios problemas a resolver para nos metermos em uma crise doméstica estrangeira que se arrasta por anos.

— Perda desnecessária de vidas e recursos — Townsend acrescentou, olhando para Logan.

— Exatamente! — prosseguiu o primeiro-ministro. — Que a vitória seja de Lincoln ou dos confederados, a nós importa as boas relações conosco. Divido minha opinião com o jovem Bridgeford e repudio toda forma de retrocesso. Devemos nos ater ao tema que nos trouxe aqui.

— Voltemos a ele — sugeriu o barão de Luton.

— Senhores! — Logan chamou a atenção para si. Apreciava se sentir aceito, mas tinha um compromisso naquela noite. — É com pesar que peço licença e me retiro.

— Já vai? — Lorde Townsend se surpreendeu. — Não terminamos.

— E quando acontecer tenho certeza de que terão chegado a um sábio e eficiente consenso — Logan contemporizou já a vestir o preto sobretudo. — Quando aceitei tão honroso convite não imaginei que assuntos importantíssimos seriam tratados, caso contrário desde o início teria dito que tenho um assunto inadiável a tratar às sete e meia.

— Com algumas damas — comentou o barão, sarcástica e sugestivamente.

Antes de provocar o riso, Luton inspirou olhares desconfiados e repreensivos vindo dos demais senhores. Nos olhos do líder do partido havia ainda decepção. O duque podia se valer do tema bélico e contra atacar com as mesmas armas, lembrando ao barão que ele mesmo, assim como seus depravados filhos, não deixava passar uma oportunidade de estar com *damas*, mas ele estava acima da hipócrita maledicência. Com serenidade, calçando suas luvas, Logan disse:

— Certamente há uma dama envolvida, minha esposa.

— Mas a duquesa não está em Dorset? — Townsend franziu o cenho, desconfiado. — Foi o que me disse ontem pela manhã.

— Sim a duquesa partiu e isso me é providencial — confirmou, inabalável. — Tratarei de um assunto que interessa a ela. Farei uma agradável surpresa caso seja bem-sucedido.

— Quanto mistério! — O velho primeiro-ministro sorriu. — Se é para trazer alegria para sua jovem e agradável esposa, tem minha licença.

— É mesmo uma jovem encantadora — Townsend fez coro, suavizando a expressão. — Minha esposa se encantou por ela. Vá com meus votos para que tenha êxito no que for.

— Obrigado! — Logan agradeceu e vestiu sua cartola. — Senhores, tenham uma boa noite!

Com as despedidas o duque deixou a cervejaria e caminhou até sua carruagem. Murray cochilava na boleia e se sobressaltou ao vê-lo.

— Milorde! Mil perdões! — pediu ao saltar. — Eu... A chuva...

— Está tudo bem, Murray... Acalme-se. Apenas retome seu lugar e me leve ao Red Fox.

Com a carruagem em movimento Logan especulou até que ponto sua inclusão se devia aos elogios das esposas dos correligionários à Marguerite. Teria participado de um teste para que medissem seu grau de responsabilidade ou comprometimento agora que era um ex-libertino?

Que fosse! Seria grato à esposa pelo auxílio indireto, mas não àqueles que o aceitavam depois do casamento, pois alguns dos ilibados cavalheiros não divergiam dele tanto assim. O barão de Luton, o general Yardley e o banqueiro Harlen, por exemplo, eram seus conhecidos de esbórnia, entretanto, faziam parte do grupo fechado. Talvez a restrição fosse aos solteiros, Logan considerou, mas não perdeu muito de seu tempo com a questão.

Inclusões, invasões retrógradas, insatisfações trabalhistas e relações comerciais exteriores não o preocupavam mais do que o julgamento que a esposa pudesse estar fazendo dele depois da breve e odiada visita de Ketlyn à corte. Somente Deus sabia o que Marguerite estaria pensando e, pior, o que a ex-amante teria dito ao voltar. Como disse à mesa, não subestimava o inimigo. Ketlyn ter aceitado dormir em um hotel, sem ele, e ter partido pela manhã como ficou combinado não era prova de coisa alguma. Mulheres eram imprevisíveis.

Restava então esperar pelos acontecimentos, positivos ou negativos, ou pelas respostas às suas cartas. Escrevera duas até o momento, como prometido, uma para cada dia. Enquanto uma coisa ou outra não acontecesse Logan seguiria com seu plano. Ansiava colocá-lo em prática.

Em sua pressa ele não considerou que naquela quarta-feira nublada e fria nada veria além de cinco metros, tornando inútil sua chegada meia hora antes ao Red Fox. Escolheu a mesa à janela por teimosia. Mesmo a poucos metros queria dar uma boa olhada no tipo que Lowell enviaria. Alguém de *Blue Gate* não seria boa coisa. Caso o homem fosse um estandarte que chamasse a atenção para si, Logan sinalizaria para que o esperasse e o levaria a outro lugar.

Quem entrou às sete horas e cinco minutos foi um senhor de meia idade, bem alinhado e comedido que falou junto ao ouvido do garçom, levando Logan a olhar pela janela e maldizer a péssima educação de alguns. Ricos, remediados ou pobres deviam saber que atrasos eram antes de tudo um desrespeito com quem os esperava. Ele pensava em ir embora, quando o chamaram:

— Lorde Bridgeford?

— Pois não? — Ao se voltar Logan se deparou com o recém-chegado. — O que deseja?

— Boa noite! Perdoe-me pelo atraso... Sou Ralph West. Vosso irmão pediu que eu viesse.

— Sim, claro! Sente-se... — Logan indicou a cadeira à sua frente, surpreso. Em sua mente leviana criou uma imagem totalmente diferente. West não era esfarrapado nem mal-encarado. Antes disso, apresentava-se com sobriedade e elegância. Era americano.

— Então, milorde, em que posso ajudá-lo?

— Direito ao ponto. — Logan gostou da objetividade.

— Sei que homens como o senhor são ocupados e não quero tomar vosso tempo — disse, tirando um bloquinho e um lápis do bolso de seu paletó. — Podemos começar quando desejar.

— Não deseja pedir algo? — Logan ofereceu como uma pequena rebeldia por considerar que West não quisesse desperdiçar o próprio tempo. — Acompanhe-me no Porto.

— Nunca bebo em serviço, milorde — disse o homem, um tanto impaciente. — E para ser sincero, sinto-me deslocado nesses clubes para cavalheiros. Prefiro tabernas e pubs. Têm mais calor humano. Se é que me entende...

— Sim, eu entendo — Logan aquiesceu. E como sua necessidade por aquele tipo de calor humano tinha sido deixada para trás pela jovem que queria alegrar, encerrou as voltas. — Se nada deseja, vamos ao que o trouxe até aqui. Quero que encontre uma pessoa.

— Muito bem... — Compenetrado, West assentia. — Nome?

— Cora Hupert — disse o duque e, adiantando-se a todas as questões, acrescentou: — Era criada em Apple White, uma fazenda em Westling Ville, Somerset. Foi expulsa da casa pela avó, Ruth Wood, aos quinze anos. Hoje deve estar com dezessete anos.

— Características físicas? — West indagou sem nunca parar de escrever.

— Não sei muito. Apenas que tem olhos e cabelos pretos.

— Apenas isso?! — West enfim parou o lápis e encarou o duque. — Não sabe a altura, o peso, algum detalhe marcante? Sinal de nascença? Deformidade?

— Nada além do que disse. Ah, sim! O cabelo foi cortado de qualquer jeito, bem curto.

— Sabe onde foi vista pela última vez? — perguntou o senhor, resignado.

— Em Apple White, na noite em que foi expulsa.

— Tem de concordar que essas informações não me dão muitas pistas — disse Ralph West, batendo o lápis no bloquinho. — Será o mesmo que procurar um pelo branco num porco rosado.

— Lowell me disse que o senhor era bom — Logan retrucou e discretamente entregou uma bolsinha com algumas moedas. — Creio que aí tenha o suficiente para que procure o tal pelo branco com afinco.

Com a mesma discrição Ralph West conferiu o dinheiro. Os olhos do homem brilharam de interesse e ambição. Aquela parte não divergiu do que Logan imaginou, levando-o a completar:

— Terá mais se for necessário e bem recompensado se trouxer o paradeiro de Cora Hupert.

— Arrancarei cada maldito pelo rosado um a um até encontrar o branco se for preciso, milorde! — comprometeu-se West, pondo-se de pé. — Começarei amanhã mesmo.

— Caso tenha alguma novidade, mande um recado a este endereço e irei encontrá-lo onde se sinta confortável — disse Logan depois de apertar a mão estendida e passar seu cartão.

Ralph assentiu e se afastou. Depois de pegar seus pertences, vestiu a capa, o chapéu e partiu. Logo sumiu em meio à neblina. Agora Logan esperava que as libras empregadas animassem o *algo que o valha de Blue Gate Fields* a erguer até as pedras de Westling Ville atrás de pistas concretas que o levassem até Cora Hupert. Então, ele alegraria a duquesa.

Enquanto seguia para casa, sentindo os efeitos da forte cerveja e do vinho do Porto, Logan reconhecia que sua ação não era totalmente desinteressada. Tinha consciência de seu erro e esperava que ao contentar a esposa conseguisse pesos que ajudassem a pender a balança para seu lado quando ela pesasse suas virtudes e defeitos.

Decididamente Marguerite merecia alguém melhor, mas estavam casados pelas leis dos homens e pelas leis de Deus. E ele a amava, e precisava dela, e todos os dias tentaria cumprir a promessa de fazê-la feliz.

— Estará feliz hoje, Marguerite? Se não estiver, perdoe-me — Logan murmurou, olhando para a noite sombria. De súbito riu sem humor. — Decididamente nunca mais beberei cerveja!

## Capítulo 4

Apesar dos protestos de Nádia e de Agnes, na quinta-feira Marguerite deixou o castelo rumo ao aviário, tendo Jabor e Dirk por companhia. Depois de uma quarta-feira deprimente, chuvosa e fria ela bem-dizia o dia de sol. Descobrira que Krun a ajudava a esquecer o fato de seu marido estar em Londres com a mulher que amou, ou amava, enquanto ela estava ali, sozinha. Confirmando sua impressão, bastou ver Krun para que se esquecesse de tudo e sorrisse.

O falcão estava pousado no antebraço do tratador que, como Logan, carregava um bornal a tiracolo. Ao ouvir sua chegada a ave moveu a cabeça, mas não se agitou. Talvez por não vê-la, pois tinha a cabeça coberta por uma espécie de elmo que lhe cobria os olhos. Emery Giles não a recebeu com entusiasmo, chegando até mesmo a olhá-la com reprovação.

— Vossa Graça não devia ter vindo — disse ele quando a duquesa parou a poucos metros.

— Bom dia, Sr. Giles! — cumprimentou-o jovialmente. — Eu disse que viria e se o senhor quisesse que fosse o contrário não teria me dito o horário da soltura.

Giles abafou o riso e desfez a carranca.

— Tem razão, milady — aquiesceu. — Podemos ir? Eu já estava de saída, como pode ver.

— Quando o senhor quiser.

Marguerite seguiu ao lado de Giles, porém um passo atrás. Vez ou outra olhava para Krun. De perto a ave era ainda mais impressionante. Ela queria tocá-la, mas não se atreveu. Por estar distraída a duquesa pisou em falso num pequeno seixo. Teria caído se não se apoiasse nas costas do instrutor. Este se retesou e parou de imediato, não calando um impropério.

— Por favor, perdoe-me! — pediu Marguerite adiantando-se para olhá-lo. Giles abriu os olhos e, depois de engolir em seco, assentiu. Parecia aborrecido, mas ela logo percebeu o erro. — Está sentindo dor? Eu o machuquei? Não pode ser porque eu apenas...

— Não houve nada. Podemos prosseguir — ele disse rapidamente quando ela se calou e maximizou os olhos.

— Está ferido, não está? Desde o incidente no viveiro. Por que não me contou?

— Como disse, não houve nada. Estou acostumado às garras de Krun.

— Como é possível? — ela meneava a cabeça, incrédula. — Não deu demonstração de dor!

— Como disse, estou habituado a ter ferimentos. Não se preocupe, milady. Agora, por favor, vamos. Não quero atrasar meus afazeres.

— Sim... Vamos... — disse Marguerite, pensando como alguém se habituaria à dor.

Fosse como fosse, o homem foi ferido ao defendê-la. Do mesmo modo que ela o agradecia, sentia crescer o respeito pelo falcão. Nunca mais entraria no viveiro, decidiu, mas estava sob a influência da bela ave e bastou Giles sugerir e acariciasse as penas enquanto ainda tinha o caparão a tapar seus olhos para que ela tirasse uma das luvas e fizesse como dito.

— Sempre será uma surpresa. — Marguerite sorria, contente. — As penas são sedosas e macias. Como pode uma criatura tão bonita ser tão perigosa e mortal?

— Muitas criaturas perigosas distraem incautos com sua beleza para matá-los — retrucou Giles, como uma profecia.

Não era o caso, mas para Marguerite foi inevitável pensar em Ketlyn e sua fria beleza. Por sentir a tristeza rondá-la, ela afastou o pensamento. A duquesa viúva não era mortal, muito menos uma ave de rapina e se estava em Londres, que ficasse por lá.

— Quando irá soltá-lo? — indagou para que mudassem de assunto, afastando-se um passo.

— Agora mesmo, milady. Fique aqui com os cães e não se mexa.

Depois da recomendação Giles se afastou alguns metros e tirou a proteção da cabeça da ave. Em seguida libertou-o da fina corrente que o mantinha preso ao punho da grossa luva e Krun imediatamente enfeitou o céu. Marguerite foi desobediente um instante, pois se sentou na grama para observar e esquecer.

Na tarde daquele dia a duquesa teve outra poderosa distração, porém que não trazia paz. Ao subir depois do almoço, Marguerite descobriu a correspondência em sua escrivaninha. Logan prometeu escrever todos os dias, mas nada chegou de Londres. O que veio foi outra carta de Mitchell, daquela vez, com endereço. Seu amigo estava na Escócia.

Com mãos trêmulas Marguerite se sentou junto à lareira e abriu a carta.

*Caríssima senhora*
*Sinto vossa falta todos os dias. Meu último pensamento ao me deitar é vosso, assim como é vosso rosto que vejo ao acordar. Quando eu poderia imaginar que amaria assim, desmedidamente...*

Daquela vez, Marguerite leu a carta até o final. Era basicamente como a anterior, com juras, projetos de um futuro melhor e menções desnecessárias ao amor do duque pela madrasta. Ela não precisava ser lembrada daquilo, não com a ausência de ambos no castelo. Ela também não precisava de galanteios, mesmo os envaidecedores. E sabia não ser certo permitir que Mitchell levasse aquele tipo de correspondência à diante. Não o amava, jamais amaria.

Com o endereço memorizado Marguerite atirou a carta ao fogo e seguiu para a escrivaninha. A carta ideal não saiu da primeira tentativa, nem da segunda ou da terceira. Na hora seguinte a lareira foi alimentada por muitas folhas rabiscadas até que a duquesa tivesse o enredo perfeito, delicado e amigável. Por ter perdido o sono Marguerite aproveitou a tinta da caneta e respondeu às outras cartas. Com surpresa e alegria descobriu que duas delas vinham de Apple White. Ela abriu primeiro a de Edrick. Era breve, porém repleta de amor fraternal e ainda de preocupação quanto à felicidade dela. Marguerite lhe respondeu do mesmo modo, com amor e palavras que aliviassem o coração de seu irmão.

A carta de Catarina era maior. Sem dúvida a irmã lhe escrevera mais do que conversaram pessoalmente a vida inteira. O primeiro terço do texto não passou de mera especulação de como vivia uma duquesa. O segundo terço a lembrava da necessidade de lhe arranjar um bom partido, com todas as qualidades discriminadas. O último terço eliminou a diversão proporcionada pela leitura. Com a futilidade característica Catarina lamentava a falta de uma comemoração por seu aniversário graças a uma misteriosa doença que debilitava o barão.

Marguerite respondeu de modo sucinto, passando rapidamente por todos os pontos até que a parabenizasse pelo aniversário e terminasse com o pedido de que a mantivesse informada. Em seguida redigiu nova carta ao irmão. Além de tudo que dissera antes queria saber por que ele nada falou sobre a saúde do pai. Em meio a tantas distrações, naquele e no dia seguinte, ela se esqueceu de Ketlyn. Foi lembrada da nefasta existência na tarde de sexta-feira ao voltar de um passeio e flagrar o exato momento em que ela, linda e altiva, descia da carruagem de aluguel.

— Ora, que grata surpresa! — exclamou Ketlyn, exibindo seu inexpressivo sorriso.

— A melhor de todas — disse Marguerite, lutando com as pernas bambas e o coração aos saltos. Sua vontade era entrar sem olhar para trás, mas era civilizada. — Fez boa viagem?

— Que delicado de sua parte perguntar... Sim. Foi a melhor viagem que fiz em anos!

Marguerite engoliu aquela resposta e ao ver o pouco que era tirado da carruagem por um dos lacaios comentou, não por amabilidade forçada, sim, curiosidade real:

— Pensei que tivesse ido às compras.

— Oh, sim, compras! — Ketlyn se sobressaltou de modo teatral, então, sorriu. — Não houve tempo. Eu estive muito ocupada esses dias.

— Entendo... — Marguerite levou as mãos às costas para ocultar os punhos cerrados. Tinha de sair dali. — Bem, seja bem-vinda de volta!

— Obrigada! E, Marguerite...? — chamou quando a jovem já seguia para a entrada principal. Contendo a respiração Marguerite se voltou. — O duque mandou lembranças.

— Considere entregue — ela retrucou e partiu antes que mandasse a boa educação às favas. Em seu quarto ela controlou a força para não bater a porta e calou um rosnado. — Mulherzinha odiosa! O que Logan pode ter visto nela?! Argh!

Marguerite ainda andava de um lado ao outro, furiosa, quando Nádia bateu à porta.

— Entre e feche a porta! — liberou de mau humor.

— Milady... — disse a criada ao obedecê-la. — Já deve ter visto a duquesa viúva.

— Tive o desprazer — confirmou indo, enfim, sentar-se. Não queria ser grosseira, mas não se dominava nem moderava o aborrecimento. — O que tem isso?

— Não sei o quanto conversaram...

— Mais do que eu gostaria, certamente.

— Então, sabe que a duquesa viúva irá se mudar?

— O quê?! — Marguerite se pôs de pé. — Se mudar? Quando?

— Ah, não sabia? Bem, Phyllis contou na ala dos criados que devem partir tão logo a casa da vila esteja pronta para receber a duquesa viúva.

O que aquilo significava? Marguerite especulou, analisando as possibilidades. Logan teria rompido? Ou o casal tinha um novo plano? Não, eles não formavam um casal, corrigiu-se.

— Agradeço a informação, mas se a mudança não será hoje, prefiro nem falar a respeito.

— Está bem, milady... Eu não queria aborrecê-la, perdoe-me!

— Não há o que perdoar. Gostei de saber, só não quero falar sobre isso. — A exalar um resignado suspiro, Marguerite pediu: — Traga-me uma xícara de chá apenas. Não tenho fome.

— Agora mesmo, milady.

Ao ficar sozinha Marguerite voltou a andar pelo quarto, roendo o canto do polegar sem notar, novamente considerando o significado da novidade. Logo Nádia voltou com a xícara de chá e a encarou com olhos maximizados.

— Nádia, o que houve?

— Milady não vai acreditar se eu disser quem acaba de chegar...

— Temos visita? Quem chegou?

— Marguerite, você está... — O recém-chegado irrompeu porta adentro, sorrindo ao ver a duquesa, mas estacou e se recompôs ao notar a presença da criada. — Ah, não está sozinha.

— Logan?! — Marguerite disse o nome por reflexo, estupefata. Alegrou-se por um segundo antes que o entendimento a mortificasse. — Eu não acredito que esteja aqui!

— Deixe-nos a sós, Srta. Riche — pediu Logan sem deixar de olhar para a esposa.

Nádia titubeou, rubra, indecisa quanto ao chá. Optou por deixá-lo na escrivaninha e saiu apressadamente. Bastou que a porta fosse fechada para que Logan caminhasse a passos largos até a duquesa e a abraçasse. Ante a surpresa não houve tempo para protesto e Marguerite foi beijada. Os lábios dele exerciam pressão nos dela, a língua forçava passagem.

Era como o afã de um homem apaixonado, mas a mente de Marguerite a recordou que ele não tinha como estar sentindo a falta dela quando esteve todos aqueles dias com outra; quando voltou para casa em menos de uma semana depois de dizer que ficaria fora por quinze dias. Todos aqueles detalhes deram força à Marguerite para que escapasse do marido.

— Não me toque! — sibilou, limpando a boca com as costas da mão. — Como se atreve?

— O que há com você? — Logan escrutinava seu rosto, confuso. Então, suavizou a expressão e arriscou: — Ainda está aborrecida porque a fiz voltar? Se sim, entenda que...

— Que quis ficar a sós com sua amante — Marguerite o interrompeu. Parecia claro agora. — Até mesmo posso apostar que aquele bilhete foi escrito por ela e você não perdeu tempo em me mandar embora. Até mesmo ouço as boas risadas que deram à custa da pobre duquesa ingênua aqui. Mas tenho uma novidade para o senhor. Eu...

— Está fora de seu juízo! — Foi ele a interrompê-la daquela vez, de cenho franzido. — Não duvidei que pensasse algo parecido quando soube que Ketlyn estava em Londres, mas não imaginei que sua imaginação a levasse tão longe. Esqueceu-se de tudo que conversamos?

— É fácil esquecer palavras mentirosas e minha imaginação não precisou ir longe depois de Ketlyn partir na sua carruagem e chegar hoje, menos de uma hora antes que o senhor!

— O quê? Isso é impossível? Eu disse a ela que voltasse na manhã seguinte.

— Disse a ela, não disse? — Marguerite sentiu o sangue esquentar sua face e queimar suas veias. Apontando a porta, ordenou: — Deixe meu quarto imediatamente e nunca mais se atreva a me tocar.

— Não se atreva a me expulsar — Logan rebateu, aborrecendo-se. — Eu não quero discutir, Marguerite, sim, entender o que está acontecendo aqui.

— Considera-me tão inocente? Achou que eu não repararia que praticamente chegaram juntos?! O que fez? Transferiu-a de sua carruagem para outra e lhe deu uma hora de vantagem?

— Pare imediatamente, Marguerite! — Logan não entendia por que Ketlyn tinha demorado a voltar nem como fora envolvido naquela terrível coincidência, mas não deixaria que a esposa tornasse tudo pior. — Dei folga a Ebert e a Murray esse final de semana e vim de trem. Demorei a vir para Castle porque fiz a viagem com um velho amigo de meu pai e ele me convidou para tomarmos uma taça de vinho. Provavelmente Ketlyn veio na mesma composição.

— Não me diga! — Marguerite desdenhou, cruzando os braços.

— Digo e digo mais — Logan não se abateu ao enfatizar cada palavra. — Nós não viajamos juntos. Sim, eu estive com Ketlyn e nós conversamos. E, sim, ela quis que ficássemos juntos, mas nada aconteceu e não tornarei a dizer isso. Minha palavra é uma só.

Marguerite apertou os lábios, sentida. Tentando domar os tremores, procurou pensar com clareza. Logan parecia estar sendo sincero. Ainda de braços cruzados, olhando-o de esguelha, indagou:

— E por que não ficou com ela?

— Porque tudo mudou — ele retrucou também tentando manter a calma. — Contava que a senhora se lembrasse. Não se trata mais dela, Marguerite, sim, de você.

— Então... Não foi Ketlyn quem enviou aquele recado?

— Não, foi Townsend, líder dos Liberais — ele respondeu, avançando um passo. — Está em Altman Chalet e eu o apresentaria como prova irrefutável, mas prefiro que acredite no que digo.

— E, mesmo que nada tenha acontecido, estiveram juntos todos esses dias?

— Não, Marguerite — Logan disse com firmeza, sustentando o límpido olhar. — Estive com Ketlyn na noite de terça-feira. Fui encontrá-la no endereço que enviou por Ebert, sem acreditar que ela estivesse em Londres. Houve uma tentativa de aproximação, mas eu a impedi.

— E rompeu o relacionamento?

A ansiedade dela estava nos olhos e no tom. Logan queria dizer que sim para acabar de vez com a distância, mas não podia mentir. Não quanto àquilo.

— Não rompeu, não é mesmo? — Marguerite soube pela séria expressão do marido.

— Não com as palavras exatas, mas a fiz entender que não seria mais como antes. E Ketlyn concordou em se mudar.

— Tão logo a casa da vila esteja pronta para recebê-la... — Marguerite murmurou.

— Ah, então já sabe! — Logan considerou aquela uma boa notícia, mas percebeu que ela não dividia com ele o mesmo entusiasmo. — Marguerite, escute... Você sempre soube que não seria simples. Eu poderia exercer minha autoridade, romper e pronto, mas não vejo razão para ser assim, insensível. Não basta saber que não estamos juntos?

— Esse é o problema... Eu não sei! — Marguerite alteou a voz, pois sentia que sufocava. — O que diz diverge do que vejo. Mandou-me embora sem pestanejar e no dia seguinte, quando acordei, Ketlyn tinha partido. Disse que devia ter vindo na manhã seguinte, mas ela chegou pouco antes de você.

— Não entendo essa parte nem a razão de não ter sido informado desse detalhe quando cheguei, mas não estivemos nem viemos juntos. Foi apenas uma infeliz coincidência.

— Compartilho de sua ignorância e como não teremos como saber de nada que não se refira a nós nesse momento, gostaria que me dissesse por que está aqui antes do previsto.

— Ainda não acredita em mim — Logan deu voz ao pensamento, meneando a cabeça.

— Faça com que eu acredite.

Logan interpretou o pedido como quis e com uma larga passada foi até Marguerite. Daquela vez estava preparado para a resistência e a segurou com força, abraçando-a pela cintura com um dos braços e segurando-a pela cabeça com a mão livre para que pudesse beijá-la.

Ela o empurrou pelos ombros, mantendo os lábios cerrados até que precisasse de ar. Ele não perdeu a chance de explorar sua boca. Marguerite queria resistir, mas o corpo saudoso reagiu de imediato, eriçado. Os rijos mamilos roçavam no bojo do corpete, seu sexo pulsava.

Se pensasse com frieza ela iniciaria nova luta, mas o fogo que se alastrava com velocidade assustadora tornava gloriosa a derrota. Correspondendo-o, Marguerite abraçou o duque pelo pescoço. Logan gemeu de satisfação e a ergueu do chão. Sem nunca deixar de beijá-la ele a levou até a cama e caiu de costas no macio colchão. Incontinenti Logan girou os corpos para que se acomodasse sobre Marguerite. Somente então quebrou o beijo e a encarou.

Enfim, ver os olhos brilhantes e a boca arfante fez valer sua ida até Dorset. Como sentia falta daquela imagem!

— Assim devia ter sido nosso encontro — murmurou. — Não gosto quando brigamos.

— E eu, quando mentem para mim — ela retrucou, mas não pôde ir além, pois mais uma vez foi beijada até que perdesse o ar. — Senhor... O que pretende...? Matar-me?

— Calá-la! — Logan se atreveu a abrir um sorriso divertido, mesmo que a irritasse. — Para ter a chance de mostrar que não minto. Consegui uma dispensa até domingo e não quero desperdiçar tão pouco tempo com discussões.

— Até domingo?! — Marguerite uniu as sobrancelhas. — Mas eu pensei...

— Que eu tivesse mentido quanto aos quinze dias — ele troçou. — Você foi bem eloquente. Não tive como não notar.

— Graceja de minha consternação!

Marguerite virou o rosto, pois não havia o que fazer para demonstrar sua contrariedade. Logan era pesado, forte e a mantinha no lugar.

— Gracejo porque acabo de descobrir que fica adorável quando está aborrecida — ele respondeu antes de mordiscá-la no queixo. — Tenho uma esposa arisca.

— Logan... — Marguerite gostaria que ele falasse sério, sem tentar distraí-la com a voz grave, dentes gentis e lábios mornos.

— Olhe para mim, Marguerite! — pediu com seriedade, como se tivesse adivinhado o desejo dela. Ao ser atendido, prosseguiu: — Inventei uma desculpa qualquer para me ausentar até domingo porque precisava vê-la. Se não fosse por sentir sua falta seria para verificar o estrago que a viagem de Ketlyn tinha causado em nossa frágil relação. Pelo que vi, fiz bem em vir. Preciso ter certeza de que você está bem, sabendo que nada mudou entre nós. Depois verei com Ketlyn onde esteve por esses dias.

— Está com ciúmes? — Ela, sim, apenas por imaginar que ele estivesse.

— Não — negou seguramente. — Apenas não quero que haja mal-entendidos entre *nós*.

— Sendo assim, fez mesmo muito bem em vir porque eu pensava o pior — admitiu, mirando a gravata azul cujo alfinete ela tocava, desconcertada. — E... eu sentia a sua falta.

— Ah, Marguerite!

Satisfeito, como se as palavras dela fossem o melhor afrodisíaco já descoberto, Logan sentiu seu corpo vibrar e se levantou para tirar o casaco, a gravata e o colete sem nunca deixar de olhar para Marguerite que o encarava ainda com embaraço. Depois de tirar a camisa pela cabeça, Logan novamente se estendeu sobre a esposa e a beijou. Foi correspondido desde o primeiro instante e não se contentou com pouco.

Aflito, puxou para baixo o decote do vestido e apertou um seio. Logo se curvou e chupou os mamilos livres, sentindo Marguerite desordenar seu cabelo. Gostaria de ser mais gentil, ela merecia que o fosse, mas a crua verdade era que não mais se dominava. Precisava dela desesperadamente e, não suportando a dolorida ereção, ele a girou na cama. Ato contínuo Logan ergueu a saia do vestido, as anáguas e baixou a pantalona até os joelhos de Marguerite.

— Logan... — ela gemeu, quando ele mordeu uma de suas nádegas enquanto livrava o rígido sexo. — Oh!

Não houve muito a dizer depois que Logan a fez erguer o traseiro e penetrou-a, por trás. Com as pernas presas pela pantalona não havia muito a fazer além de se oferecer mais a cada investida e morrer lentamente de prazer e agonia até que o friccionar dos sexos os levasse ao gozo avassalador. Satisfeito, Logan se estendeu no corpo de Marguerite e a abraçou, cheirando o cabelo desarrumado durante o beijo.

— Acredita que senti sua falta? — ele indagou junto ao ouvido dela, beijando-o.

— Acredito — murmurou, não pensava muito naquele instante.

— Não sei o que ela esteve fazendo, ou onde, ou com quem... — ele disse ainda ao ouvido que beijava. — Sei que eu não lhe fiz companhia.

— Acredito em você — ela disse com maior entendimento, aceitando a verdade.

— Isto é bom, pois meus dias são de reuniões aborrecidas e minhas noites de inédito vazio.

— E Lowell? — ela indagou, apreciando o calor, o corpo pesando no dela. — Não tem sido boa companhia?

— Lowell vai e vem, geralmente tarde da noite... E não posso abraçá-lo nem beijá-lo, então...

— Seria escandaloso! — Marguerite riu com o gracejo e enfim se mexeu.

Não sem protestar Logan a libertou e levantou para se recompor. Marguerite se pôs de pé e preferiu tirar as botinhas e a pantalona. Ainda ria quando Logan a abraçou pela cintura e fez com que caísse na cama.

— Não sei se aprovo esse novo hábito, duque — ela gracejou.

— Aprova — ele disse seguramente —, pois ainda me ama. Espero.

— Amo! E tive tanto medo, Logan... Não tem ideia do quanto sofri, pensando em vocês...

— Shhhh... — Logan meneou a cabeça. — Não pense nisso, não diga. Entendo que tenha se baseado no que parecia óbvio, mas não passou de ilusão, proposital ou não.

— Acha que ela demorou em Londres justamente para sugerir que estivessem juntos?

— É possível — ele considerou e, valendo-se do ardil de Ketlyn, disse: — Se ela notou que agora amo minha esposa é capaz de tudo para envenená-la contra mim. Não acredite no que vir ou ouvir vindo dela. Prefira sempre falar comigo antes que sofra. Também esqueceu que meu compromisso é fazê-la feliz?

— Prometo não voltar a esquecer. — Marguerite exibiu um luminoso sorriso. — Refresque minha memória até domingo.

— Se disser que está contente com minha visita, duquesa... — Era a única condição.

— Estou muito, muito contente com vossa visita, duque!

No meio da tarde, com Marguerite seminua a repousar em revoltos lençóis, Logan deixou um beijo nas alvas costas e saiu do quarto em mangas de camisa. Ao vê-lo aos pés da escadaria Griffins o olhou de alto a baixo, mas não cometeu a indiscrição de comentar o despojamento do patrão. Nem Logan lhe deu chance, interpelando-o:

— Por que não disse que a duquesa viúva chegou de viagem poucos minutos antes de mim?

— Acreditei que soubesse — falou o senhor, empertigado. — Vieram juntos, não?

— Quer saber se viemos no mesmo trem, eu espero. Não se viemos verdadeiramente juntos, pois eu nunca lhe disse isso, Griffins. Deve evitar deduzir o que quer que seja e sempre se sentir inclinado a relatar tudo que se passe neste castelo.

— Peço perdão pela indiscrição, milorde, mas não houve dedução. Foi a própria duquesa viúva quem me disse que o senhor chegaria em breve. E como não seria a primeira vez...

— Compreendo! — ciciou Logan, aborrecido consigo mesmo. Ele era o único culpado por aquela situação, não Griffins ou qualquer outro criado. — Vá cuidar de seus afazeres e peça que me sirvam uma refeição leve no gabinete.

— Agora mesmo, milorde... — Depois de reverenciá-lo Griffins o deixou.

Com Ketlyn entender-se-ia depois, Logan pensou. No gabinete, ele olhou com certo enfado para a correspondência organizada por ordem de chegada. Igualmente desanimador era ver os cadernos de notas e registros pertinentes ao ducado. Estava em atraso com suas obrigações, mas preferia voltar para o quarto e lá ficar até que fosse noite.

— Ah, aqui está você!

— Fala como se eu estivesse me escondendo — comentou o duque, de olhos fechados, respirando pausadamente.

— Devia estar. Como pode se apresentar assim, sem gravata e paletó?

— Eu estou em casa, não nos salões londrinos, Ketlyn.

— Parece que regredi no tempo, quando você era rebelde. Não esqueça que agora é duque e precisa se apresentar como tal — disse Ketlyn, preparando-se para fechar a porta.

— Deixe aberta!

— Soube que Marguerite dorme o sono dos inocentes. — Ela se afastou da porta. — Foi um ato falho. Reflexo do tempo em que não nos privávamos de bons momentos a sós.

— Agora, sim, regride no tempo. Hoje tudo está diferente — ele replicou, pensando com divertimento que na verdade Marguerite dormia o sono dos sexualmente fatigados.

— Noto que está de bom humor. Então, diga-me... Como está o clima em Londres?

— Nada mudou — respondeu ele, olhando-a de esguelha, livre do humor citado. — Está como o deixou esta manhã. Por que age como se não tivesse voltado hoje? Onde esteve?

— Acalme-se, querido! — Ketlyn pediu, aproximando-se languidamente. — Ciúme é para os tolos. Não precisa se preocupar... Apesar de sua pouca atenção, sou fiel.

— Não me preocupo com isso. — Logan se afastou. — Sim, com o que pareceu à minha esposa. O que pretende? Ainda espera que Marguerite me deixe?

— Oh, não! — Ketlyn meneou a cabeça com veemência. — Apenas aproveitei que estava fora, e o castelo nas mãos da nova dona, para rever amigas que há anos não encontrava. Uma delas pediu que eu ficasse e acabei cedendo. Se quiser posso explicar para a duquesa.

— Fique longe de Marguerite! — Logan ordenou. — Apenas tome mais cuidado com essas longas visitas.

— Já que a ideia é me manter longe, vai gostar de saber que mandei arejar a casa da vila.

— Folgo em saber... — Logan foi salvo pelo lacaio que assomou à porta, equilibrando uma bandeja. — Entre!

— Com vossa licença, milorde.

Logan indicou a mesa de trabalho e sentou, esperando que o criado descobrisse o prato e o servisse de suco.

— Creio que já tenha lanchado — disse à Ketlyn, olhando para a comida com interesse.

— Sim, Phyllis me serviu há pouco... Vou deixá-lo para que coma em paz e seguirei o exemplo da duquesa. Mereço o sono dos inocentes, não acha? Ou seria dos justos.

Logan agradeceu que Ketlyn tenha ido embora. Nem um dos dois merecia qualquer tipo de sono especial, dos inocentes nem dos justos. O Lacaio saiu em seguida, reservado como chegou, deixando que o duque fizesse sua refeição em paz. Depois de colocar ao menos a leitura das cartas em dia, Logan se animou a visitar Krun.

Os *Staffies* foram se juntar ao dono a poucos metros do aviário. Era tarde para soltar o falcão, afinal, no outono escurecia cada vez mais cedo. Nem mesmo o tratador estava presente, ainda assim Logan calçou sua luva de couro, pegou o apito e levou Krun para um passeio.

— Hoje eu sei que não vai levar um pedaço de meu dedo — disse à ave na campina ao retirar o caparão. — Seja breve! Quero apenas consolidar nossa amizade.

Vendo Krun alçar voo, Logan se congratulou por tudo ter terminado bem com Marguerite e bendisse a mudança de Ketlyn. Satisfeito, ele assistiu ao voo do falcão, com o crepúsculo como seu pano de fundo, até que encerrasse o passeio fora de hora. Com Krun no aviário, Logan marchou para o castelo. Em seu caminho recebeu o cumprimento de Mackenzie, o corpulento chefe da vigilância, e de seus homens. Como de costume, Dirk e Jabor foram fazer companhia aos guardas, deixando que o dono entrasse e tratasse de se aprontar para o jantar.

## Capítulo 5

— Seremos apenas nós dois? — indagou Marguerite, depois de se servir de sopa.

— Não parece perfeito? — Com os pulsos apoiados à mesa, Logan analisava a esposa. — A duquesa viúva recebeu o convite para um jantar na vila.

— Lamento que não venha a este.

O duque franziu o cenho. Não pediu que a ex-amante se afastasse durante as refeições, mas preferia daquele modo. O comunicado da ausência lhe foi passado por bilhete ao voltar do breve passeio na campina. Ele pensou em voltar para Marguerite, mas preferiu descansar até que fosse hora de se vestir para o jantar.

Contudo, ao buscá-la no horário acertado, Logan se arrependeu da decisão. Marguerite não parecia aborrecida, mas estava ensimesmada, distante.

Quando a tocou no corredor ela até mesmo se sobressaltou como se não fossem íntimos. E agora lamentava a falta de Ketlyn?

— Nunca pensei que um dia duvidaria, mas preciso confirmar... Está sendo sincera? Não lhe parece melhor assim? Não seria constrangedor termos Ketlyn à mesa?

— Tem razão... É que estava acostumada a tê-la conosco. A mesa parece maior.

— E havia Dempsey — ele observou, olhando-a de esguelha.

— Não tenho notícias de Mitchell! — Marguerite afirmou, deixando a colher na borda do prato para encarar o marido com olhos maximizados.

— Tampouco perguntei ou disse que a senhora as teria. — Logan fechou a expressão. — Há algo que queira me dizer?

— Não! — Marguerite tentou justificar o ato falho. — Na verdade, sim... Estive pensando se Mitchell virá para seu aniversário.

— Você quer que ele venha? — Logan ergueu uma das sobrancelhas enquanto a encarava.

— Não se trata do que eu quero. A questão surgiu por ser ele seu amigo e por me recordar do modo abrupto que partiu. Nunca soubemos do que se tratava o tal imprevisto afinal.

— Com certeza Dempsey foi chamado de volta à Escócia. Com sorte encontrou uma boa moça e com ela se casou.

— Ele teria nos convidado para o casamento, não? Seus amigos?

— Não, se ele não quisesse... — Logan respondeu, analisando-a. — Tem certeza de que não tem nada a me dizer sobre Dempsey?

— Sim... Era uma dúvida tola. Apenas esqueça o que eu disse.

Logan agradeceu a mudança de tema, pois não queria Marguerite ocupando a mente com o temerário amigo. E Mitchell Dempsey que não se atrevesse a surgir tão cedo. Que permanecesse onde estivesse. Em Londres, nas Highlands ou no inferno.

— Sobre Dempsey, esquecerei com certeza, mas não posso esquecer o que disse... Por mais que nos amemos parece deprimente sermos apenas nós dois em uma mesa tão grande. — Logan segurou a mão da esposa e sorriu. — Precisamos formar nossa família. Consegue imaginar, daqui a alguns anos, nossos filhos e filhas bem aqui? Cinco seria um bom número.

— Cinco?! — Com aquela declaração Logan conseguiu eliminar as cismas de Marguerite quanto às cartas de amor devidamente queimadas. — Não se contentaria com dois?

Ele se contentaria com um desde que vindo dela, era a chocante verdade. Não admitiu para o irmão, mas a esposa operara o milagre. Ou quebrara o encanto de Ketlyn, na concepção de Alethia. Sob muitos aspectos ele provavelmente ainda seria arrogante, no entanto, jamais no que se referisse à Marguerite. Dela queria tudo e para ela tudo daria.

— Podemos pensar em três? — Logan sugeriu. — Seria justo. Você está familiarizada e eu sei que apenas dois pode ser um problema, caso eles não se relacionem bem. Não resta um para ser o favorito.

— Logan... Sua relação com Lowell é difícil, eu sei, mas eu não diria que não se relacionam bem. O que sentem um pelo outro está apenas... abalado.

— Eu diria que está em ruínas, mas não posso mandar em suas impressões — ele troçou antes de tomar uma colherada da sopa. Marguerite o imitou e, minutos depois, indagou:

— Poderia me dizer por que brigaram?

— Não houve uma grande briga, caso seja o que imagina. — Logan pousou a colher à borda do prato e a encarou. — Tudo começou com pequenas implicâncias, breves desentendimentos e, quando notei, sempre estávamos envolvidos em acaloradas discussões.

— E isso foi antes ou depois do segundo casamento de seu pai?

— Parece óbvio que tenha sido depois, mas não foi. A vinda de Ketlyn apenas agravou nossa péssima relação.

— Mas precisa haver um motivo — ela insistiu, descartando a hipótese de Lowell ser como Hamlet, rancoroso.

— Ah, sim! Disso não duvido, porém eu não atino o que possa ser e como Lowell nunca me diz... — Reticente Logan recuperou a colher e voltou sua atenção à sopa.

47

Um mistério a ser resolvido, pensou Marguerite. Não parecia que o cunhado se ressentisse por ser o segundo filho, mesmo com o comentário sobre Logan ter sido criado para ser o herdeiro perfeito. Se Ketlyn não era o pomo da discórdia, ela descobriria a razão nada óbvia.

— Esqueça! Não vale a pena se ocupar dessa história.

— Como?! — Marguerite olhou para o marido, surpresa. — Adivinhou meu pensamento?

— Li sua expressão — ele corrigiu, sorrindo. — Começo a entendê-la um pouco e parece determinada. Você apenas confirmou com sua reação.

— Bem... Estou mesmo determinada e penso que vale, sim, a pena. Não quero que nossos dois filhos tenham um tio ausente.

— Determinada e trapaceira! — Logan riu. — Negociamos três filhos, não...

— A duquesa viúva! — Griffins anunciou a entrada de Ketlyn, interrompendo o patrão.

Logan se pôs de pé e seguiu o olhar da esposa até a porta, tão surpreso quanto ela. A recém-chegada estava sob o limiar, pronta para o jantar na vila.

— Perdoe-me por interromper! — pediu Ketlyn, sem especial inflexão, olhando de um ao outro com indiferença. — Vim desejar-lhes boa noite.

— Obrigada! — Marguerite agradeceu num murmúrio e tomou um gole de vinho para irrigar a garganta subitamente ressequida.

A duquesa viúva estava divina no vestido marrom, decorado com pedrarias. No cabelo escuro ela ostentava uma tiara tão suntuosa quanto os brincos e o colar que a enfeitavam. Impossível não considerar surreal Logan tê-la preterido, considerou Marguerite.

— Obrigado! — Logan se sentou, mantendo o cenho franzido. — Pensei que já estivesse lá.

— Sabe como funciona a Casa Carmichael — comentou Ketlyn, exibindo um dos famosos sorrisos plastificados. — Conversas sem fim antes de um jantar servido às nove e meia. Estarei lá a tempo.

— Então, tenha uma boa noite! — ele desejou, rogando para que ela logo partisse. Ao que parecia sempre seria lembrado do que fizeram juntos. — O cocheiro deve estar a vossa espera.

— Certamente... — Ketlyn anuiu, ainda a escrutinar a cena. Moveu-se, mas de súbito parou e acrescentou: — Realmente lamento ter interrompido tão animada conversa. Não pude deixar de ouvir parte dela, então, rogo para que vossos filhos venham sem demora e com saúde.

Marguerite não era dada a crendices, mas reconheceu as vibrações de mau agouro.

— Marguerite? Está bem?

— Estou — disse rapidamente, sorrindo para eliminar a preocupação que via nos olhos do marido. — Senti frio, de repente.

— Como se alguém caminhasse sobre sua campa — comentou o duque, apertando sua mão. — Sinto esses calafrios de vez em quando. Esqueça!

— Já esqueci — ela garantiu, olhando fortuitamente para a porta vazia.

Antes que voltasse a atenção à mesa, o olhar de Marguerite cruzou com o de Griffins, postos nela. O contato fora breve e logo deixou a sensação de ilusão. Desde a primeira manhã, quando o convenceu a deixá-la servir o desjejum, não se falavam. Não havia razão para ser observada. Esquecendo-se do mordomo, Marguerite encarou o duque e sorriu.

Devia se alegrar, pois mesmo Ketlyn sendo a personificação do requinte e da perfeição, Logan a deixou. Amava a ela, Marguerite, e não parecia arrependido. Com a saída da duquesa viúva, ele logo voltou ao tema anterior como se não tivessem sido interrompidos.

— Serão quatro filhos! — Logan determinou. — Com nossos genros e noras nós teremos uma mesa praticamente completa.

— Bom Deus! — Marguerite riu esquecida até mesmo de Ketlyn. — Já pensa em genros e noras?

— Você me fez desejar todas as coisas. — Repentinamente sério o duque beijou a mão da esposa. — Mais do que almejei. Não quero apenas um herdeiro que mantenha o título e as herdades, mas todo o resto. Muitos filhos e netos para mimar, para ensinar a montar e a caçar. Para os quais farei questão de escolher a maior e melhor árvore de Natal.

— Gosta do Natal?

— Sim, gosto muito, mas nos últimos anos não o tenho celebrado como devido — revelou o duque antes de beber um gole de vinho branco, servido com a sopa.

— E não sente falta? — Marguerite gostava de saber mais sobre Logan. A cada avanço a imagem de vilão era desmistificada.

Até aquele momento Logan não tinha percebido o quanto sentia falta da festa natalina. Por seu envolvimento com Ketlyn, ele fechou as portas do castelo, preferindo cear na casa de algum distinto casal da vila, sob o manto dos comportados enteado e madrasta. Caso não tivesse conhecido Marguerite, aquele seria outro ano em que o Natal seria frio, impessoal e encenado.

— Se senti falta ou não, não importa agora que está aqui — respondeu. — Enquanto nossos filhos não vêm, na manhã seguinte ao meu aniversário procurarei a melhor árvore para você.

— Adorarei enfeitá-la, mas não tenha tanta pressa. Por certo estará cansado depois da festa. Poderá iniciar a procura no dia vinte e três.

Logan se perdeu no largo sorriso. A distração custou bons pigarros do lacaio que esperava ao lado para que ele se servisse de um galeto.

— Por que não a conheci em outras circunstâncias?

— Faria diferença? — Marguerite acomodava a ave assada para melhor cortá-la.

Logan agradeceu não estar sendo analisado, pois sentia a culpa estampada no rosto. Não notou que deu voz ao pensamento recorrente. Agora que a amava, acreditava que aconteceria de qualquer maneira desde que tivesse a oportunidade de notar o quanto ela era admirável. Então, sim, faria uma enorme diferença se a conhecesse em outra ocasião. Contudo, não diria.

— Diferença alguma... E o que acha de jantarmos para que os criados possam descansar?

— Acho ótimo.

Esquecendo-se da incoerência do marido a duquesa jantou em silêncio. A sopa estava divina, o galeto e os acompanhamentos estavam perfeitos, assim como o vinho servido com cada prato.

— Hummm! Saberia me dizer que doce é esse? — Marguerite perguntou quando finalizava sua sobremesa.

— É uma torta de limão à francesa — respondeu Logan. — Não estou certo, Griffins?

— Sim, milorde! Está é uma torta de limão com *crème au citron*.

— É deliciosa! O sabor cítrico do limão combinou perfeitamente com o açúcar e a manteiga.

— Os franceses são os mestres da gastronomia — falou o duque, apreciando o prazer e a surpresa de sua esposa. — Quando formos à Paris, poderá experimentar outras delícias.

— Quer me levar a Paris? — Marguerite parou a colher a centímetro de sua boca.

— Não só a Paris, como a muitos outros lugares, mas não me olhe como se fosse amanhã — ele gracejou. — Termine sua sobremesa.

— Adorarei viajar com você, mesmo que não seja amanhã. E saiba que este sempre será meu doce francês preferido — garantiu antes de levar o último pedaço à boca.

— Se é o que diz... — O duque riu, divertido.

Ao final da refeição Marguerite tinha o corpo satisfeito e a mente leve. Geralmente ela subia ao quarto depois do jantar. O duque seguiria para a sala de estar, para o gabinete ou para a biblioteca na companhia de Ketlyn e Mitchell. Aquela era a primeira noite que ficavam a sós em Castle e Marguerite não soube que rumo tomar ao chegar à escadaria. Logan parou e a encarou, exibindo a mesma indecisão no olhar, e disse:

— Pela primeira vez, somos apenas nós dois. Não pensa em se recolher, não é mesmo?

— Não quero voltar para o quarto, contudo, também não me vejo presa em outro cômodo.

— Gostaria de passear ao redor do castelo? — Logan sugeriu.

— Não esta noite — ela refutou. Pensando rapidamente, recordou. — Ainda não conheço boa parte do interior do castelo. Talvez pudéssemos ir até as torres.

Logan pensou nas quatro torres, duas na ala leste e duas na ala oeste: sujas, úmidas e frias. Em seguida anteviu escadas igualmente frias, perigosas e pouco iluminadas...

— Não vou desencorajá-la, mas decididamente não iremos a nenhuma torre. Não deve se aventurar nelas nem mesmo de dia, ainda mais agora com as temperaturas mais baixas. Veria apenas limo, excremento de pombos e teias de aranha. Talvez algum fantasma. No mais... — Ofereceu seu braço para dar início à aventura noturna e a convidou: — Venha conhecer seu lar.

Mesmo não sendo prioridade, Marguerite lamentou que não pudesse conhecer as torres, mas nada disse. Sorrindo, ela aceitou o braço oferecido. Enquanto subiam, olhou para o duque de soslaio. Verdade fosse dita, nos primeiros dias de casamento, enquanto ele cumpria a palavra e zelava pela pureza dela, tornaram-se amigos. A viagem a Londres fora determinante para que visse se tratar de algo mais. Lamentava o motivo da ida, a separação forçada, mas Marguerite sempre agradeceria a oportunidade de estabelecerem o relacionamento real.

Estava feliz! Até mesmo a velha armadura não parecia assustadora como antes.

— Boa noite, Dom! — cumprimentou ao passar pela armadura.

— Dom? — Logan riu.

— Sim... Resolvi chamá-la assim pouco antes de nossa viagem — explicou. — Precisava de certa intimidade para me acostumar a ela.

— Não sei se meu antepassado aprovaria, mas... Que seja Dom!

— Aonde vamos? — ela perguntou, quando Logan os guiou para o lado oposto aos dos quartos que ocupavam.

— Quero que veja algo... — ele soou misterioso.

— Não é um sequestro, não é mesmo?

— Ainda não.

Marguerite riu e se deixou levar. Aquele lado do castelo seguia o mesmo padrão do outro. Longos tapetes, colunas com vasos ou pequenas estátuas e lamparinas presas aos suportes de ferro fixados às paredes. Divergia na iluminação. Para que tivessem claridade suficiente foi preciso que o duque confiscasse uma das lamparinas.

— Este setor não é muito frequentado, estou certa?

— Não. A menos quando recebemos muitas visitas. Em sua maioria estes são quartos de hóspedes. — Logan parou diante de uma das portas. — Este é uma das exceções.

Mesmo com Logan ao lado Marguerite se sentia apreensiva, mirando a porta como se por esta fossem atravessar vários fantasmas. A impressão era tão forte que ela se assustou quando o duque girou a maçaneta e a porta rangeu ao ser aberta.

— Griffins precisa lubrificar a dobradiça — resmungou Logan, entrando no cômodo escuro.

Marguerite não teve escolha a não ser acompanhá-lo. Para agravar a má impressão, ficou evidente que entrara num grande salão, pois a luz que Logan trazia não iluminou mais do que um círculo ao redor deles no qual se via apenas o piso de mármore xadrez; preto e branco. Todo o resto continuava mergulhado na mais apavorante escuridão.

— Logan, nós não... Nossa! — Marguerite foi surpreendida pelo eco da própria voz.

— Marguerite! — Logan falou com vontade, fazendo com que o nome dela reverberasse pelo salão. — Eu amo você!

O medo se foi, deixando a alegria vinda com os ecos da declaração.

— Ama mesmo, não ama? — Ela sorria, envaidecida.

— Tanto que... Espere!

Sem que Marguerite pudesse detê-lo, Logan se afastou, levando a luz. Ao se vir sozinha em meio ao breu ela rapidamente o seguiu. Os saltos de suas botinhas quebravam o silêncio. Logo ela avistou um conjunto de sofá e duas poltronas, estilo Chippendale, com as pernas torneadas, pés arredondados e encostos ornamentados. Havia duas mesinhas laterais no mesmo estilo.

Logan acendeu a lamparina de uma delas, trazendo um pouco mais de luz. Daquele espaço ele partiu para outro e acendeu uma clássica luminária ao lado de uma *chaise longue* de nogueira, forrada de veludo vermelho. Com o terceiro ponto de luz Marguerite pôde confirmar a grandiosidade do salão. Admirada, ela não voltou a seguir o marido enquanto ele acendia as lamparinas dos quatro cantos restantes. Estavam em um salão hexagonal.

Lembrando-se de tudo que vira em seus passeios ao redor do castelo, Marguerite procurou por portas duplas. Antes que as encontrasse sabia que além delas havia um grande balcão. Sorrindo de si mesma por nunca ter dado a devia atenção ao formato que via de fora, ela olhou ao redor. O teto alto era sustentado por quatro colunas e, para atiçar a curiosidade dela, as seis paredes estavam repletas de quadros. Retratos.

— Logan... — chamou-o quase sem fôlego ao se voltar para ver o que tinha atrás de si. Era assombrosa a coincidência. — Este é...?

— Ele mesmo — Logan confirmou, ainda do outro lado do salão. — Lionel de Bolbec, segundo duque. Seu amigo Dom.

— Lionel... — Marguerite testou o nome e se voltou para Logan, olhando-o acusadoramente. — Quando me contou sobre ele fez parecer que não soubesse ao certo sobre o que falava. Nem mesmo disse o nome.

— Era cedo para enchê-la com as histórias da minha família — Logan escusou-se, com seus passos ecoando pelo salão enquanto se aproximava. — Farei isso agora. Os feitos importantes dos Bolbec são repassados para as novas gerações. E novos membros!

— Sim, vou querer conhecer todas elas — garantiu Marguerite, olhando para o retrato, sorrindo. — É um prazer conhecê-lo, Lionel! E me perdoe pela liberdade de tratá-lo por Dom.

— Tenho certeza de que ele não se importa — disse Logan, parando ao lado dela com os olhos no antepassado, retratado em sua reluzente armadura. — Mesmo que nunca tenha combatido com moinhos de vento.

Marguerite riu do gracejo e comentou, analisando a grande pintura a óleo.

— Você disse segundo duque... Então, ele é pai de Edmund, o terceiro duque.

— Como sabe disso? — Logan a olhou com estranheza e curiosidade.

— Mitchell me contou — ela revelou por saber que não poderia mentir depois de ter aberto a boca grande. — Quando passeamos pelo pomar...

— Ah, sim?! — Ele ocultou sua contrariedade, afinal, era o culpado por seu amigo falastrão ter conquistado espaço na vida de sua esposa. — E o que mais Dempsey contou?

— Que a flor de Lis foi incluída no brasão da família para homenagear Josephine. Que esse castelo foi erguido por Edmund para a esposa francesa, pois ela não gostava da antiga morada: um convento, hoje em ruínas. Ele disse que a duquesa ouvia o choro das freiras... — Marguerite estremeceu. Não devia falar de fantasmas naquele salão mal iluminado. O riso de Logan a distraiu do temor. — O que houve?

— Dempsey não é bom em contar histórias. Acreditarei que ouviu parte do que eu dizia por ter acertado sobre a flor de Lis, no mais... — falou o duque, ainda divertido. — Venha!

Sem esperar anuência, Logan passou um dos braços ao redor da cintura da esposa e a guiou até outro retrato. A moldura era dourada, envelhecida. Ao fundo estavam os montes que davam nome ao castelo e no centro destacava-se um casal. Os olhos do homem eram azuis como os de Logan, porém o cabelo era loiro. A mulher era esbelta, tinha olhos e cabelos castanhos.

— Edmund e Josephine — Marguerite falou antes que Logan o fizesse. — Eram lindos!

— Sim, este é Edmund. Foi o último Bolbec a morar em Bridgeford Abbey. Sim, uma abadia, não um convento — Logan corrigiu, altivo. — O medo é a versão oficial, mas muitos da família contam outra. Josephine não ouvia nem via monges pelos corredores. A abadia já estava em ruínas quando a nova moradora chegou da França. Era uma construção horrenda e próxima demais à vila. Todos estavam curiosos com a francesa e não a deixavam em paz.

— Está dizendo que Josephine inventou estar com medo, mas na verdade era esnobe? Não creio! Está de má vontade por ser ela francesa. Aceite — provocou-o —, você é meio francês.

— A rivalidade entre Inglaterra e França está no passado — Logan retrucou. — Não me importo com esnobismo e considero Josephine uma mulher prática. Reformas consomem mais recursos que novas edificações. Graças a ela hoje estamos no topo e temos uma magnífica vista.

— Não há como negar... Sendo assim, prefiro a versão não oficial — ela gracejou.

— Também prefiro. E, além dessas vantagens, temos privacidade na maior parte do ano.

— Na maior parte do ano? — Marguerite uniu as sobrancelhas, confusa.

— Nunca lhe disse, não é mesmo? — Logan meneou a cabeça e informou: — No verão, abrimos as portas do castelo para visitação pública.

Estupefata, Marguerite olhou em volta digerindo a novidade, também tentando imaginar o salão repleto de estranhos. Não sabia se gostava ou não daquele hábito.

— Acabo de descobrir que sou esnobe — ela comentou, olhando para Logan com tristeza.

— Não se preocupe — ele pediu, acariciando o rosto contrito. — São três passeios de duas horas a cada semana. E não somos a atração, então não precisamos estar onde eles estiverem. Eu mesmo nunca me deparei com um grupo.

— Descobrirei no verão — ela murmurou. — Conte-me mais histórias de sua família.

— De *nossa* família — Logan a corrigiu e por quase uma hora mostrou a ela os retratos, narrando o que sabia sobre cada parente. Ao final do passeio parou com a esposa diante dos últimos retratos. Com dificuldade de mirar os olhos de uma das pinturas, apresentou: — Este é George, meu pai, e aquela é Harriette, minha mãe.

O tom fez com que Marguerite olhasse para o marido. Corado, apertando os lábios, Logan mantinha os olhos no retrato da mãe. De repente, ela compreendeu.

— Não consegue encará-lo, não é mesmo? — indagou ternamente.

— Em minha posição não é algo que se faça com facilidade — ele replicou de rosto erguido, tentando manter a dignidade. — Ajudaria se não comentasse.

— Logan, eu não sou uma estranha — ela redarguiu suavemente, tocando-o no peito. — Não tem de ser tão rígido, comigo ou consigo. Você seguiu seu coração.

Cada vez mais ela entendia menos a razão, mas o que disse era verdade. Por seu lado, Logan relutou, porém se rendeu às solidárias palavras. Todavia, nada eliminaria seu erro.

— Fui fraco — disse, olhando para a esposa. — Um homem deve seguir a razão e, de todas as mulheres no mundo, envolvi-me com a última que nem sequer deveria desejar. Meu pai, sem dúvida, está decepcionado.

— Você não sabe disso, nem jamais saberá, então, por que se tortura? Pense apenas que acabou. Você tem defeitos como todas as pessoas, mas é um homem correto, Logan. Se quem partiu pode nos ver, seu pai sente orgulho de suas qualidades.

Pouco provável! Logan refutou em pensamento. Não era correto nem mesmo com a mulher que amava. George de Bolbec estaria, sim, meneando a cabeça repreensivamente para o filho covarde que mentia para alguém doce e pura. Talvez, atenuasse seus delitos se fosse sincero e enfrentasse as consequências, considerou, fitando os límpidos olhos azuis.

— Marguerite, eu preciso dizer...

— Shhh... — Marguerite pousou o indicador nos lábios do duque, calando-o. — Não tem de dizer nada. Aceite que não se pode mudar o passado e aproveite o presente. E não interrompa as apresentações. Ainda não me falou de sua mãe e certamente quero saber dos feitos de seu pai.

Era um covarde! Logan aceitou ao agradecer a inocente interferência de Marguerite. Não estava pronto para apagar o brilho dos olhos vivazes, expondo todas as suas mentiras; não ainda. Aprumando-se, assentiu.

— O que posso dizer sobre meu pai — disse, morrendo internamente ao fitar os olhos do oitavo duque. — Ele, sim, foi um homem correto, reto. O desenvolvimento de Bridgeford se deve a ele. Antes não tínhamos estação ferroviária, casa para envios ou recebimentos postais nem casa bancária. O hospital era pequeno, sem recursos. Os moradores da vila o adoravam.

— Gostaria de tê-lo conhecido... — Marguerite deu voz ao pensamento.

— E ele a adoraria. É irresistível, duquesa — disse o duque, beijando-a na têmpora.

— Fale-me de sua mãe — Marguerite pediu, sentindo o rosto arder depois do elogio.

— Mamãe era a mulher que todo marido deseja. Cordata, atenciosa, amorosa sem excessos. Todos nós sofremos muito sua perda.

— Do que ela morreu? — Marguerite mirava a imagem de sua sogra, muito bonita num realista vestido de cetim amarelo ouro.

— Não sabemos. Em um dia frio ela se queixou de dores de cabeça, muito fortes. Apenas não acordou na manhã seguinte. Lowell e eu estávamos brigados na ocasião. Ela que sempre promovia a paz, morreu sem fazê-lo. — Com a lembrança Logan enfim se arrependeu de ter sugerido o passeio que tornou deprimente. — É melhor nos recolhermos.

— Mas estão bem agora, não estão? — Marguerite não queria partir sabendo que ele estava triste. — Há quanto tempo não brigam?

— Desde que você entrou em nossas vidas — respondeu o duque, voltando a tocar o rosto da esposa. — Parece que é a nova diplomata entre nós.

— Não medirei esforços para uni-los — ela prometeu. Para encerrar o péssimo clima, sorriu. — Não tem um quadro seu. Aliás, nem de Lowell.

— Este é o salão dos duques e duquesas — explicou Logan, agradecendo o novo tema. — Amanhã eu a levarei ao salão com os retratos de todos os filhos.

— Então, aqui terá um quadro nosso? — Ela se animou com a possibilidade.

— Sim! Em breve escolherei um artista que possa vir retratá-la. Quero que seja verão para que o sol ilumine seu cabelo. — Logan sorriu, antevendo o resultado.

— Você estará comigo. Diga que sim! — Marguerite pulou como uma menina feliz. — E também Jabor, Dirk e Krun.

— Se eu concordar será um quadro bem colorido. — Logan riu, agradecendo a presença dela em sua vida. Não havia tristeza que perdurasse. — Pensarei com carinho.

— Sim, pense. Quero todos conosco... Krun é arisco, mas acredito que se comporte.

— Ainda está impressionada por ele ter ferido meu dedo, não é mesmo?

55

— Ah, não! — Marguerite meneou a cabeça. — Uma bicada não é nada se comparada ao que Krun fez com o pobre Emery.

— E o que Krun fez ao pobre Emery? — indagou o duque, curioso quanto a acontecimentos que desconhecia, fechando a expressão ante a intimidade entre a esposa e o tratador.

Marguerite notou seu erro tarde demais, mas não esperou que Logan insistisse.

— Krun arranhou as costas do Sr. Giles enquanto ele me protegia...

A voz de Marguerite foi sumindo a cada palavra, porém Logan a ouviu com perfeição.

— Krun a atacou?! — Antes que seguisse o primeiro instinto e ordenasse que sacrificassem o amado falcão, Logan quis todos os detalhes. — Conte-me tudo, Marguerite, e em bom tom. Sei que não é boa em contar histórias, mas esta eu quero inteira, sem cortes nem atenuantes.

De repente Logan se assemelhou aos vilões, encarando-a de modo soturno na penumbra do frio salão, mas Marguerite não se acovardou. Se ela falou demais, devia narrar tudo, até o fim. Foi o que fez. Mirando o rosto do marido, acompanhando cada travar de maxilar, cada bufo aborrecido, cada franzir de cenho, contou tudo sobre o ataque.

— Giles deixará o castelo amanhã à primeira hora! — Logan bradou ao término do absurdo relato. — Onde estava com a cabeça para permitir que entrasse no viveiro?!

— Não, Logan! — Marguerite meneava a cabeça. — Não o demita.

— Agradeça-me por não matá-lo — ciciou, afastando-se dela, pois queria chacoalhá-la por defender alguém a quem claramente se afeiçoara. — Receberá o que lhe é devido para que se mantenha até que arranje outro emprego, mas longe de Bridgeford, sem carta de recomendação.

— Não, Logan! Por favor... Escute-me! Eu entrei porque quis. Conhecia o risco. Sou tão culpada quanto ele.

— Diga o que quiser, Giles é o responsável por Krun e sabe mais dos riscos que você. E se a ave a ferisse? E se a cegasse? — Apenas imaginar o estremecia. — Vou mandá-lo embora agora mesmo antes que não responda por meus atos!

— Logan, pare! — Marguerite se colocou no caminho do duque e espalmou as mãos em seu peito. — Logan olhe para mim. Nada aconteceu. Será injusto expulsar o tratador depois de ele ter me protegido.

— De um perigo que ele mesmo a expôs — Logan retrucou, bravio. — Saia da minha frente!

— Não! — ela teimou. — Se você vai punir os culpados, demita também Alfie por não ter tido a frieza que o momento exigia e também me mande embora por atender minha vontade.

— Não diga bobagens! — Logan bufou e lhe virou as costas. Nem hipoteticamente aceitava que falasse em partir do castelo. — Nunca irá à parte alguma. É minha esposa.

— E o Sr. Giles é o tratador de Krun. Quantos deles você conhece que possam substituí-lo?

Logan liberou um bufo de raiva e frustração. Marguerite tinha razão. Apesar de ter se mostrado temerário, Giles era bom no que fazia. Antes que ele ficasse, muitos outros desistiram do posto ao primeiro arranhão. Seria desgastante e demorado encontrar outro para o cargo.

— Está bem, seu amigo poderá ficar... — Logan aquiesceu. Marguerite demonstrou alegria abraçando-o por trás e depositando vários beijos nas costas largas. Antes que se rendesse de vez, ele a avisou: — Mas não serei benevolente da próxima vez. Se algo parecido acontecer e você se ferir, eu o matarei.

— Não vai acontecer — ela assegurou, sem soltá-lo. — Terei mais cuidado.

— Não vai chegar perto de Krun — ele determinou, virando de frente para ela. — Prometa-me, Marguerite. Não vai mais se aproximar de Krun.

— Não peça isso, Logan... Gostaria de saber como lidar com Krun. Ele é tão bonito!

— Bonito e letal — Logan retrucou já a tirar o casaco. Depois de atirá-lo ao chão, arrancou uma abotoadura e ergueu a manga da camisa para expor o antebraço esquerdo. — Está vendo isso? Não nota essas marcas porque meus pelos as cobrem. Você não teria a mesma sorte e sua fina pele ficaria arruinada para sempre. É o que quer?

Marguerite nada disse. Olhava para as marcas com atenção. Logan tinha razão, nunca viu as cicatrizes por estarem em meio aos pelos masculinos, mas agora as via com clareza, extensas e rosadas. Antes que chegassem àquele ponto certamente foram cortes fundos e doloridos.

— Sinto muito por isso... — Ela lamentava por Logan, mas no momento sentia mais por Emery Giles. Não vira as costas do homem, mas podia imaginar como estariam.

— Quer que o mesmo aconteça a você? — Logan pegou um dos braços da esposa e correu dois dedos pela pele imaculada. — Deseja ter marcas horrendas que ficarão para sempre?

— Não... — ela murmurou.

— Então, prometa que ficará longe de Krun.

Marguerite apenas assentiu. Estava impressionada, mas não queria prometer o que talvez não cumprisse quando o temor se esvaísse. Em vez disso, pediu:

— Podemos ir? Agradeço que tenha me atendido e pelo passeio, mas gostaria de me deitar.

— Deixarei que descanse — disse, ainda abalado. — Vou levá-la até seu quarto.

— Mas dormirá comigo, não é?

— É o que quer? — Ele certamente queria.

— Não importa se nos desentendemos ou não... — Marguerite esboçou um tímido sorriso. — Se você não for para meu quarto, eu irei para o seu.

## Capítulo 6

Sentada junto à janela da pequena carruagem Marguerite mantinha os olhos fechados e o rosto erguido, aproveitando o sol outonal. Outra se esconderia sob chapéus e véus. Logan se valia do desprendimento dela para admirar o clássico perfil, o pescoço esguio que na noite anterior beijou com redobrado ardor, como fizera com o colo e os braços apenas por imaginá-los feridos. Logan ainda tremia só de pensar nos estragos que Krun poderia ter causado a ela.

Iria até Giles pela manhã, entretanto, como reprimendas ou ameaças seriam pouco para quem preferia a demissão, manteve-se longe do tratador. A bronca estava presa na garganta do duque, mas ele tentava engoli-la por Marguerite. Queria contentá-la. Tanto que, no momento, seguiam para uma visita a Alethia.

— Está contente? — Logan queria ouvi-la.

— Como não estaria? — Marguerite sorriu, mas não desfez sua pose. — Tenho você comigo nesse lindo dia de sol e estou indo encontrar nossa querida tia.

— Estar com você, para mim, é a melhor parte.

— Sinto o mesmo em relação a você, mas não conte ao sol nem a Alethia — ela gracejou.

Logan sorriu, satisfeito, e não se importou que a covarde não o olhasse durante a declaração. Se pudesse capturar aquela imagem dela, iria moldurá-la e pendurá-la na parede do gabinete em Altman Chalet. Talvez a descrevesse ao artista que a retratasse no quadro para o grande salão.

— Falta muito para chegarmos? — Marguerite finalmente o encarou, distraindo-o.

— Estamos quase lá. O solar Welshyn fica a uma milha daqui, mas não pode estar tão ansiosa. Esteve com Alethia há pouco mais de uma semana.

— Gosto de Alethia. Com exceção a você, agora ela é meu parente mais próximo. Acho que posso dizer que somos amigas.

— Sem dúvida são — Logan garantiu. Apreciava a proximidade jamais conseguida por Ketlyn nem mesmo quando eram apenas cunhadas.

Marguerite o presenteou com um sorriso antes de novamente virar o rosto para o sol. Logan se pôs a admirá-la e nada mais falou até que chegassem ao solar.

— Não acredito em meus olhos! — Alethia exclamou ao vê-lo saltar de sua carruagem, pouco usada, clara e pequena. — Pensei em vocês hoje cedo enquanto cuidava das orquídeas. Eu disse a minha *phalaenopsis* preferida: enviarei um convite para o chá. E aqui estão vocês!

— Espero que tenha dito isso a uma pessoa — Logan troçou ao se aproximar da tia depois de ajudar Marguerite a descer.

— Minhas orquídeas são melhores do que muitas pessoas que conheço, pode ter certeza — retrucou a senhora ao ter a mão beijada. Abrindo os braços para Marguerite, acrescentou: — Elas só não são melhores do que você, minha criança.

— Alethia! — Marguerite meneou a cabeça, envaidecida, e abraçou a tia. — Sentia sua falta!

— E eu a sua — assegurou a senhora. — Como tem passado, minha querida?

— Muito bem! — disse Marguerite, sorrindo para Logan sem notar.

— Vejo que sim... — Alethia olhava de um ao outro com evidente agrado. — Venham, entrem! Pedirei a Davies que nos prepare um delicioso lanche e o sirva na varanda. Vamos aproveitar este belo dia.

Os recém-chegados assentiram e se deixaram escolher pela anfitriã. Contente com a visita, Alethia levou a nova sobrinha à estufa e apresentou suas adoradas e tão comentadas orquídeas. A *phalaenopsis* preferida era uma bela flor branca de haste longa e folhas robustas. Marguerite não saberia dizer qual preferia. Todas eram lindas! Logan se mantinha um passo atrás, vendo as duas mulheres que mais amava no mundo analisarem vaso a vaso, conversando animadamente.

Por vezes Logan era incluído na conversa, mas logo era esquecido. E não se importava nem se entediava. Agora sabia ser aquele o tipo de relacionamento que inconscientemente sempre desejou. Se reconquistasse a amizade de Lowell e afastasse Ketlyn sem incidentes, teria uma vida perfeita.

Ao ouvir risos contidos, Logan piscou e olhou em volta. Descobriu que divagara e era observado. Todos estavam à mesa posta na varanda, mesmo depois do término do suntuoso e delicioso lanche, servido pelo mordomo.

— Bem-vindo! — saudou-o Alethia, sorrindo. — Onde estava?

— Precisei escapar para dentro de mim mesmo para aturar tanta falação — ele gracejou.

— Dissemos que poderia nos deixar a qualquer momento — lembrou-o Marguerite.

— E deixá-la, duquesa? — Logan pegou uma das mãos da esposa e beijou ternamente. — Eu não cometeria este crime.

— Eu vivi para ver este dia! — Alethia exultou. — Pensei que já tivesse visto tudo durante seu casamento, mas agora... Não esconde o que sente.

— A sinceridade espontânea da duquesa me inspira a fazer o mesmo — ele disse a verdade.

— Está amadurecido e não tem nada a ver com idade. É o homem que sempre vi em você.

— Faz parecer que eu agia feito um menino, Alethia. — As observações o embaraçavam.

— E não agia? — Alethia riu brevemente, inclinou-se para Marguerite e segredou: — Um menino faminto diante de um farto banquete, eu diria. Sem o teor lúdico, se me entende.

— Posso ouvi-la, Alethia — Logan mantinha o bom humor, mas temia a indiscrição de sua tia. — Não conspire contra mim.

— Digo para que ouça — ela admitiu ao se endireitar na cadeira e encará-lo. — Marguerite não se importará com o que fazia um homem solteiro. A ela, e a mim, interessa saber que agora é um senhor bem casado e satisfeito, responsável e atencioso. Diante disto, não resta dúvida... Você será meu herdeiro.

— Não! — Logan negou num rompante. Com o fato decretado, justamente por estar casado com Marguerite, ele não queria que fosse adiante.

— Não?! — Alethia franziu o cenho, enrugando mais que rosto marcado. — Rejeita minha generosidade? Lowell e você são meus únicos sobrinhos, não tenho filhos, bem sabe.

— Não se entristeça comigo, Alethia. — Logan tentou contemporizar. — Como acaba de dizer, Lowell é seu sobrinho. Por que não o nomeia seu herdeiro?

— Porque Lowell consegue ser pior do que você, antes de Marguerite! — Alethia se exaltou. — Não quero que os bens de Gaston sejam perdidos em mesas de jogos ou em bordéis.

— Lowell está mudado... Sinto que está.

— Sentir não basta! — Alethia agitou as mãos, subitamente trêmulas. — Lowell, não. Estou decidida! Querendo ou não, será você meu herdeiro!

— Alethia...

— Apenas me escute! — pediu a senhora. — Aqui não é apenas meu sobrinho e não deve me contrariar. Será meu herdeiro e está acabado.

— Acalme-se, Alethia — pediu Marguerite, tocando o ombro da senhora. — Creio que Logan compreendeu e agradece sua generosidade. O que ele deve estar querendo dizer é que ainda não é hora de pensar em herdeiros. Ainda tem muitos anos pela frente.

— Não sabe disso, criança. Eu ficaria feliz em deixar tudo para Lowell, seria certo, mas ele não vai destruir o que seu... Seu tio levou anos para construir.

— Entendemos isso, não é mesmo Logan? — Marguerite procurou por apoio. — Diga a ela.

— Exatamente, Alethia! Eu entendo e agradeço... Apenas não me expressei corretamente.

— Que bom! Não volte a me assustar dessa maneira... Meu coração é fraco.

Não, não era! Apesar de ter estado adoentada e do que dizia Ketlyn, Alethia veria muitos invernos. Era no que Logan pensava enquanto ele e Marguerite voltavam ao castelo. Por sua vontade teria insistido até que se livrasse daquela herdade, mas não tinha como fazê-lo sem uma boa explicação. Sempre pareceu certo ser o herdeiro, mas depois que Ketlyn incluiu o fato num plano abjeto, Logan não queria sê-lo.

Ensimesmado, Logan não notava que Marguerite se perdia nas próprias cismas sobre tudo que ouviu. Para ela havia mais na objeção de Alethia em fazer de Lowell um herdeiro do que dizia. Talvez sua mente procurasse por versões fantasiosas, mas sentia como palpável o mistério que pressentia existir. Se estivesse certa, descobriria.

— Por que não quer ser o herdeiro de Alethia? — ela indagou de chofre.

— Pelo motivo que expus. Por que pergunta? Pensa que devo aceitar?

— Oh, não! Concordo com seu ponto de vista, apenas estranhei a veemência com que recusou a ideia. Parecia haver outra razão. Assim como pareceu que Alethia tivesse motivos para não nomear Lowell seu herdeiro além daqueles que alegou.

— E o que poderia ser? — Logan franziu o cenho. — Considera pouco ser irresponsável?

— Considero ver uma face de Lowell que vocês desconhecem, porque não querem ver ou porque ele a esconde bem.

— Mas mostrou a você? Como é essa face?

— Depois de tê-lo conhecido em Millbank, não posso negar que seja irresponsável, mas vi que Lowell faz essas coisas para chamar sua atenção. Ele me parece mais um menino perdido que um homem desordeiro.

— Então, com você ele usou a tática do pobre homem carente — Logan desdenhou. — Espero que não se compadeça mais do que já está. Lowell não é assim, inofensivo.

— Não vou discutir sobre Lowell com você. O ressentimento o torna cego.

— Não se ocupe de nós, Marguerite — pediu gentilmente. — Ou acabará como minha mãe.

— Culpa Lowell pela morte dela?

— A nós dois! — Logan respondeu secamente. — De preocupação e desgosto.

Marguerite escrutinou o sorumbático rosto do marido e meneou a cabeça com pesar.

— Primeiro seu pai, agora sua mãe... É culpa demais, até mesmo para seus ombros largos — ela concluiu com um gracejo para quebrar a seriedade de suas palavras.

61

Marguerite nem sequer imaginava que havia ainda a cota de culpa referente a ela, mas ele não se ocuparia com nenhuma daquelas questões. Na tarde do dia seguinte partiria para Londres e não perderia tempo com assuntos aborrecidos. Com esse pensamento, Logan desconversou:

— Então, tenho ombros largos?

— Sabe que eles são impressionantes — ela reiterou, corando.

— Enfim, encontramos um tema a ser discutido! O que mais em mim a impressiona?

— Não tenho como responder a essa pergunta sem desmaiar, mortificada — disse ela, rubra como um suculento tomate.

— Ah, agora terá de dizer! — Logan divertiu-se e foi se sentar no assento oposto, ao lado dela. Segurando-a pela cintura, ordenou: — Conte!

— Não há essa possibilidade! — Marguerite sentia o rosto em chamas e, antes que Logan insistisse, ela o beijou. Sua ação surtiu efeito, pois logo foi presa num abraço e beijada de modo apaixonado.

※

Na manhã de domingo Logan decidiu não ir à vila. Deixou Marguerite a dormir, vestiu-se em seu quarto com a ajuda de Alfie, orgulhoso por fazer às vezes de valete, e desceu. Disposto a esperar por Marguerite para que juntos tomassem o desjejum o duque deixou o castelo e seguiu rumo ao aviário. Gostaria de ver Krun apenas, no entanto, encontrou o tratador alimentando a ave.

— Milorde? — disse Giles à guisa de cumprimento.

— Giles, eu pensei que viesse mais tarde — comentou o duque, aproximando-se.

— Vim mais cedo porque pretendo ir à vila, se o senhor não se importar.

— O que faz de seu tempo livre não me importa — Logan retrucou.

— Parece aborrecido, milorde... Tem alguma queixa?

— Não pergunte como se não soubesse. Sabe até mesmo que eu devia demiti-lo.

— Esperei que isso acontecesse — admitiu Giles, atirando o último pedaço de carne para o falcão. Sua segurança irritava o duque.

— A duquesa foi uma boa advogada, mas não voltará a acontecer — Logan cicíou. — Se preza seu emprego, não permita que a duquesa volte a se aproximar de Krun.

— Será como Vossa Graça determinar — assegurou Giles com estranha altivez.

Logan iria interpelá-lo quanto àquele tom, quando um criado surgiu, enviado pela duquesa.

— Lady Bridgeford pede para avisar que logo descerá para o desjejum, milorde.

Logan apenas assentiu antes que o criado se fosse.

— Não quero atrasá-lo, milorde — Giles falou ao sair do viveiro. — E se me der vossa licença, preciso mesmo ir à vila.

— Tem toda... — Logan ficou a vê-lo partir.

Nunca notou que Giles não se vestia com luxo, mas suas roupas eram melhores do que as dos demais criados. O casaco era bem cortado, o sapato de couro era lustroso e novo como a boina de lã cinza. O tratador recebia bom salário, ainda assim aqueles eram itens caros, de qualidade superior à encontrada nas simplórias lojas que atendiam à classe operária.

Logan não sabia exatamente do que desconfiava, contudo decidiu prestar maior atenção em Emery Giles. De volta ao castelo, ele entrou no momento exato em que Marguerite descia, solar como nenhuma outra mulher que conhecesse.

— Bom dia, duquesa! — Logan sorria para ela.

— Não sorria para mim como se não fosse um traidor — retrucou Marguerite, provocando calafrios na coluna do marido.

— Por que disse isso?

— Sabe muito bem! — Marguerite terminou de descer os degraus e se prostrou diante dele, com os punhos cerrados apoiados na cintura. — Como teve coragem? Explique-se!

Logan sentia o corpo inteiro desestabilizado. Explicar o quê? Como? Logan tinha a mente em branco e o peito oprimido quando a jovem sorriu e meneou a cabeça, chocando-o mais.

— Quero uma explicação agora mesmo! Como se atreveu a me deixar dormindo mais uma vez. Fez isso na sexta-feira à tarde e esta manhã. É um traidor sem dúvida!

Logan não sentia os dedos das mãos nem as solas dos pés. Com facilidade ele sucumbiria a outro susto como aquele. Até mesmo respirava com dificuldade.

— Logan?! — Marguerite enfim notou que algo estava errado. — O que houve?

— Não sei... — mentiu. — Tive um mal passageiro.

— Sim, está pálido. — Marguerite se alarmou. — Vou chamar o Sr. Griffins.

— Não! — Logan a deteve. Segurando-a pelo braço, puxou-a para si e a abraçou. — Fique comigo e estarei bem.

— Logan... — Marguerite murmurou, condoída por senti-lo trêmulo. — Por favor, não vá adoecer você também.

— Eu também? Quem está doente?

— Papai — ela revelou, abraçada a ele. — Não comentei porque não tenho detalhes. Pedi que Edrick fosse mais específico em sua carta do que foi Catarina.

— Não há de ser nada, querida — ele a tranquilizou. Sentindo-se também mais pacificado, afastou-a gentilmente e a encarou. — Saberá que estou certo quando Bradley respondê-la. E, quando acontecer, não hesite em me escrever. Aliás, deve-me uma ou duas respostas às cartas que lhe escrevi. Quem é a traidora?

— Em minha defesa, digo que não recebi carta alguma vinda do senhor.

— Não? — Logan estranhou. — Teve ter ocorrido algum atraso. Chegarão esta semana.

— Em todo caso, veio pessoalmente e isso me basta. Se prometer nunca mais me deixar acordar sozinha, eu considerarei tudo perfeito.

— Considere feito! Agora vamos ao desjejum? — Logan ofereceu o braço para conduzi-la.

Conversavam trivialidades durante o café da manhã e ao término da refeição Marguerite agradeceu por ver a cor de volta à face do duque. Depois da morte precoce da mãe, talvez a saúde dos filhos devesse inspirar cuidado. Com fervor ela rogou para que não fosse o caso.

— Por que tão calada? — Logan indagou enquanto se dirigiam ao segundo salão de retratos, como prometido na noite de sexta-feira.

— Estou preocupada com você. Parece ser tão saudável, mas há pouco...

— Sou saudável — ele a interrompeu. Experimentando certo remorso, Logan fez com que a esposa parasse e o encarasse. — Marguerite, não vá ficar pensando bobagens. Não estou doente.

— Prometa que procurará um médico. Prometa e eu não me preocuparei.

— Eu prometo — ele anuiu, considerando-se o pior dos homens. — Vamos?

No salão que visitavam as paredes eram praticamente cobertas com retratos de filhos e filhas de oito gerações de duques.

— Onde estão Lowell e você?

— Ali, ao lado da janela — Logan indicou e a guiou até o ponto exato. — Aqui estamos.

Marguerite analisou os retratos. Apesar de terem sido pintados separadamente, as poses eram iguais. Logan e Lowell com a mão direita seguravam a lateral do casaco enquanto a esquerda era apoiada no quadril. Tinham os pés afastados e os rostos erguidos, ambos orgulhosos. Depois de dar um passo à frente Marguerite leu a plaquinha de identificação.

— Lowell Alexander de Bolbec, segundo filho do oitavo duque e duquesa, George e Harriette Bridgeford... Logan Airy de Bolbec, Conde de Edgemond... Conde?!

— Sim, acumulo este título — ele confirmou. — Nosso primeiro filho o receberá por cortesia.

— Nossa! Como uma criança lida com isso?

— Não é muito diferente de qualquer outra criança.

— Não creio — Marguerite refutou. — Deve haver cobranças, principalmente quanto ao comportamento. Cuidarei para que nosso filho seja uma criança antes de tudo.

— Gosto quando diz: nosso filho — disse Logan, abraçando-a pela cintura. — Acha que ele já pode estar aí?

— Como eu posso saber?! — Marguerite encabulou-se. — Podemos mudar de assunto?

— Descarada na cama, acanhada fora dela... — Logan gracejou, escrutinando as bochechas coradas. — Que perigosa combinação! Se não a amasse eu poderia me apaixonar este instante.

— Encontrei o casal — disse Ketlyn do limiar.

Logan encarou a duquesa viúva mantendo a expressão, apesar do flagrante. Por ele não se afastaria, mas Marguerite se desvencilhou e recuou um passo, sobressaltada.

— Ketlyn... — disse ela como um cumprimento. — Pensei que estivessem na vila.

— Pensei o mesmo — disse Logan, sustentando o olhar da ex-amante que os analisava com atenção.

Ketlyn teria ouvido a declaração? Ele jamais saberia, pois estava diante de alguém que era mestre em mascarar emoções. Se é que as sentia, pensou.

— Lamento pelo equívoco e por interrompê-los em momento tão... íntimo — falou Ketlyn, inalterável. — Estou indo visitar a casa que ocuparei em breve. Soube que estavam aqui e vim me despedir. Retorna hoje para Londres, não?

— No início da tarde — respondeu Logan, preparando-se para o que viesse.

— Que nossa Londres o receba bem — rogou a duquesa viúva de modo sugestivo.

— A Londres de todos nós me receberá como sempre, obrigado! Se isto era tudo...

— Na verdade, não! — Ketlyn reagiu como se recordasse de algo importante. — Lembra-se daquela magnífica casa de chá que costumamos frequentar na *King's Road*? Quando viesse da próxima vez poderia trazer...

— Seja o que for não será possível — Logan a interrompeu. — Não me recordo de ter estado com a senhora numa casa de chá nem posso trazer coisa alguma. Este tempo que sou forçado a ficar em Londres é dedicado às reuniões do partido e ao meu descanso. Tenho certeza de que encontrará um modo de ter o que precisar de Londres sem minha ajuda. E se isto era tudo...

— Sim, era tudo — aquiesceu Ketlyn, aprumando os ombros. — Realmente lamento tê-los interrompido. Faça boa viagem, Logan!

— Obrigado! — Com a saída de Ketlyn, Marguerite se afastou ainda mais. Logan a seguiu de perto e segurou uma de suas mãos. — Aonde vai?

— Deitar-me... Esta pequena cena nauseou-me.

— Marguerite, não se abale com as provocações dela — Logan pediu, obrigando-a a encará-lo. — Nunca fomos a uma casa de chá.

— Não teria sido pior que dividirem uma cama — Marguerite retrucou num rompante. — Oh, perdoe-me por isso! Eu não tenho o direito de...

— Querida, tem todo direito. Não acreditaria no quanto me arrependo, mas não posso voltar atrás nem mudar nada do que fiz. Portanto, eu preciso que confie em mim quando digo que darei um jeito nessa situação. Preciso acreditar que você está comigo. Você está comigo?

— E você, Logan, está comigo? — Ela devolveu a questão, seriamente.

— Não é evidente? — Ele a segurou pelo rosto, exortado pela incapacidade de mudar pontos daninhos daquela história. — Penso em você todos os dias! Vim a Castle especialmente para vê-la. Já padeço por saber que em horas nos separaremos e... Não! Não haverá separação dessa vez. Volte comigo! Venha! — Logan a tomou pela mão e a puxou para a porta. — Chame Nádia e...

— Logan, pare! — Marguerite impôs resistência, fazendo com que ele parasse e a encarasse depois de soltá-la. — Não vou para Londres. Também padeço por nossa separação, mas ainda vale o que me disse em Haltman Chalet. Preciso me habituar às suas viagens e de minha parte digo que precisamos aprender a lidar com Ketlyn. Não importa o quanto se arrependa, o que vocês viveram não será apagado nem esquecido. Se ela está disposta a provocar-me, não vai parar e eu não vou fugir. Nada devo.

— Não, nada deve — Logan murmurou, admirado. A cada instante Marguerite crescia aos seus olhos. — Eu já disse que a amo?

— Não esta manhã — Marguerite gracejou, esboçando um sorriso.

— Ah, Marguerite... — Logan tentou abraçá-la, e a esposa se esquivou. — O que...?

— Não merece que seja tão simples — disse ela, antes de erguer a saia do vestido e correr.

Logan ainda olhava para a porta pela qual Marguerite escapou. Tão madura em um minuto e infantil no outro, ele pensou entre surpreso e incrédulo. Mas, não era exatamente aquela mescla de qualidades — e defeitos — que ele amava? Se Marguerite representava vida às vezes ele se permitiria viver do mesmo modo que ela, Logan determinou ao correr.

Na mente de um libertino o único destino possível seguido pela duquesa seria o quarto, mas ao chegar ao *hall* e se deparar com um mordomo catatônico ao lado da porta aberta o duque parou, derrapando no piso liso, e indagou:

— Viu para onde foi a duquesa? — Griffins o encarava sem nada dizer. Logan insistiu: — Vamos, homem! Lembra-se da duquesa? Uma cabeça menor que eu, loira... — Mesmo em choque o mordomo indicou a direção do pomar. — Obrigado! E deseje-me sorte...

Logan não esperou para ser atendido. Dificilmente Griffins recuperaria a voz naquele dia, ele considerou. O duque divertiu-se mais ao notar que causou a mesma comoção nos criados que encontrou pelo caminho. Ele se distraiu de todos ao ver Dirk e Jabor correndo para o pomar, mas não foi preciso usar os cães como guias. Mesmo que estes não fizessem festa para a moça escondida atrás de uma amoreira, Logan veria com facilidade o cabelo loiro entre a bifurcação do caule e as pontas do vestido verde.

— Sabe que posso vê-la, não! — anunciou, rindo.

— Oh, não! — Marguerite gritou e voltou a correr com os *Staffies* em seu encalço, saltando, latindo. Logan voltou a segui-la, agora por entre as árvores, até que a prendeu pela cintura e a derrubou. Antes que se preocupasse viu que ela ria. — Não acredito que correu atrás de mim!

— Eu faria muitas outras loucuras por você, Marguerite! — disse ele, arfante. — Posso me declarar agora?

— Deve... — ela liberou depois de um longo expirar.

— Eu a amo, Marguerite! Nunca se esqueça disso... — Ignorando os cães que farejavam seus rostos, excitados pela corrida, Logan afastou o cabelo que cobria o rosto amado. Suspirou de deleite e satisfação. — Eu a amo, mais do que pude um dia imaginar!

Não houve tempo para resposta. Marguerite foi silenciada com um beijo voraz. Logo a boca masculina estava em seu colo e nos seios que foram expostos sem demora. Ela devia alertá-lo do risco de serem vistos, mas de modo indecente o vestido e as anáguas foram erguidos. Sem temer um possível flagrante, Logan pousou sua mão no ventre arredondado, sob a pantalona, e desceu sua palma até o úmido sexo.

— Logan... — Marguerite gemeu quando dedos longos a estocaram.

— Eu sinto o mesmo, meu amor — ele garantiu num gemido rouco antes de se afastar para arriar a pantalona. Depois de desabotoar a calça e libertar sua ereção, acomodou-se entre as pernas da esposa e a penetrou numa única investida. — Minha querida...

Marguerite arfou, movendo o quadril para que o marido investisse fundo, aumentado o desejo que a queimava. Mirando a copa das árvores, sentindo terra e folhas sob suas palmas, ela soube que viveu para aquele momento: ser amada apaixonadamente num pomar. Agora sabia que nenhum conto de fadas se equipararia ao que sexos friccionados geravam. Era aliciante, era forte e sublime quando explodia em gozo, tornando o mundo mais brilhante, os sons mais puros e o amor algo único.

— Sim, Logan... Eu estou com você! Eu estou com você!

Decididamente ela estava com Logan, Marguerite reiterou o pensamento, recostada na poltrona da biblioteca, horas depois da partida do marido. A despedida à porta do castelo, na presença dos criados, foi breve. Diferente da anterior, no Quarto Josephine, quando as bocas se separaram pela impossibilidade de ficarem unidas um pouco mais. Marguerite ainda movia dois dedos em seus lábios, quando ouviu o alto pigarrear vindo do limiar. Distraidamente ela olhou na direção do som e encontrou Phyllis a encará-la. Endireitando-se no assento, indagou:

— Deseja alguma coisa?

— Sim... Perdoe-me por perturbá-la, mas minha senhora acaba de chegar da vila e pediu que lhe transmitisse um recado — disse, sem baixar o olhar. A duquesa assentiu, preparando-se para o que viesse. — Lady Bridgeford deseja lhe fazer companhia no jantar, se milady não se opor.

— Diga à sua senhora que será um prazer.

— Assim será feito, milady... Com vossa licença!

Após uma reverência, Phyllis se foi. Depois de colocar o livro que em momento algum leu de volta ao devido lugar, Marguerite deixou a biblioteca. A ideia era ir para o quarto, mas, ao passar diante da porta principal, ela seguiu seu impulso e saiu. Ao dar por si estava no aviário, admirando Krun. A beleza da ave a distraia de assuntos — e encontros — aborrecidos. Tanto que ela não notou a aproximação e se sobressaltou ao ouvir:

— Não devia estar aqui, milady.

— Sr. Giles! — Marguerite se voltou e encarou o homem parado às costas dela. Perto demais. — O senhor me assustou. Chegar assim... Sem fazer barulho.

— Não foi minha intenção. Perdoe-me! — Ele recuou um passo. — Vossa Graça que me assustou. Não esperava que estivesse aqui, sozinha. Não é seguro.

— Krun está preso — ela argumentou, analisando o tratador. — Esteve fora?

— Sim, fui à vila, milady. Tenho folga aos domingos.

— Ah, sim? — Marguerite se interessou. — E o que faz nas suas folgas? Se puder contar...

— Vou à taberna e bebo cerveja com amigos. — Emery foi vago. — Jogamos às vezes...

— E não há uma senhora Giles? Oh! — Marguerite levou as mãos à boca, tinha os olhos arregalados. — Não me responda. E me perdoe à indiscrição. Não é da minha conta.

— Obrigado, milady! Não gosto de falar sobre mim, mas para que não fique curiosa... Não, não há uma senhora Giles. Agora deve ir embora.

— Vai alimentar Krun? — Ela preferiu ignorar a informação. — Eu gostaria de ver.

— Não é adequado. Lorde Bridgeford deixou claro que não é esse seu desejo.

— Eu devia saber que o duque o repreenderia, mas sabemos que não é tão perigoso assim. E viu que tenho jeito... Krun gosta de mim.

— Aves não se afeiçoam a nós, milady. Não se iluda. Krun furaria vossos olhos sem hesitar — disse Giles, de modo lúgubre.

— Aceito o risco — a duquesa determinou, empoada. — E de certo modo sou sua patroa. Direi ao duque que não lhe dei alternativas... Isso, se ele souber...

Giles meneou a cabeça, mas esboçou um sorriso.

— Já que é corajosa, patroa, e não me dá escolhas, gostaria de levar Krun até a campina?

— Eu poderia? — Ela arfou, excitando-se com a possibilidade.

— Por que não? — Antes que viesse a resposta Giles foi buscar os apetrechos para a soltura. Depois de pedir licença, ajustou a luva de couro usada por Logan no braço esquerdo da duquesa. — Feche o punho para que fique no lugar. Vossa mão é pequena.

A luva realmente estava folgada e Marguerite fez como recomendado. Giles calçou a própria luva e foi buscar o falcão. Trouxe-o com a cabeça coberta pelo caparão e o passou para a moça.

— Oh, nossa! — Marguerite se deleitou ao ver a gloriosa ave em seu braço arqueado.

— Milady, é melhor que nada diga... Agora, podemos ir?

Marguerite assentiu e seguiu o tratador, mantendo o braço erguido e imóvel para não assustar Krun. Ficou quieta até que a excitação não pudesse ser contida e sussurrou para a ave:

— Ainda não acredito que está no meu braço, Krun. Eu poderia tocá-lo?

Com a pergunta Marguerite olhou de esguelha para Giles. O homem mantinha o olhar em frente, sem nada dizer. Animando-se, usando dois dedos da mão livre ela testou seus limites, acariciando as penas o peito do falcão. Krun reagiu ao toque, mas minimamente. Não bateu as asas nem ameaçou levantar voo. Com a anuência da ave, murmurando elogios e palavras de carinho Marguerite a tocou de leve no mesmo ponto até que chegassem à campina.

Ao final do passeio, depois de ver o falcão enfeitar o céu com voos perfeitos e artísticos rasantes para a captura do próprio alimento, Marguerite voltou mais bem disposta para o castelo. Tinha o amor do marido e era corajosa ao ponto de oferecer seu braço a uma ave com garras afiadas. Alguns minutos ao lado de Ketlyn nada seriam.

Tal pensamento foi válido para o primeiro jantar a sós, talvez. Depois de cinco noites na companhia de Ketlyn, Marguerite podia sentir o peso do tempo como uma bola de chumbo. Distrair-se com os *Staffies* e Krun, na campina e no aviário, ou conversar com Nádia e com a Sra. Reed não ajudavam a preparar seu espírito para o infalível encontro noturno.

Naquela noite de sexta-feira Marguerite se considerava bonita e preparada. Nádia escolhera belas joias, um vestido com decote enriquecido por pedrarias e prendeu seu cabelo num belo penteado. A criada esquecera-se de dar a ela uma boa dose de paciência, Marguerite pensou. Seria útil ser preparada também para lidar com o recorrente tédio e as infinitas futilidades.

A quem importava que a esposa do banqueiro fosse à confeitaria coberta por uma estola que destoasse do vestido? Ou que a esposa do vigário somente usasse sapatos *démodé*? Ou ainda, que a *Srta. Solteirona* fosse enfim se casar — coitada! —, com o filho estúpido do padeiro? Não importava a Marguerite, mas ela não via como mudar os temas. Não havia nada entre elas que levasse a uma conversa menos estafante. O que havia em comum Marguerite agradecia por não ser mencionado, portanto reagia reflexivamente, sorrindo, concordando ou discordando mesmo que intimamente bocejasse.

— Precisa ir à vila comigo um dia desses — dizia Ketlyn, enquanto era servida a sobremesa. — Assim conhecerá cada uma dessas pessoas e verá como são patéticas. A grande vencedora é a donzelona, a que vai se casar com o filho do padeiro. Duas figuras deploráveis. Pergunto-me o que um vê no outro. Bem, a solteirona eu até entendo, mas, ele? O que ela tem a oferecer?

Ali se encerrou a condescendência de Marguerite. Não tinha como ignorar tamanha maldade.

— Não lhe ocorre que possa haver amor?

— Amor?! — Ketlyn riu escarninho. — Bem se vê que não conhece um nem outro. Mesmo no escuro ela assustaria uma criança, ele é lerdo como um cágado e ambos não têm um pence numa lata enferrujada. Primeiro ama-se a beleza. Depois entram em jogo as questões práticas do matrimônio, posses e conhecimento. Afinal, nem só de boa aparência sobrevive uma relação.

— Considero triste que pense assim. O amor deve ser cego e desinteressado. Acredito que primeiro se ama o caráter, as qualidades.

— Beleza não é um defeito, querida — Ketlyn salientou —, mas não vou argumentar quanto a isso. Você é jovem, foi criada numa fazenda... Não imagina do que as pessoas são capazes.

— Não posso corrigi-la, mas duvido que todas as pessoas sejam práticas quanto ao amor.

— Oh, não! — Ketlyn meneou a cabeça. — Não todas as pessoas, querida, mas a maior parte sem dúvida. É raro encontrarmos amor desinteressado. A maioria dos casais se forma por uma razão. Entre desvalidos, um procura outro menos miserável. Entre nobres variam-se os motivos. Para selar a paz entre reinos, para unir fortunas, para manter linhagens... Por isso tantos maridos infelizes colecionam amantes. As esposas garantem a numerosa prole, com muitos varões se possível for, e as amantes os alegram, contentando-os na cama.

— Não acredito que tenha dito isso!

— Eu a escandalizei? — Ketlyn se mostrou penalizada. — Sinto tanto! Mesmo sendo jovem e provinciana eu pensei que agora fosse uma mulher experiente neste quesito. Será possível que ainda seja virgem? — Marguerite procurava a melhor resposta, quando Ketlyn acrescentou: — Logan me contou que você teve receio e o evitou na noite de núpcias.

Enfim, o tema em comum era citado! Da pior forma, considerou a duquesa, nauseada.

— Falam sobre mim?

— Não há segredos entre nós. Além de madrasta e enteado, Logan e eu somos... amigos. Pergunte o que quiser sobre seu marido e lhe direi.

— Quero saber apenas o que ele falou sobre mim.

— Muitas coisas... E uma delas eu já disse, que você teve medo de recebê-lo como homem e que respeitaria sua vontade.

— Ele disse que respeitaria... — Marguerite murmurou, distraidamente.

— Sim, mas... — Ketlyn assumiu ar conspiratório e olhou fortuitamente para o mordomo antes que dissesse: — Somos amigas agora então vou alertá-la. Ele disse que a respeitaria, mas que tentaria seduzi-la como pudesse. Faria isto com doces declarações, gentileza, coisas assim... Afinal, ele se casou para ter herdeiros e estes virão se consumar o casamento, não é mesmo?

— Está enganada! — Marguerite refutou dignamente.

— Estou? Creio que não... Logan sabe que o relógio está correndo e que nós, mulheres, temos o tempo certo para dar luz a bebês saudáveis. Por sorte meu querido George teve dois filhos que garantissem o título. Se meu marido tivesse dependido de mim... Pobre homem! Ele teria passado a herdade para um primo de segundo grau porque sou estéril.

Algo no estômago de Marguerite rolou de um lado ao outro, como barris soltos no convés de um navio em meio à tormenta. Maldade ou não, não parecia que Ketlyn mentisse. Era fato que Logan constantemente falava em filhos. Não havia muito tempo ele questionou se um bebê não estaria a caminho. E ele a seduziu com doces declarações, com gentileza. Estaria mentindo?

— Sinto muito por você... — Marguerite murmurou ao notar que se calara.

— Não sinta, não sou do tipo maternal... Prefiro divertir um homem na cama que cansá-lo com crianças barulhentas. Se me entende...

— Sim, eu entendo... E gostaria de ouvi-la mais, mas estou cansada.

— Irá se recolher tão cedo?

— Sim! — disse Marguerite, pondo-se de pé, evitando olhar para a sobremesa intocada. — É hora de me retirar. Boa noite, Ketlyn!

— Boa noite, Marguerite! — Ketlyn entoou como uma canção e ergueu sua taça. — Griffins, traga-me mais desse esplêndido vinho.

Marguerite deixou a sala de jantar antes que o mordomo obedecesse, correu escada acima e só parou ao entrar em seu quarto, arfante, enojada. Logan não podia estar mentindo, podia?

— Por que não? — indagou ao espelho. — Olhe bem! Qual das duas tem mais chances com um homem como Logan? A bela mulher que ele ama há anos ou você? Ketlyn é perfeita! Não... — corrigiu-se com o embargo a travar sua voz. — Não perfeita, pois não pode ter filhos... Um defeito facilmente resolvido com uma conveniente união. Oh, Logan, você faria isso comigo?

Era mesmo muito ingênua, pensou. Acreditava em doces palavras, pensava ser corajosa por lidar com Krun, mas não tinha estofo para a dissimulação de víboras humanas. De repente, tudo ao seu redor tornou-se sufocante.

## Capítulo 7

Logan corria as mãos pelo cabelo necessitado de corte, dividindo seu pensamento entre a falta que sentia da esposa e a ansiedade pela chegada de Ralph West ao Red Fox. Aquele seria o primeiro encontro desde que o contratou, pouco mais de três semanas atrás. Temas inquietantes cuja solução independia dele. Não saberia onde encontrar West e Marguerite simplesmente não respondia às cartas que enviava todos os dias. Logan gostaria de ir até ela, como fizera há três finais de semana, mas estava preso em Londres. Não fosse pelos compromissos do partido seria por Lowell, envolvido em nova encrenca. Daquela vez o irmão fora internado com quatro costelas fraturadas e um dos pulmões perfurado.

— Devia ver como ficou o outro... Meu rosto acabou com a mão dele — o estafermo dissera quando Logan chegou ao hospital em tempo de vê-lo receber os primeiros-socorros.

Logan teve o ímpeto de esganar o irmão. Não o fez por também se compadecer com o rosto coberto de hematomas, com os lábios inchados e cortados que mal se moviam enquanto Lowell gracejava, ria e ao mesmo tempo resmungava de dor. A razão da briga? Logan nunca soube.

Havia o boato de que o irmão estivesse envolvido com uma dama casada e que o marido traído encomendou a morte do amante. Uma das enfermeiras disse a Logan que um homem em atitude suspeita colheu informações sobre o jovem acamado. Dois guardas foram contratados para ficar de prontidão à porta do quarto ao dia depois do ocorrido. À noite o duque participava da vigília.

Os encontros com políticos eram igualmente desgastantes, mostrando a Logan o porquê de preferir estar longe. A cada dia o duque suspeitava de que para maioria deles as reuniões eram tão somente a desculpa perfeita para que tratassem dos próprios interesses, degustassem caros charutos e bebessem bom uísque, pois nunca chegavam a lugar algum sobre a participação inglesa na guerra americana, mas mãos eram apertadas e os sorrisos satisfeitos eram fartos.

Logan abandonaria de bom grato as reuniões, mas como deixar Lowell e ir a Dorset? E como não havia meio ele ao menos usava os encontros para ter alguma distração.

Nos primeiros dias em Londres ele soube de Marguerite por Ketlyn que enviara um curto recado para pô-lo a par de que os convites para seu aniversário estavam prontos. Ela escrevera:

*...mesmo com sua ausência Marguerite parece feliz em Castle. Acredito que sinta sua falta e que se atire em seus braços quando voltar. O plano está indo bem, parabéns!*

Não havia plano, Logan pensou na ocasião. Daquelas palavras queria que fosse verdade a parte em que Marguerite se atiraria nos braços dele. Nunca antes sentira tanto a falta de uma mulher sem que se animasse a procurar alento nos braços de outra. Por duas vezes se encontrou com Daisy Duport e outras tantas com algumas damas que conhecia no sentido bíblico, mas queria apenas Marguerite. Queria-a tanto que em uma de suas cartas pediu à duquesa que fosse se juntar a ele.

Sem a chegada dela ou uma resposta Logan enviou Ebert. Com o retorno do valete ele soube que Marguerite visitava Apple White. Não aprovava, porém nada podia fazer. Colocaria tudo de volta ao lugar somente quando Lowell deixasse o hospital em alguns dias. Lorde Townsend que o perdoasse ou o expulsasse do partido, mas iria embora mesmo que nada fosse decidido.

Antes que uma coisa ou outra acontecesse, Logan ansiava conseguir alguma boa nova que alegrasse sua esposa.

— Vossa Graça!

Logan voltou de suas cismas e olhou na direção do chamado. Ralph West, enfim, chegou!

— Viva! — exclamou um tanto aborrecido. — Por que todo americano se atrasa?

— Duvido que sejam todos, milorde — disse West, indicando a cadeira antes que se sentasse sem ser convidado. — No meu caso, não disponho de uma carruagem particular e não confio em cocheiros que alugam seus serviços. Para que não me vejam com o senhor, preciso descer longe e caminhar até aqui. Culpe-me pelo excesso de cuidado, não pela falta de pontualidade.

— Que seja! — Logan moveu a mão enluvada para que o homem encerrasse a conversa fiada. — Diga o que quero ouvir. Encontrou Cora Hupert?

— Espere um momento... — West pediu e estalou os dedos para o garçom. Quando este se aproximou com expressão nada amigável, pediu:
— Uísque duplo, por favor!

— Deseja alguma coisa, milorde? — O rapaz indagou ao duque.

— Apenas atenda ao cavalheiro — disse Logan. O garçom mediu o americano com o olhar, empinou o nariz e se afastou.

— Por que todo inglês é esnobe? — Ralph devolveu a questão do duque, rindo escarninho.

— Duvido que sejam todos — Logan o imitou.

— Sim, são todos, até mesmo os criados. Todos têm tanto orgulho de si mesmos que deviam engarrafar e vender aos menos confiantes.

— Se fizéssemos isto nos faltaria orgulho — Logan replicou. — Veja! Esnobes e eficientes. Eis seu uísque duplo. Agora me mostre do que um americano é capaz.

— Bem, milorde... O que me deu era quase nada, então dei um tiro no escuro e me agarrei à sorte. — West tomou um longo gole de sua bebida. — Como dizia, eu não tinha muito, mas o senhor me pagou bem pelo esforço. Estive em Apple White...

— Falou com os moradores?! — Logan se agitou. Não queria que soubessem.

— Apenas com um dos trabalhadores, mas eu o recompensei bem pelo silêncio. James Wallace trabalha na fabricação da sidra, mas conhecia a moça e a descreveu para mim. Fiz um retrato falado e...

— Você fez um retrato de Cora? — O duque se mostrou descrente.

— Sou bom desenhista, milorde. — Com o próprio orgulho desafiado, West mexeu no bolso de seu casaco e deste tirou o papel que desdobrou e exibiu. — Veja e diga que estou errado.

— Não está... — Logan admitiu ao analisar o retrato. Não conhecia a moça para dizer que aquela era ela, mas o desenho era impecável. Se houvesse semelhança Cora não era nada bonita. Rosto magro, cabelos negros curtos e espetados, olhar vago, enferma.

— Se repara no cabelo estranho — disse West. — Eu o fiz assim baseado no que o senhor me disse, pois Wallace a descreveu com o cabelo comprido.

— Muito bem... — Logan devolveu o desenho. — Resta saber o que conseguiu a partir disto.

— Com este desenho percorri as ruas da vila. Era meu primeiro palpite, então, mostrei-o a algumas pessoas. No início não houve interesse, mas isto mudou quando disse que ela sofria de problemas mentais e que os ricos pais ofereciam uma gorda recompensa a quem lhes desse a informação correta.

Logan assentiu, reconhecendo que a mentira fora uma boa tática.

— Bem, na vila não consegui nada, mas usei o mesmo expediente na vila vizinha. Chame de sexto sentido, mas para mim a garota não havia ido longe, afinal, nunca tinha saído da fazenda, segundo Wallace.

— Certo! Você seguiu seu sexto sentido — disse Logan, impacientando-se. Logo teria de ir para o hospital. — E este estava certo?

— Em Wisbury fiz o mesmo, mostrei este retrato onde me parecia propício a uma jovem perdida procurar. Perto de tabernas em que pudesse conseguir comida e vielas cobertas que lhe oferecessem abrigo. Fui até mesmo à igreja...

— Deixe-me adivinhar... — Logan bufou, cansado. — Ninguém a viu.

— É péssimo com palpites, milorde. Alguém a viu. Uma criada me disse que tempos atrás o banqueiro da vila foi com esta jovem até a casa de seus patrões para oferecer os serviços dela. Considerei curioso tão ilustre envolvido e fui pesquisá-lo. Mais uma vez segui meu sexto sentido e passei a vigiá-lo. Na semana passada eu o segui todos os dias e na sexta-feira...

— O que teve na sexta-feira? Fale de uma vez, homem! — Logan ciciou.

— O tal banqueiro esteve num bordel. Jardim das Borboletas é o nome.

— Então, descobriu que sir Frederick se diverte — Logan desdenhou. — Paguei-o para isto?

— Vejo que conhece o cavalheiro em questão — observou West, sem surpresa. — Mas não sei se diversão é o que ele procura porque seguiu diretamente para os fundos do lugar. Neste ponto precisei me embrenhar pelo meio das árvores, distancie-me um pouco, mas tive boa visão.

— Eu juro que estou no limite de minha paciência, Ralph West. Se não me disser o que...

— Eu a encontrei — o detetive revelou com orgulho.

— Em um bordel? — Logan não acreditou. — Disse que estava longe. Pode ter se enganado.

— Não trabalho com suposições, milorde. Na noite seguinte fui ao Jardim. Devo dizer que foi de longe a melhor forma de empregar vosso dinheiro. Boa bebida, deliciosa fornicação...

— Atenha-se ao que me interessa — Logan ordenou.

— Sim, claro! Apenas divaguei... Enfim, depois de passar momentos agradáveis na cama de uma experiente prostituta eu ofereci a ela uma boa soma em troca de confirmação. Assegurei saber que Cora Hupert trabalhava ali. Ginger confirmou e disse que Amber, como agora Cora é chamada, era a preferida da cafetina Lily Krane e que não se atreveria a falar mais. Ela apontou a jovem... O cabelo está crescido. Cora é uma linda jovem agora.

Logan respirou profundamente. A amiga de Marguerite não estava morta afinal, mas era como se estivesse.

— Como não me disse o que fazer além de encontrá-la, eu marquei este encontro. Devo me aproximar? Quer que eu a traga até aqui? Posso fazer isso por bem ou por mal.

— Agora é tarde... — disse Logan, intimista. Depois de mexer em seu bolso, discretamente passou uma bolsinha com o que julgava ser suficiente para mais semanas de procura. Seria o pagamento pelo serviço prestado. — Creio que não temos mais nada a tratar.

Ralph West conferiu o peso da bolsinha e sorriu.

— Não temos — ele anuiu ao guardar o dinheiro e tomar o uísque. — Vou agora, mas deixo um conselho. Quando for a Westling Ville, estenda vosso passeio e vá ao Jardim. Que paraíso!

Minutos depois Logan ainda ouvia a risada acintosa de West. Para ele pouco importava que o tal Jardim das Borboletas fosse o paraíso na Terra. Agora era tão somente a cripta em que a amiga de sua esposa encerrou a vida. Que lástima!

— Por que está tão calado? — Lowell indagou, mostrando ao irmão que estava acordado havia algum tempo. — Não pode ter sido nada que eu fiz, pois estou de castigo aqui.

— Fico feliz que ainda consiga fazer piada — Logan retrucou, sentando-se corretamente na poltrona posta ao lado da cama do irmão. — Já pode rir delas sem molhar as calças de tanta dor?

— Estou trabalhando nisso — assegurou Lowell, inabalável. — E não me respondeu.

— Lembra-se daquele homem que me indicou? — Logan precisava falar e agradeceu por seu irmão somente assentir. — Pois bem... Ele é de fato muito bom, encontrou quem eu procurava.

— E não está feliz? — Lowell franziu o cenho. — Não era o que queria?

— Era, mas não poderei valer-me dessa pessoa para fazer Marguerite feliz. Agora o mundo de ambas está irremediavelmente afastado.

— Tem certeza de que é você quem decide isso?

— A vida como nós conhecemos é que decide — disse Logan com pesar. — Resta apenas uma coisa a fazer antes de esquecer esse assunto. E, sei que nossa relação é estranha, mas eu agradeceria se também o esquecesse. Acredite, é pelo bem de sua irmã.

— Se é pelo bem de Marguerite, considere esquecido. Além do mais, praticamente nada sei, não é mesmo? Não quer me contar mais?

— Não... — Logan se pôs de pé e analisou o rosto do irmão. — Quero que me fale de você. Como passou o dia?

— Às sete horas tomei um magnífico desjejum... Às nove horas uma enfermeira limpou meu corpo, todo ele — Lowell acrescentou com malícia —, mas meu pênis se comportou. Depois ela trocou os lençóis. Às doze horas trouxeram o almoço e...

— Vejo que se recupera bem! — Logan o cortou, voltando a se sentar. — Quando terá alta?

— Segundo o médico, em dois dias... De acordo com as enfermeiras, nunca.

— Se está recuperado para as gracinhas, pode me dizer o que aconteceu? — Logan indagou seriamente. — Quase o mataram!

— Devo ter irritado um marido ou dois... — Lowell deu de ombros.

— Lowell... — Logan apertou a ponte do nariz. — Quando entenderá que é adulto.

— Eu entendo, tanto que o que vê é o resultado de aventuras próprias aos adultos. Deixei a jogatina para me dedicar ao sexo.

Logan gostaria de repreendê-lo, mas não seria hipócrita.

— Sabe que está sua nova aventura me afastou de Marguerite? — Ele usou o que podia. — Há três semanas não a vejo.

— Podia ter ido a Castle...

— Deixando-o indefeso. Sabe que um desconhecido esteve aqui à sua procura?

— Se quisessem me matar, teriam feito — Lowell replicou. — Nunca pensou nisso?

— Não, Lowell! A última coisa que faço é pensar com clareza quando o assunto se refere a você. É meu único irmão, inferno!

— Shhh... Milorde, por favor! — pediu uma enfermeira que entrava no quarto, levando a medicação noturna. — Alguns pacientes já estão dormindo.

— Perdoe-me! — ele pediu, baixando o tom. Logan esperou que o irmão fosse medicado e que a senhora os deixassem a sós. — Vê o que me arranja? Sou repreendido por sua causa.

— Se não se preocupasse tanto, isso não aconteceria. Ninguém está querendo me matar, Logan! Se isto é que o retém em Londres, fique à vontade para partir.

— Se tivesse me dito isto antes talvez eu fosse, mas agora vou esperar esses malditos três dias e deixá-lo instalado em Haltman Chapel. Depois, dou-lhe minha palavra de que lavo minhas mãos. Se você é adulto para jogo e sexo é adulto para resolver os próprios problemas. E se aqui você não corre riscos esta noite eu dormirei na minha cama. Boa noite, Lowell!

Deitar no colchão macio e conhecido não impediu que o duque dormisse apenas duas horas. Durante o desjejum a cabeça de Logan doía, os olhos pesavam. Ao término da refeição não deu dois passos sem que seus músculos reagissem negativamente. Com dores por todo corpo Logan aceitou o conselho de Finnegan e se recolheu. Enfim o desgaste físico e emocional o abateu, prostrando-o por cinco dias. Há dois deles era Lowell a velar seu sono e a obrigá-lo a tomar os remédios que Ebert trazia.

— Quem diria que eu cuidaria de você? — Lowell indagou depois que Logan tomou todo o chá e entregou a xícara para que o valete levasse de volta à cozinha.

— Não é a primeira vez... — Logan o lembrou. — Cuidou de mim quando bebi demais.

— Foi diferente. Era um homem salvando a pele de outro. Agora sou seu irmão.

— Gosto que seja meu irmão — disse Logan, olhando-o atentamente.

— Apesar de tudo, sempre seremos. — Lowell parecia incomodado e seguiu para a porta. — Vou deixá-lo descansar.

— Estou descansado. Prefiro que fique e me diga a que se referiu com *apesar de tudo*.

— Você sabe... — Lowell deu de ombros. — Nossas brigas... Sua chatice...

— Brigaremos menos se eu for menos aborrecido? — O duque queria que a boa convivência perdurasse. — Se sim, eu tentarei realmente lavar minhas mãos e deixá-lo por conta própria.

Lowell respirou fundo, não sem fazer um careta de dor, e foi se sentar na beirada do colchão.

— Ainda dói quando respira? — Logan se preocupou. Não conseguia evitar.
— Um pouco, sim... — Lowell meneou a cabeça. — Mas eu estou bem! Não vá querer se mudar para cá por causa disso.
— Não vou — o duque prometeu, rindo mansamente.
— Sabe? — O irmão não o acompanhou no riso. — É bom saber que, mesmo eu sendo uma pedra no seu caminho, está sempre aqui por mim.
— Ei! — Logan o segurou pelo braço, quando Lowell tentou se afastar. — Nunca foi um empecilho. É a parte do papai e da mamãe que me restou. Se eu o perder não restará ninguém.
— Está dizendo que cuida de mim por motivos egoístas?
— Estou dizendo que cuido de você porque é parte daquilo que me forma. Estou dizendo que o amo, seu imbecil!
Lowell arregalou os olhos cinzentos e nada disse, entretanto, sua expressão denunciava a comoção sentida. Logan não o prendeu quando ele novamente fez menção de levantar.
— Se continuar a ser esse homem que vi nos últimos dias — disse Lowell ao chegar à porta e se virar —, em breve serei capaz de dizer o mesmo. Boa tarde, grande irmão!
Fora custoso para o duque admitir o que sentia pelo irmão e saber que o sentimento não era recíproco o abalou. O que teria feito para que, *apesar de tudo*, Lowell não o amasse?
— Está dormindo de olhos abertos, milorde? — perguntou Ebert ao entrar.
— E sonhava com o retorno para o castelo. — Ele não se importaria com as idiossincrasias do criado. — Arrume nossas malas. Partiremos amanhã, após o almoço.

⚜

Segurando a frente de seu casaco para proteger-se do vento cada dia mais frio, com a mão livre Marguerite acariciava a cabeça de Nero, tendo o pensamento distante. Estava em Apple White há semanas e em tempo algum Logan surgiu para dissipar as desconfianças semeadas por Ketlyn ou enviou uma carta, pedindo que voltasse. Ela não sabia se o marido ainda estaria em Londres ou ajudando a madrasta nos últimos preparativos para o aniversário: prova de que seria ele a cobra mor do covil que ela deixou para trás.
Marguerite preferia crer na primeira hipótese; doía menos. Se havia algo que sabia era que a falta dela em Apple White fora realmente sentida. Enquanto fazia o caminho de volta, a duquesa temeu não ser bem recebida, o que nunca aconteceu. O único que não se mostrou contente tinha sido o barão, mas Marguerite concedia a ele sua boa vontade, afinal, encontrou-o com o humor alterado por estar há dias acamado, debilitado por uma estranha gripe.
A baronesa, por outro lado, ficou satisfeita ao notar que a filha voltava à antiga forma e que se vestia com elegância própria a nobreza.

— Lamento apenas que o duque não tenha vindo. Mesmo com atraso poderíamos fazer um jantar especial para Catarina — dissera a mãe depois de beijá-la no rosto. — Sabe que nada fizemos porque o barão está fraco.
— Fui informada. Já sabem o mal que o acomete?
— Segundo Dr. Morrigan, é uma gripe muito forte. Há dias o barão apresenta significativa melhora. Contamos que se recupere para que possamos comparecer à festa do duque.
— Conto com o mesmo. Quanto a Logan, ele está em Londres, tratando de política. — Aquela era a resposta padrão. — Se minha presença bastar, faça o jantar especial.
— Assim farei! Pedirei que preparem os pratos que ela mais gosta. E quanto ao aniversário do duque? Confesso que não esperava vê-la aqui. Deve estar atarefada com a preparação, não?
— Na verdade, não. — Se queria se refugiar em Apple White ela deveria eliminar aquele engano. — A duquesa viúva está encarregada de tal tarefa.
— Ah, sim...? — Elizabeth pareceu especialmente interessada, alarmando Marguerite.
— Sim... — Marguerite confirmou com segurança que não sentia. — Ketlyn se ofereceu e nós não objetamos. Afinal, o que eu entendo de comemorações, grandes ou pequenas?
— Tem razão! — A baronesa pareceu se conformar. — Mas deve aprender o quanto antes. Agora é sua função organizar as recepções em Bridgeford Castle.
— Assim farei... — Marguerite sorriu. — Por ora fico feliz pela oportunidade de estar aqui.
— Estou feliz pelo mesmo motivo — garantiu sua mãe.

Claro que sua estada, estendida muito além do referido jantar, tinha mudado a situação. Nas últimas semanas os barões queriam saber quando a filha partiria para *cuidar da própria vida.* Ou seja: do castelo, do marido, do ducado e — já que a data alarmantemente se acercava — de seus preparativos pessoais para a festa de aniversário do duque.

Como se ela não quisesse todas aquelas coisas!

Contando com aquele domingo, faltavam apenas cinco dias para a noite da grande data e ela não havia decidido o presente, não sabia como estava a reforma de seu vestido. Marguerite tinha certeza apenas de que Ketlyn estaria mais ativa do que nunca pelos cômodos do castelo, ditando ordens em seu lugar. Talvez ainda nem mesmo tivesse se mudado. Imaginar tais coisas adoecia-a e a prendia em Apple White, mas Marguerite sabia que não podia ficar mais um dia sem comprometer sua participação na comemoração ou não agravar a desconfiança geral.

Todos estavam agitados para a ocasião, menos ela.

— Que suspiro profundo! — Marguerite sorriu ao ouvir a voz do irmão cuja chegada fora denunciada pela agitação de Nero e por folhas secas. — Não esquece este pomar nem mesmo em um dia frio como este?
— Está suportável.

— O inverno este ano promete ser rigoroso — comentou Edrick ao se prostrar ao lado dela e se inclinar para também tocar a cabeça do cachorro e indagar: — Troca-me pela visita? Esquece que agora é meu?

— Não, senhor! É apenas o tutor — corrigiu-o Marguerite, sorrindo. — Nero é meu.

— Está bem... Não brigaremos por ele — Edrick anuiu, sorrindo, mas voltou à seriedade. — O que há? Parece triste. Tem certeza de que não tem nada a me dizer?

— Nada a dizer. E, sim, estou triste por minha partida. Mesmo que não caibam a mim os preparativos para a festa, devo ajudar agora que o dia se aproxima. E nem tenho um presente!

— Ter você é o melhor presente que Bridgeford poderia desejar.

— Certo... — Marguerite esboçou um sorriso. — Nem tenho *outro* melhor presente.

— Sei que pensará em algo. — Edrick expirou profundamente e disse: — Eu esperava que Bridgeford viesse buscá-la. E isso, há semanas.

— Como eu lhe disse, Logan está ocupado em Londres. Se tivesse voltado ele viria. — Era o que constantemente repetia para si. — Mas não deve tardar, afinal, será seu aniversário.

— Tem razão... Todavia, se você pudesse ficar um pouco mais, quando me desocupasse eu a levaria até Dorset.

— De jeito algum eu aceitaria isso! Papai precisa que fique aqui. Ele está melhor, mas não recuperado da gripe. E, já que mencionei isso, quero pedir que me mantenha informada. Nossa irmã é sempre tão vaga.

— Catarina se ocupa de muitas coisas. Agora cismou que deve se casar, mas não com qualquer um. — Edrick riu de modo leve. — Ela precisa ter um título.

— Esta é Catarina! — Marguerite o acompanhou no riso. — Desde que cheguei é tudo que a ouço falar. Parece que é minha função encontrar um pretendente. De preferência durante a festa.

— Pode culpá-la? Você se casou com um duque — lembrou-a o irmão. — E não um que seja pouca coisa. Está casada com um dos duques mais afortunados de toda Inglaterra.

— E eu que pensei que ele estivesse aqui pelo meu dote...

— Pensou? — Edrick estranhou.

— Bem, eu... — Marguerite quis ter mordido a língua. — É que tudo aconteceu de modo tão inesperado. Pensei muitas bobagens até entender que era amor.

— Sei que já perguntei antes, mas não me cansarei de interpelá-la... Está feliz?

— Pela centésima vez, sim, honorável herdeiro do barão. Esta duquesa é feliz!

— E linda! Se você é feliz, eu também o sou. Não é menos do que merece.

— Oh, Edrick! — Marguerite o abraçou pela cintura e pousou a cabeça no peito largo. — Eu o amo tanto!

— Eu também a amo, Marguerite — Edrick assegurou, abraçando-a pelos ombros.

— Nunca conheci irmãos tão apegados. — A voz veio de longe, um instante depois de Nero se agitar, separando-os. O galgo se pôs de pé e passou a latir para o recém-chegado. — Ora, fique quieto, Nero! Não pode ter me esquecido.

— Nero estranha nobres rabugentos — troçou Edrick, reverenciando o cunhado. — Que bons ventos o trazem?

— Os mesmo que impedem minha esposa de voltar para Dorset — respondeu Logan com os olhos postos em Marguerite. Esta a muito custo se mantinha de pé. — Enfim, encontrei-a!

— Faz parecer que fugiu — comentou Edrick, olhando de um ao outro. — O modo como a olha e a palidez do rosto dela endossam meu pensamento.

— Tolice, Bradley! — Logan ainda encarava a esposa. — Por que Marguerite fugiria?

— Diga-me um dos dois — Edrick pediu, seriamente.

— Não temos o que dizer — Marguerite reagiu por fim, esboçando um sorriso. — E Logan deve estar cansado... Vamos entrar?

— Sim, claro! Vamos... — Edrick indicou o caminho ao casal para que seguissem à frente.

Logan preferia que ficassem para trás, queria algumas respostas de Marguerite. Como não podia expor suas questões apenas ofereceu o braço para ela. O toque incerto confirmou a fuga. Foi o que deduziu o duque ao chegar de Londres na noite anterior e descobrir pela ex-amante que a esposa tinha seguido para Apple White seis dias após sua partida. Ebert não obteve aquela informação e não ajudou ver a atitude enganosamente inocente da bela mulher que o recebeu na casa da vila, visitada por ele antes que seguisse viagem para o castelo.

— Não lhe parece incrivelmente oportuno que Marguerite não esteja? E por vontade própria — ela dissera ainda. — Enfim, teremos tempo para nós.

— Não, Ketlyn! Marguerite não estar no castelo como disse em sua carta apenas prova que a estamos perdendo — ele a alertou. — Por que mentiu?

— Não avisei da inesperada viagem porque acreditei que ela logo voltasse. Eu não menti.

— Bem, omitir também não ajudou. Sabia que Alethia ainda não se decidiu?

— Por isso é você a mentir, dizendo que a ama? — Ketlyn o desafiou. — Ouvi-o, quando os flagrei em momento íntimo. Cuidado, querido, ou posso crer que esteja me traindo.

— Não há traição! — ele refutou. — O que sinto por você não pode ser comparado.

— Se isto é verdade, fique! Passe a noite aqui, comigo.

— Ainda não posso... — Logan recuou um passo. — Minha carruagem está à sua porta e me viram entrar. Não podemos alimentar comentários que já nos assombram. Seja paciente.

— Não é mais do que sou, Logan — Ketlyn redarguiu. — Não é mais do que sou... E se não ficaria, por que veio?

— Parei aqui apenas para saber como está instalada. Também sobre meu aniversário.

— Estou muito bem instalada e na próxima quinta-feira terá uma festa inesquecível.

Com a conversa encerrada Logan voltou para a carruagem e seguiu viagem, mirando a caixa que continha um presente para Marguerite. Sua vontade era partir para Somerset na mesma hora, mas não sobrecarregaria Murray, Ebert ou seus cavalos. Restou conformar-se, deixando o presente para ser entregue em outra ocasião, trancar-se em seu quarto e de lá sair pela manhã para que fosse buscar a duquesa.

Não que precisasse de aprovação, mas gostou de reconhecê-la nos olhares de Griffins e Agnes Reed, seus criados mais antigos; a mesma ele não via nos olhos da esposa. Antes disso, sentia repreensiva e distante. Para mostrar que estava com ela, Logan cobriu a mão que tinha em seu braço e a apertou levemente. Marguerite o olhou de soslaio, com cautela, mas logo desviou sua atenção para Nero, que corria à frente deles.

— Quanto tempo pretende ficar? — indagou Edrick, caminhando sem olhar para trás.

— Até amanhã de manhã. Estive fora tempo demais, Bradley. Preciso organizar tudo em Castle. Vim apenas buscar minha esposa.

— E quando chegou?

Em pensamento Marguerite agradeceu ao irmão. Ela também estava interessada.

— Ontem, no final da tarde. Descansei e nessa manhã, parti.

Marguerite se envaidecia pelo trabalho que deu ao duque e, pelo mesmo motivo, culpava-se.

— Eu aprovo — disse Edrick, satisfeito. — Um marido zeloso não deve ficar muito tempo longe de sua esposa.

— Vou me lembrar disso — Logan riu mansamente. — Verei se será também zeloso.

— Recoste-se, pois não tenho pressa — garantiu Edrick. — Já esteve na casa? Sabem que têm visita?

— Estive! Deixei a baronesa ditando algumas ordens.

— Pobre Beni — Edrick e Marguerite disseram em uníssono e riram da coincidência.

— Apegados e unidos em pensamento — Logan observou. — Quem pode competir?

— Temos sintonia e não precisa haver competição. Não precisa se enciumar.

— Não o farei — Logan mentiu, pois invejava aquela relação. Como não tinha tempo a perder antes que pudesse estar a sós com Marguerite, Logan indagou: — Bradley, como tem passado sir Frederick?

— Frederick?! — Edrick estranhou a questão. — Passa bem, espero!

— Se você perguntasse por Madeleine, Logan, meu irmão teria a resposta... — Marguerite gracejou, sentindo-se mais segura. — Durante a última visita ele a monopolizou no jardim.

— Fui monopolizado — Edrick a corrigiu, sem parecer afetado pela provocação da irmã.

— Não creio que a ordem dessa soma mude o resultado — Logan salientou. — Um homem e uma jovem *monopolizando-se* no jardim é motivo suficiente para que eu não me recoste. Devo pedir que Ebert prepare meu fraque?

— Não ocupe seu valete com serviço vão — retrucou Edrick, inabalável. — E nem um dos dois me distraia, por favor! Ainda gostaria de saber a razão de mencionar sir Frederick.

— Simpatizei com o amigo de sua família — disse Logan, despretensiosamente. — Não sabe, mas cogitei pedir que fosse meu padrinho caso Dempsey não pudesse sê-lo.

— Que interessante! — Marguerite se surpreendeu. — Eu também não sabia.

— E eu não tinha como saber — lembrou-os Edrick —, pois não estava aqui na ocasião.

— Bem, ambos sabem agora. Como disse, gostei de sir Frederick e gostaria de vê-lo.

— Realmente simpatizou-se dele, não é mesmo? — Edrick olhava para o cunhado, admirado. — Se quer vê-lo e deseja partir pela manhã como diz, deveríamos ir até Wisbury agora mesmo.

— Logan acaba de chegar... — Marguerite não queria que ele se afastasse.

— Mas não estou cansado — disse Logan, amavelmente. — E se o tempo é pouco, devo fazer como Bradley sugeriu. Não nos demoraremos.

— Se está decidido, deixo-os e vou ao estábulo. Pedirei que preparem nossos cavalos, se não se opõem a montar, Bridgeford.

— Não me oponho.

Edrick assentiu e se foi. O casal estava aos pés da pequena escadaria à porta principal. Era inoportuno, mas ao se vir sozinho com a duquesa, Logan indagou:

— Por que está aqui?

— Eu não poderia resumir e logo Edrick virá com os cavalos — Marguerite se esquivou.

— Tente! Por que está aqui, Marguerite? Como receberia minhas cartas?

— Pedi a Sra. Reed que as enviasse para cá, mas eu nada recebi.

— Como não?! Escrevi-lhe todos os dias até que soubesse de sua vinda para Apple White.

— Se realmente escreveu, a Sra. Reed deve ter alguma explicação — disse Marguerite, desviando o olhar. Não queria duvidar, mas...

— Olhe para mim! — Logan segurou seu queixo. — Se realmente escrevi?

— Não tenho suas cartas, não é mesmo? Quando foi informado de minha vinda por que não as enviou para cá?

— Eu o faria, mas algo aconteceu, mudando minha rotina. Este assunto também não poderia ser resumido. Abordá-lo-ei em melhor momento. No mais, quando estivermos no castelo verei o que pode ter ocorrido para que a Sra. Reed falhasse com nossa correspondência. — Depois de um longo expirar, Logan acrescentou: — Imaginei as piores coisas ao ficar sem resposta.

— E mesmo assim só voltou agora — observou Marguerite, sustentando seu olhar.

— Como lhe disse, algo aconteceu e não pude vir antes, mas enviei Ebert para que tivesse notícias suas. Foi por ele que eu soube de sua visita a Apple White, então, a senhora também poderia ter me escrito. Tenho a impressão de que saiu às pressas e que aqui se escondeu.

— Não me escondo, tanto que soube onde me encontrar — ela redarguiu —, mas realmente saí às pressas. Eu precisava... Eu precisava de ar.

— De ar?! — Logan estranhou. — O que quer dizer com isso? Castle a sufoca?! Diga.

Marguerite cogitou ser sincera, mas antes que o fizesse foram descobertos por Catarina.

— Ah, cá estão! — falou a moça parada no limiar. — Marguerite, deve dividir a atenção do duque... E nem digo por mim. Ele acaba de chegar de Londres e papai deseja ouvir as novidades da corte.

— Papai terá de esperar pelo jantar, Catarina — anunciou Marguerite. — Agora o duque irá a Wisbury com Edrick.

— Mas ele acaba de chegar... — Catarina comentou com um muxoxo.

— Nem sentirão nossa falta — disse Logan à cunhada. Para a esposa sussurrou: — Não acredite que me deixará sem resposta.

— Lorde Bridgeford, tem amigos em Wisbury? — quis saber Catarina.

— Na verdade, não — ele admitiu. — Estou indo fazer meu primeiro amigo em Wisbury.

— O duque quer estreitar os laços com sir Frederick — Marguerite explicou.

— Parece-me sempre útil ter a amizade de um banqueiro — gracejou Catarina. — E se irão à mansão Kelton, poderíamos ir todos.

— Se todos fossem deixaria de ser uma rápida visita — Logan refutou a ideia. Aceitou a companhia do amigo por ser homem e rogava para que ele não interferisse ao conhecer o destino da ex-criada. — Pretendo não me demorar.

— Se o duque prefere assim... — Catarina aquiesceu.

— Edrick parece saber de sua pressa — comentou Marguerite ao ver o irmão se aproximar, montado em um baio, sendo ladeado por outro. —

Onde está Draco? — ela indagou ao irmão enquanto este entregava as rédeas do segundo baio ao amigo.

— Ainda é novo, tenho tido trabalho para domá-lo... Prefiro não me ocupar dele esta tarde — respondeu Edrick, olhando para o cunhado. — Podemos ir?

— Podemos. — Já montado, acariciando a crina do animal, Logan disse à esposa. — Não nos demoraremos. Até breve!

— Até breve... — repetiu Marguerite antes de ir até a irmã.

— Não parece muito animada com a chegada de seu marido — disse Catarina, analisando-a.

— O duque não está muito contente com minha demora em voltar ao castelo — Marguerite falou com sinceridade, vendo Logan se afastar. — Ouvirei um sermão.

— Merecido! — Catarina revirou os olhos. — Em seu lugar eu viveria dedicada ao meu nobre marido. De preferência em nosso quarto.

— Catarina?! — Marguerite encarou a irmã, chocada. — Por que disse isso?!

— Não sei ao certo, apenas suponho! — Catarina deu de ombros, mas gradativamente enrubesceu e indagou: — Posso fazer uma pequena confissão?

— Tenho escolha? — Marguerite pressentia que não ouviria boa coisa. — Soa determinada.

— E estou! Desde ontem estou ansiosa para falar com alguém, mas... Bem... Não tenho muitas amigas.

— Pensei que fosse amiga das filhas de Cameron Hope.

— Eh... — Catarina torceu os lábios. — Damo-nos bem, mas não diria que são minhas amigas, muito menos confidentes. Talvez Madeleine Kelton me ouvisse sem assombro, pois sempre está metida nos jardins com Edrick, mas ela é *sua* amiga, então...

— Começo a temer — Marguerite murmurou. — O que causaria assombro?

— Vou confiar em você — cochichou Catarina. Depois de conferir seu entorno, aproximou-se e disse: — Ontem, com papai e Edrick na sidreria... Enquanto você lia e mamãe repousava... Eu saí para um passeio pelo jardim...

— Sim...? — Marguerite a incentivou ainda a temer o pior. — O tem isso demais?

— Bem, eu posso ter visto algo... — Catarina estava vermelha como uma maçã madura. — Era bizarro, mas... estimulante.

— Minha nossa! Catarina, o que você pode ter visto? — Marguerite estava apavorada.

— Beni — Catarina sussurrou — e Leonor...

— Pensando bem, não quero saber! Apenas esqueça o que quer que acredite ter visto!

— Não posso! — Catarina segurou a irmã pelo braço, aflita. — Eu preciso entender o que vi. Era... complexo. Não me faça perguntar à mamãe, por favor! Você é casada e eu acredito que possa estar relacionado.

— Catarina...

— Nós não concordamos sempre e se ressente por Nero até hoje, mas você é minha irmã! — Catarina se exaltou. — Se for difícil, finja que sou Cora e...

— Está bem! — Marguerite a interrompeu, tocada pela menção à Cora. — Acalme-se. Não facilitará se alguém vier descobrir porque se alterou. Solte-me e faça a pergunta.

— Como sabe que tenho uma pergunta? — Catarina uniu as sobrancelhas, trêmula.

— Como bem lembrou, sou casada. E se viu o que penso que viu, pode estar relacionado.

— Então, o que eu vi é... É o assunto proibido?

— Sabe que não me disse exatamente o que viu — Marguerite salientou, rogando para que não tivesse sido nada demais, afinal, Catarina nada sabia sobre *assuntos proibidos* e ela ainda queria crer que Leonor não se deixasse seduzir.

— Eles estavam escondidos por um arbusto... Na verdade eu não vi tanto, apenas que Beni se movia, muito, e ouvi os sons que eles emitiam...

— Entendo... — Marguerite sentiu seu rosto esquentar. Leonor se deixou seduzir!

— Decididamente algo acontecia ali. Era como se doesse, mas parecia ser tão... tão bom!

— Eu entendi! — Marguerite foi incisiva. — Não precisa ser descritiva.

— Mas você, sim. Era algo bom ou ruim? Por favor, seja sincera.

Marguerite deliberou com seus botões. Decidiu que se Catarina devesse esquecer, só o faria se esgotassem as questões. Ela mesma nunca viu o ato, mas tinha alguma informação antecipada quando se casou. E mentir ou omitir não ajudaria, portanto, atendeu a irmã.

— O começo é muito, muito, muito doloroso — exagerou para assustá-la —, mas melhora com o tempo até que um dia passa a ser bom.

— E o que acontece exatamente? — Catarina não parecia estar impressionada. — Por que é preciso tanto movimento?

Santo Senhor! Como explicar sem morrer fulminada pelo embaraço?

— Bem... — Marguerite secou o suor de sua testa com as pontas dos dedos, procurando as palavras certas. — Homens e mulheres são... diferentes. Há uma parte neles que se encaixa em nós... E isso só deve acontecer depois do casamento, entendeu bem!

— Beni e Leonor não são casados — Catarina salientou.

— Justamente por isso pecaram gravemente! — Marguerite retrucou. — Ele foi descortês e ela está arruinada. Dificilmente algum homem se casará com Leonor caso descubra.

— Ela pode se casar com Beni, não? — Catarina não parecia convencida.

— Eu duvido. Leonor não devia ter arriscado o futuro dessa maneira. Em todo caso, isso não é problema nosso. Esqueça esse assunto.
— Mas, Marguerite...
— Catarina! — Marguerite falou energicamente. — Se está lembrada de que sou sua irmã, obedeça-me! Vai esquecer esta conversa e só voltará a pensar nela quando estiver casada! Agora que reconhece os sons, evite se aproximar caso os ouça novamente. O que viu não é para os olhos de ninguém, muito menos para os de uma moça de dezessete anos. Esqueça!
— Está bem, está bem... — Catarina anuiu.
Marguerite assentiu, mas apenas agradeceu o fim da conversa, pois sabia que Catarina não esqueceria. Intimamente rogou para que a irmã tivesse juízo, afinal, o que presenciou era altamente estimulante, nada doloroso depois que se pegava o jeito e muito, muito, muito bom.

## Capítulo 8

Durante a cavalgada Logan descobriu que gostava daquela parte da Inglaterra. Amava as colinas, mas era bom ter um vasto terreno plano para percorrer a cavalo. As árvores ao redor do caminho formavam o cenário perfeito, mesmo que algumas delas estivessem sofrendo a ação do iminente inverno. Pela vontade do duque eles apenas apreciariam a paisagem e ouviriam o bater dos cacos na terra batida, mas aquele não era um passeio comum.

— Bradley, eu creio que gostará de saber que Ketlyn agora mora na vila.

— Por gosto preferia que ela estivesse mais distante, mas me tranquiliza que tenha saído do castelo. Era estranho imaginá-la sob o mesmo teto que Marguerite.

— Ainda vale o que propus... Vou dar a ela uma casa, provavelmente em Londres.

— Isto, sim, será perfeito! — Edrick assentia, satisfeito. — Em Londres será ideal.

— É o que penso... Já que não posso voltar atrás e evitar nosso envolvimento.

— Teria feito diferente se pudesse?

— Hoje sei que faria tudo diferente — assegurou o duque, encarando o amigo para que este visse a verdade em seus olhos. — Teria me preservado para sua irmã.

Edrick sustentou o olhar do duque e, quando não pôde mais se conter, lançou a cabeça para trás irrompendo numa sonora gargalhada.

— O que é tão engraçado? — Logan tinha o cenho franzido.

— Não consigo imaginá-lo virgem até o casamento! O mundo que conheço não existiria!

— Ria o quanto quiser — Logan o liberou, reconhecendo certa graça. — Não disse que seria virgem ao me casar com ela, mas que me preservaria. Não teria me envolvido com Ketlyn.

— Fato que realmente não pode ser mudado — comentou Edrick, recuperando-se do riso. — Porém, não mentiu para minha irmã e ela o aceitou apesar de seu envolvimento, então, esqueça!

Esquecer seria perfeito, mas ele estava atado à Ketlyn por um plano infeliz. E não ajudava que Alethia se recusasse a nomear Lowell seu único herdeiro. Mostrar a Marguerite ser aquele seu desejo não bastava, tinha de se livrar da herdade de Gaston Welshyn.

Por certo que tinha, mas no momento havia outro assunto a tratar. Logan iria compartilhar com o amigo o que tinha descoberto sobre a amiga de Marguerite, quando Edrick comentou:

— Agora que Marguerite está casada, vejo as festas de passeio noturno com outros olhos. Não sei se voltarei a participar de outra.

— Eu, sem dúvida, não participarei — Logan assegurou, imaginando um homem a se deitar com Marguerite enquanto ele estivesse em outro quarto, com a esposa de alguém.

— Agora viveremos com as boas lembranças... — disse Edrick, nostálgico.

— Boas, realmente — reiterou Logan no mesmo tom. — Recorda-se da última.

— Como me esqueceria? Vivi horas memoráveis com lady Mary...

— Filha de conde Crossing, viúva de um conceituado historiador. Voltou a vê-la?

— Revivemos horas memoráveis enquanto o senhor estava aqui, convencendo minha irmã de que é bom o bastante para ela — revelou Edrick. — Agradeça lady Mary por me reter em Londres.

— Eu o farei tão logo a vir — prometeu o duque quando cruzavam a ponte que ligava as vilas. Mais uma vez ele quis comentar sobre a amiga da esposa, pois gostaria de saber a opinião de Edrick quanto ao que faria, mas este novamente o calou.

— Por falar em passeios noturnos, enquanto estive em Londres ouvi dizer que Alweather está na Inglaterra.

— Alweather?! Em todo este tempo que estive em Londres não ouvi nada parecido, mas pode ser verdade. Há quanto tempo ele vem e vai? Dez anos, não é mesmo?

— Mais ou menos esse tempo — Edrick falou, assentindo. — Eu gostaria de vê-lo.

— Digo o mesmo. Às vezes penso que ele irá se mudar para a África. Terá se recuperado?

— Não sei muito sobre essas questões, mas penso que tantos anos devem ter arrefecido a dor de perder esposa e filho durante o parto — Edrick considerou. — Quanto um homem sofre por uma mulher?

— Se temos opção, eu diria que um ano em caso de morte e nunca nos demais casos, mas acho que não há escolha. A coisa toda dependerá do quanto esse homem ama a mulher.

— Disso você entende — Edrick observou. — Amou Ketlyn, agora ama Marguerite...

— Não nego, eu amo sua irmã. E hoje não sei o que estive sentindo por Ketlyn.

— O que confirma minha tese... Tinha mais a ver com sexo que sentimento.

— Isto torna tudo pior! — Logan meneou a cabeça, inconformado. — Afinal, pelo que traí a memória do meu pai, Bradley?

— O desejo por uma mulher não deve ser diminuído — contemporizou Edrick. — E se você acreditou que fosse amor, não fez o que fez por leviandade. Não se martirize.

Se o amigo conhecesse todos os fatos não pensaria do mesmo modo e como não seria ele a atualizá-lo, Logan apenas assentiu.

— Bridgeford, pense que acabou e que Ketlyn se mudou — Edrick aconselhou. — Agora me diga, realmente simpatizou com sir Frederick?

— Ele é agradável, mas hoje há uma razão para procurá-lo. Eu...

— Ora, ora se não é o honorável Edrick Bradley III!

Logan foi interrompido por um homem que emparelhou seu cavalo aos deles. Mesmo que a aba do chapéu encobrisse seu rosto, notava-se ser mais velho que ambos, também o modo como encarava o filho do barão.

— Sir Jason Hunt — Edrick o nomeou com evidente desagrado. — Eu perguntaria como tem passado, mas não quero retê-lo. Siga em paz seu caminho.

— Não tenho pressa — avisou Jason, olhando para o duque. — Quem é este senhor? Não nos apresenta?

— Lorde Bridgeford, nono duque — disse Edrick.

— É uma honra conhecê-lo, duque — disse Jason, inclinando a cabeça e tocando a aba de seu chapéu, deferente. — Conheço-o de nome. É o genro de Lorde Westling... Poderia tê-lo conhecido em vosso casamento, mas houve algum engano e não fui convidado.

— Se não é amigo próximo, não houve engano — disse Logan, antipatizando com o homem de imediato. — Apenas estes foram convidados.

— Então, realmente não houve engano — Jason anuiu. — Apesar da animada inteiração entre mim e o honorável, não sou tão próximo.

— Eu diria que milhas nos separam — comentou Edrick, indiferente.

— Ora, não diga isso! — Jason ralhou cenicamente. — Ou o duque irá pensar que não nos damos bem.

— Não carregarei esta dúvida. E não quero apressá-lo quando não há motivo, contudo o senhor interrompeu uma conversa particular, então... — Logan indicou o calçamento à frente para que o homem os deixasse.

— Oh, sim, não quero atrapalhá-los! — disse Jason com altivez. — Foi um prazer conhecê-lo, duque! Até mais ver, honorável!

— Não gosto de ser tratado assim — Edrick ciciou quando já estavam sós.

— O tratamento está correto, pois é filho do barão, mas aquele homem consegue deturpar a honraria com seu tom — Logan observou, vendo Jason se afastar. — De onde eu o conheço? Pois sei que já o vi.

— Provavelmente em algum dos salões de Londres. Desde que herdou Dawolds House, Hunt tem feito de tudo para ser bem aceito entre a nobreza, mas seus modos de um novo rico não cativam ninguém.

— Então, é isto! Não são melhores amigos, não é mesmo?

— Nem mesmo amigos. Mas, enfim, a criatura nos deixou. Você dizia que há uma razão para procurar sir Frederick, o que é?

— Nada importante — Logan desistira momentaneamente do tema. — Agora que chegamos, vamos até ele. Saberá quando participar de nossa conversa.

— Como quiser... — Edrick indicou uma via. — A casa dele fica por ali. Vamos!

O restante do percurso foi feito em silêncio. Ao ver Edrick responder aos cumprimentos que recebia, Logan considerou que quando fosse o novo barão seu amigo seria querido e respeitado. Seria merecido, pois o cunhado era um homem dedicado, realmente honorável. Talvez o mesmo não pudesse ser dito sobre o banqueiro, pensou o duque. Alguém ligado à família Bradley, que provavelmente conhecia a amizade entre a filha do amigo e a ex-criada com quem secretamente mantinha uma relação. No mínimo, algo muito estranho. Que Kelton desse a ele boas respostas!

— Ali, está! Aquela é a casa de sir Frederick — Edrick indicou a construção à sua frente.

— Magnífica mansão — elogiou Logan. — Os jardins são dignos de nota. Passeia por eles com a bela Srta. Kelton?

— Às vezes — respondeu Edrick, com malícia —, mas não hoje. Venha!

Edrick os conduziu até um dos arbustos do jardim e apeou. Logan o imitou e, como o amigo, amarrou as rédeas do baio em um dos ganhos baixos.

— Depois pedirei que lhes seja trazida água — disse Edrick, acariciando a crina de seu animal. — Venha por aqui, Bridgeford.

Logan o seguiu até a porta principal que era aberta sem que fosse preciso bater.

— Boas tardes, cavalheiros! — cumprimentou um senhor. — Em que posso ajudá-los?

— Boa tarde, Sr. Pierce! Diga para sir Frederick que Lorde Bridgeford e Edrick desejam vê-lo — falou Edrick, sem a formalidade de entregar seus cartões de visitas.

— Aguarde um instante, senhor... — O mordomo pediu ao deixá-los no *hall*. Em poucos minutos estava de volta. — Sir Frederick os receberá na biblioteca.

— Não precisa nos acompanhar, Sr. Pierce. Conheço o caminho.

— Sabe que eu não me perdoaria se não cumprisse minha função — objetou o senhor. — Por favor, acompanhem-me, cavalheiros!

Logan sabia que não seria diferente e desculpava a tentativa do amigo, afinal, o título da família era novo e certamente Edrick não estava habituado à dedicação de cada criado. Para provar seu pensamento, o mordomo se colocou à porta antes deles e anunciou com pompa:

— Lorde Bridgeford e Sr. Bradley!

— Duque! — Frederick o reverenciou com animação. — Que bom tê-lo em minha casa! E Edrick, é bom tê-lo aqui também! Que boa surpresa você me fez ao trazê-lo, meu rapaz.

— Na verdade, foi Bridgeford quem me pediu para vir vê-lo — Edrick explicou depois de cumprimentar o senhor antes que todos se acomodassem.

— Ah, sim? — Frederick se voltou para Logan. — Queria ver-me? Há um motivo especial?

— Sim, tem um assunto que quero tratar com o senhor.

— Espere! — Frederick pediu, pondo-se de pé. — Antes me permitam servi-los... O que preferem? Xerez? Uísque? Uma taça de Porto?

— Aceitarei uma dose de uísque — disse Logan.

— Para mim...

— Sr. Bradley! — Madeleine o interrompeu ao entrar intempestivamente, obrigando-os a se levantarem. — Nem acreditei quando soube que estava aqui! E... — Ela estacou o ver o duque, então o reverenciou. — Lorde Bridgeford...

— Madeleine! — ralhou Frederick. — Isto são modos de entrar?

— Perdoe-me, papai! — Para Logan, ela disse: — Igualmente peço que perdoe meus modos, Lorde Bridgeford e saiba que é um prazer tê-lo em nossa casa.

— O prazer é meu em vê-la, Srta. Kelton — assegurou Logan, divertindo-se ao ver o modo como o amigo a analisava. — Tenho um assunto a tratar com seu pai.

— Apenas o senhor? — ela indagou, esperançosa. — Por acaso se incomodaria de me emprestar vosso amigo um instante? Gostaria que ele visse uma coisa... Um novo projeto meu.

— Acho que isso pode ficar para outra ocasião — Edrick tentou se esquivar, sem convicção.

— Vá — Logan o liberou, ajudando-o. — Depois eu o atualizarei do que conversarmos.

— Sir Frederick? — Edrick procurou por permissão.

— Sei do que se trata, então, sim... Fique à vontade — disse Frederick. Animada, Madeleine indicou a porta a Edrick. Com a saída do vizinho e de sua filha o banqueiro serviu dois copos de uísque e voltou para junto do duque. — Muito bem, diga em que posso ajudá-lo.

— Não darei voltas, sir Frederick — disse Logan depois de receber um dos copos e tomar um gole. — Vim aqui para saber de Cora Hupert. — Ao se calar Logan levantou, preocupado, pois o senhor engasgou com a própria bebida e, rubro, passou a tossir. — Sir Frederick?! Está bem? Deseja que chame alguém?

— Não! — Frederick negou quase afônico, agitando a mão livre, exaltado. — Não envolva... Não envolva mais ninguém! Eu... Eu vos suplico.

— Suplica? — Analisando o senhor, Logan voltou a sentar. — O caso é assim tão grave?

Frederick novamente moveu a mão livre, agora muito trêmula, pedindo que aguardasse sua retomada de fôlego. Aparentemente recuperado, ele indagou com evidente cautela:

— O que o duque sabe sobre este caso?

— Sobre a amizade com minha esposa e a expulsão de Apple White sei o que me foi contado por Marguerite. Sobre o destino de Cora sei o que um detetive contratado por mim descobriu, que hoje ela se prostitui num bordel desta vila e que atende pelo nome de Amber.

— Meu bom Senhor! — Frederick murmurou. — Mandou investigá-la!

— Sim! Era minha intenção promover o reencontro entre as amigas, mas agora é...

— Impossível — Frederick completou. — A menina mancharia a reputação da duquesa.

— Sabia que me entenderia.

— Entendo vossa reserva, mas não vossa visita. Se não vai uni-las, por que saber mais? Apenas esqueça o que descobriu e deixe que Amber viva em paz.

— Em paz? — Logan franziu o cenho. — Acredita que Cora esteja em paz? Ela tomou gosto pela vida que leva?

— Não vou mentir, duque — Frederick parecia derrotado. — Amber apenas tolera esta vida, mas é a única que tem.

— Com a investigação descobri que o senhor tentou encontrar-lhe uma ocupação respeitável. O que deu errado? Por que ela foi parar num bordel?

— Ninguém a aceitava, pois estava... Estava muito doente. Eu mesmo a levei para o bordel. A dona é boa pessoa.

— Não duvido! Uma marafona deve ser melhor ainda no tocante a virgens — escarneceu o duque. Frederick abriu a boca, mas a fechou sem nada dizer. — Não pode defendê-la? Talvez porque a solução tenha favorecido aos dois.

— O que sugere?! — Frederick voltou a enrubescer. — Que eu...?

— Fez da menina sua protegida... Sua favorita. Talvez até mesmo tenha dado considerável soma à boa amiga para que fosse o primeiro cliente.

— Lorde Bridgeford! — Ofendido, Frederick se levantou e colocou o copo em uma mesinha. — Nunca, jamais, toquei em um fio de cabelo dela! Amber é minha protegida, mas porque me compadeci ao encontrá-la na rua, doente. Se hoje leva uma vida desgraçada, não é minha culpa. É com prazer que o recebo, mas não serei insultado em minha casa!

— Sir Frederick, acalme-se! — pediu o duque ao se pôr de pé. — Perdoe minha confusão, mas reconheça que é como parece. O que mais posso pensar?

Frederick respirava com dificuldade e olhava para o duque com ressentimento, porém aquiesceu. Mirando a porta, indicou os estofados para que se sentasse e disse:

— Sei como parece e por isso me exalto — explicou. — Por minha vontade seria diferente, mas eu lhe asseguro de que não tinha como. E, então, era tarde demais! Agora eu tento ser um amigo em quem ela possa confiar.

— E ela confia?

— Sim, nossa amizade é real. E ela tem um plano... Desde que passou a receber clientes Amber tem juntado tudo que recebe. Até mesmo as joias ela converte em dinheiro.

— E o que ela pretende fazer? Conte-me! Pode confiar em mim.

— Bem... Lily Krane é boa pessoa, mas péssima administradora. Cometi a indelicadeza de comentar com Amber que em breve Lily terá de se desfazer do bordel. Pedi que pensasse no que faria caso acontecesse e ela me surpreendeu, dizendo que ficaria com o negócio.

— Cora quer ser cafetina?! — Logan sentiu seu queixo cair. Logo se recriminou por sua inocência, alguém que fosse amiga de Marguerite não seria tola nem indefesa. Aquela moça podia ter se perdido, mas tinha senso de sobrevivência. Logan a respeitava.

— Reconhece ser um bom negócio, não? — indagou Frederick.

— Reconheço. Cora tem visão.

— Sim, ela tem! Mas eu não senti a mesma admiração e tentei demovê-la.

— E não conseguiu — Logan afirmou. Sentia que conhecia Cora ao compará-la à esposa.

— Não, eu não consegui, mas me conformei quando ela assegurou que, se assumisse o bordel, pararia de receber clientes. Seria mesmo apenas a dona.

Logan gostou do que ouviu. Não conhecia nem jamais encontraria Cora Hupert, mas passava a estimá-la. Infelizmente a reputação dela estava destruída, então, que vivesse a vida imposta pelo destino no fatídico cenário; no Jardim das Borboletas.

— Vou ajudá-la — informou de chofre.

— O que disse, duque? — Frederick franziu o cenho. — Creio não ter entendido.

— Eu disse que vou ajudá-la — Logan repetiu. — Vim para isto, mas não sabia exatamente como seria. Agora vejo e considero perfeito. Darei o dinheiro para que Cora compre o bordel.

— Lorde Bridgeford, não tem de fazer isso... — Frederick meneava a cabeça, chocado.

— Realmente não tenho, mas farei. De quanto estamos falando?

Ainda embasbacado, Frederick foi até a mesa disposta a um canto. De uma das gavetas tirou lápis e papel. Depois de rabiscar rapidamente ele voltou e apresentou o valor ao duque.

— Muito bem! Em minha próxima visita eu trarei o dobro disto e o senhor cuidará para que Cora faça bom uso desse dinheiro. E, por favor, cuide para que ela seja apenas a dona.

Logan não se importava com o que fizesse uma prostituta, porém aquela era ligada à sua esposa. E havia a pouca idade, a sorte infeliz...

— Em nome de Amber eu o agradeço — disse Frederick, comovido. — Obrigado!

— Não por isso! — Logan apertou a palma estendida. — Não preciso pedir que tudo isto fique entre nós, não é mesmo?

— Não precisa, mas sinto que devo enfatizar nosso sigilo. Estava disposto a dizer a razão de vossa visita perante Edrick?

— Não vi problema algum. Bradley é homem e entenderá o que se passa. Sem contar que a moça era criada em Apple White.

— Justamente por isso nada diga — Frederick rogou. — Amber acha que vossa esposa irá procurá-la, não importando onde esteja, e ela não quer isso tanto quanto eu ou o senhor. Mas, se Edrick souber, ele dirá à irmã onde pode encontrá-la.

— Não se eu pedir — Logan refutou. — Ele saberá que elas precisam ficar afastadas.

— Edrick não pensa como nós, duque. Ele nem mesmo dá o devido valor ao título que o pai recebeu. De algum modo pode-se dizer que a família pertence à nobreza, contudo, para Edrick nada mudou. Se ele souber onde Cora está, ele dirá a Marguerite. Não tenha dúvida.

Logan pensou por um momento. Não tinha sido seu amigo quem minutos antes tentou demover o mordomo de sua função? E o que dizer de Marguerite e a revolução que promoveu entre os criados do castelo? Seu cunhado e sua esposa eram iguais. Há semanas ele sabia disso e por muito pouco não delatou Cora Hupert. Por sorte nada dissera!

— O segredo dela agora é meu segredo — prometeu Logan solenemente. — Como dito, em minha próxima visita trarei o dinheiro.

— Ah, tratam de negócios! — disse Edrick ao entrar de modo falsamente despretensioso. — O que eu perdi?

— Praticamente toda conversa — disse Logan. — E, sim, falamos sobre negócios.

— O duque confiou em meu palpite para um novo investimento com benefícios em longo prazo e irá investir certa soma como fez seu pai — Frederick explicou de modo profissional. — Lembra-se que conversamos a respeito meses atrás?

— Conversamos sobre tantos investimentos... — disse Edrick. — A qual se refere?

— Ah, não! — Logan refutou com bom humor. — Não vamos repetir esse assunto, por favor! Todos nós gostamos de contas que estufam, mas temos de concordar que o tema é aborrecido. E agora, acho que devemos voltar. Logo será hora do jantar.

— Não desejam ficar? — indagou Frederick. — Posso pedir a Pierce que providencie seus lugares.

— Mamãe não nos perdoaria — disse Edrick. — Deixemos para outra ocasião.

— Fico grato pelo convite, mas Bradley tem razão... Obrigado, sir Frederick! Foi uma conversa proveitosa.

— Fico grato pela visita — assegurou o senhor. — Vou acompanhá-los até a saída.

Com a decisão de não revelar o paradeiro de Cora Hupert, depois que deixaram a casa dos Keltons para trás o duque manteve o assunto nas questões de Edrick, arreliando-o com o claro interesse de Madeleine. O amigo se mostrava divertido.

— Tem certeza de que não devo preparar meu fraque? — Logan o provocou. — Para mim o casamento parece certo.

— Decerto nossas famílias fazem gosto — disse Edrick. Ainda sorria, mas notava-se em seu tom que falava sério. — Mas, não há nada definido.

— Desde que conheci os Keltons sei que as duas famílias esperam por esta união e sua expressão ao retornar pareceu-me comprometedora. Se você gosta da companhia da jovem, por que não fazer o que todos esperam?

— Eu não deveria dizer isto nem mesmo a você, um de meus melhores amigos, mas aprecio mais os beijos do que a companhia propriamente dita. Tentei evitar no início, mas desisti de recusar o que de bom grado, e insistentemente, Madeleine me oferece. Não faz ideia do quanto ela oferece!

— Então, não se casaria com a Srta. Kelton por considerá-la oferecida?

— Absolutamente! — Edrick refutou com veemência. — Jamais a julguei por isso. Se me aproveitasse de facilidades que repudio o que eu seria?

— Tem razão! Perdoe-me... — Logan pediu. — Hipocrisia não está entre seus defeitos. Mas, se este não é o problema e você aprecia os beijos, o que há de errado?

— Exatamente o que eu disse: a companhia. Madeleine é linda, seus lábios instigantes, mas não avança esse limite. Consegue me imaginar tratando de laços, fitas, bordados, última moda ou bailes mais concorridos?

— Não é do que tratam as mulheres?

— É do que trata Marguerite? — Edrick devolveu a questão, desafiador.

— Não! Não consigo imaginá-la limitada a tais temas. — Exibindo um sorriso malicioso Logan acrescentou: — Creio que o compreendo. Deseja se casar com uma mulher que instigue também sua mente, não apenas o mínimo pêndulo entre suas pernas.

Edrick gargalhou, agitando seu cavalo, mas não retrucou. Decidido a deixar que o destino lhe mostrasse o que aconteceria entre o amigo e Madeleine, Logan enveredou por temas amenos. No momento voltava sua atenção à conversa que teria com Marguerite. Sim, valeu-se daquela ida a Somerset para ajudar Cora Hupert, mas sempre se tratou de sua esposa.

Por infelicidade Logan encontrou Marguerite reunida com a família, na saleta, e logo se tornou o centro das atenções. O barão, sentado em uma poltrona, tendo as pernas cobertas por uma grossa manta, estava ávido por notícias da corte, como dissera Catarina. A jovem, por sua vez, queria informações sobre o baile de máscaras que aconteceria dali a cinco dias, colocando em prática aquilo que afastava seu amigo da filha do banqueiro.

Como não se ateria às frivolidades da cunhada, Logan se apegou à política e repassou ao sogro as novidades que possuía. Bastou notar a atenção de Marguerite para que narrasse tudo em detalhes. Logan omitiu apenas o *acidente* sofrido por Lowell e a própria debilidade que atrasou seu retorno. A oportunidade de abordar esses temas veio somente depois do jantar, depois de serem preparados para dormir por seus respectivos criados.

Nero dormia no tapete junto à lareira, Marguerite penteava o cabelo diante do espelho enquanto Logan, recostado à porta para que pudesse admirar a esposa, esperava para ser sabatinado. Quando entendeu que a duquesa nada diria, comentou despretensiosamente:

— Finalmente entro em seu quarto.

— E tem a oportunidade de ver que é como qualquer outro quarto — disse ela sem deixar de pentear uma grossa mecha do cabelo lustroso. — Há uma lareira, uma cama, tapetes e cortinas.

Logan começava a se divertir com a birra. Poderia estar errado, mas não parecia que Ketlyn tivesse dito algo que o delatasse. Se Marguerite conhecesse a verdade nem sequer o teria recebido. Ela parecia mais enciumada que qualquer outra coisa. Baseado em sua dedução, foi prostrar-se às costas dela e, encarando-a pelo espelho, gracejou:

— A senhora entende que eu nunca estive interessado na decoração, não é mesmo?

— Ao menos quanto à cama sei que havia interesse — ela redarguiu.

— Não esteja tão certa — disse ele, segurando um punhado do cabelo loiro. — Meu interesse sempre esteve na dona desse quarto. Se tivesse me deixado entrar eu poderia tê-la amado de muitas maneiras sem nunca levá-la para a cama.

— Agora eu tenho certeza de algo — Marguerite replicou antes de se esquivar do toque. A uma distância segura, encarou o marido. — Sei o quanto é habilidoso nesses assuntos.

Livre do breve bom humor, Logan suspirou profundamente.

— Deixemos as voltas... Quando fomos interrompidos disse que veio para Apple White porque precisava de ar. O que exatamente isso significa?

— Castle se tornou pequeno para duas duquesas — respondeu sem rodeios, como pedido.

— Não entendo... — Logan meneou a cabeça. — Quando Ketlyn foi ao jantar na vila você lamentou o espaço vago à mesa.

— Fui precipitada. Considerei estar preparada para essa... *situação*, mas me enganei. Não tem como dividir a mesa ou trocar amabilidades, sabendo o que Ketlyn representa em sua vida.

— Use o verbo no passado — pediu ao confirmar o ciúme. Ele teria rido movido pelo alívio caso não notasse a tristeza de sua esposa. — Já conversamos e você disse que estava comigo.

— E estou...

— Não é o que parece. Entendo que não quisesse ficar a sós com Ketlyn e seu sufocamento, mas me perco ao vê-la aqui. Por que não foi para Londres?

Marguerite nem sequer aventou aquela possibilidade. Ao deixar o castelo tinha a mente cheia das palavras da duquesa viúva e de questionamentos sobre as intenções do duque. Agora sabia que Logan esteve todo tempo metido com as questões dos Liberais e dava-lhe o benefício da dúvida quanto a desposá-la por ter uma amante estéril.

— Eu seria uma distração — desconversou.

— Foi o que eu disse, mas desde que pedi licença e fui vê-la eu reconheço meu erro. Tanto que pedi que fosse para Londres comigo.

— Eu deveria ter ido — Marguerite sussurrou.

— Deveria — Logan se animou —, mas agora o importante é que estamos juntos novamente e... — Calou-se ao vê-la se afastar reflexivamente quando ele tentou se aproximar. — O que foi isso? Não posso ir até você?

Marguerite agiu sem pensar, como se seu corpo tomasse a iniciativa de defendê-la da boa lábia e dos toques aliciantes do marido. A princípio surpreendeu-se, mas logo elucidou: estava farta. Era a esposa! Não deveria ser ela a manter na clandestinidade um casamento legítimo, firmado perante os homens e aos olhos de Deus.

— É melhor que fique longe — disse Marguerite, com firmeza.

— Estamos brigando? — Logan franziu o cenho. — Está aborrecida comigo? Se permitir eu posso provar que...

— Que me ama — Marguerite antecipou-se, erguendo a mão para que Logan ficasse onde estava. — Sei que provaria o que diz. Também sei que eu facilmente me derreteria em seus braços, contudo, isso não vai mais acontecer.

— Marguerite, o que está dizendo? — indagou o duque, roucamente. — Não pode estar me afastando como fez na nossa noite de núpcias.

— Não como naquela noite... Reconheço-o como meu marido e o amo, mas prefiro que não me toque até que rompa com Ketlyn. Eu não a quero entre nós.

— Ketlyn se mudou — Logan argumentou. Sua mente girava ante aquele ultimato.

— Mas ainda acredita haver algo entre vocês e, enquanto isso, eu devo agir como se ainda fosse apenas a tola que serve ao vil propósito de acobertar o caso que vocês mantêm.

— Marguerite...

— Durante o jantar, no dia em que você partiu, Ketlyn especulou sobre nossa intimidade — revelou, encarando-o. — Entre outras coisas.

— Que coisas?! — Logan lutou para se manter impassível. Teria se enganado quanto ao que foi dito por Ketlyn e tudo estivesse de alguma forma perdido?

Marguerite pensou por um instante até que decidisse expor o que a arreliava.

— Ketlyn deixou claro que conversam sobre mim e insinuou que você se casou comigo para ter um herdeiro, pois ela não pode ter filhos.

Logan conteve sua gana de sair à caça de Ketlyn por aceitar seu erro. Jamais, em tempo algum, devia ter deixado que as duas estivessem juntas fora de suas vistas quando conhecia os riscos. Que belíssimo estúpido tinha se saído!

— Ketlyn sabe que tudo mudou e está tentando envenená-la contra mim. Com certeza ela nos ouviu falar dos filhos que teremos e encontrou um modo de aborrecê-la. Marguerite, por favor, não caia no jogo dela — pediu. Vendo ali uma forma de desmerecer o que mais Ketlyn viesse a dizer, Logan acrescentou seriamente: — Não acredite no que ela inventar. Se estiver ressentida Ketlyn será capaz de qualquer baixeza para nos afastar.

— Acha que ela seria capaz disso? — Marguerite indagou, considerando tais palavras.

— Depois de ouvi-la eu não tenho dúvidas — disse Logan, readquirindo sua segurança. Sem imaginar, Ketlyn lhe dera as armas para lutar contra ela. — Agora acredito que ela seja capaz de disseminar as intrigas mais sórdidas para nos afastar, mas ela não conseguirá, não é mesmo?

— Não, se você sempre for sincero.

Aquele era o momento de revelar a verdade, mas algo no olhar de Marguerite calou o duque. Por mais que se mostrasse forte, sua esposa estava abalada e provavelmente jamais o perdoasse se ouvisse dele que a escolheu por considerá-la aquém da bela amante.

— Meu amor é sincero — disse ele. — Hoje, você é tudo que importa. Acredita em mim?

— Acredito.

— Minha querida! — Logan soltou a respiração ao ver Marguerite sorrir e eliminou a distância entre eles. — Não faz ideia do quanto me alegra. Do quanto sinto sua falta...

— Também sinto — ela garantiu, espalmando as mãos no peito largo —, mas o que sentimos não elimina a sombra que há sobre nós.

— Não faça isso, Marguerite — ele rogou, meneando a cabeça, incrédulo.

— Quando voltarmos a Castle, coloque o ponto final no que teve com Ketlyn e voltaremos ao que éramos antes.

— Contei as semanas e os dias para estar com você — Logan revelou, encarando-a.

— Então, solucione o problema o quanto antes — sugeriu Marguerite, ficando na ponta dos pés para beijá-lo.

Logan não perdeu a oportunidade de enlaçá-la pela cintura e prender os lábios oferecidos. Ela correspondeu com a mesma paixão, mas lutou por liberdade e encerrou o beijo quando o marido tentou tocá-la com maior intimidade.

— Solucione o problema — Marguerite repetiu ao se afastar, ignorando o olhar quase bélico que recebia. — Como não o fará agora, conte-me o que mudou sua rotina em Londres.

Logan a encarou por alguns segundos, considerando insistir. Não tinha dúvidas de que a faria se derreter como bem fora dito.

— Estripulias de Lowell, o que mais poderia ser? — Logan contou de chofre, quando venceu a razão, indo se sentar na borda da cama.

— Lowell?! — Marguerite correu para se sentar junto ao marido. — O que houve dessa vez? Ele voltou a ser preso?

— Antes fosse! Eu deixaria que o enviassem para o raio que o partisse...

— Não, não deixaria — ela refutou com carinho, tomando a mão dele nas suas. — Conte-me o que houve.

— Não sei a razão, mas meu querido irmão foi espancado. — Logan se calou ao sentir o espanto da esposa, porém prosseguiu quando entendeu que ela nada diria: — Nas últimas semanas Lowell esteve internado. Um dos pulmões foi perfurado.

— Oh, Logan! — Marguerite se compadeceu. — Que grande susto! Sabe o que aconteceu?

— Não... Parece que Lowell se envolveu com uma dama casada, mas eu duvido. Sinto que há algo mais.

— O que poderia ser? — A curiosidade de Marguerite se sobrepôs à preocupação.

— Não faço ideia, apenas penso que seja algo grave. Ele foi procurado no hospital. Ao saber disso fiquei em alerta. Agora compreende? — Logan a encarava com intensidade.

— Sim, claro! — Marguerite sorriu e apertou seus dedos para tranquilizá-lo. — Fez bem em ficar todo esse tempo ao lado de seu irmão. Se você deixou Londres eu devo crer que Lowell esteja recuperado e fora de perigo?

— Lowell ainda se recupera e não está mais fora de perigo do que normalmente se encontra. Poderá ver por si mesma em dois dias, pois disse que virá para meu aniversário.

— Que notícia maravilhosa! — Marguerite exultou e incontinenti o abraçou.

Logan se valeu do avanço para beijá-la, mandando ao inferno toda racionalidade, e mais uma vez Marguerite correspondeu com empenho. Sem se opor ela deixou que o marido a tombasse na cama, apertasse sua cintura, acariciasse um seio. Encorajado, Logan aprofundou o beijo. Ele exploraria o que tinha sob o bojo da camisola, quando Marguerite o parou.

— Não, Logan! Não imporei restrição aos nossos beijos, mas não avançaremos deste ponto.

— Está mesmo decidia, não é? — Logan escrutinava o rosto corado.
— Será melhor assim. Por ora, penso que devemos dormir, pois partiremos logo cedo.
— Se tivéssemos tido essa conversa antes de combinarmos o horário com Murray seria ainda mais cedo — Logan resmungou, rolando para o lado, rendido à vontade dela.

## Capítulo 9

— Onde está a duquesa viúva? — perguntou Logan, azedo, a um mordomo confuso que nem sequer tivera tempo de cumprimentar o patrão ao vê-lo de volta.

— Receio não ter esta resposta — disse Griffins, olhando do duque à duquesa. — Lady Bridgeford se mudou há dias.

— Pois mande chamá-la! — Logan ordenou. — Conduzirei a duquesa até seus aposentos para que descanse da viagem, depois irei para o gabinete. Leve a duquesa viúva para lá assim que chegar.

— Perdão, milorde! — pediu a governanta, com cautela. Ao ter os olhos do patrão em si, disse: — O Sr. Griffins não sabe, eu, sim... A duquesa viúva avisou que hoje não viria cuidar dos preparativos. Tem algo a ver com vosso presente.

— Grato pela informação! — Logan substituiu um impropério por um bufo exasperado, sem aviso passou a mão de Marguerite por seu braço e praticamente a obrigou a acompanhá-lo.

— Logan...? — Marguerite tentou pará-lo. — Espere! Estou quase correndo...

— Tem pernas preparadas para tanto — lembrou-a sem reduzir o passo. — Vou deixar que descanse, depois procurarei por Ketlyn. Afinal, tenho um problema a resolver.

Marguerite se calou até que estivesse em seu quarto. Ao ver Nádia surgir, olhando-os com assombro, ela agitou as mãos para que a criada se fosse. Somente então voltou sua atenção ao marido, parado no meio do cômodo, claramente pensando, mirando o vazio. Como prova, ele murmurou de modo intimista:

— Posso ir até a casa da vila...

— Logan! — Marguerite o chamou, mas teve a atenção dele quando confiscou sua cartola. Logo ela tomou também a bengala e sorriu. — Os criados devem estar se perguntando por que não entregou seus pertences a eles. Creio que nunca o viram dessa maneira.

— Nunca tive uma esposa decidida a me manter longe. Só estou tentando fazer o que pediu.

— Não pode estar assim somente porque não nos amamos como queria.

Aquele detalhe justificaria parte da pressa, ele pensou. Depois de ter prevenido sua esposa contra possíveis *mentiras* que pudessem destruir seu casamento, Logan queria encerrar o caso que nem sequer deveria ter começado. Colocaria tudo em seu devido lugar.

— Quero apenas eliminar a sombra que há entre nós — disse o duque.

— E fará, tenho certeza. — Marguerite deixou a cartola e a bengala sobre a cama e foi até o marido para ajudá-lo com o sobretudo. Logan ficou a olhá-la enquanto ela desprendia os grandes botões e, apaziguadora, dizia: — Espere por ela. Estamos a quatro dias de sua festa e é Ketlyn quem está organizando tudo. Caso não venha hoje, amanhã estará aqui.

— Não pretendo ficar mais uma noite sem tocá-la. Creio não merecer tal castigo.

— Encare como um estímulo — Marguerite sugeriu com uma matreira piscadela. — Pense em como será, quando puder fazer tudo que deseja.

— Deixo a imaginação para você. — Logan a segurou pela cintura num rápido movimento. — Prefiro a ação. Não seja má!

— Não sou — garantiu Marguerite. — Apenas me resguardo de todo esse... De toda essa...

— De toda essa sordidez na qual vivo mergulhado há anos — Logan completou ao soltá-la. Pela primeira vez nas últimas horas, compreendeu-a. — E tem razão. Agora vejo... Se eu fosse um homem melhor teria respeitado nosso primeiro acordo até que estivesse livre para você. Fui precipitado e tenho sido inconsequente.

— Fico feliz que me entenda... — Marguerite voltou a sorrir ao tocá-lo no peito. — Apenas preciso me manter distante para que faça tudo corretamente. Confio em você, por isso eu estarei exatamente aqui, esperando.

— O que posso ter feito de bom para que alguém, doce e pura como você, viesse a me amar? — Ele correu os dedos enluvados pela bochecha corada da esposa, sabendo que não a merecia.

— Eu poderia enumerar suas qualidades, mas me preocupa mais que me tenha em tão alta conta — ela gracejou com a verdade. — Nem sequer sei o que lhe darei de presente.

— Tenho em mente algo que muito me agradaria. — Logan ergueu um dos cantos da boca, num meio sorriso malicioso. — Eu poderia desembrulhar o presente perfeito agora mesmo.

— Comporte-se! — Marguerite pediu, ocultando seu convencimento. — Falo sério.

— Pareço estar brincando?

— Logan...

— Está certo! — Logan se afastou antes que mandasse seu entendimento às favas. — Se fala sério, eu adoraria ganhar abotoaduras. Vindas de você seriam minhas preferidas.

Marguerite torceu o nariz para a sugestão e meneou a cabeça com vigor.

103

— Pensarei em algo sem sua ajuda. Agora... O que me diz de descermos e pedirmos que nos seja servido o chá? Não sei você, mas eu estou faminta.

— Se não posso desembrulhá-la, nada me parece melhor.

Marguerite riu do que considerou uma anedota e tomou Logan pela mão para que deixassem o quarto.

— Olá, Dom! — ela cumprimentou a armadura ao vê-la, sentindo-se esperançosa, feliz.

— Eu gostaria de saber como meu antepassado reagiria ao ouvi-la tratá-lo dessa maneira.

— Eu também...

Ainda sorriam ao descerem e seguirem para o jardim de inverno. Bastou tocar a sineta para que Griffins surgisse um tanto receoso.

— Será que agora lhe serei útil, milorde?

— Deixe de tolices, Griffins — pediu Logan com humor melhorado. — Não promoverá o final dos tempos por não ter uma resposta para mim.

— É minha função estar bem-informado, milorde — disse o senhor, mirando o piso.

— Sua função é fazer o humanamente possível — Logan retrucou, sorrindo. — Não conheço ninguém mais eficiente nesse sentido. Então, aceite meu elogio e providencie nosso chá.

— Para já, milorde! — Griffins o reverenciou brevemente e se preparou para sair. Parou ao ser chamado pelo patrão. — Pois não, senhor!

— Peça que Agnes Reed venha até aqui.

Com um aceno de cabeça, Griffins os deixou. Logan indicou uma das cadeiras à esposa e se sentou depois de vê-la acomodada.

— Senti falta daqui — disse Marguerite, olhando em volta. — Castle é meu lar.

— Sem dúvida — reiterou Logan.

Marguerite se sentia em casa em seu castelo, amava-o e estava preparada para o pior. O futuro que se descortinava era promissor, Logan considerou, deixando que o silêncio bom os envolvesse. Este foi quebrado pela chegada da governanta.

— Pediu que eu viesse, milorde? — Agnes Reed indagou ao entrar.

— Sim... — disse o duque seriamente. — Gostaria que nos dissesse o que foi feito das cartas que escrevi para a duquesa. A senhora as recebeu, não?

— Cartas? Milorde, eu não sei a que se refere.

— Às cartas que escrevi quando... Ah, esqueça! Pode ir agora — dispensou-a ao crer ter a resposta.

— Milorde, eu... Não entendo... — A senhora se mostrou confusa.

— Eu, sim... Vá em paz, Sra. Reed.

Depois de fitar o duque e a duquesa, a governanta os reverenciou e se foi.

— Logan? — Marguerite estava igualmente confusa.

— Não lhe parece claro? — Logan domava seu aborrecimento. — Uma ou outra carta poderia ter sido extraviada, não todas. E se nenhuma chegou até a Sra. Reed...

— Alguém as interceptou — Marguerite seguiu seu raciocínio. Perguntaria quem seria capaz, quando novamente teve a resposta. — Acha que Ketlyn...?

— Quem mais? — Logan matinha o cenho franzido. — Agora tem a prova de que ela seria capaz de tudo para nos afastar. Nunca acredite em nada do que Ketlyn disser.

— Não acreditarei — assegurou Marguerite, intimista, considerando as chances de Ketlyn saber sobre as cartas de Mitchell, de ter interceptado a carta dela para ele. Bom senhor!

— Não fique assim! — pediu Logan, alheio ao que ela pensava. — Em breve Ketlyn não estará mais entre nós. E não havia nada em cada uma daquelas cartas que eu não possa lhe dizer pessoalmente. O mais importante de tudo era o quanto a amo.

Num gesto galante Logan segurou sua mão e beijou seus dedos, demoradamente. Ela sorriu e suspirou, resignando-se. Ao menos em sua carta não havia declarações de amor. Ketlyn que fizesse o que quisesse com as cartas roubadas.

— Sem dúvida, prefiro ouvir de você — ela disse no mesmo tom, cada vez mais confiante.

Antes que Logan lhe respondesse um dos lacaios chegou, trazendo o chá pedido. Ao serem servidos, ocuparam-se de comer em silêncio, cúmplices, apaziguados de seus temores. Depois da refeição Logan se escusou e se retirou para o gabinete, onde trataria de assuntos pendentes do ducado. Marguerite saiu à procura da governanta e a encontrou na ala dos criados, num pequeno escritório que dividia com o mordomo.

— Milady! — Agnes Reed ao se pôr de pé. — Não sabia que viria. Poderia ter me chamado.

— Fique à vontade, Sra. Reed — pediu a duquesa, sinalizando para que a mulher se sentasse. Depois de ocupar uma cadeira próxima, disse: — Onde essa conversa se dê não é importante e não vejo nada de extraordinário em vir aqui em baixo.

— Eu já deveria saber disso desde seu primeiro dia aqui. É alguém especial.

— Alguém especial com pouca imaginação — retrucou Marguerite, olhando para a senhora com indisfarçada ansiedade. — O aniversário do duque se aproxima e eu ainda não tenho um bom presente. Estive pensando em ir até Bridgeford. A senhora iria comigo?

— Irei aonde a senhora desejar, mas lamento dizer que na vila não encontrará muitas opções.

— Não haveria uma boa joalheria? Em último caso posso recorrer a um belo relógio, a um rico alfinete para suas gravatas ou a um par de abotoaduras... — A cada item citado Marguerite baixava mais a voz, desgostosa de suas péssimas ideias.

— Há uma joalheria e tenho certeza de que o duque ficará encantado com o que quer que seja que sua amada esposa o presenteie — a senhora tentou animá-la, arrematando a frase com um largo sorriso.

Marguerite meneou a cabeça, aborrecida consigo mesma.

— Este é o problema! Não quero dar *o que quer que seja*. Quero fazer a diferença. Se eu sou especial, devo dar um presente à altura.

— Sinto por não ajudar mais, mas não consigo imaginar algo que o duque ainda não tenha.

Marguerite assentiu. Aquele era o problema com os nobres abastados: eles tinham tudo!

— Bem... Ainda me restam alguns dias. Passemos ao meu vestido. Conseguiu recuperá-lo? Por favor, diga que sim, pois para isso eu não disponho de tempo.

— Acame-se, milady! — Agnes voltou a sorrir. — Consegui recuperá-lo e, com perdão pela minha falta de modéstia, eu o deixei divino.

— Posso vê-lo? — Marguerite se animou e se levantou de um salto. — Quero prová-lo.

— Se me ordenar eu não terei escolha, mas gostaria que confiasse em mim e me deixasse fazer a surpresa na noite do baile — disse Agnes depois de também se levantar.

— Não preciso prová-lo? — Marguerite confiava na governanta, mas estava curiosa.

— Não será necessário, uma vez que já o provou na loja. Prefiro mesmo que o veja na noite do baile. Tomei a liberdade de até mesmo fazer vossa máscara.

Marguerite levou as mãos à boca, calando uma exclamação de surpresa e alegria.

— A senhora fez uma fantasia para mim?! — Marguerite exultava. — Sinto como se já estivesse na manhã de Natal.

— Considere este meu presente, uma vez que a data está tão próxima.

— Tem razão! Com tantos acontecimentos nos esquecemos que o Natal será três dias após o aniversário do duque. Agora preciso de dois presentes.

O súbito desespero de Marguerite pôde ser notado em seu tom. A governanta sorriu mais e a consolou:

— Creio que terá a melhor das ideias e estarei aqui para ajudar a executá-las.

Marguerite duvidava, pois sua mente oca agora girava. Como fora se esquecer do Natal?!

Como todos se esqueceram era a questão, porém a resposta era simples. Esteve os últimos dias com sua família e em Apple White a situação não estava melhor. Igual a ela, os parentes diretos tinham a mente cheia com a estranha doença do barão. Edrick tinha ainda os assuntos da sidreria para ocupá-lo.

Depois de se despedir da Sra. Reed, Marguerite deixou o castelo pela porta dos fundos. Para comprovar que as festividades natalinas se aproximavam, trazendo o inverno, ela sentiu o frio mais intenso. O sol já havia se posto, deixando as últimas horas vespertinas com aspectos noturnos, então, distrair-se com Krun enquanto Logan se ocupava estava fora de cogitação.

Esfregando os braços, Marguerite chegou ao pátio principal e teria entrado, caso sua atenção não fosse desviada para a carruagem que cruzou o largo portão do murro de pedra. Sem deixar de mirar o veículo que se aproximava a duquesa subiu os degraus que levavam à grande porta. Griffins e Alfie deixaram o castelo apressadamente e se aprumaram para receber a visita.

Até que a pequena carruagem de aluguel parasse e a porta fosse aberta a identidade de seu passageiro ficou oculta pelas cortinas da portinhola, mantidas fechadas. Por sorte a restrição guardava uma grata surpresa.

— Lowell! — exclamou Marguerite antes de correr até o recém-chegado. — Não pensei que viesse agora!

— Não sou bem-vindo, irmãzinha? — ele indagou, preparado para recebê-la num abraço.

— Tolo! Sabe que é muito mais que bem-vindo — garantiu ela ao abraçá-lo.

— Ai, cuidado! — Lowell pediu, retesando-se de dor.

— Oh, Lowell! Perdoe-me! — Marguerite imediatamente se afastou. — Logan me contou o que houve.

— Claro que contou! — Lowell riu mansamente e olhou para alguém que se aproximava. — Ah, Griffins, como tem passado?

— Muitíssimo bem, senhor — disse o mordomo. — Seja bem-vindo a Bridgeford Castle!

— Sempre a mesma pompa, não Griffins? — Lowell sorriu e entregou a valise e o chapéu ao lacaio que chegou logo atrás de seu superior.

— Apenas faço o que posso.

— E faz muito bem. Relaxe, homem! — Lowell desferiu dois tapas leves no ombro do senhor empertigado, levando-o a se empinar-se ainda mais. — Está dispensado. Deixe que minha bela irmã me recepcione.

— Irei providenciar que preparem vossos aposentos — disse Griffins à guisa de despedida e entrou, seguindo o lacaio.

Depois de dispensar o cocheiro, Lowell disse à cunhada:

— Como pude me esquecer do quanto é bonita?

— Culpe as pancadas que levou na cabeça — ela gracejou.

— Está explicado! — Ele sorria também com os olhos cinzentos. Parecia feliz em vê-la. — Pancadas na cabeça eu levei aos montes nesse último... contratempo.

— E irá me contar no que consistiu este... *contratempo*? — Marguerite indagou no mesmo tom, passando seu braço pelo dele para guiá-lo até o interior do castelo.

— Digo apenas uma coisa, que deve tomar como um bom conselho: nunca se meta com uma mulher casada.

— Não está nos meus planos — ela garantiu, divertida. Voltando à seriedade, insistiu: — Não vai mesmo me contar?

— Certos assuntos não se dividem com uma dama — disse também seriamente —, mesmo sendo ela alguém de espírito iluminado e aparentemente livre de preconceitos como você. Alegre-se por eu estar vivo e inteiro.

— Alegro-me por ter você aqui — ela garantiu, aceitando que dele nada viria.

— Alegro-me pelo mesmo motivo! — Eles ouviram a grave voz, vinda do corredor.

Lowell e Marguerite se voltaram para o duque que se aproximava a passos largos.

— Grande irmão! — disse Lowell. — Espero que minha chegada antecipada não o aborreça.

— Não ouviu o que eu disse? — Logan se colocou ao lado da esposa e encarou o irmão. — Alegro-me por ter você aqui. Ficará para o Natal?

— Diga que sim! — pediu a duquesa. Agora que recordara a data ansiava por uma pacífica comemoração em família. Com sorte, livre de Ketlyn.

— Não digo que sim, mas me comprometo a considerar o convite — disse Lowell. — Agora, se o casal me liberar, eu gostaria de me deitar. A viagem foi um tanto incômoda.

— Sim, claro! — Logan indicou a escadaria. — Conhece o caminho até seu quarto.

— Apesar das pancadas na cabeça, tenho uma vaga lembrança... — Lowell piscou para a cunhada, levando-a ao riso.

— O que é engraçado? — Logan indagou para Marguerite, fitando o irmão que seguia escada acima, também sorrindo.

— Este é um assunto de nós dois — disse Marguerite, enigmática. E, sorrindo mais, perguntou: — Não é maravilhoso termos Lowell aqui?

— Terei certeza no decorrer da noite — Logan retrucou seriamente.

Logan não sabia se gostava da nova cumplicidade entre seu irmão e sua esposa. Deram-se bem em Londres, estava claro, mas ali, como por milagre, pareciam íntimos.

A intimidade esteve presente no jantar. Logan era incluído na conversa, mas na maior parte do tempo os mais jovens conversaram entre si. Para Marguerite os sorrisos de Lowell eram fartos, as palavras eram doces e elogiosas. Ela não deixava por menos, salientando a animação e a inteligência do cunhado.

Em sua observação, Logan especulava se Lowell notava o decote em V do vestido verde que valorizava o belo colo ou se reparava nos cachos loiros que emolduravam o rosto corado de Marguerite. Ele tentava reconhecer o que sentia ao imaginar que sim, quando Griffins anunciou:

— A duquesa viúva!

Imediatamente o clima ao redor da mesa mudou com a chegada da bela dama de vermelho. Os cavalheiros se colocaram de pé, coincidindo com o cessar do divertimento.

— Boa noite a todos! — Ketlyn os cumprimentou.

— Boa noite! — Todos responderam em uníssono. Logan indicou uma das cadeiras. — Junte-se a nós.

— Por que não? Aceito a sobremesa e uma taça de Porto — disse Ketlyn, indo até uma das cadeiras. Griffins se apressou para ajudá-la a se acomodar. Ignorando-o, ela se dirigiu a Lowell, que se sentava diante dela: — Que surpresa! Vim cumprimentar os duques e vejo também o membro desgarrado da família.

— Quando levantou esta manhã não imaginava que teria tamanha sorte, não é mesmo? — Lowell ironizou.

— Considera-me assim, simplória? — Ketlyn indagou com indiferença. — Crer em sorte é para tolos. Sempre sou agraciada pelo destino e, quando este não me favorece, eu contribuo para que tudo saia de acordo com meu desejo.

— Disso eu não duvido. — Lowell sorriu escarninho. — Minha doce madrasta sabe como ser sempre agraciada. E continua belíssima! — Ao dizer isso, ele ergueu a taça de vinho, como num brinde.

— Agradeço o elogio... — disse Ketlyn em tom de mofa, então, olhou ao redor enquanto era servida. — Sobre o que falavam?

— Sobre o que seria? — Foi Lowell quem respondeu, indicando o carrancudo irmão. — Sobre o baile do ano.

— Ah, o aniversário de Logan será esplêndido — Ketlyn esboçou um sorriso convencido. — E meu presente estará à altura.

Disfarçadamente Marguerite pousou sua colher na borda do prato que servia de base para a taça com pêssegos mergulhados em creme de chocolate, enojada com a voz e as palavras. Ela não conseguira o presente perfeito, como competiria com algo esplêndido?!

— Nenhum de vocês deveria se preocupar com presentes — disse Logan, olhando para a esposa. — A festa me bastará.

— Agora é tarde, querido! — Ketlyn riu de seu modo plastificado. — Ele será entregue durante a comemoração. É um belo... Oh! Quase cometo um deslize e estrago a surpresa!

— Desde já aviso que nada trouxe — alertou Lowell, antes de beber um gole de vinho. — Minha presença deverá bastar.

— Basta e é muito apreciada — assegurou Logan, deferente.

— E a duquesa? — Ketlyn se voltou para Marguerite. — Pensou em algo ou também se considera o melhor dos presentes?

— Não duvido que eu seja — replicou a moça, sustentando o olhar da duquesa viúva —, mas pretendo presentear meu marido.

— E eu poderia saber o que é? Será algo que trouxe de Somerset, afinal, esteve lá por quase um mês... — Ketlyn riu do próprio gracejo.

Foi a única a fazê-lo. Logan fechou a expressão e Lowell a encarou com desagrado. Por sua vez, Marguerite tentou manter-se inabalável. Não cairia na provocação que, mesmo odiosa, continha apenas verdade. Sorrindo do mesmo modo ensaiado, falou:

— Também não estragarei a surpresa.
— Muito bem... — Ketlyn assentia como se aprovasse suas palavras. — E quanto ao seu traje? Foi providenciado?
— Sim, e está divino — ela usou as palavras da governanta, rogando para que assim fosse.
— Eu poderia vê-lo? — Ketlyn se mostrou especialmente interessada.
— Não — Marguerite negou sem rodeios, sorrindo todo tempo. — O que acaba de dizer sobre estragar surpresas?
— Ora! Mas eu...
— Todos nós esperaremos pelo grande dia para vermos trajes e presentes — Logan interrompeu a insistente madrasta, encerrando o assunto. — Podemos terminar a refeição?
— Pensei que nunca fosse pedir — zombou Lowell, dedicando sua atenção à sobremesa. — Preciso de descanso.
— A necessidade é evidente — Ketlyn não se deu por vencida, retornando ao alvo inicial. — Isto que percebo em sua face são resquícios de hematomas? Qual foi a complicação? Apostas? Prostitutas? Ou seria algo mais iníquo?
— Imagine você, de estúpido que sou despenquei pelos degraus de Altman Chalet. Veja que infelicidade! Desde o topo até o piso... — Lowell moveu as mãos e os braços, demonstrando exageradamente como rolou até o chão. — Ploft! Estatelei-me como uma torta mal cozida.
— As companhias teatrais londrinas perdem um talento — disse Ketlyn com enfado, indiferente ao riso que Logan e Marguerite continham.
— Faço o que posso, senhora! — Lowell inclinou a cabeça em agradecimento ao elogio. Então, de súbito se pôs de pé. — Se meus anfitriões me dão licença, devo retirar-me.
— Não há anfitriões aqui — redarguiu Logan. — Você está na sua casa. Fique à vontade.
— Sempre tão polido, meu grande irmão. Boa noite a todos!

Lowell deixou a mesa e, altivamente, partiu. Parecia afetado pela presença de Ketlyn, sendo irônico como na ocasião em que Marguerite o conheceu. Ela lamentou o retrocesso e repudiou a presença nociva da duquesa viúva. Mentiria se dissesse não se preocupar com o que Logan e ela diriam um ao outro quando o romance fosse encerrado. Temia que o marido fosse seduzido, mas estava realmente farta. Queria uma definição, fosse esta qual fosse.

— Se também me der sua licença... — disse ao levantar, obrigando o duque a fazer o mesmo. — Irei me recolher mais cedo. A viagem de volta a Dorset foi desgastante.

Logan a encarava com estranheza, porém compreendeu sua intenção ao vê-la moveu a cabeça em direção à Ketlyn, discretamente.

— Tem toda — ele a liberou. — Irei me recolher em breve. Antes... Se Ketlyn não se opuser nem considerar que ficará tarde para retornar à vila, poderá ir comigo até o gabinete para uma última taça de Porto.

— Como?! — Ketlyn encarou o duque, mantendo as sobrancelhas unidas.

— Que ideia maravilhosa! — Marguerite aprovou, sorrindo para ambos. — Assim poderão tratar de algum detalhe que ainda possa estar pendente para a festa.

— Deu voz ao meu pensamento — disse Logan segurando sua mão para beijá-la. — Tenha uma ótima noite, querida!

— Desejo o mesmo... — retrucou Marguerite, cordata. — Boa noite!

Marguerite deixou a sala de jantar sob os olhares do mordomo e do lacaio, ordenando às pernas que se mantivessem firmes até que pudesse se trancar em seu quarto. A hora da verdade havia chegado. Logan ficaria com ela ou se renderia aos apelos da linda duquesa viúva?

※

— Confesso que estou confusa — revelou Ketlyn ao receber a taça de vinho das mãos do duque instantes depois de se acomodar em uma das poltronas do gabinete. — O que aconteceu em Somerset para que agora possamos ficar a sós com o conhecimento de todos?

— Muitas coisas aconteceram e não somente em Somerset — começou Logan, decidido, bebericando o vinho que serviu para si. — Desde que me casei estive diante de fatos que transformaram minha vida e que a partir de agora mudarão nossos destinos.

— Esteve diante de fatos? — Ketlyn novamente unia as sobrancelhas, escrutinando-o com atenção. — E estes mudarão nossos destinos? Não sei se compreendo...

— Eu serei claro. — Depois de deixar a taça sobre a mesa, Logan se empertigou. — Ketlyn, há situações que não podemos prever. Tudo estava tão certo, mas de uma hora para outra me vi envolvido e ligado a...

— Mas onde eu estava com a cabeça?! — Ketlyn se levantou de um pulo, assustando Logan que imediatamente se calou. — Tenho certeza absoluta de que deixei a porta dos fundos aberta.

— Porta dos fundos? — Logan franziu o cenho. — De sua casa?

— Sim, de onde mais? — Ketlyn se apressava para deixar o gabinete.

— Desde quando se preocupa com portas abertas? — Logan a seguia, incrédulo. — Não contratou um mordomo como lhe disse? E Phyllis?

— Continuo sem mordomo e dei folga a Phyllis — respondeu, caminhando apressadamente para o *hall*. — Estou desacostumada aos detalhes de uma casa e esqueci a maldita porta aberta. Preciso fechá-la antes que alguma gatuna entre para roubar o que é meu!

— Gatuna? Ketlyn, espere! — pediu o duque. — Serei breve!

— Cada minuto é precioso — replicou ela, chegando ao *hall*. — Alfie, meu casaco!

O criado se apressou para ajudá-la a vestir o grosso casaco de peles.

— Ketlyn, nós precisamos conversar — disse energicamente ao entender que ela fugia.

— Amanhã, querido! Amanhã — repetiu, cobrindo a cabeça com o capuz. — Boa noite!

Para detê-la Logan teria de fazer uma cena. Não aconteceria. Mesmo que as pedras de Castle soubessem do envolvimento, este seria encerrado com a discrição que por anos foi mantida. Com isso, ainda que estivesse aborrecido, Logan aceitou a despedida.

— Deseja algo, milorde? — indagou Griffins que chegava ao *hall*.

— Voltar no tempo — resmungou o duque antes de desejar boa noite aos criados e subir.

Ebert o aguardava, lendo. Ao vê-lo entrar, deixou o livro de lado e se levantou.

— Que bicho voltou a mordê-lo, milorde? Parece agastado? Quando o arrumei para o jantar apresentava humor melhor que o demonstrado durante a viagem.

— Não fui mordido, muito menos picado, mesmo tendo diante de mim uma cobra — retrucou Logan, andando de um lado ao outro. — Uma cobra ardilosa, tenha certeza.

— Diga onde encontrá-la que darei um jeito nela, milorde. Odeio cobras!

Logan liberou um bufo exasperado e encarou o valete. Não perderia tempo se aborrecendo mais com suas idiossincrasias.

— Deixe-a! — disse, domando seu humor. — A peçonhenta já voltou para a toca, mas obrigado de toda forma! Agora, ajude-me...

Ebert anuiu e fez como ordenado, sendo dispensando quando o patrão vestia o camisão. Uma vez sozinho Logan seguiu até a porta de ligação. Bateu levemente ao encontrá-la trancada.

— Marguerite? Está acordada?

Demorou poucos instantes até que a esposa respondesse:

— Estou.

— Abra a porta — Logan pediu, quando ficou claro que ela não o faria por conta própria. — Por que a trancou?

— Como foi sua conversa? — Marguerite perguntou, sem girar a chave.

Prevendo o que viria, Logan encostou a testa na madeira e revelou:

— Ketlyn não me deu a chance de romper. Se ela leu as cartas que roubou sabe o que sinto. Sem dúvida notou minha intenção e simplesmente se foi. Eu nada pude fazer...

— Lamento! — Havia pesar no tom de sua esposa. — Em todo caso, reconheço seu esforço.

— Marguerite, abra a porta — rogou ainda com a testa apoiada na madeira, mirando os pés. — Vamos conversar.

— Conversaremos amanhã. Vamos dormir... Estamos exaustos.

— Não sinto cansaço, sim, sua falta! Deixe-me entrar... Ainda estar ligado a Ketlyn não é minha culpa.

— Sinto desdizê-lo, mas... sim, é. Boa noite, Logan!

Logan calou um xingamento, mais aborrecido consigo que com a teimosa esposa. Sua teimosa, malvada, conscienciosa e certa esposa. Ele era exclusivamente o único culpado.

— Boa noite, meu amor!

O duque esperou pela resposta que não veio, deixando claro que Marguerite se recolhera tão logo se calou. Maldizendo a si mesmo e dividindo com Ketlyn sua bronca, Logan foi se deitar na própria cama. Larga, tranquila e fria cama.

## Capítulo 10

Foi com o coração partido que Marguerite se deitou sem ter aberto a porta, mas não daria a chance de o duque postergar o rompimento por viverem às boas, como se não houvesse nada errado naquela união. A fuga de Ketlyn ante a importante conversa confirmou que a rival não se deixaria ser derrotada facilmente. Como fora alertada, ela deveria estar preparada para as mais baixas mentiras e manter sua determinação, pensou antes de tocar a sineta, chamando Nádia.

— Bom dia, milady! — Sua criada cumprimentou ao entrar. — Dormiu bem?

— Tão bem que acordei faminta — declarou a duquesa, sorrindo. — Ajude-me para que eu possa tomar o desjejum.

— Caso deseje, poderá tê-lo aqui — disse Nádia, ajudando-a com a camisola.

— Agradeço, mas prefiro ter a companhia de Logan e Lowell. Saberia me dizer se já se levantaram?

— Lamento informar que o duque já tomou o desjejum e deixou o castelo. Vosso cunhado ainda dorme.

— Logan foi para a vila?! — Marguerite se surpreendeu. Ele teria ido atrás de Ketlyn?

— Eu não creio, milady — disse Nádia. — O duque não estava arrumado para sair.

— Entendo... Bem, ainda assim prefiro descer. Apresse-se!

Supondo saber onde encontrar o marido, depois de pronta Marguerite deixou o quarto, levando um grosso casaco. Na sala de jantar deixou-o na cadeira ao lado sob os protestos de Griffins que insistiu em levá-lo até o cabideiro à entrada do hall, onde alguém a ajudaria a vesti-lo, quando saísse.

— Deixe assim, Griffins — ela pediu, sorrindo. — Sou capaz de vestir um casaco. Prefiro que confirme meu pensamento. O duque foi até o aviário, estou certa?

— Sim, milady... O duque disse algo sobre boa distração — respondeu o mordomo.

Marguerite assentiu e foi se servir de ovos, toucinho, torradas e frutas. Estava mesmo faminta. O chá e o leite foram servidos pelo lacaio, à mesa. Depois de agradecê-lo, a duquesa indagou:

— Sr. Griffins, como é o Natal aqui em Castle? Com minha viagem e a proximidade do aniversário do duque esqueci-me da data. Agora, não sei o que devo fazer.

— Juntos, o duque e a senhora, devem decidir se permanecerão em Castle ou se participarão de alguma comemoração em Bridgeford. No mais, tudo correrá por nossa conta.

— Como... — Marguerite pigarreou, incomodada. — Como foi nos últimos anos?

Griffins aprumou os ombros, claramente incomodado, mas não hesitou ao responder:

— O duque e a duquesa viúva costumavam aceitar um dos muitos convites vindos das proeminentes famílias da vila.

— Iam como um casal?! — Foi impossível calar o espanto.

— Iam como o que são, milady, enteado e madrasta — disse Griffins com dignidade, em respeito a ela ou ao patrão.

— Sim, claro! — Marguerite se desconcertou. — É o que são. Mas, diga-me mais... Quando a família não vai à vila, o que faz?

— Antes da morte do oitavo duque e sua primeira esposa a comemoração era animada e muito concorrida. Todas as boas famílias eram convidadas. As crianças ajudavam milady a enfeitar a grande árvore que o duque mandava colocar no hall, entre as escadas — contou o mordomo com nostalgia. — Apavorava-me a quantidade de velas, mas era tão bonito que meu temor se perdia no decorrer da noite. Na manhã seguinte, magicamente surgiam presentes para os pequenos lordes aos pés da árvore. Estes eram abertos entre provocações e risos.

Marguerite sorriu ao ver que Griffins fazia o mesmo, perdido entre as lembranças que narrava. Ela se sobressaltou com a mudança repentina, quando ele prosseguiu um tanto bravio:

— Mas tudo mudou! É bem verdade que os irmãos já estavam crescidos e por algum motivo se desentendiam, mas a vinda da segunda esposa tornou tudo pior. Havia a recepção, mas com poucos convidados. A grande árvore ainda era colocada no hall, mas não havia brilho, mesmo com as velas. Não havia risos... Depois, com a morte do pai do duque, esta tradição foi perdida. Lorde Lowell partiu para Londres e, o duque e sua madrasta, passaram a deixar o castelo.

— Entendo... — Marguerite murmurou, mirando a comida, subitamente sem apetite.

— Este ano temos milady — Griffins comentou com melhorado humor —, mas se ausentou por tanto tempo e agora estamos às vésperas do Natal sem sabermos o que fazer. Pensávamos que sairiam como vinha sendo o costume, mas agora que perguntou...

— Acalme-se, Sr. Griffins! — pediu Marguerite ao reconhecer a esperança na voz do mordomo. Ao se levantar, acrescentou: — Como disse, estamos às vésperas do Natal. Falarei com Logan a respeito e deixarei que saiba o que decidirmos.

— Ficarei grato, milady... — disse o senhor, adiantando-se para ajudá-la com o casaco.

Marguerite agradeceu o cuidado desnecessário e deixou a sala de jantar. Do pátio partiu de modo decidido até o aviário. Encontrou somente o tratador a limpar a imensa gaiola.

— Bom dia, Sr. Giles! Como tem passado?

— Bom dia, milady! Tenho estado muito bem. Obrigado por perguntar! Fico feliz em vê-la de volta. — Giles parou seu serviço para olhá-la. — Krun sentiu vossa falta.

— É certo que eu senti a falta dele, de nossos passeios na campina. No mais, não quero duvidar de sua palavra, mas foi o senhor mesmo a dizer que aves não se afeiçoam a nós — lembrou-o com um sorriso.

— O que posso dizer...? — Giles ergueu os ombros e sorriu de volta, algo raro. — A ave esteve inquieta por semanas e não mudou ao ver o dono.

— Mera impressão... — Marguerite refutou a informação. — Em todo caso, deixe-me conferir o que diz. Até logo!

— Tenha um bom dia, milady! — desejou o tratador, voltando ao serviço.

A duquesa ainda sorria ante a possibilidade de Krun recordar-se dela ao chegar à campina. Ela parou por um instante quando viu o duque de rosto erguido, seguindo o voo do falcão. Logan parecia não se incomodar com o frio matutino, pois não usava casaco ou paletó. Apenas camisa branca e colete azul, um tom mais escuro que a calça. Era uma visão e tanto em meio ao alto capim amarelado. Os *Staffies* estavam ao seu redor, mas logo correram para ela.

— Olá, meninos!

Marguerite coçou a cabeça de cada um ao ter sua chegada festejada com pulos e latidos. Ainda ria ao erguer o rosto e se deparar com o olhar do duque. Ela sorria e acenava para ele quando ouviu o piado de Krun. De imediato os dois olharam para o falcão e, para sua surpresa, viram que a ave voava em direção a Marguerite. Logan se desesperou e correu até ela, mas não foi rápido o bastante.

Marguerite igualmente se alarmou e recuou alguns passos, reflexivamente. Ao entender que nada impediria o ataque ela levantou o braço para proteger o rosto. Presa ao choque, não fechou os olhos. O perigoso detalhe talvez tenha sido sua salvação, pois bastou ver Krun pousar em seu antebraço erguido para entender: não estava sendo atacada.

Com o coração aos saltos, sem deixar de mirar a ave, Marguerite aprumou-se, mantendo o braço imóvel. Estava sem a proteção adequada, as garras penetraram a trama do casaco e as afiadas pontas pressionavam sua pele, porém ela se policiou para não protestar.

Ante a inusitada situação Logan estacou a alguns passos e, lívido, assistiu ao desenrolar da cena. Ele concluiu o trajeto apenas quando viu Marguerite alisar o peito do falcão, murmurando algo enquanto curvava os lábios trêmulos num leve sorriso.

— Fiz um amigo? — ela indagava quando Logan chegou, olhando de um ao outro com assombro. — Também senti sua falta, Krun.

— Marguerite...? — Logan parou ao ser encarado pelo falcão. Com cautela, perguntou: — Você está bem? Seu braço...?

— Estou bem — disse ela, sem convicção. — Apenas tire-o daqui.

Sem movimentos bruscos Logan posicionou o braço junto ao dela, tirou um pedaço de carne do bornal e o mostrou ao falcão, atraindo-o para a luva de couro. Marguerite calou um protesto quando as garras deixaram seu braço e lentamente se afastou enquanto o falcão engolia seu apreciado petisco.

Logan não foi tão delicado. Com a ave em seu poder, caminhou a passos largos até o arco fixado no solo e para este transferiu o falcão, prendendo-o pelo pé a uma fina corrente. De imediato ele atirou a luva para o lado, caminhou de volta e fez com que a esposa despisse o casaco. Marguerite não impôs resistência nem mesmo quando o marido quase rasgou a manga de seu vestido para ter acesso à pele.

— Krun feriu você — Logan ciciou, mirando as pequenas gotas de sangue que se formavam enquanto ele examinava o local. — Eu vou...

— Não diga que vai matá-lo — Marguerite se adiantou, tocando-o no braço. — Sabemos que Krun não pretendia me ferir nem causou grandes danos. Veja! Não passam de pequenos furos, Logan. Nem estariam sangrando se você não apertasse meu braço. Logo desaparecerão.

Logan diminuiu a pressão, retirou um lenço de seu bolso e removeu o sangue. Respirou com alívio ao constatar que realmente as garras mortais não causaram mais que mínimas perfurações. Estas nem mesmo voltaram a sangrar depois de exercer pressão contrária na pele de alabastro.

— Eu devia trancafiá-lo no aviário! — bradou Logan, bravio. — O que ocorreu àquela ave estúpida, quando é altamente treinada para vir até mim?

— Receio ser a culpada — murmurou Marguerite, incerta.

— Explique isto.

— Bem... Eu não deixei de visitar Krun, como me pediu.

— E o que mais? — Logan a inquiriu. — Sei que há mais, Marguerite.

— Eu... Eu participei das solturas e alimentei Krun... — confessou, sustentando o olhar do duque. — E também usei sua luva para trazê-lo até aqui. Apenas nunca o soltei... Essa era a tarefa do Sr. Giles.

— Muito bem colocado, era a tarefa de Emery Giles e apenas dele — Logan praticamente rosnou. — Será demitido!

— Logan, não, por favor! Culpe a mim — pediu, aflita.

— Fui condescendente uma vez, Marguerite, e Giles me desobedeceu.

— Também sou patroa dele e o lembrei disso... Ele apenas acatava minha ordem! Ou minha palavra não tem valor?

— Sim, vossa palavra tem muito valor, mas não deve subjugar a minha — retrucou o duque, irredutível. — O que digo deve ser lei também para a senhora e todos que trabalham aqui não podem se esquecer disso. Ao obedecê-la, Marguerite, Giles foi contra o que eu determinei e se não está disposto a ouvir-me, que vá trabalhar em outro lugar.

— Logan...

— Já basta, Marguerite! Nada do que disser irá mudar minha decisão. Se eu permitir que Emery Giles permaneça aqui, perderei minha autoridade.

Marguerite ainda sentia o espírito combativo, tremia de frio e de revolta, mas terminou por dar razão ao marido. Contudo, entender que a palavra do duque de Bridgeford devia realmente valer como lei para todos não atenuava a culpa que se abatia sobre ela.

— Um homem perderá o emprego por minha culpa — murmurou, baixando a manga de seu vestido.

— Emery Giles perderá o emprego pela própria insubordinação — ele retrucou, analisando-a. Pela primeira vez depois do susto ele temeu ter abalado mais a relação. — Odeia-me por isso?

— Odeio que tenha de assegurar sua autoridade, tirando o sustento de um homem... Odeio minha teimosia que provocou toda essa confusão, mas não você. Como poderia quando entendo a importância da responsabilidade que carrega?

— Oh, minha querida! — Logan a puxou para si e a abraçou fortemente. — Não sabe como me alegra ouvir isso nem o quanto temi que o pior acontecesse. Krun poderia tê-la matado. Se tivesse acontecido... Se eu a perdesse e depois viesse a descobrir sobre tudo que me contou, Giles não teria a chance de encontrar emprego em outro lugar.

Marguerite o enlaçou pela cintura e aproveitou o calor do corpo amado para por fim aos tremores. Com o espírito acalmado ela pôde entender tudo que se passou.

— Se não me matasse, Krun poderia ter me desfigurado ou cegado — murmurou.

— Shhh... — Logan murmurou ao notar que ela chorava. — Nada aconteceu... Agora sabe que Krun não é dócil como qualquer outro animalzinho de estimação. Basta ficar longe e...

— Esse é o problema... — disse Marguerite junto ao peito do marido. — Não quero ficar longe... Gosto de Krun e está claro que é recíproco.

— O que está dizendo, Marguerite? — Logan não acreditava no que ouvia.

Marguerite se afastou o bastante para encará-lo e, em meio às lágrimas, pediu:

— Ensine-me a lidar com ele. Consiga equipamentos de segurança adequados para mim e me deixe ficar perto de Krun.

A primeira vontade de Logan foi negar veementemente, porém não podia ignorar os fatos. Mesmo sem os malditos equipamentos a esposa participou da rotina do falcão e, por alguma razão inexplicável, a ave a reconhecia e aceitava.

— Quando for a Londres eu verei o que consigo encontrar que se adapte ao seu braço e...

— Ah! — Marguerite não deixou que concluísse. Bastou compreender que seria atendida para se lançar ao pescoço do marido e passar a beijá-lo no rosto repetidas vezes. — Eu o amo! Eu o amo! Obrigada!

— Eu também a amo — ele disse, rendendo-se ao afetuoso ataque —, mas se for ferida, minimamente ferida, eu a proibirei de se aproximar de Krun. E falo sério!

— Claro! — concordou antes de voltar a se apoiar no chão e puxar o duque para um beijo.

A surpresa logo foi dissipada e Logan a abraçou, invadindo a boca salgada pelo pranto com sua língua. Marguerite abraçou o marido, unindo mais seus corpos. Coube ao duque quebrar o beijo ao sentir a agitação de seu saudoso sexo.

— É melhor nos comportarmos — disse abraçado a ela. — Aliás, é melhor que entre antes que eu esqueça onde estamos ou que sou um cavalheiro.

— Está bem... — Marguerite o encarou. — Quando falará com o Sr. Giles?

— Não se ocupe desse assunto — pediu o duque, secando seu rosto —, apenas siga para o castelo. Não quero que volte a falar com Giles. Conhecendo-a bem eu não duvido que vá até ele para se desculpar.

Não pediria desculpas, mas Marguerite realmente cogitou estar com o tratador pela última vez. Gostava do misterioso homem com quem passou tranquilos momentos na campina. Com seu plano descoberto, Marguerite apenas assentiu e se afastou. Depois de olhar para Krun, que do fino poleiro escrutinava seu entorno como se nada tivesse feito, despediu-se dos cães e seguiu para o castelo. Do hall, depois de entregar seu casaco ao lacaio, Marguerite marchou para a biblioteca. Caminhava tão distraidamente que se sobressaltou ao entrar no cômodo e se deparar com o cunhado a folhear um livro, apoiado displicentemente em uma das estantes.

— Eu a assustei, irmãzinha?

— Não, apenas estava distante.

— Pude notar — disse ele, ainda a folhear o livro mesmo que a encarasse. — O que meu irmão aprontou?

— Não lhe ocorre que pode ser eu quem apronta em Castle? — Ela esboçou um sorriso, secretamente grata por ter encontrado a distração que necessitava.

— Você apenas caiu sobre mim quando a flagrei bisbilhotando o sótão de Altman Chalet, fato que a torna adoravelmente curiosa. É também verdadeiramente inofensiva... — Lowell pôs o livro de volta à estante para usar as mãos como pratos de uma balança imaginária que pendia para cima e para baixo. — Do outro lado temos Logan. Um duque perigosamente eloquente... Conscienciosamente charmoso... Enganosamente inocente... — Lowell baixava mais uma das mãos. — Um homem capaz de trair sem remorso e mentir sem mover um músculo... Com isso, quem seria mais propenso a aprontar não somente em Castle como em toda Inglaterra?

— Lowell — murmurou a moça, livre de qualquer sentimento de agradecimento, pois não havia distração ali, somente um problema maior que a demissão de Emery Giles. — Pensei que as divergências estivessem no passado e que agora vocês se entendessem.

— Sim, Logan e eu mantivemos a convivência pacífica em Londres. Aqui... Bem, aqui em Castle há muitas recordações ruins e isso acaba me afetando. Quando dou por mim já estou sendo irônico, maldoso... Enfim... Perdoe-me! — Lowell pareceu sincero.

— Não sei se é o caso de se desculpar — Marguerite foi se sentar no pequeno sofá e indicou e espaço vago para que o cunhado fizesse o mesmo. Ao tê-lo junto a si, indagou: — Não pode mesmo me contar essas recordações ruins?

— Ah, doce irmãzinha! — Lowell afastou uma mecha errante do rosto de Marguerite e sorriu. — Talvez eu devesse externar tudo que me corrói, mas não o faria para você, tão boa e pura... Não quero ser eu a apagar o brilho de seus olhos, revelando o quanto a humanidade pode ser dissimulada ou quantas mentiras e traições estão incrustadas entre as pedras desse castelo.

Marguerite estava hipnotizada pelas palavras que acirravam sua curiosidade, presa aos olhos cinzentos que escrutinavam seu rosto. Acariciando seu lábio inferior com o polegar, Lowell prosseguiu:

— Não quero carregar a culpa de eliminar a franqueza de seu sorriso, irmãzinha... No mundo não deveria haver homem que endurecesse seu coração. Infelizmente eu conheço um que...

— Interrompo-o, Lowell?

— Logan! — Marguerite se empertigou, mirando o recém-chegado. Lowell seguiu seu olhar e encarou o irmão enquanto se colocava de pé, lentamente.

— Interrompe uma profunda conversa, mas eu o desculpo — ele respondeu calmamente.

— Não o imagino profundo nem vejo razão para estar tão perto de minha esposa. Considera adequado tocá-la como fazia? — Logan entrou, sustentando o olhar do irmão.

— O que acha que faria num ambiente comum, de portas abertas? — Lowell indagou. De súbito aborrecido disparou: — Não é espantoso que me confunda com você mesmo, afinal, somos parte da mesma cepa, mas não tome sua esposa por outra pessoa.

— Não a tomo, tanto que inquiri o senhor — Logan redarguiu, dividido entre a estranheza e o desejo de enfrentar o irmão.

— Em resposta digo que não vejo mal algum em castamente tocar uma irmã. A maldade está na vossa mente, grande irmão. Se essa era toda sua dúvida, dê-me vossa licença. Irei para meu quarto. Senhora... — Lowell inclinou a cabeça reverentemente para a cunhada e os deixou sem esperar resposta, ignorando o ameaçador olhar que recebia do irmão.

— Logan... — Marguerite saiu da catatonia e foi até o duque, atraindo a atenção dele para si. — Nada fazíamos.

— Quanto a você não tenho dúvidas, quanto a Lowell não posso dizer o mesmo. Com o pendor para problemas e a eterna má vontade para comigo não me surpreenderia caso tentasse roubá-la — disse, tocando seus lábios como se assim eliminasse a sensação deixada por seu temerário irmão. — Compreende que por duas vezes corri o risco de perdê-la?

— Não seria tão fácil se livrar de mim, Lorde Bridgeford! — Ela sorriu, envaidecida.

— Promete — pediu, segurando-a pelo rosto, encarando-a com tal intensidade que Marguerite sentiu calafrios em sua coluna.

— Não é preciso. — Creditando a má impressão ao que ocorreu na campina ela indagou: — Como foi com o Sr. Giles? Não imaginei que resolvesse a questão tão rapidamente.

— Apenas devolvi Krun ao aviário. Cabe a Griffins dispensar Giles. O que tinha a ser dito por mim foi feito semanas atrás. Se não fui ouvido, nada mais posso fazer.

Batidas à porta chamaram a atenção do casal, impedindo que Marguerite voltasse a pedir em favor do tratador. Era Griffins, seguido pela dama que anunciou.

— A duquesa viúva!

— Bom dia! — Ketlyn os cumprimentou com exagerada animação ao entrar. Logo agitou as mãos e recuou. — Não quero interrompê-lo. Hoje o dia será cheio. Praticamente vim escoltada por belas flores. Os entregadores já descarregam as charretes e devo indicar às floristas como devem decorar o salão. Com vossa licença...

Tão rápido quanto surgiu, Ketlyn se foi, deixando até mesmo o mordomo confuso. Griffins titubeou por um instante, então meneou a cabeça. Teria partido se o patrão não o detivesse.

— Sim, milorde?

— Espere um instante. Tenho algo a pedir — disse antes de se voltar para a esposa. — Irei com Griffins até o gabinete para tratar do assunto que bem conhece. Por favor, mantenha-se longe de Ketlyn. Ainda hoje darei um jeito de resolver nossa situação.

— Espero que consiga — ela desejou sinceramente. — Permanecerei aqui, na companhia de um bom livro.

Logan assentiu e delicadamente acarinhou o rosto da esposa antes de sair, levando Griffins. Como dito, Marguerite se preparou para ficar na biblioteca. Até mesmo escolheu outro de seus livros favoritos: *Noites Brancas* de Dostoievski. Estava decidida a mergulhar na trama da anônima personagem principal que em São Petersburgo se apaixona por Nastienka, mas depois de alguns minutos, ainda nas primeiras páginas Marguerite aceitou que naquele dia não seria remetida a um mundo talentosamente criado.

Muitas coisas aconteciam ao seu redor para ficar de fora, pensou ao fechar o livro e levá-lo de volta ao lugar. Logan pediu que ficasse longe de Ketlyn, porém nada disse sobre Lowell. Por mais que tentasse se iludir ela não conseguiria ficar sem respostas. Determinada a consegui-las, Marguerite deixou a biblioteca. No hall ela encontrou Griffins a dar instruções ao lacaio. Alfie assentiu para o que quer que fosse e saiu. Somente então o mordomo se voltou.

— Perdoe-me por fazê-la esperar, milady. Apenas cumpria ordens do duque. Em que posso ajudá-la?

— Não se desculpe por isso, Sr. Griffins, apenas me diga onde posso encontrar Lowell.

— Enquanto conduzia a duquesa viúva até a biblioteca, vi que Lorde Lowell se dirigia para o pátio interno.

— Obrigada, Sr. Griffins!

Marguerite fez o caminho de volta, cruzou o jardim de inverno e saiu para o pátio interno. Tal espaço consistia em um amplo quadrado aberto no centro daquela ala do castelo, cercado por corredores laterais, separados da área livre por grossas colunas. Em duas extremidades ficavam as portas de madeira que davam acesso às escadarias das duas torres daquele setor.

Lowell não estava em nenhum lugar que pudesse ser visto e não havia onde se esconder. Marguerite especulava para onde ele poderia ter ido, em qual cômodo com acesso para o pátio ele teria seguido, quando uma jovem criada surgiu em um dos corredores, carregando lenha.

— Ei, você! — Marguerite foi até ela apressadamente. A jovem a reverenciou, lívida, e manteve o olhar baixo. — Por acaso teria visto para onde foi o irmão do duque?

— Eu... Eu o vi, sim. Iniciava a reposição da lenha nos cômodos, quando o vi entrar ali. — Com mão trêmula a criada apontou para a entrada de uma das torres. Depois, desconcertada, pediu: — Perdoe-me por estar aqui, milady! Não deveria ter me visto, mas fui relapsa e esqueci minha obrigação. Serei repreendida pela Sra. Reed quando ela souber que...

— Acalme-se! — Marguerite sorriu. — Ela não precisa saber. Apenas continue o que fazia.

— Oh, obrigada, milady! É mesmo um anjo de bondade como dizem.

Marguerite não sabia nada sobre ser um anjo, mas agradeceu o elogio e dispensou a criada com um sorriso antes de seguir até a porta indicada e empurrá-la. Diferentemente do que pensou não houve rangidos nem camundongos correram para todos os lados. Rindo de sua imaginação, Marguerite recordou que ratos nunca estiveram na descrição das torres. Segundo seu marido, ela encontraria limo, excrementos, teias e, talvez, fantasmas.

De acordo com a recente informação ela também encontraria Lowell.

Uma parte do pátio estava mergulhada na penumbra o que impedia ainda mais a claridade de alcançar muito além dos primeiros degraus de um espaço com não mais que quatro metros de diâmetro. O vento que vinha de cima, atingindo Marguerite por inteiro, fazia com que duvidasse da informação. Lowell não poderia estar naquela torre!

Uma parte de Marguerite disse que fosse procurá-lo em outro lugar, porém a outra, a parte aventureira, exortou-a a dar os primeiros passos. Pelo que se lembrava do exterior ela sabia que ao longo da subia encontraria pequenas janelas que permitiam a entrada da luz; o percurso não seria feito no escuro. O que faltava era um corrimão. A escadaria era larga, no mínimo teria dois metros, mas a duquesa não tardou a se sentir claustrofóbica.

Marguerite não desceu os poucos degraus que galgou por acreditar ter ouvido um barulho no topo da torre. Com a curiosidade renovada, ela se aproximou mais da segurança oferecida pela parede de pedras e subiu, agradecendo a existência de algumas argolas de ferro aqui e ali que segurava sempre que as encontrava e das janelinhas que usava como distração e meta para ir cada vez mais alto. Logo sabia que entre ela e o chão havia uma altura vertiginosa e não cogitou olhar ao redor, apenas subia, agradecendo ao esforço e à ansiedade por eliminarem o frio.

Ao avistar a claridade do topo Marguerite parou por um instante, respirou profundamente, então retomou a subida. Em tempo algum ouviu novos sons, o que a levou a mais uma vez duvidar da criada. Talvez tivesse sido obra do fantasma, gracejou internamente. Ela sorria, preparando-se para se deparar com pombos e aranhas, quando ouviu um soluço sentido.

Preocupada, Marguerite concluiu a subida com maior pressa e entre todas as coisas que Logan disse que encontraria estava Lowell, tentando domar o pranto.

— Lowell...? — chamou-o ao chegar ao topo e rapidamente se afastar da escadaria.

De costas para ela, Lowell riu escarninho, fungando.

— Venho aqui há anos e jamais fui descoberto — disse ele, sem olhá-la.
— Por que acreditei que seria diferente agora que você é membro da família? Eu disse mesmo que era inofensiva?

— Lowell... — Sem se importar com o tom Marguerite se aproximou e o tocou no ombro. Lowell se afastou, aborrecido com o contato.

— Não desperdice vossa piedade comigo, duquesa!

— Sou sua amiga, Lowell. Não hostilize a mim também — ela pediu, escrutinando as costas largas. Ao baixar o olhar viu que ele apertava fortemente um maço de cartas velhas. — Alethia não disse que além de sótãos, as torres guardam recordações empoeiradas.

— O que veio procurar, Marguerite? — ele indagou sem se voltar, tentando conter o embargo na voz e ocultar as cartas como se não tivessem sido vistas.

— Queria continuar nossa conversa, mas agora estou preocupada... Você está chorando.

— Não é da sua conta! Deixe-me em paz! — Lowell reagiu quando ela voltou a tocá-lo, afastando-a com brusquidão, desequilibrando-a.

— Lowell! — ela gritou, pendendo para o vão da escada. Antes que tombasse de vez foi resgatada pela cintura e imediatamente presa num forte abraço. Abalada pela possibilidade de ter despencado pelo espaço livre, Marguerite se agarrou ao cunhado, arfante.

— Perdoe-me! Perdoe-me, Marguerite! — pediu ele, igualmente abalado, apertando-a mais. — Eu jamais lhe faria mal! Jamais! Jamais!

— Eu sei... — Marguerite sentia como se o coração batesse em sua garganta, mas tinha certeza de que Lowell nunca a machucaria. — Eu sei.

— Sou todo errado — disse Lowell junto ao cabelo dela. — E não estou preparado para toda essa atenção que me dá.

— Você é meu novo irmão, meu amigo... Quero entendê-lo e ajudá-lo.

— Ninguém pode me ajudar.

— Não sabe isso. Já entendi que ataca por estar ferido... Não se preocupe com o brilho em meu olhar ou com a franqueza em meu sorriso. Nunca vou deixar que nada mude isso. Apenas permita que eu retire o espinho, seja ele qual for.

— Este é o problema... — ele declarou, afastando-a gentilmente para encará-la. — Não é algo que possa ser facilmente tirado e, mesmo que consiga, o dano é eterno.

— Mais um motivo para me contar. Não pode avançar um passo e recuar dois para o resto da vida no tocante a Logan. Que vivam em paz ou rompam definitivamente! Não percebe que essa situação se tornou insustentável?

— Era nisso que eu pensava — Lowell confessou, secando os resquícios do pranto.

— É tão horrível que o faz chorar? — Marguerite escrutinou o chão até encontrar as cartas que ele soltou para salvá-la. — Tem a ver com elas? Comece me dizendo quem as enviou.

— São roubadas — disse Lowell em meio a um suspiro, indo mirar a paisagem por uma das três janelas estilo lanceta, alta e estreita, finalizada em um arco pontiagudo. — Os donos não estão aqui para reclamá-las, mas nunca considerei certo mantê-las. Tentei destruí-las, e não tive coragem. Na verdade isso nada mudaria, então, eu as escondo aqui desde que as peguei.

Marguerite compreendeu que Lowell queria *retirar o espinho* sem olhá-la e fez o mesmo, ordenando às pernas trêmulas que a levassem até outra janela para nela se apoiar. Ao mirar o infinito, encorajou-o:

— E de quem as roubou?

— De minha mãe... Cartas e bilhetes de meu pai. — Marguerite franziu o cenho e olhou para Lowell sem entender o que de grave poderia haver nas cartas e nos bilhetes dos próprios pais. Alheio ao olhar dela, ele acrescentou: — Declarações apaixonadas para Harriette Bridgeford, enviadas por Gaston Welshyn.

— O quê?! — Marguerite engasgou. Depois de tossir, com voz muito rouca indagou: — Disse Gaston Welshyn? Tem certeza?

— Foi exatamente o que eu disse — confirmou Lowell, indiferente. — Li e reli esses papéis inúmeras vezes para duvidar desse detalhe. Sou filho do bem-sucedido comerciante Gaston Welshyn. Marido impoluto, cunhado, amigo...

— Lowell, eu... eu... — Ainda incrédula Marguerite voltou a fitar as colinas douradas pela ação do outono, digerindo a informação. — Eu simplesmente não sei o que dizer.

— Sempre soube que esta seria a reação caso todos descobrissem — ele ironizou. — Não deve haver muito a ser dito para um bastardo.

— Por favor, não repita essa palavra! — ela pediu num fio de voz.

— Se não sou filho do homem que todos imaginam, é o que sou.

— Lowell, deve haver algum engano. Eu não acredito que sua mãe...

— O que eu disse sobre a humanidade ser dissimulada? Eu poderia deixar que lesse cada um desses papéis, mas seria perda de tempo quando posso resumir para você. O oitavo duque não era necessariamente um homem romântico. Jamais foi violento, mas não era raro vê-lo tratar minha mãe com frieza. E não cito isso como um defeito.

— Não pensei que fosse...

— Ele era a continuação do sétimo duque, tão seco quanto — prosseguiu Lowell, sem ouvi-la. — Igualmente era um homem justo, correto, mas pelo que li isso não era o bastante. Minha mãe era uma mulher sonhadora, apaixonada, apaixonante e queria mais... Não sei como tudo começou, mas Gaston deve ter percebido e a seduziu. Por essas cartas sei que ele se alegrou ao saber que teria um filho, que propôs uma fuga... Também soube da recusa que o transtornou.

— Apesar de tudo, a duquesa deve ter amado seu pai, digo, o duque.

— Prefiro acreditar que ela errou por amor e que o renegou por senso de dever. — Lowell finalmente a encarou, tinha os olhos marejados. — Envergonha-me menos que imaginar ser mero fruto da promiscuidade.

— Prefiro acreditar no mesmo... — Ela sorriu para confortá-lo. — E você... Você odeia sua mãe por isso?

— Não aprovo o que fez... Muitas vezes eu quis confrontá-la, mas não tive coragem. Era a vida dela. E verdade seja dita, mamãe era a única pessoa que não fazia distinção entre mim e Logan. Então, não, eu não a odeio.

— Eu o entendo... — Marguerite mirava as luvas sujas pelo limo das pedras e a ferrugem das argolas. Depois de tirá-las e prendê-las à faixa em sua cintura, indagou: — E Alethia? Acredita que ela saiba?

— O que as mulheres não sabem é a pergunta. Não duvido que ela saiba.

De repente, Marguerite também não duvidava. Recordava o discurso de submissão feito por Alethia, quando conheceram Daisy Duport. E recentemente sua nova tia não declarou ser o certo deixar sua herança para Lowell? Sim, ela sabia e se ele não se esforçasse em ser irresponsável receberia a considerável soma acumulada pelo verdadeiro pai.

— Bem... Se Alethia realmente sabe, não o rejeita.

— Não mais do que todos — ele retrucou.

— Lowell... Eu sinto tanto! — O peso da revelação fez com que suspirasse. — Eu posso apenas imaginar o que sente, o quanto dói, mas ainda tem algo que não entendo.

— O quê?

— Por que transfere tudo que sente para Logan?

— Por quê? — ciciou. — Logan sempre foi o preferido, cresci habituado a isso. Ele é o primogênito, o herdeiro... A predileção era natural. No entanto, George nunca foi seu Bolbec preferido. Lembro-me do quanto se aborrecia sempre que papai queria ensiná-lo a gerir a herdade. Todos os defeitos que hoje Logan repudia em mim, nele eram triplicados. Sei que há anos está mudado, mas não consigo deixar de considerá-lo hipócrita na maior parte do tempo.

Marguerite estava prestes a dizer que não fazia ideia, quando recordou o que Edrick lhe contava sobre o amigo de faculdade e se calou. Lowell deve ter se enganado ao interpretar sua expressão, pois assegurou:

— Não acredita? Pois o que lhe digo é a mais pura verdade. Quando descobri sobre Gaston e mamãe, revoltei-me e parte do que sentia direcionava a Logan. Era ele quem merecia ser o bastardo, não eu, que admirava e amava papai de todo coração.

— Foi quando as brigas tiveram início — ela elucidou.

— Sim! Quando mamãe morreu, nosso relacionamento ficou à deriva, adernou quando papai trouxe Ketlyn para nossas vidas e naufragou quando ele morreu.

— Por quê? — Marguerite queria todas as respostas, mesmo que percebesse para onde aquela conversa caminhava.

— Porque aquela mulher é uma víbora abjeta! — Lowell se mostrou bravio. — Desde que chegou a Castle ela se insinuou para nós, seus enteados. Com ares de boa madrasta ela roçava os seios em nossos braços e ombros. Mergulhava o colo em nossos narizes com a desculpa de nos servir chá.

— Ketlyn tentou seduzi-lo?! — Marguerite arregalou os olhos, incrédula.

— Muitas vezes, mas eu nunca trairia meu pai, em vida ou depois de sua morte. O mesmo não posso dizer de Logan.

— Lowell, não...

— Não me insulte, defendendo-o ou fingindo nada saber — ele pediu. — Eu estava à mesa no último jantar. O modo defensivo como se reportava a Ketlyn é prova suficiente.

Marguerite apertou os lábios e, com toda dignidade que pôde juntar, assentiu.

— E ainda não me entendeu? Às vezes chego a odiar Logan por ter sido capaz de trair a memória de nosso pai. Também não considera que deveria ser ele o bastardo?!

— Por favor, pare de repetir essa palavra! — Marguerite respirou profundamente. — Sim, Lowell, eu o entendo. No mais, não importa o que consideramos certo. O enredo da história de vocês dois já foi iniciado e os detalhes não podem ser mudados. Os maiores interessados estão mortos, apenas Alethia restou e...

— Também sou um dos maiores interessados — interrompeu-a.

— Perdoe-me por discordar! Você é a prova irrefutável do ato, mas não foi um dos que traiu ou foi traído. Alethia, sim, mas como sobrinho ou como enteado ela o aceita.

— E ama Logan — Lowell desdenhou. — Fará dele seu único herdeiro.

— Nenhum de nós sabe o que se passa no coração de Alethia. Quanto à herança, deixá-la para Logan nada tem a ver com amor, sim, com bom senso. O senhor não é um bom exemplo de responsabilidade. Pelo contrário, esforça-se para ser inconsequente e arruaceiro. Seja sincero... Se tivesse um patrimônio a conservar você o deixaria para si mesmo?

Lowell riu de súbito, um tanto divertido.

— Confesse! Sob essa pele perfeita e jovem esconde-se uma anciã experiente e muito sábia.

— Graceja enquanto pensa na resposta? — Marguerite não cederia tão facilmente.

— Não! Eu não faria de mim meu herdeiro — Lowell negou com segurança. Marguerite sorriu. — Muito bem, jovem oráculo, além do que sabe diga-me o que vê.

— Vejo uma senhora solitária, quando tem em sua vida um enteado... Vejo dois irmãos separados por rancores antigos e imutáveis.

— Fala do presente... O jovem oráculo poderia falar do futuro?

Marguerite pensou por um instante e, assentindo para um pensamento, disse:

— Se os erros do passado forem perdoados, vejo uma senhora feliz por abraçar o filho que não pôde ter... Vejo irmãos reconhecidamente mudados, reconstruindo a amizade, nutrindo o amor fraterno... Também vejo uma mulher depravada fora de nossas vidas, sendo preteria por uma doce duquesa. — Marguerite arrematou sua previsão com uma piscadela.

— Disso também não tenho dúvidas — Lowell sorriu. — Os sentimentos de Logan por você parecem ser sinceros, irmãzinha!

— E quanto ao resto? — ela indagou ansiosamente, esfregando os braços para espantar o frio trazido por uma lufada de vento.

— Acredita mesmo no que disse? — Lowell devolveu a questão, abraçando a si mesmo, afetado pela mesma friagem. — Eu não tenho tanta certeza.

— Eu também não. Levarei seu segredo para o túmulo se assim quiser, mas gostaria que o revelasse aos novos interessados. Para Alethia não será novidade, Logan o compreenderia e teria a chance de provar que mudou. Com o tempo, tudo seria como antes de sua descoberta. Poderiam até mesmo voltar a jogar gamão! — gracejou.

— Logan nunca foi páreo para mim — revelou Lowell sem ocultar seu convencimento.

— Se pudesse notar a nostalgia que há em seu rosto... Talvez não saiba, mas você quer todas essas coisas.

— Estava cansado de carregar esse segredo sozinho. — Lowell foi até ela e segurou suas mãos. — Agora que o dividi, vendo-o sob sua óptica otimista, ele não parece tão pesado.

— Eu arranquei o espinho? — Marguerite sorriu, estava feliz.

— Com sabedoria e cuidado dignos de alguém como você — disse ele, curvando-se para beijar seus dedos nus. — Se eu não estivesse disposto a mudar, roubá-la-ia de meu irmão.

— Se eu não amasse tanto seu irmão eu deixaria que tentasse, mas em outro lugar. — Ela não continha os calafrios. — Podemos descer? Com todo esse vento seremos congelados.

— Sim, vamos descer, mas antes... — Lowell tirou seu casaco e passou pelos ombros da cunhada. Então, abaixou-se para recolher o maço de cartas.

— O que fará com isto? — ela perguntou, fechando mais a frente do casaco.

— Ainda não sei. — Lowell guardou as cartas no bolso de sua calça. — Mas não vejo razão de mantê-las escondidas aqui. Agora venha!

Lowell desceu os primeiros degraus e se voltou para segurar a mão de Marguerite. De bom grado ela aceitou a ajuda, evitando olhar para o vão livre.

— Não sei em que eu estava pensando para subir até aqui — comentou, olhando para Lowell. — Não há a mínima proteção.

— Vê isto? — Ele apontou para as grossas argolas presas às pedras. — Por elas passavam cordas que serviam como corrimão, mas estas se deterioraram e não foram substituídas. Subo aqui desde muito novo, por isso não me impressiono. Com o tempo irá se acostumar.

— Agradeço a confiança, mas dispenso novas visitas às torres. Esta bastará para sempre!

— Fico feliz que tenha tido a coragem de subir por mim... Jamais esquecerei seu esforço.

— Prove, sendo parte da mudança — ela pediu. — Mas falemos disso depois. Por ora, preste atenção onde pisa.

Lowell apenas riu e meneou a cabeça. Marguerite saboreou o som que comprovava o desejo de mudança, que se opunha ao pranto. Se tudo desse certo, cada coisa iria para seu lugar.

## Capítulo 11

Os *Staffies* olhavam com atenção para o dono que andava de um lado ao outro por um dos corredores do pátio interno. Logan mantinha as mãos para trás e vez ou outra mirava a porta de acesso à torre sul. Duvidou da informação repassada por Griffins, sobre a duquesa ter subido logo depois de seu irmão até que visse a entrada aberta. Não seguiu os dois para evitar um novo empate com Lowell. Não confiava nele, sim, em sua esposa.

Marguerite era curiosa e já havia expressado o desejo de conhecer as torres. Por si só talvez jamais subisse, mas se alguém do castelo o fez nada a impediria. Agora ambos conversavam, Logan dizia a si mesmo. Mesmo que Lowell fosse temerário ao ponto de cortejá-la, Marguerite era correta e o amava.

Logan liberou um xingamento, aborrecido com seu oprimido coração. Chegava ao limite com a demora e se obrigava a ficar onde estava, quando ouviu as vozes. Ele reconheceu o divertimento nos risos e estacou. O duque tinha os ombros eretos e rígidos quando viu os dois aventureiros. Marguerite foi a primeira a sair, tendo o casaco de Lowell a protegê-la do frio, rindo de alguma anedota contada pelo homem que a seguia e a fitava com novo brilho no olhar.

O coração do duque foi reduzido a um grão, porém ele manteve a expressão. Fingindo não notar que os risos cessaram tão logo foi avistado, Logan caminhou até Lowell e Marguerite. Ao se aproximar da esposa ele forçou um sorriso e disse com estudada animação:

— Que aventura, não? Enfim, conheceu uma das torres!

— Sim... — respondeu Marguerite com certo receio. — E é exatamente como descreveu.

— Aventura perigosa para quem não tem o costume — comentou Lowell, ainda sorrindo para a cunhada. — Ou para quem tem medo de altura.

— Como eu poderia saber? — indagou Marguerite, olhando de um ao outro. — Ao subir olhava apenas para cima. Ao descer não tive escolha... Foi assustador!

— Mas eu a conduzi até aqui em segurança — comentou Lowell. — Se a altura a deixa tonta, sugiro que não volte a subir na torre. Especialmente sem as cordas de segurança.

— Ordenarei que sejam recolocadas — disse Logan. Não confiaria que o medo da descida impedisse a esposa de subir, ele pensou enquanto tirava o casaco do irmão para devolvê-lo. — E, obrigado por conduzi-la também protegida do frio!

— Faço parecer que não, mas sou um cavalheiro — retrucou Lowell ao segurar o casaco sobre o ombro esquerdo, displicentemente, sem desdém ou azedume, levando Logan a olhá-lo com atenção. — Se não fosse, ainda teria esta moça em altíssima conta e jamais deixaria que algo ruim acontecesse. Por ela e também por você, meu irmão, que nada seria se a perdesse.

— Lowell... — Logan se preparou para o ataque, porém foi interrompido.

— Recolha as armas, pois a hora da mudança chegou — disse Lowell, sorrindo. — Bem, não contem comigo para o almoço. Tenho muitas coisas a decidir, então ficarei em meu quarto.

Estupefato, Logan assistiu à retirada do irmão.

— O que aconteceu? — indagou ao fitar Marguerite. — Sobre o que conversavam?

— Sobre muitas coisas que não cabe a esta mera coadjuvante revelar. Apenas guarde o que ouviu e esteja de coração aberto para o que vier. — Não cabendo em si de contentamento ela acrescentou: — Acho que seu antigo irmão está voltando, Logan!

— Acha mesmo? — Quando Marguerite assentiu, Logan sorriu e a prendeu num abraço. — Será um dos dias mais felizes da minha vida quando ele voltar de vez!

Marguerite novamente assentiu, sorrindo, somente então se lembrou de que se esgueirou por paredes sujas e caminhou sobre dejetos de pombos.

— Não me abrace — pediu ao se afastar. — Preciso subir para me assear.

— É fato... — Logan sorriu. — Está deplorável, senhora! Troque-se e desça... Logo será hora do almoço.

— Farei isso — disse, analisando o estado de seu vestido. Logo encarou o duque ao ocorrer-lhe algo. — Ketlyn ainda está aqui?

— Sim, às voltas com a decoração — Logan respondeu a contragosto.

— Então, vocês ainda não conversaram — ela deduziu.

— Não! Eu estava no salão, esperando uma oportunidade de abordá-la. Ausentei-me apenas quando Griffins me contou sobre sua ida à torre. Eu precisava ver para crer. — Tendo o coração apaziguado, Logan a segurou pelo queixo e depositou um casto beijo em seus lábios. Sorrindo, disse: — Mandarei que recoloquem as cordas de segurança e que as torres sejam limpas a cada quinze dias, assim poderá subir sempre que desejar.

— Faça isso se quiser, mas não me vejo encarando o terror da descida mais uma vez. Lowell tentou fazer parecer divertido, mas foi somente aterrorizante. Nunca mais quero estar num lugar tão alto!

— Folgo em saber! Agora suba e se prepare para o almoço.

— Estive pensando... Creio ser melhor fazer como Lowell e permanecer em meu quarto, assim terá a oportunidade de conversar com Ketlyn.

— Tem razão — Logan aprovou a sugestão. — Será o momento perfeito!

Depois das despedidas, com Dirk e Jabor em seus calcanhares, Logan marchou para o salão de baile; o maior cômodo do castelo. Sua entrada dava acesso a um largo balcão cujo parapeito era sustentado por balaustradas ricamente decoradas. Estas seguiam o padrão ao longo das duas escadas, uma em cada extremidade, como no hall principal. O piso do salão era de quadrados de mármore, brancos e pretos, formando um imenso tabuleiro de xadrez. O teto era alto, decorado com afrescos que retratavam seres celestiais. No centro imperava um grande lustre de cristal.

No alto balcão, com as mãos apoiadas no parapeito, Logan seguiu a analogia ao pensar que em breve derrubaria a rainha preta para que a rainha branca reinasse absoluta. Algo inédito, ele concluiu livre de humor. Afinal, nada o mundo o tornaria um rei branco. Por tudo que fez, sempre seria uma peça negra. De repente um dos empregados derrubou um jarro com as flores, despertando Logan para a realidade, fazendo com que Dirk e Jabor descessem as escadas e fossem latir para o desastrado.

Ketlyn se voltou para o duque que descia apressadamente para conter seus animais.

— Logan, como espera que arrumemos tudo com esses cães a atacar os criados?

— Dirk! Jabor! — Logan o chamou energicamente. Obedientes, os *Staffies* correram e se posicionaram ao seu lado. — Eles não oferecem perigo para quem está dentro do castelo, mas irei levá-los para fora. Logo será hora do almoço e quero momentos de tranquilidade para que possamos conversar.

— Sim, leve-os, mas não espere minha presença à mesa — disse Ketlyn em tom de escusa. Alto e claro falou mais para que todos ouvissem: — Ainda há muito trabalho aqui e ninguém irá parar até que esteja concluído. Já pedi que fossem providenciados sanduíches e chá.

Sem esperar qualquer comentário Ketlyn se afastou já a dar ordens. Logan olhou ao redor, para as flores que ainda precisavam ser organizadas nos grandes vasos; muitos vasos. Resignando-se ele deixou o salão de baile, sendo seguido pelos *Staffies*. Ketlyn não poderia adiar aquela conversa para sempre, considerou.

Para Logan, foi aborrecido descobrir seu engano. Mais um dia passou e Ketlyn se foi sem que conseguisse concluir a conversa bruscamente interrompida no gabinete. Os únicos pontos positivos ao cair da noite fora saber por Griffins que Emery Giles partiria na manhã seguinte e ter à mesa de jantar um irmão monossilábico, porém de ótimo humor, desarmado.

Logan dividiu com a esposa e o irmão momentos tão agradáveis que não lamentou ter de dormir novamente sozinho. Decidido a manter o clima ameno, despediu-se de Marguerite com um beijo, realmente pensando em como seria quando puder tocá-la.

Sua condescendência começou a ruir na manhã seguinte, a cada tentativa frustrada de levar uma atarefada duquesa viúva para o gabinete ou para onde mais pudesse ter uma conversa breve e definitiva. Durante o almoço foi Logan a lutar com o péssimo humor para que não eliminasse a bom clima que pairava entre ele, a esposa e seu irmão. Se de fato chegara a hora da mudança, cabia a ele fazer a própria parte para que a nova fase se consolidasse.

Com o pensamento fortalecido, tão sombrio e gélido quanto o clima daquela tarde de quarta-feira, Logan seguiu de longe todos os passos de Ketlyn. Quando viu que ela deu o serviço por encerrado e mais uma vez preparou-se para escapar ele simplesmente a tomou pelo braço e a levou consigo sob os olhares do mordomo e do lacaio que entregaria a ela o casaco à saída.

— Temos de conversar — disse Logan, guiando-a até o gabinete.

— Logan?! Enlouqueceu? — Ketlyn indagou, andando apressadamente para acompanhar os largos passos. — O que houve com a discrição?

— Você a minou ao fugir de mim.

— Fugir de você? Do que está falando? Estou sobrecarregada... Conhece as atividades que precedem uma festa grandiosa como será a comemoração de seu aniversário. Devo ir o quanto antes para casa, pois a modista irá entregar minha fantasia e se precisar que faça reparos, ela...

— Que espere! — ciciou Logan ao colocá-la para dentro do gabinete e fechar a porta. De costas para a entrada, questionou: — Entre mim e a modista, quem considera ter prioridade?

— Você, por certo! — Ketlyn sorriu, conciliadora. — Se dou preferência a ela é justamente por desejar estar magnífica para seus olhos. Depois da festa nós poderemos...

— Já basta, Ketlyn! — Logan se aborreceu ainda mais. Em baixo tom, pediu: — Pare de fingir que não sabe o que quero dizer.

— Não há fingimento... Eu realmente não sei do que está falando. — Ela meneou a cabeça, dando ênfase à encenação.

— Estou dizendo que tudo mudou, que...

— Oh, querido! — Ketlyn cortou-o e, exultante, foi abraçá-lo. — Enfim, dará fim a esse casamento sem sentido para que possamos viver como antes. Nunca duvidei de seu amor!

Pego de surpresa, Logan nem sequer teve tempo de se desvencilhar ao ser beijado. Antes que esquecesse seu cavalheirismo e empurrasse Ketlyn para longe ele ouviu o aplauso seco, forte e propositalmente espaçado. Somente então Logan afastou a ex-amante e se voltou para ver quem flagrou tão íntimo contato.

— Que belo espetáculo, grande irmão! — disse Lowell, torcendo o rosto, enojado. — Como pude acreditar que tivesse mudado?

— Aqui não há nada para você, pequeno causador de problemas! — Ketlyn o provocou. — Não sabe que não se deve interromper um casal?

— Fique quieta, Ketlyn! — Logan sibilou, afastando-se dela sem deixar de olhar para o irmão. — Lowell, não é o que parece... A explicação é muito simples, basta me escutar.

— Não se dê ao trabalho. — Lowell indicou um e outro. — Tenho a explicação bem diante de meus olhos. Você é e sempre será um canalha. Antes traia o pai, agora trai a melhor das esposas com vagabundas que...

— Não ficarei aqui sendo ofendida! — Ketlyn o interrompeu e sem despedidas, aviltada, deixou o gabinete.

Logan quis detê-la, mas tinha diante de si um problema ainda maior.

— Não vai seguir vossa amante, duque?

— Ela não é minha amante, Lowell... Não mais — corrigiu ao reconhecer o deboche no olhar do irmão. — Diante do que viu e ouviu seria estupidez negar. Sim, fomos amantes, mas tudo ficou no passado. Quando você chegou, eu estava justamente tentando dizer isso a ela.

— Assumir o que eu sempre soube não o torna menos estúpido.

— Lowell, eu estou disposto a conversar, a explicar, mas não admitirei que me insulte — disse o duque, energicamente.

— Estúpido, canalha e covarde — Lowell agravou a ofensa, sustentando seu olhar. — Um homem pequeno que jamais estará à altura da esposa que tem. Espero que um dia Marguerite descubra o que fez de tão horrível e que ela desapareça num *puff*, como tanto teme!

— Lowell, eu estou avisando...

— Pouco tomo conhecimento de vossos avisos. Engula-os juntamente com vossas mentiras e vá ao inferno!

❦

Perdida em pensamentos Marguerite mirava as flores que ainda existiam pelo simples fato de estarem protegidas no jardim de inverno. Era a véspera da grande noite e ela ainda não atinava o que daria ao duque. Nada que contivesse o mínimo significado vinha-lhe à mente. Não fosse pelo péssimo tempo ela convidaria a governanta para correr as ruas de Bridgeford à procura de algo valioso, porém apenas material.

— Abotoaduras que ficarão perdidas em meio às dezenas que ele já possui — resmungou ela, maldizendo sua debilitada imaginação.

— Disse algo, milady? — indagou Nádia do banco que ocupava, baixando seu bordado.

— Não é nada com que... — Marguerite se interrompeu ao ouvir as vozes alteradas. Em alerta indagou: — O que pode ser isso?

Ao se pôr de pé ela formava a teoria de que Emery Giles tivesse invadido o castelo para confrontar o duque. Soube estar errada ao reconhecer a voz de Lowell que se aproximava cada vez mais. Ainda não compreendia o que dizia ao irmão, mas não precisou de muito para saber que se tratava de uma violenta briga e que esta seguramente chegaria até ali.

— Nádia, vá para a ala dos criados — pediu à assustada criada. — Receio que seja um assunto familiar.

Nádia assentiu e rapidamente seguiu para a porta. Antes que saísse precisou se afastar para que os bravios irmãos entrassem. Com um olhar de pesar para a patroa, ela se foi.

— Não me ignore enquanto falo com o senhor! — bradou Logan, seguindo o irmão de perto. Este se prostrou ao lado de Marguerite e retrucou:

— Não precisarei ignorá-lo se mantiver vossa boca fechada!

— Ora, seu...!

— Logan! — Marguerite correu para se colocar entre eles antes que o marido socasse o irmão. — Não faça nada que venha a se arrepender.

— Não tenha cuidados, irmãzinha — disse Lowell com desdém. — Seu marido não sabe o significado dessa palavra. O poderoso duque, aquele que gere uma das maiores e populosas vilas da Inglaterra, o agraciado pelos deuses, o orgulho da família Bolbec é o senhor da verdade e não se arrepende de nada que faz!

— Afaste-se, Marguerite! — sibilou Logan, com o punho ainda erguido. — Estou farto de ser insultado!

— Não irei a parte alguma — ela garantiu, olhando de um ao outro. Para Lowell pediu: — Pare, por favor! Por mim...

Lowell respirava com dificuldade e encarava o irmão com órbitas ejetadas. Não parecia que fosse atendê-la, mas recuou um passo depois de um bufo exasperado e anunciou:

— Por você, Marguerite, eu não direi mais de tudo que penso e deixarei este castelo tão logo recolha meus pertences.

— Não quero que saia assim — disse Logan caindo em si, desarmando-se. — Devemos conversar. Se você foi até o gabinete era isso que pretendia, não?

— O que eu pretendia não importa mais... É melhor que eu vá embora antes que nossa relação seja destruída de vez.

— Lowell, não... — Marguerite rogou. — Não sei o que aconteceu para que brigassem desse modo, mas fique. Por favor!

Lowell perscrutou os olhos de Marguerite, meneando a cabeça.

— Decididamente ele não a merece! Não sei quando se tornou tão importante para mim, irmãzinha, para que eu não consiga ignorar o que me pede — disse num expirar. Marguerite sorriu e aplaudiu brevemente, contente. — Não se anime tanto. Deixe para exultar quando eu partir sem que um de nós não tenha surrado o outro.

— Lowell...

— Deixe-o, Logan! — Marguerite espalmou as mãos no peito do marido, quando este fez menção de seguir o irmão que a passos largos deixava o jardim de inverno. — Fique e me conte o que aconteceu.

— Lowell flagrou o momento exato em que eu tentava conversar com Ketlyn. — Logan não tinha razão para omitir o que de fato ocorreu.

— Ele ficou assim transtornado ao vê-los conversar? — Para ela parecia insólito. De súbito sentiu haver mais. — Ou isso não foi tudo que Lowell viu?

Logan se calou por um instante, mas nem assim mentiu.

— Não, querida... Com os ânimos acalmados percebo que Ketlyn fez o que fez ao vê-lo entrar. Eu não poderia, pois estava de costas para a porta.

— E o que ela fez?

— Ketlyn me beijou.

— Entendo... — murmurou Marguerite, intimista.

— Toda ação foi muito rápida — ele acrescentou, escrutinando o rosto corado. — Eu não a beijei nem nada senti.

— Como disse, toda ação foi muito rápida... — ela observou. Tentava não se abalar com a informação, mas tinha de ser objetiva. — Não sabe o que mais teria acontecido se não tivessem sido interrompidos.

— Não enverede por este caminho, querida — ele pediu seriamente. — Não suportarei que também brigue comigo quando eu apenas tentava fazer o certo.

Marguerite pensou por um instante. Sempre soube que não seria simples.

— Tem razão! — Ela sorriu para tranquilizá-lo e acariciou seu rosto contrito. — Lowell foi duro, não foi?

— Como nunca antes — concordou Logan com um profundo espirar. — E dessa vez não temos a duquesa Harriette aqui para promover a paz.

De súbito algo na mente de Marguerite se iluminou, fazendo com que sorrisse mais.

— Isso a deixa feliz?! — Logan recuou um passo para olhá-la como se a desconhecesse.

— Não isso, sim, a ideia... — respondeu Marguerite, animada.

— Que ideia? — Ele meneou a cabeça, confuso.

— A ideia! A ideia! — ela repetiu à beira da euforia. Depois de ficar na ponta dos pés e beijar o rosto do marido, disse: — Lamento pela briga, mas acredito que tudo seja resolvido.

— Marguerite! — Logan a segurou pela cintura, impedindo-a de deixá-lo. — O que está acontecendo? Não consegui falar com Ketlyn, Lowell novamente me odeia e você sorri?

— Realmente eu acredito que tudo seja resolvido. Converse com Ketlyn durante ou depois da festa. Ela não terá mais desculpas para evitá-lo. Faça o mesmo com Lowell... Algo me diz que antes do que espera ele voltará a amá-lo. Agora, deixe-me ir... Preciso amadurecer a ideia, Logan! A ideia!

# Capítulo 12

Durante a espera para o jantar Logan soube por Griffins que a esposa não lhe faria companhia, pois estava na companhia da Sra. Reed, realizando algo muito importante. Algo relacionado à "ideia", ele pensou, aceitando a ausência de Marguerite. Verdade fosse dita, estava cansado, desanimado até mesmo para a comemoração de seu aniversário. Sendo um pouco mais frio e sincero, Logan até mesmo dava razão ao irmão.

Enquanto saboreava um charuto depois do jantar, sozinho em seu gabinete, ele reconheceu ser tudo aquilo de que foi acusado e outras tantas mais. Infelizmente não via como procurar Lowell nem como iniciar uma conversa tranquila que resolvesse suas questões. Diante da violência do último embate, somente Harriette poderia mediar àquela aproximação.

Talvez tivesse perdido o irmão para sempre, Logan considerou ao seguir para seu quarto. Na dúvida, preferiu não arriscar a definitiva separação, saindo à procura de Ketlyn na vila. Estava farto de mal-entendidos. Melhor seria abordá-la durante a festa, quando ela não se atreveria a agarrá-lo nem macularia a própria imagem fazendo uma cena indigna de damas bem educadas.

— Por que tão batido, milorde? — indagou Ebert ao vê-lo entrar no quarto.

— Creio ser o peso da idade — comentou Logan, deixando que o valete retirasse sua casaca.

— Se já sente o peso dos vinte e oito anos, como será daqui a dez, vinte ou trinta anos? Creio ser outra coisa que o abate, milorde. Posso ajudá-lo a descobrir a real razão. Talvez seja por alguma indisposição com a duquesa... Ou as constantes rusgas com vosso irmão... Ou talvez...

— Não se esforce, Ebert — Logan o interrompeu: — Há tempos sei que duvida de minha capacidade intelectual, mas com algum esforço chegarei a uma conclusão, sozinho. Apenas me ajude com as roupas, sim?

— Como queira, milorde! — Ebert anuiu. — Travesseiros sempre nos ajudam a elucidar questões que nos abatem.

— De um jeito ou de outro eu não resolverei sozinho — Logan troçou, deixando-se distrair pela pouca fé de seu empertigado valete.

Ao ser deixado, Logan seguiu para a cama com os olhos postos na porta de ligação. A falta de claridade não respondia muito. Não sabia se Marguerite dormia depois de ter feito o que quer que fosse com a governanta ou se ainda estariam juntas. Conviveu com a dúvida até que visse a luz iluminar uma pequena porção do piso lustroso, sob a porta, horas depois.

Curioso quanto ao que a esposa esteve fazendo até depois da meia-noite, Logan cruzou as mãos em baixo da cabeça e ficou a mirar aquela claridade. Jurava ser capaz de ouvir o farfalhar dos tecidos enquanto Nádia a ajudava a se trocar e, depois, acreditou saber quando a esposa se recolheu sob as cobertas. Descobriu que seu valete não estava de todo errado quanto à sua capacidade mental ao ver a sombra que eliminou a luz sob a porta. Expectante, Logan sentou e se apoiou nos travesseiros ao ver a porta ser aberta para que Marguerite surgisse.

— Logan...? — ela chamou num sussurro. — Está acordado?

— Estou... Entre! — ele liberou, preparando-se para se pôr de pé.

— Não precisa se levantar — Marguerite o impediu, movendo a mão. — Serei breve. Vim apenas desejar que tenha um bom descanso.

— Seu cuidado muito me alegra — disse Logan, admirando Marguerite enquanto ela se aproximava. — Assim poderei fazer o mesmo. Griffins não me deu muitas informações. Eu não sabia como proceder.

— O Sr. Griffins foi instruído a não dar muitas informações — ela gracejou ao se sentar na beirada do colchão, mas logo se preocupou. — Não se aborreça com ele por isso. Sua palavra sempre será obedecida. Ele apenas...

— Acalme-se! — pediu o duque ao prender as mãos da esposa. — Reconheço quando há insubordinação e não foi o caso. Sei que Griffins e Agnes Reed a ajudavam a executar sua ideia.

— O que sabe sobre isso?! — Marguerite se alarmou, tentou levantar.

— Nada além do que comentei — ele a tranquilizou, mantendo-a no lugar. — Mas a senhora poderia me contar que ideia é essa que a ocupa até depois da meia-noite.

— Já é tão tarde?! Não percebi o tempo passar. Eu não o acordei, não é mesmo?

— Não. Devo ter adivinhado que viria, pois não tive sono. Agora me diga o que fazia.

— É uma surpresa — Marguerite revelou, sorrindo. — Saberá de tudo na hora determinada.

— Seria meu presente? — Logan franziu o cenho com ar investigativo.

— Nada disso, senhor! Não queira elucidar o mistério — ela sorriu mais. — Agora, vou deixar que... Oh! — Ele a surpreendeu, prendendo-a em um abraço. — Logan...

— Esquecerei o mistério, mas não o beijo a que tenho direito.

Sem deixar de mirar a boca arfante, Logan baixou a cabeça e beijou os lábios rosados de sua esposa. Imediatamente reconheceu a doçura do açúcar na língua que provava. De todo o corpo feminino rescendia um odor muito bom.

— Você está doce... Que delícia! — Logan comentou antes de cheirar o pescoço dela profundamente. Ao entender onde ela teria conseguido aquele cheiro, encarou-a e indagou: — Esteve esse tempo todo na cozinha?

— Claro que não! — Marguerite veementemente refutou. — Estava com a Sra. Reed em seu escritório. Ela apenas me ofereceu um dos doces que serão servidos na recepção.

Logan não se deu por vencido, mas não discutiria quando tinha algo melhor a fazer.

— Mal posso esperar para provar tão deliciosa iguaria — declarou e retomou o beijo.

Marguerite retribuiu, aventurando uma das mãos pela nuca do marido até que pudesse acariciar os cabelos de sua nuca. Logan emitiu um gemido abafado quando o delicado toque reverberou por seu corpo. Ele não queria ir contra o que ela determinou, mas foi impossível domar a falta que sentia dela.

— Logan...! — Ela novamente foi surpreendida quando o duque a deitou em direção aos pés da cama e se estendeu sobre ela. — O que está fazendo?! Não foi isso que combinamos.

— Estou melhorando o beijo — ele explicou, voltando a eliminar a distância entre as bocas.

O protesto de Marguerite não passou de um incentivador gemido. Rendida, ela deixou que ele explorasse os recantos de sua boca. Tornou a emitir o protesto meio gemido quando Logan afastou o penhoar e incontinenti desfez o laço que mantinha composto o decote da camisola.

— Logan... Não deve... — ela murmurou ao ter o pescoço beijado e levemente mordiscado enquanto uma palma errante subia pelo interior de sua coxa. Logo mão e boca agiam em conjunto, uma chupando seu eriçado mamilo, outra explorando seu sexo, movendo dois dedos em seu interior. — Logan...

— Deixe acontecer, Marguerite... — Logan pediu roucamente, livrando sua ereção.

— Não! — Marguerite aproveitou o momento de fraqueza para escapar da cama. Arfante, trêmula de excitação, fingindo não ver o falo ereto sob o camisão, ela sustentou o olhar do duque. — Não, Logan! Acredite, quero isso tanto quanto você, mas não vai tornar a acontecer enquanto não estiver livre.

— Sou livre — ele retrucou, frustrado e aborrecido, recompondo-se. — Ou melhor, sou seu.

— Prefiro que Ketlyn seja informada disso — redarguiu a duquesa, também se recompondo para refazer o laço da camisola. — Também quem sabe sobre seu romance ilícito, quem abertamente especula ou quem silenciosamente acredita nele para que nos veja como o que somos: um casal. Não quero ter de agir como se fosse eu a amante nem receber olhares de pesar.

— Não repita isso — Logan pediu, aceitando que naquela noite novamente não a teria. — Não é minha amante! Agora, volte aqui.
— Logan, não.
— Por favor! — pediu. Marguerite hesitou, porém o atendeu. Até mesmo deixou que a segurasse pela mão e a acomodasse na beirada da cama. — Apenas conclua o que veio fazer.
Marguerite sorriu e o beijou levemente.
— Se já passou da meia-noite eu posso fazer mais... Feliz aniversário, meu amor!
— Não posso pensar em ninguém melhor para ser o primeiro a parabenizar-me. Obrigado, querida! — Ele a beijou uma vez mais e seus olhos brilharam. — Por acaso não mudaria de...
— Não, senhor! — Marguerite não o deixou concluir. Ao se afastar desejou: — Tenha um bom descanso.
— Desejo o mesmo a você... — Logan conformou-se. — Durma bem!
Naquela noite Marguerite não dormiu bem como desejado. Seu sono foi agitado, permeado por pesadelos inquietantes. Ao despertar ela estava cansada como se tivesse corrido por horas para se livrar do medo e da sensação claustrofóbica. A péssima impressão começou a ceder quando Marguerite se deparou com a agitação dos criados ao descer e foi eliminada com a chegada dos primeiros convidados que pernoitariam em Castle depois da festa.
— Edrick! — Marguerite correu para receber sua família tão logo foi informada de sua chegada. O irmão tinha acabado de entregar seu sobretudo e sua cartola, quando ela o abraçou.
— Também estou contente em vê-la, Marguerite! — disse Edrick, retribuindo o abraço.
Ao se afastar, Marguerite ainda o admirou por alguns segundos antes de se voltar para os demais parentes.
— Mamãe... Catarina... Que bom revê-las! — disse, abraçando brevemente cada uma delas. Marguerite conteve o entusiasmo ao se deparar com o rosto sisudo do barão, ainda abatido pela gripe. — Papai, que bom que pôde vir. Seja bem-vindo a Castle! Aliás, sejam todos muito bem-vindos!
— Se pudesse escolher eu não teria vindo agora — disse o barão, olhando ao redor —, mas diante das circunstâncias temi não ter outra oportunidade de ver onde e como vive minha filha.
— Não diga essas coisas, papai — Edrick ralhou. — Logo estará forte como um touro.
— Papai viverá para sempre — disse Catarina, sorrindo para o carrancudo senhor.
— Ora, vejam quem está aqui! — Logan foi se juntar a eles. — Acredito que a duquesa já lhes tenha dado as boas-vindas, então, apenas as reitero. Sejam bem-vindos e fiquem à vontade. Os lacaios levarão seus pertences à

ala oeste, onde estão os quartos de hóspedes. Poderão se trocar e descansar... Griffins designará criados para servir-lhes no que desejarem.

— Tudo já está acertado, milorde! — garantiu o mordomo, empertigado como de costume.

— Que maravilha! — disse Catarina, olhando ao redor. — Este hall é tão impressionante quanto todo o castelo visto de fora. Mal posso esperar para ver o salão de bailes. Devem caber dez Salas Rosa dentro dele.

— Apenas sete ou oito — gracejou o duque. — Poderá conferir logo mais à noite. Agora temo que nossa entrada não seja permitida. Minha madrasta está lá com alguns criados, dando os últimos retoques.

— A duquesa viúva está aqui? — indagou Edrick, sustentando o olhar do cunhado.

— Sim, dando os últimos retoques — disse Catarina. — Não ouviu o duque, Edrick?

— O frio deve ter afetado meus ouvidos — Edrick replicou.

— Assim como eu, Edrick deve considerar que este fosse trabalho para Marguerite — disse a baronesa, alheia ao real teor da questão. — Não da antiga senhora do castelo.

— Expliquei o motivo de não ser eu a cuidar dos preparativos — comentou Marguerite, desconfortável. — Eu...

— Barão e baronesa de Luton! — anunciou Griffins à entrada de um casal. Imediatamente o segundo lacaio ajudou-os a se desfazerem de seus ricos casacos.

Marguerite agradeceu a chegada que a tirou do foco. Lembrava-se da baronesa Luton de sua visita a Londres. Como sua mãe, a baronesa era uma mulher madura e esguia que conversava algum frescor da juventude. Lady Luton acompanhou o marido, um senhor de aproximadamente sessenta anos, até o pequeno grupo.

— Devemos parabenizar o aniversariante desde já? — o barão Luton perguntou a Logan depois de juntamente com a esposa cumprimentar os conhecidos e ser apresentado às mulheres da família Bradley. — O presente foi entregue ao mordomo.

— Aceito as felicitações e agradeço o presente — disse Logan. — Griffins providenciará tudo para que sejam instalados.

— Antes, deixe-me elogiar esta bela jovem — pediu Lady Luton, tomando a liberdade de erguer o rosto de Catarina pelo queixo. — Quantos anos você tem, Srta. Bradley?

— Dezessete — disse Catarina, claramente incomodada com o toque.

— Logo será a sensação dos salões londrinos e, sendo filha de quem é, será a preferida dos rapazes. Espero que um de meus meninos tenha alguma vantagem ao conhecê-la esta noite.

— Tudo ao seu tempo, baronesa — Logan interveio. — Se usar esta noite como parâmetro deve se lembrar de que outros jovens participarão de minha festa. Todos podem se considerar com alguma vantagem, então... Deixemos o destino seguir seu curso.

— Sábias palavras, duque — elogiou o barão de Luton. — A baronesa está ansiosa para casar nossos filhos e não esconde seu intento.

— Por falar neles, onde estão? — indagou o duque.

— Virão à noite — respondeu o barão. — Sabe como são os meninos.

Logan sabia e, mesmo com todas as ressalvas no que se referia à cunhada, não desejava que Catarina se envolvesse com nenhum dos dois meninos. Para encerrar o assunto, sorriu e disse:

— Serão bem-vindos, como os senhores... Agora — ele indicou o mordomo e um dos lacaios que aguardavam ao lado —, por favor, deixem que Griffins os acomode.

— Obrigada, duque! — Catarina agradeceu ao ficarem em família. — Quero esgotar minhas opções antes de considerar me casar com um futuro barão.

— É o que eu sou, Catarina — Edrick a lembrou. — O que torna seu pai um barão.

— Sei disso — ela retrucou. — E quando acontecer, num futuro muito distante, você será um ótimo partido por nossa sidra. Não será como qualquer outro barão, igual a papai.

— Eu digo que ainda é cedo para tocarmos nesse assunto — falou seu pai, antes que Logan dissesse à pequena interesseira que não menosprezasse uma baronia por ser um dos títulos mais baixos na escala nobiliárquica. — Estou cansado. Se pudermos conhecer nossos aposentos...

— Eu posso ficar com Marguerite — Catarina se prontificou.

— Prefiro que subamos todos — disse Lady Westling. — A viagem até aqui foi desgastante. Não vai querer apresentar olheiras profundas na hora do baile, não é mesmo Catarina?

— Olheiras?! — A moça levou as pequenas mãos enluvadas à face. — Oh, não! Quero estar bela e fresca. Ainda é cedo para o tema, mas o destino mencionado pelo duque pode apresentar meu futuro marido esta noite.

— Pobre diabo...

— O que disse, Logan? — Marguerite interpelou o duque ao ouvir seu sussurro ininteligível.

— Bem colocado, foi o que eu disse — Logan desconversou. — Por isso, e pela saúde do barão, sugiro que sigam Alfie. Ele os atenderá no que precisarem.

— Sua excelência, Conde Yardley! — Griffins anunciou a chegada do general.

— Se nos dão licença — Logan pediu aos sogros e cunhados, tomando a esposa pela mão. — Precisamos receber os convidados.

Deixando que a família fosse guiada por Alfie, Marguerite foi com Logan até o conde que entregava seus pertences a um criado que ela jamais vira no castelo.

— Quem é aquele? — ela cochichou para o marido.

— Não sei o nome, mas é um dos criados que Griffins contrata para ocasiões como esta, em que receberemos hóspedes que pernoitarão em Castle. Yardley não precisará dele, pois como vê. Trouxe seu próprio criado.

Marguerite assentiu, pensando no quanto ainda aprenderia sobre aquela relação entre nobres e criados. Sorrindo ao se aproximar do conde, deixou que este cumprimentasse o duque e depois a ela. E assim foi a manhã de Marguerite, dividida entre a biblioteca e o *hall*, onde juntamente com o duque recebeu aqueles que se hospedariam no castelo por uma noite.

À tarde, quando Logan a liberou para que pudesse descansar, Marguerite sabia que onze dos vinte quartos da ala oeste estavam ocupados. Imaginar que enquanto estivesse recolhida muitos outros convidados chegariam e excederiam a capacidade da ala vizinha ao ponto de ocuparem os quartos daquele setor ela teve a real dimensão da comemoração. Não queria, mas agradeceu a Ketlyn intimamente por ocupar-se de um evento daquele porte.

Se nunca fosse capaz de tal feito, Logan algum dia as compararia?

— Não... — Marguerite murmurou para si ao se deitar e mirar o teto. — Logan me ama e jamais fará comparações. Com o tempo serei boa em todas as funções de uma duquesa e, com sorte, Ketlyn sairá de nosso caminho ainda esta noite. Que venha o grande baile e tantos outros!

## Capítulo 13

— **M**ilorde? — Ebert despertou Logan do transe. — Pretende permitir que o vista quando vossa festa estiver no fim?

Não, ele não pretendia, Logan pensou, mirando as estrelas pela janela de seu quarto.

Depois do banho ele pediu um minuto a Ebert para prolongar aquele breve momento de paz e simplesmente dispersou. Agora que a grande noite chegara, Logan percebia que não desejava nada daquilo. Sim, teve prazer genuíno ao receber Alethia e amigos sinceros, mas de quando em vez apertou mãos por mero protocolo e recebeu tapas nos ombros cuja camaradagem do gesto era questionável. Se na ocasião não estivesse tão ansioso por ocupar sua amante, na presente data tudo poderia estar como devido: apenas Marguerite e ele participando de um jantar, íntimo e tranquilo. Agora era tarde.

Que grande desperdício de amabilidades e sorrisos, de conversas e danças!

Antes que se recolhesse, como fizera Marguerite, ele pôde receber os cumprimentos de mais quatro nobres casais. Quantos mais teriam chegado enquanto esteve ausente cujas mãos ele teria de apertar?

— Milorde...?

— Está bem, Ebert! Está bem! — Logan se pôs de pé e deixou que o valete o vestisse. Ao menos seu criado acertou na escolha do traje. Um aborrecimento a menos, considerou o duque, olhando-se de muitos ângulos no grande espelho. — Ebert, eu devo parabenizá-lo. Que primor de fantasia!

— Apenas segui vosso pedido, milorde — disse o valete, nada envaidecido.

— Fez um bom trabalho! — Logan insistiu, alisando o tecido das mangas, tirando pelos imaginários, pois seu valete já o escovara. — Agora começo a me animar. A duquesa há de gostar e isso por si só tornará a noite menos penosa.

— Confundiu-me, milorde... Acreditei que ansiaria pelo primeiro baile com vossa esposa.

Ebert sempre tivera razão, seu senhor era um incapaz, Logan concluiu quando a verdade estalou em sua mente. Não importava a grandiosidade do baile nem quanta bajulação e falsidade ocupasse boa parte de cada metro quadrado do salão, importava apenas que sua bela e divertida esposa, sua legítima duquesa, estaria ao seu lado. Bastava querer e seriam apenas eles dois.

— Obrigado, Ebert, por me recordar o óbvio!

No quarto anexo, agitando o fluído tecido que formava a saia em camadas de sua fantasia, a Marguerite andava de um lado ao outro diante da janela com os olhos postos nas estrelas. Não descansou como recomendado e a cada minuto ficava mais ansiosa graças à boa governanta que reparava um corpete que ainda não a deixava ver. Não o viu nem mesmo quando o vestiu.

Era a duquesa, sim, mas Agnes Reed rogou para que não estragasse a surpresa, então, de olhos fechados, resistindo ao desejo de abri-los ao ouvir a exclamação de Nádia, ela deixou que a governanta a vestisse. Foi quando algo que facilmente podia ter sido previsto aconteceu: sobrou pano ao redor de sua cintura.

Durante mais uma volta no mesmo lugar Marguerite se calou antes que comentasse sua vontade de provar o vestido quando voltou de Apple White. Se não o fez foi por também recordar que na mesma ocasião confirmou tê-lo provado em Londres. Fato totalmente irrelevante há dias, pois Nádia era obrigada a recorrer às faixas para ajustar os vestidos ao seu corpo. Expediente ineficaz no presente caso, refutado pela governanta ao receber tal sugestão.

— Perdão, mas uma faixa acabaria com todo o trabalho que tivesse para criar vossa fantasia, milady — dissera a senhora com paciência enervante antes que iniciasse os benditos ajustes.

Marguerite efetuava outra volta, quando seu temor se tornou realidade.

— Milady? — Ebert chamou ao bater levemente à porta. — Milorde manda avisar que está pronto e que a espera para que juntos desçam.

— Oh, Senhor! O que farei? — Marguerite indagou para Nádia.

— Sr. Ebert... — A governanta parou sua tarefa e foi até a porta. — Informe ao duque que a duquesa ainda não está pronta.

— Atrasarei o aniversariante. — Marguerite apertava as mãos, aflita. — Isso não devia estar acontecendo!

— Acalme-se, milady! — pediu a Sra. Reed, de volta ao trabalho. — Estou quase lá! E nada impede o duque de descer quando quiser. Será ainda melhor, pois ao entrar também sozinha causará maior frisson entre os convidados.

— Não sei se desejo esse tipo de atenção. Meu marido é quem deve se destacar.

— Vá por mim, milady... — Agnes insistiu. — Todos que estão no salão conhecem o duque de longa data e estão habituados às festas do castelo.

Eu seria capaz de apostar meu polegar como cada um dos convidados está ansioso para vê-la.

— Alguns deles me conhecem — Marguerite argumentou. — De Londres e também da vila.

— Mas nunca a viram em um grande evento, muito menos como a nova senhora de Castle. Precisa fazer uma entrada triunfal para que não restem dúvidas.

Marguerite a compreendeu. Até aquela data Ketlyn era tida como a fabulosa senhora do castelo e todos realmente deviam ansiar ver a mudança de posto. Não tinha ilusões quanto aos atributos de cada uma delas, mas Marguerite confiaria na reforma do danificado corpete e faria sua entrada. Se esta seria triunfal, o tempo diria.

A duquesa assentiria para Agnes, quando novas batidas à porta a sobressaltaram. Era Logan.

— Marguerite? Falta muito para estar pronta? Precisamos descer.

— Não poderia descer sem mim? — Marguerite perguntou junto à porta.

— Devemos chegar juntos — ele repetiu o recado que enviou pelo valete.

— Houve um imprevisto... — ela explicou vagamente.

Antes que o duque pedisse mais detalhes que justificassem o atraso, Agnes Reed novamente seguiu até a porta, porém daquela vez, abriu-a parcialmente e pediu ao patrão:

— Por favor, milorde, abra uma exceção! Um problema surgiu, mas estou cuidando para que seja resolvido. Farei o possível para que a duquesa não tarde a se juntar ao senhor.

Logan respirou fundo, tentando ver mais do que a fresta permitia. Não queria chegar à sua festa sem a esposa. Eram os anfitriões!

— Eu posso esperar — Logan avisou.

— Por favor, milorde! — a senhora insistiu. — Eu ficaria nervosa sabendo que está aqui, esperando. Eu imploro, receba vossos convidados. A duquesa descerá tão logo for possível.

O duque franziu o cenho, contrariado, porém aquiesceu:

— Seja breve, Sra. Reed!

— Obrigada, milorde! Resolverei o mais rápido possível.

— Avise-me quando a duquesa estiver pronta. Virei buscá-la.

A governanta assentiu e agradeceu mais uma vez antes de fechar a porta.

— Pensei que ele fosse insistir — disse Marguerite, sorrindo para a governanta, agradecida.

— Também, milady, mas já pensava num modo de fazê-lo descer. Fará sua grande entrada.

— Compreendo-a, Sra. Reed, mas não sei se terei coragem.

Marguerite torceu os dedos. Agora que era possível a iminência de entrar sozinha em um salão repleto de convidados começava a apavorá-la.

— Tolice, milady! Pense que está em vossa casa e que sob as máscaras estão vossos amigos, parentes, vizinhos. Ou escolha uma pessoa e imagine nela alguém que seja vossa amiga. Sorria e desça de encontro a ela. Considera difícil?

— Não desse modo... Tenho boa imaginação.

— Então, está feito! Agora, deixe-me fazer meu trabalho.

Alheio ao que se passava no quarto Josephine, Logan seguiu sozinho para sua festa. Quando sua chegada foi anunciada por Griffins, prostrado à entrada do balcão, no salão de bailes, o duque recebeu contidos aplausos. Depois de sorrir e acenar para todos, sem pressa Logan desceu para receber os cumprimentos daqueles que não havia recepcionado. Na maioria, seus vizinhos. Enquanto apertava as muitas mãos, vez ou outra o duque olhava para o balcão na esperança de ver surgir sua esposa.

Não o fez apenas enquanto mais uma vez recebia os cumprimentos de Alethia e ao encontrar uma cigana mascarada, conversando de modo animado em um dos grupos de senhores. Todos davam sua total atenção à dama ricamente ornamentada que exibia a grossa trança por cima de um dos ombros nus. O frio sorriso denunciava quem era.

— Bela fantasia, Ketlyn! — elogiou Logan ao beijar sua mão. Para os demais, disse: — Senhores, se me dão licença, roubarei vossa companhia.

Não sem ouvir alguns lamentos, Logan tomou Ketlyn pelo cotovelo e a afastou.

— Sempre no tempo perfeito! — Ketlyn murmurou com alívio. — Há bons minutos tento escapar de tão enfadonha conversa. Obrigada por me resgatar!

— Demonstre seu agradecimento ouvindo o que tenho a dizer — falou Logan, olhando ao redor para confirmar que não eram ouvidos. Cuidado desnecessário, pois Ketlyn não deixou que prosseguisse.

— Sei o que quer me dizer, mas aqui não é o melhor lugar para que eu o faça despertar desse sonho romântico que rouba sua razão. Passarei esta noite em meu antigo quarto. Aproveite a movimentação noturna e vá até lá. Conversaremos, sem interrupções.

— Movimentação noturna? — Logan franziu o cenho. — Quer que eu me ausente do baile?

— Evidente que não, querido! Em outro momento explicarei melhor. — De repente Ketlyn desviou o olhar para a entrada do salão e riu brevemente. — Sou obrigada a reconhecer que o causador de problemas conhece a si mesmo como ninguém.

Logan seguiu o olhar de Ketlyn em tempo de ver um displicente e colorido bobo da corte começar a descer a escada. Não havia como confundi-lo, pois a máscara branca com seu exagerado nariz era mantida para cima, próxima ao chapéu de quatro pontas, roxo e amarelo.

— Lowell... — Logan murmurou sem notar.

— O desagradável em pessoa — Ketlyn confirmou ao seu modo. — Devemos nos separar.

Ketlyn aproveitou a distração de Logan para se afastar e ele deixou que se fosse. Melhor não serem vistos juntos, Logan considerou, indo até seu irmão.

— Lowell, eu fico feliz que tenha vindo! — disse ao abordá-lo aos pés da escada.

— E eu ficaria feliz se fingisse não me notar — retrucou o irmão depois de posicionar a máscara no lugar, sem olhá-lo. — É o que pretendo fazer em relação a você. Fiquei em Castle e estou aqui por Marguerite. Também será por ela que serei um convidado exemplar até que parta, amanhã pela manhã.

— Lowell, não precisa ser assim... Se você me ouvisse...

— Aquele é sir Leonard? — Lowell descaradamente o ignorou e indicou o referido senhor com o cômico nariz de sua máscara. — Deixe-me saber como está o nosso hospital.

Logan deixou que o irmão se afastasse e finalmente aceitou uma das taças de champanhe que lhe ofereciam desde que chegou. Ao tomar um gole do espumante ele olhou para a entrada e se perguntou quando Marguerite chegaria. Sem ela não suportaria muito mais.

Para Marguerite a espera era igualmente angustiante. A confiança adquirida para sua entrada pouco a pouco minguava. Quando a espera e o silêncio se tornaram insuportáveis, indagou:

— Sra. Reed, quanto falta?

— Na verdade... Acabei! Mas não olhe!

— Não olharei — prometeu Marguerite, posicionando-se. — Venha, Nádia, ajude-me!

A criada, que esteve tão ansiosa quanto sua patroa, correu para vesti-la. Antecipando-se, Marguerite tirou a camisola que cobria seu dorso, pois a obra de Agnes Reed dispensava o uso do espartilho. Detalhe escandaloso para a duquesa. Tanto que ela agradeceu quando Nádia a cobriu com o corpete.

— Posso olhar agora?

— Sim, milady... Olhe! — liberou a governanta.

Ao mirar-se no espelho e se deparar com o que considerou uma verdadeira obra de arte, Marguerite arfou.

— Sra. Reed... Não tenho palavras! — murmurou, maravilhada.

— Seu contentamento é o melhor elogio, milady, mas não deve se distrair. Aqui, tome... — Agnes entregou as luvas para que Marguerite pudesse colocá-las enquanto Nádia ajustava as fitas do corpete de sua fantasia.

Apreciando o carinho da seda em sua pele, Marguerite sorria ao calçar as longas luvas. Com o mesmo contentamento alisou sua cintura, mirando a volumosa saia. Nádia completou o traje, prendendo ao corpete uma espécie de estola que substituiria as mangas, mesmo que deixasse os ombros nus.

— Sra. Reed, a cada detalhe rouba minhas palavras. Quanto trabalho teve ao fazer algo assim em suas horas vagas!

— Vê-la como está pagou meu esforço, milady — disse Agnes. — Está perfeita!

— Sinto-me perfeita. Muito obrigada, Sra. Reed!

— Não me agradeça — pediu a senhora, desconcertada.

— Agradeço! E também a Nádia... Obrigada!

— Por nada, milady... — disse a criada, desconcertada como a governanta.

— Está bem, já nos agradeceu! Agora, fique quieta para que eu coloque vossa máscara — pediu a senhora.

— Enfim, verei completo o traje que guardou como um tesouro — gracejou a duquesa.

— Sim... E espero que esteja de vosso agrado — disse Agnes ao abrir a caixa.

— Sra. Reed! — murmurou Marguerite, estupefata ante ao que via. — A senhora é uma fada-madrinha! Como aquela de Charles Perrault!

A governanta riu mansamente.

— Gosto desse autor francês e confesso que por vezes imaginava que fazia um lindo vestido para que a gata borralheira fosse ao baile. Sem querer ofendê-la, milady!

— Não me ofende. — Marguerite riu para tranquilizá-la. — Gosto de Cinderela.

— Sendo assim, deixe-me colocar a máscara e apresse-se. Caso contrário, quando chegar ao baile será hora de voltar.

Marguerite assentiu, deixando que a governanta amarrasse a máscara no lugar.

— E como está meu presente para o duque? — perguntou.

— Esperando que dê a ordem para que seja entregue.

— Perfeito! — exultou a duquesa.

Minutos depois Marguerite deixava o quarto na companhia da governanta e da criada. Todas se despediram no alto da escada. Antes que descesse a duquesa olhou para algumas pessoas que estavam no hall, então, olhou para a armadura e sorriu.

— Deseje-me sorte para que não tropece e estrague a entrada triunfal imaginada pela senhora Reed — pediu à armadura. — Obrigada, Dom! Eu sempre soube que torce por mim.

Descendo as escadas, rindo de sua tolice, Marguerite reconheceu que brincava para esquecer seu nervosismo. No *hall*, ela sorriu para quem a cumprimentava e seguiu para o salão de baile. Ao longo do percurso dois cavalheiros foram além do olhar e dos cumprimentos, oferecendo-lhe o braço que com educação ela recusou.

Pelo burburinho vindo do salão, Marguerite confirmou que enquanto esteve no quarto o número de convidados multiplicou. Deveria de fato se concentrar antes que descesse a escada, ela pensou ao confirmar sua dedução ao parar no balcão com vista para o salão de baile, pois praticamente todos os rostos — mascarados ou não — se voltaram em sua direção.

Logan se esforçava para ouvir o que dizia o visconde Hardeby, pois tinha a mente no andar superior. Questões do Parlamento no momento não eram mais importantes que descobrir qual problema causava a indesculpável demora de Marguerite. Cogitava escusar-se com o nobre cavalheiro para que pudesse apressar a esposa, quando ouviu as muitas exclamações ao redor antes que Griffins anunciasse em bom tom:

— Vossa Graça, Lady Marguerite Bridgeford!

Como todos os convidados, Logan ergueu o rosto para o patamar no momento exato em que o ar estagnou, a música cessou e as muitas vozes se calaram. Em meio à cena paralisada havia apenas Marguerite, movendo seu belo pescoço enquanto escrutinava a multidão.

A duquesa procurava pelo marido. Logo o encontrou ao lado de um senhor corpulento, que como ele, olhava para ela. Marguerite não tinha dúvidas de que aquele mascarado era Logan. Caso não identificasse o cabelo revolto, reconheceria o porte, a altura impressionante. De tanta certeza, sorriu para o belo corsário com vestes predominantemente negras.

Quando sua esposa encerrou a busca, indicando ter encontrado quem procurava, Logan sentiu algo se expandir em seu peito. Orgulho, certamente. Quando viu o amplo sorriso ele soube que havia algo mais crescendo junto ao sentimento de satisfação, tanto que comprometia sua respiração. Estava sem chão!

As luvas escolhidas por Marguerite eram de seda e terminavam um pouco acima dos cotovelos. De onde estava ele não podia ter certeza, mas parecia que o corpete do vestido era coberto por muitas penas, como a estola. Os ombros e o volumoso colo estavam mais expostos do que ele gostaria, porém não tinha como negar o quanto acrescentavam ao conjunto da obra. Uma safira adornava o belo pescoço. A fita preta que prendia joia era a única cor destoante. No mais, Logan conseguiu identificar três diferentes tons de azul na fantasia de sua esposa.

A máscara, com suas plumas, penas e um lindo bico dourado que cobriam o nariz, os olhos e a testa da duquesa, indicava o que ela era. Diferente do comum, contrariando as pejorativas palavras de Ketlyn, ao primeiro olhar tal ave causava um forte encantamento.

Naquela noite Marguerite era um raro e magnífico cisne azul!

Quando ela enfim se pôs a descer a fluidez da saia deu a todos a impressão de que flutuava. Vendo o séquito de cavalheiros interessados que vinha atrás dela o duque se livrou da catatonia e foi encontrá-la. Alheia aos rapazes que a acompanhavam na descida, Marguerite mantinha os olhos no marido que caminhava apressadamente para recebê-la aos pés da escada. O modo enérgico com que afastava quem estivesse sem seu caminho, sem pedir licença ou se desculpar, envaideceu-a.

Ao segurar a mão que o corsário negro lhe estendia antes mesmo que alcançasse o penúltimo degrau, Marguerite especulou se ele estaria aborrecido por não ter sido chamado como ordenou. Antes que ela se desculpasse o duque se curvou em uma bela e enfática reverência, levando todos a imitá-lo. Maravilhada, Marguerite olhou para os muitos dorsos curvados e sorriu. Sorria mais quando o marido se aprumou e a encarou.

— Não está bravo — ela constatou.

— Por que estaria quando tenho diante de mim a mais bela criatura de todo o mundo? — Logan indagou antes de beijar sua mão, demoradamente. — Está esplêndida, senhora!

— Também não está nada mal, Lorde Bridgeford — ela gracejou, voltando a se abalar com o olhar que recebia. Mesmo meio oculto pela máscara negra, podia-se ver que havia um novo brilho nas íris azuis. — Tem certeza de que não está bravo?

— Pareço estar?

— Não sei como parece... — reconheceu Marguerite. — Você está estranho.

Logan se sentia estranho, mas antes que dissesse foi interrompido por um dos rapazes que seguiram sua esposa escada abaixo.

— Bridgeford, pretende monopolizar a duquesa? Apresente-a!

— Sim — reiterou outro —, para que da próxima vez ela aceite o braço que lhe oferecemos.

Logan riu escarninho e, depois de trazer a esposa para perto, olhou para os dois rapazes.

— Farei as apresentações para que a duquesa faça o oposto. Isso vale para o Halsey Azul e o Halsey Roxo — disse apontando de um ao outro.

As máscaras dificultavam, mas não escondiam que eram gêmeos idênticos, claramente mais jovens do que Logan. Tinham cabelos ruivos e olhos esverdeados. O sorriso dos irmãos Halsey era indolente, enviesado. E eles em nada se ofenderam com o comentário do duque.

— Cavalheiros, por falta de uma opção polida que me impeça, eu lhes apresento Lady Bridgeford. Para vocês, sempre a esposa de um duque capaz de caçá-los caso a confundam com uma dama solteira. — O tom sério eliminava o teor jocoso das palavras. — Querida, para que se recorde bem desses senhores, apresento-lhe Wesley e Norman Halsey.

Marguerite escrutinou os irmãos. As cores que predominavam nos trajes renascentistas de cada um, com suas exuberantes sobrevestes, coletes, *culotes* que iam até os joelhos, longas meias brancas que cobriam as panturrilhas e sapatos com grandes fivelas douradas tornavam óbvios os apelidos.

— Identifique-os pela cor, por favor? — ela pediu.

— Norman é o Halsey Roxo e Wesley o Halsey Azul. Até hoje eles adotam o método de diferenciação escolhido por seus pais. Esqueci de acrescentar que estes são os filhos do barão de Luton.

— Oh! Aqueles mencionados pela baronesa esta manhã! — Marguerite considerou tudo tido até ali apenas provocação de seu marido e, sorrindo para os rapazes, ofereceu sua mão.

— Não, não, não... — Logan meneava a cabeça e sorria ao capturar a mão da esposa antes que qualquer um dos jovens conseguisse segurá-la. — Não deve tocá-los, querida. Nem sorrir para eles ou olhar em seus olhos.

Caso contrário, antes que perceba estará envolvida em um escândalo que manchará sua ilibada reputação e meu bom nome.

Os irmãos riram com gosto. Norman bateu no ombro do duque com intimidade.

— Nunca imaginei que um dia o visse possessivo — disse, ainda rindo.

— Nem eu — Wesley fez coro, analisando Marguerite descaradamente —, mas vossa reação anormal é justificável, duque. Em todo caso, não temos pressa. Não poderá vigiá-la sempre.

— Quer apostar?

Sem esperar resposta, Logan tomou a esposa pela mão e a afastou dos gêmeos.

— O que foi aquilo? — indagou Marguerite, divertindo-se com a situação.

— Fez bem em não aceitar o braço de nenhum dos dois. O anseio da baronesa em casá-los é tão somente o desespero de uma mãe envergonhada com os constantes escândalos que seus filhos causam.

— Escândalos?! E a baronesa queria que Catarina se comprometesse com um deles?

— Seu irmão e eu jamais permitiríamos. Os gêmeos, roxo e azul como os chamamos, são abusados, depravados. Usam sua aparência angelical para corromper jovens incautas.

— Considera-me incauta?

— Considero-a minha mulher — foi a resposta dita ao ouvido de Marguerite antes que ambos fossem abordados por Alethia.

— Marguerite, querida, que linda está! — exclamou a senhora. Não vestia fantasia, mas seu vestido marrom era elegante e ricamente bordado. Como o casquete que enfeitava seu penteado.

— Digo o mesmo, Alethia. — Marguerite sorriu para a tia. — É tão bom revê-la! E o que me diz sobre a festa? Perdi algum acontecimento?

— Oh, não querida! — A senhora aproximou-se mais e segredou: — Apenas chegaram os convidados. Rostos conhecidos e nada interessantes. Sem dúvida o acontecimento da noite foi sua entrada magistral. Deixou a todos boquiabertos.

Marguerite sorriu mais por confirmar que sua chegada fora como Agnes Reed desejou.

— A todos, inclusive a mim — reconheceu Logan, segurando a esposa pela cintura. — Agora devo circular com a duquesa pelo salão, Alethia. Se nos der licença...

— Aproveitem a festa, queridos!

Ao deixar Alethia, Logan levou a esposa a um grupo de amigos e a apresentou. Depois fez o mesmo em outro grupo e mais outro. Marguerite não decorou os nomes e nem se pudesse recordaria os rostos, todos cobertos por variadas máscaras.

— Marguerite!

Ao ouvir o chamado da irmã, a duquesa olhou em volta. No mesmo grupo ela encontrou seus pais e seu irmão. Edrick se destacava pelo porte, pelo cavanhaque impecável e o cabelo comprido que ele manteve solto naquela noite.

— Catarina, está linda! — elogiou a irmã ao se aproximar da família. — Mas, o que é você?

— Primavera sangrenta? — indagou Logan, sorrindo para a cunhada.

— Ah, duque, não sabia que era assim, divertido. — Catarina comentou, rindo com mofa enquanto alisava o rubro vestido. — E errou. Sou uma jovem, bela e perfumada rosa vermelha.

— Não aprovei a cor escandalosa — disse a baronesa, vestida para um baile como qualquer outro, segurando pela haste uma das máscaras que Ketlyn reservou para convidados esquecidos do acessório, sem nunca colocá-la diante do rosto. — Mas o barão disse que Catarina ficaria linda e nada pude fazer para impedir.

— E pode dizer que não tive razão? — indagou o barão, indicando a filha, orgulhoso. — Catarina é a rosa mais bela de nosso jardim. Todos devem vê-la e admirá-la.

— Papai, Marguerite é tão bela quanto. — Edrick sorriu para a irmã. — E essa noite está deslumbrante. Nenhuma dama desse salão se equipara a ela.

Logan intimamente agradeceu a defesa de sua esposa, feito por seu amigo. O barão por sua vez, analisou a filha mais velha e assentiu, sem nada dizer. Catarina torceu os lábios para o irmão e mediu a irmã de alto a baixo.

— É... Marguerite está bonita agora que emagreceu um pouquinho — admitiu com desdém.

— Está quase como era antes — comentou a baronesa, esboçando um sorriso. — Nota-se que tomou juízo.

Marguerite não considerava que seu juízo estivesse ligado às suas medidas, mas nada disse. Que todos pensassem o que quisessem. Não tomou providências para reduzir seu peso, apenas aconteceu. Para ela, a novidade nada acrescentava. Com isso, retribuiu o sorriso do irmão e deu atenção somente a ele.

— Posso dizer o mesmo. Com exceção ao duque, nenhum cavalheiro se equipara a você, Edrick. Apenas sinto falta de uma fantasia.

— Não gosto de máscaras — disse ele. — Mas, isso não me impede de aproveitar o baile.

— Evidente que não! — Ela riu. — E há a possibilidade de alguma senhorita cair nas boas graças desse homem avesso às máscaras e conquistá-lo para sempre?

Edrick olhou em volta, analítico, crítico, e meneou a cabeça.

— Pouco provável — sentenciou. — Conheço a maioria das damas que aqui estão. As que eu não conheço parecem desesperadas por um marido. Como ainda não planejo me casar...

— Deveria! — disse o pai. — Já passa da idade de constituir uma família. Veja seu cunhado. Bridgeford abraçou todas as responsabilidades de um homem e se casou aos vinte e sete anos. Você já está com vinte e oito, meu rapaz.

— Pensarei a respeito aos trinta e oito anos. — Edrick piscou para Marguerite e Logan.

— Faça isso! Deboche! Depois não... — A bronca do barão foi interrompida por um súbito e preocupante acesso de tosse.

— Papai? — Edrick se aproximou, assim como Logan. Marguerite e Catarina avançaram um passo, mas deixaram que apenas os homens amparassem o barão. A baronesa assistia à cena, tão alarmada quanto os filhos.

— Traga água para o barão! Rápido! — Marguerite pediu a um dos criados que passavam.

— O que está acontecendo? — Logan indagou ao amigo.

— Não sei. Ele estava bem e de repente teve essa crise.

— Vamos levá-lo para a biblioteca — determinou o duque.

— Não... Já estou bem... — garantiu o barão, sem forças, respirando com dificuldade.

— Milady, a água que pediu.

Apressadamente Marguerite pegou o copo da bandeja que o criado trazia.

— Papai, beba... Irá se sentir melhor.

— Não preciso de água — retrucou o barão. Nem sequer olhou para o copo que lhe era oferecido. — Champanhe ou uísque é mais adequado para a recuperação de um homem.

Logan e Edrick riram como se o barão tivesse dito uma anedota. Para Marguerite foi apenas mais uma das grosserias especialmente reservadas para ela. Logo comprovou seu pensamento.

— Os criados estão ocupados, papai — observou Catarina, docemente, retirando o copo da mão da irmã e oferecendo para ele. — Enquanto não trazem nada melhor, contente-se com água.

Ludwig pigarreou duas vezes e, sem nova recusa, bebeu a água que a filha caçula ofereceu.

— Se está bem, aproveite o baile, papai — disse Marguerite. — Aliás, todos vocês devem aproveitá-lo. Com licença!

— Marguerite! — Edrick a chamou. Por não ser atendido, seguiu atrás dela, assim como Logan. — Marguerite, por que se aborrecer com papai? Sabe como ele é com Catarina.

— Sim, eu sei — replicou ao parar e encarar o irmão —, mas ele não poderia esquecer que não sou a preferida ao menos uma vez? Por que atendê-la e não a mim?

— Não tenho essa resposta — reconheceu Edrick. Depois de segurar sua mão, prendeu-a contra seu peito. — Contudo, se tiver valia, você é a preferida desse senhor incorrigível, condenado à irresponsabilidade eterna, estigma dos solteiros convictos.

Marguerite foi obrigada a rir da expressão de seu irmão.

— Sim, tem valia — assegurou. — E não me convence com essa conversa. Quando menos esperar, a moça certa fisgará seu coração de solteiro convicto.

— Acredita nisso, Bridgeford? — Edrick olhou com incredulidade para o duque que, calado, assistia à cena. — Abro meu coração e a ingrata me roga uma praga.

— É uma boa praga — sentenciou o duque, mirando a esposa. — Caso a moça certa fisgue seu coração.

— Ora, vejam! — Edrick olhou em volta, desconversando. — Estou em um baile! Por que mesmo estou dando atenção a vocês? Com licença...

Marguerite sorriu e meneou a cabeça. Enquanto via o irmão se afastar um pensamento surgiu e logo a consternou.

— Se o que digo também tiver valia, esqueça que não é a preferida do barão — sugeriu o duque ao ver o bonito sorriso de sua esposa se apagar. — O modo como sua família a tratava não parecia afetá-la quando a conheci. Não permita que a atinjam agora que os deixou.

— O que sabe sobre como eu era tratada?! — Marguerite se voltou para Logan, surpresa.

— Tenho ouvidos para ouvir e miolos para pensar, querida — respondeu, acariciando seu queixo. — E não importa como sei, sim, que hoje pertence à outra família. Não se entristeça com o que aconteceu há pouco. Apague de seu pensamento.

— Não estou triste — murmurou, concentrando sua atenção no carinho, nos olhos que via sob a sombra da máscara negra. — Estava pensando em outra coisa... Em uma amiga que nutria amor secreto por meu irmão. Lembrei-me disso e considerei que gostaria de vê-los juntos, caso fosse possível.

— Se a ideia a contenta, devia se alegrar! — Logan migrou o carinho para a garganta, junto à safira, sem se lembrar de onde estavam. Mais uma vez, a esposa era o centro de tudo. — Fala de Madeleine Kelton? Não consigo vê-los como casal, mas se acredita haver esperança, podia ter-me contado. Eu providenciaria para que os Kelton fossem convidados.

— Não é Madeleine, sim, Cora. Contei-lhe sobre ela.

— Ah, sim! — Logan se empertigou e refutou. — Mesmo que não tivesse desaparecido, não haveria esperança nesse sentido para a filha dos criados.

Marguerite assentiu. Por mais que desejasse entrar no mérito *senhor versus criada* o que se tornava relevante era o carinho que recebia, nada adequado.

— Está chocando seus convidados, Logan.

— Estou? — Logan compreendeu e não se importou. Por um segundo cogitou aumentar o assombro, beijando-a, mas se conteve. O que fez foi beijar a mão enluvada e recuar um passo. — Devo me comportar então.

— Deve se comportar e me dizer por que não estão dançando — disse Marguerite, olhando ao redor para encobrir seu tremor.

— Esperam por nós, senhora — ele informou. — O chamado de Catarina me impediu de convidá-la para a grande marcha.

— Oh, claro! — Marguerite jamais participara de um grande baile, mas conhecia alguns detalhes e sabia que um pequeno e pomposo cortejo, liderado pelos anfitriões, dava início às danças. — Vamos, então.

O duque sorriu, fez um floreio e lhe ofereceu a mão.

Marguerite pousou seus dedos sobre os do marido e, com as mãos se tocando castamente, acompanhou-o. Quem os observou, compreendeu o que faziam, pois logo outros casais se formaram e passaram a segui-los. Com os pares em fila, Logan caminhou para o centro do salão. Bastou estarem em posição para que os músicos iniciassem os acordes de um minueto e todos dançassem. A partir dali o baile em comemoração ao aniversário do duque estava aberto oficialmente.

Que fosse uma noite sem sobressaltos ou novos dissabores! Rogou Marguerite.

## Capítulo 14

Com os passos e a música a acalmarem seu coração, Marguerite dançava, contente. Assim como as damas sorriam para o duque, os cavalheiros sorriam para ela sempre que seus dedos se tocavam para que juntos rodopiassem. Quando o marido se aproximava, beijava sua mão e inclinava a cabeça, reverente, fazendo-a sorrir. O contentamento sofreu forte abalo, fazendo com que Marguerite errasse o passo quando ela reconheceu o novo participante da dança em uma das trocas. O cabelo acobreado, o porte e a piscadela eram inconfundíveis. Como Logan, fantasias e máscaras não o esconderiam.

— Mitchell... — ela murmurou, tentando ver melhor o soldado escocês que se afastava; o que pensou sobre sobressaltos naquela noite?

— O que há? — Logan seguiu o olhar da esposa quando não teve dela a mesma atenção ao rodá-la.

— Mitchell está aqui — Marguerite respondeu, entre surpresa e incrédula.

Logan nada pôde dizer, pois a dança o obrigou a trocar de par. Livre do contentamento que a dança lhe proporcionava, procurou por seu amigo entre os cavalheiros. Foi fácil reconhecê-lo no soldado de casaca e kilt pouco antes que este se aproximasse de Marguerite e dissesse algo que a fez sorrir. O Tartan com a trama da família — verde musgo, azul escuro e amarelo — era usado por Mitchell do modo tradicional, ao redor da cintura, passado por um dos ombros sobre a farda e preso por cintos de couro.

A dança para Logan se tornou penosa. De repente pareceu mais lenta e sua vez com a esposa nunca chegava.

— O que Dempsey lhe disse? — ele inquiriu tão logo as palmas se tocaram.

— Que nós somos seu casal preferido e que não deixaria de vir — disse Marguerite, quando seus rostos se aproximaram. Ela ocultou o pedido para que se encontrassem no jardim ou que sorriu para Mitchell apenas para mascarar seu nervosismo. Ele não devia estar ali!

Logan nada disse. Analisando o amigo, reparou que seu rosto sempre se voltava na direção de Marguerite, como se ele somente tivesse olhos para ela. Com festa ou não, voltaria a expulsá-lo, Logan sentenciou quando a dança mais uma vez permitiu que Dempsey dissesse algo ao ouvido da duquesa.

— Por certo recebeu minhas cartas — foi o que Mitchell cochichou para Marguerite. — Por que não as respondeu?

— Respondi — ela sussurrou, evitando olhar para Logan. — Pedi que parasse de enviá-las.

— Por sorte nada recebi — ele murmurou antes de trocar de par.

Marguerite se perguntava como desencorajaria Mitchell quando o marido segurou sua mão e, em vez de efetuar os passos esperados, abruptamente tirou-a da formação.

— Logan?! — Marguerite tinha dificuldade para acompanhá-lo. — Espere!

— Percebi que nada bebeu. Cumprimos nossa obrigação, então, que todos dancem sem nós — comentou, levando-a até a mesa em que um verdadeiro banquete estava servido. Ao lado, em outra mesa ricamente decorada, havia uma grande tigela de cristal e uma pequena concha de prata. — Deve experimentar o ponche. É uma das especialidades da Sra. Reed.

Marguerite recebeu o copo com o líquido rosado, mas não o provou. Olhava para Logan, tentando decifrar o que fora aquilo afinal. Ficaria sem resposta.

— Não devemos monopolizar um ao outro. Dê atenção à sua família ou volte a dançar, caso queira. Irei circular entre os grupos.

Tão rápido quanto a levou até ali e a serviu, Logan se foi. Sem nada entender, Marguerite por fim bebeu o ponche. Tossiu algumas vezes, surpresa por descobrir que a governanta usava bebida alcoólica na mistura.

— Como lhe parece o ponche, lindo cisne?

Marguerite olhou para o bufão ao seu lado. Era Lowell. Antes de se divertir com a escolha da fantasia ela se preocupou. A cômica máscara, assim como o traje roxo e amarelo, foi escolhida muito antes que Lowell viesse para Castle, o que denunciava a fragilidade de sua relação com o irmão. A última discussão apenas tornou tudo pior. Disso Marguerite não duvidava, pois desde que se separaram no jardim de inverno não voltou a estar com Lowell.

Como não abordaria aquele tema, Marguerite ateve-se à questão.

— Nunca provei ponche igual — respondeu —, mas considerei-o muito bom.

— Deixe-me ver... — Lowell se serviu e bebeu. — Não está mau, mas pode ficar melhor.

Dito isso, de faixa vermelha em sua cintura ele tirou uma pequena e achatada garrafa prata, abriu-a e despejou um pouco do conteúdo no ponche. Conferindo se mais alguém tinha visto sua ação, tornou a esconder a garrafa, com a concha mexeu a bebida e nela mesma a provou.

— Muito melhor! Prove agora, irmãzinha. — Lowell serviu-a de mais ponche.

Marguerite pensou em protestar, mas não o fez. Realmente gostou do ponche *batizado*, então apenas bebeu. Daquela vez tossiu, sentindo seu rosto e pescoço esquentarem.

— Muito melhor, não concorda? — Ele sorria para ela. Marguerite assentiu e bebeu mais.

— Fico feliz que tenha gostado, mas é melhor não abusar — Lowell confiscou o copo e o deixou à mesa. — Já tenho problemas demais com seu marido.

— Não precisa ter, sabe disso — recordou-o. — Se apenas conversassem...

— Não vamos estragar este belo baile, tratando de assuntos aborrecidos — pediu Lowell. — Em vez disso, diga-me o que um cisne azul faz aqui, sozinho.

Marguerite esboçou um sorriso. Não insistiria naquele momento.

— Bem... Logan queria que eu provasse o ponche de qualquer maneira, pois me tirou da dança antes que esta chegasse ao fim.

— Que rude! — Fazendo com que os guizos presos às pontas de seu chapéu chacoalhassem ao menear a cabeça com exagerada reprovação, Lowell segurou a mão da duquesa. — Venha, serei seu par.

Logan viu quando o irmão conduziu sua esposa até o centro do salão e os seguiu. Depois de deixá-la a provar o ponche ele saiu à caça do soldado escocês, mas não o encontrou. Talvez Dempsey também retornasse caso visse que a duquesa não estava em sua companhia, deduziu o duque. Quando o amigo abordasse sua esposa, agiria.

No princípio Logan escrutinava o salão, tentando encontrar Mitchell Dempsey, porém, logo tinha olhos apenas para Marguerite que novamente sorria enquanto dançava. A saia rodada conferia leveza aos rodopios e novamente era como se ela flutuasse.

— Eu o invejo!

Logan se empertigou ao ouvir a voz do amigo que procurava. Não olhou para Dempsey quando este parou ao seu lado, mas sabia que ele mantinha os olhos em um belo cisne azul.

— Pensei que estivesse na Escócia, Dempsey — disse Logan, ainda sem olhá-lo.

— Era onde eu estava... Em meu lar.

— Deveria ter ficado em *seu lar* por mais tempo.

— Não poderia encontrar o convite para seu aniversário e não vir, Bridgeford! — assegurou Mitchell. — Não perderia esse baile por nada. Está esplendoroso!

— Obrigado!

— Nota-se que Ketlyn se esmerou por você.

— De fato... É por isso que me inveja?

— Ketlyn é uma bela mulher, mas eu o invejo por ela. — Com a cabeça Mitchell indicou a duquesa sem temer ser novamente convidado a se retirar do castelo. — Marguerite está ainda mais bonita e pela escolha da fantasia vê-se que mantém o bom humor. Graças a isto temos o prazer de ver um cisne azul. Veja como é graciosa. O mundo se ilumina quando ela sorri. E aqueles peitos...

— Cuidado! — Logan o alertou, aborrecido. — Ainda me lembro do que disse em nossa última conversa.

— Sobre eu estar me apaixonando? — Mitchell sorriu. — Também não me esqueci.

— Então apague esse sorriso e contenha suas observações ao falar de minha esposa.

— Sua esposa, claro! — Mitchell riu escarninho. — Sempre teve tantas mulheres que me confundo.

— Pois evite que aconteça — demandou o duque, rindo com cênico humor ao notar que alguns convidados os observavam. — E seria inteligente não abordá-la, segregar ao seu ouvido ou tocá-la. Não me obrigue a desafiá-lo.

— As restrições aumentaram, a ameaça se tornou grave! — Mitchell assentia com exagerada admiração. — Quando coisas como essas acontecem eu penso que algo mudou. A resposta que me deu ainda vale?

— Não é de sua conta se algo mudou ou não entre mim e Marguerite. Apenas fique longe.

— E aí está a resposta! — troçou o amigo. — Bem, e quanto às suas outras mulheres? Posso me aproximar de Ketlyn ou de Daisy Duport.

— Ketlyn circula pelo salão, vá caçá-la! E quando for a Londres, faça o que quiser com Daisy.

— Não preciso ir tão longe. — Mitchell indicou um grupo. — A Srta. Duport está bem ali.

— Essa fantasia torna-o um lunático de guerra? — Logan indagou sem olhar na direção apontada. — Agora delira que Daisy Duport está em Castle.

— Bridgeford, eu nunca tive tanta consciência do que digo. Se prestar atenção naquela ninfa, ou fada, ou borboleta... Enfim, se olhar com atenção para aquela criatura verde e alada verá quem é. Na verdade, facilitarei seu trabalho, indo até lá para cumprimentá-la.

Empertigado, Logan observou o amigo se aproximar da indefinida criatura com asas e fazê-la sorrir antes de beijar sua mão. Foi o bastante para que ele reconhecesse sua ex-amante.

O que Daisy Duport estaria fazendo ali? Logan especulou, quando ela olhou em sua direção e ergueu a taça de champanhe num brinde mudo. Depois de inclinar a cabeça, educadamente, Logan saiu à procura de certa cigana. Encontrou-a no centro de um grupo de senhores, exibindo seu gélido sorriso para todos eles. Ao que parecia cada um deles tentava convencê-la a dançar.

— Se me dão licença... — disse o duque ao afastá-la do grupo. Ignorando os protestos ele a levou para um canto relativamente reservado e questionou: — Qual o propósito de convidar Daisy Duport?

— Ora! — Ketlyn se mostrou surpresa. — Eu precisava equiparar os casais e não é qualquer dama que aprecia festas como essa.

— Não é o que parece quando vou aos bailes em Londres — replicou Logan, olhando em volta para ver se eram observados. — Praticamente todas as damas que conheço sempre estão muito bem dispostas a participarem de reuniões onde haja boa música, champanhe e comida farta.

— Não me referia à parte publicável da festa, sim, ao que vem depois... O passeio noturno.

— Esta não é uma festa de passeio noturno — refutou, sentindo seus pelos eriçarem.

— Claro que sim, querido! — reiterou Ketlyn, impassível. — Deu-me a opção, quando sugeri que fizéssemos uma festa.

— Estou absolutamente certo de que não disse nada nesse sentido.

— Bem, não com todas as palavras, mas disse que poderia ser uma bacanal digna de Baco. Seguir os mesmos moldes das festas do deus do vinho seria um escândalo, então, escolhi algo menos explícito, mas que promete o mesmo prazer. Como pode ter esquecido?

Logan encarava Ketlyn como se estivesse petrificado. Aquela mulher insana, desconhecida naquele momento, aproveitou-se de seu desdém para transformar seu aniversário em uma noite de devassidão. Em qualquer outro tempo ele teria aplaudido a ideia. Naquele minuto, entretanto, queria apenas arremessar a madrasta colina abaixo.

— Meus sogros e Alethia estão aqui! — sibilou. — Também casais que jamais participariam disso. E há as moças solteiras, donzelas como minha cunhada.

— Refere-se àquela senhorita de vermelho que está saindo com os irmãos Halsey?

Enfurecido, Logan olhou na direção indicada. Para seu tormento, Catarina deixava o salão na companhia dos gêmeos infames, por uma das amplas portas que davam acesso a um reservado, porém amplo jardim.

— Inferno! — vociferou Logan. Com Ketlyn ele se entenderia depois, determinou, deixando-a para seguir a cunhada a passos largos antes que o pior acontecesse.

— Bridgeford!

Logan não pararia por qualquer chamado, mas uma palma potente o segurou pelo braço. O duque estava prestes a se desvencilhar quando viu quem o atrasava.

— Alweather?! — Logan o nomeou entre incrédulo e contente antes de abraçar o oficial de modo breve e comedido. — Quando chegou?

— À sua festa, acabo de chegar — respondeu o amigo. Henry estava mais forte do que o duque se lembrava e mais bronzeado também. Sua pele contrastava com a casaca vermelha dos oficiais do exército. — Dos Estados Unidos, cheguei há duas semanas.

— Estava na América antes de voltar à Inglaterra? Pensei que estivesse na África!

— Foi de lá que parti para os Estados Unidos. Quis ver com meus próprios olhos a guerra de Lincoln com os confederados e fui à Nova York. A cidade sofre com os efeitos da disputa e o país está mergulhado no caos. Há anos os empreendedores burgueses do norte estão em conflito com os latifundiários sulistas. Esta é a triste realidade.

— A Guerra da Secessão — disse Logan, lamentando que senhores esclarecidos se batessem com seus compatriotas por questões desumanas, mas não entraria no mérito. — Então, partiu?

— O mais rápido que pude — respondeu o conde. — Nem que aquela guerra fosse minha eu seria um soldado. Como turista entrei e saí dos Estados Unidos. O que não foi tarefa fácil. Sou grato por estar de volta ao lar.

— Seja bem-vindo de volta! Depois quero saber como está, por onde mais andou e o que fez, mas me encontrou no meio de um resgate. Preciso sair imediatamente.

— Em meio a um resgate? — interessou-se Henry. — Posso ajudar?

A primeira intenção foi negar, afinal, seu amigo recém-chegado não conhecia Catarina nem se recordaria dos irmãos Halsey, mas no segundo seguinte Logan se lembrou de que sua jovem e desajuizada cunhada seria inconfundível.

— Na verdade, pode — aceitou. — Quando partiu para a África os gêmeos Halsey eram pequenos, mas em suas vindas à Inglaterra deve ter se deparado com eles, não?

— Na verdade não ou não me recordo — disse Henry. — A lembrança que tenho é de vê-los ainda muito pequenos ao encontrar o barão Luton e a família no Hyde Park.

— Pois bem... Então, digo-lhe que os pequenos cresceram e não se tornaram boa coisa. Por infelicidade e total descuido eu não alertei minha cunhada e ainda há pouco eles a levavam para o jardim.

— Sim, nem o cumprimentei pelo casamento. Felicidades! — disse Henry ao segui-lo.

— Guarde as felicitações para depois, meu amigo... Se não salvar Catarina, Bradley me matará.

— Então, é verdade que se casou com a filha do barão Westling!

— Sim, é verdade — confirmou o duque, olhando de um lado ao outro depois de erguer a máscara, escrutinando o jardim. Perdera-os de vista. — Catarina é a caçula. Casei-me com a do meio, Marguerite. Irei apresentá-los... Ou não. Onde estão aqueles três?

— Começo também a me preocupar, mesmo duvidando que alguém faça algo nesse frio. Talvez nem tenham saído — comentou Henry, olhando para o jardim.

— Saíram. Eu mesmo os vi.

— Está bem... Qual a gravidade do estrago se não a encontrarmos sua cunhada a tempo?

— Teremos uma jovem desvirginada e sodomizada em um único ato. Parece grave?

— Gravíssimo, mas não creio que alguém desonre uma moça, ainda mais uma de vossas relações, sob vosso teto.

— Quero crer que esteja certo, mas não esperarei para confirmar. Aqueles gêmeos estão sem medidas.

— Sendo assim, é melhor nos separarmos — Henry aquiesceu. — Como é a Srta. Bradley?

— Catarina é muito jovem, loira e a única a usar um vestido vermelho — disse o duque antes de afastar-se. Se o amigo conde seguiu na direção oposta, Logan não saberia dizer.

Atento, Logan olhava cada canto do jardim. Por vezes cruzou com alguns casais que não se importavam com o frio da noite. Um deles o abordou para dizer o quanto ansiavam pelo final da festa para que o passeio noturno tivesse início. Logan não retrucou, pois sua vontade foi indagar ao cavalheiro e à dama se seus pares oficiais pensavam do mesmo modo.

Pisando duro, Logan dirigia à Ketlyn toda sorte de xingamentos. Chegou a odiá-la, quando se encontrou com Henry sem que tivesse visto Catarina.

— Não quero duvidar do que viu, mas tem certeza de que ela saiu? — indagou seu amigo.

— Sim... Pouco antes que você me segurasse.

— Então, perdeu-a por minha culpa — elucidou Henry. Empertigando-se, comprometeu-se: — Irei encontrá-la! Volte para a festa antes que notem sua falta. Tudo de que não precisa é que todos percebam que algo está errado.

— Não poderia — Logan meneou a cabeça. — Se Bradley não me matar eu não suportarei a tristeza de Marguerite se o pior acontecer a Catarina.

Henry perscrutou seu rosto por um instante e tranquilizou-o:

— Não vai decepcionar a duquesa, tem minha palavra. Volte para a festa e deixe que eu cuide da Srta. Bradley.

Logan relutou em aceitar, mas cedeu. Conhecia toda aquela gente. Se apenas um convidado notasse sua agitação, logo todos estariam especulando sobre o que acontecia. Ao voltar para a festa, Logan pegou uma taça de champanhe antes que se misturasse aos demais, retribuindo sorrisos e brindes erguidos à sua saúde e homenagem enquanto procurava por Ketlyn.

— Bridgeford!

Logan fechou os olhos por um instante quando, minutos depois, reconheceu a voz de Edrick e se voltou. Onde estava sua cunhada? E Henry?!

— Bradley! Aconteceu alguma coisa? — Logan se esforçou para encobrir sua ansiedade.

— Ketlyn acaba de me dizer que essa é uma *daquelas festas*. É verdade?

De todos os motivos para bronca, aquele era o menor, portanto o duque foi sincero.

— Temo que sim, meu amigo. E peço encarecidamente que acredite quando digo que nada sabia quanto a isso. Caso contrário, jamais teria admitido. Ketlyn está fora de si!
Edrick pensou um instante e assentiu.
— Acredito em sua palavra, Bridgeford. Mas por Deus, homem! Minha família está aqui.
— Eu sei... Estava procurando Ketlyn para matá-la.
— Sua madrasta será útil estando viva. Dê um jeito para que ela desfaça o mal-entendido — sugeriu Edrick. — Posso ajudar, desencorajando aqueles que costumam participar do passeio noturno.
— Assim será. Falarei com Ketlyn.
— Há algo mais que o aborreça? — Edrick franziu o cenho.
— Não. Apenas isso e...
— Veja! — Edrick o interrompeu, olhando para um ponto às suas costas.
— É Alweather ali, mas... O que ele faz com Catarina?
Antes que pensasse em uma resposta, Edrick o deixou para ir até o conde e sua irmã. Após um longo espirar, Logan bebeu todo o champanhe, deixou a taça na bandeja do criado que passa ao lado e seguiu seu cunhado. De cabeça baixa, com as mãos cruzadas sobre a saia do vestido, Catarina acompanhava Henry como contasse os próprios passos.
— Alweather? — disse Edrick ao abordá-los. — Catarina?
— Bradley! — Henry estendeu a mão, exibindo a sombra de um sorriso.
— Quanto tempo, não? Conhece esta jovenzinha? Encontrei-a perdida no jardim.
— Realmente, muito tempo que não nos vemos. — Edrick apertou a mão do amigo, olhando para Catarina. — Esta jovenzinha é minha irmã. Só não sei o que fazia no jardim numa noite tão fria, sozinha. Ela estava sozinha, não é mesmo? E onde estão suas luvas, Catarina?!
— Edrick, o que... — Catarina tentou dizer algo, porém foi interrompida por seu acompanhante.
— Sim, ela estava sozinha — Henry tranquilizou o amigo. Logan apenas observava a cena, agradecido por ver que nada havia acontecido. — Nada sei sobre as luvas, mas parece que sua irmã saiu um instante para apagar o calor do rosto após a dança. Eu disse a ela que não era adequado para uma mocinha perambular sozinha e me ofereci para acompanhá-la. Fiz mal?
— Em absoluto! — Edrick aprumou os ombros. — Deixe-me apresentá-los corretamente. Catarina, este é Henry Farrow, quinto conde de Alweather.
— Prazer em conhecê-la, Srta. Bradley!
Catarina tinha os olhos azuis escancarados enquanto olhava para Henry como se o tivesse visto pela primeira vez. Logan notou a vermelhidão das órbitas, preocupou-se, mas nada comentou. Mesmo se assim quisesse não poderia, pois em resposta ao conde Catarina apenas balbuciou algo ininteligível e iniciou uma surpreendente e desajeitada fuga.

Henry riu, divertido. Logan sorriu, imaginando o que poderia ter causado aquela reação, enquanto Edrick assistiam à retirada da irmã, tendo o cenho franzido.

— Catarina foi picada? — indagou o irmão, coçando o cavanhaque distraidamente.

— Quem sabe o que se passa com meninas? — Henry indagou, também assistindo à fuga. — Deixe que a criança volte para junto dos pais e vamos tratar de assuntos de adultos. Como tem passado, Bradley? Seguiu o exemplo deste homem ajuizado e se casou?

— Pelo contrário, meu juízo me mantém a salvo dessa armadilha — Edrick refutou a ideia. — Estou bem como estou. E quanto ao senhor... Como está?

Logan sabia que a pergunta seria outra, reformulada no último momento. Henry Farrow se casou ainda jovem e aos vinte e seis anos perdeu esposa e filho durante o parto. Desde então se lançou ao mundo, retornando à Inglaterra em esporádicas ocasiões. Dizia-se que conhecia todos os continentes, mares e oceanos, mas as histórias mais interessantes vinham de sua temporada na África. Com a viuvez, Henry se tornou o que não havia sido em solteiro: aventureiro e libertino. Era de conhecimento público que um novo matrimônio era tabu para o amigo.

— Muitíssimo bem — disse Henry. — Como disse a Bridgeford eu cheguei dos Estados Unidos há duas semanas. Estive em Londres, reencontrando amigos, inteirando-me de assuntos importantes... Quando soube dessa festa, tomei a liberdade de vir, mesmo sem convite.

— E é bem-vindo — assegurou Logan. — Ketlyn, assim como nós, não sabia de sua volta.

— Soube que ela é a responsável por esta recepção — comentou Henry. — E devo confessar que ficarei surpreso caso confirme o que me disseram. Antes de encontrar a Srta. Bradley eu cruzei o caminho dos irmãos Halsey. Eles me asseguraram que esta é uma *daquelas* festas.

— Não é! — O duque voltou a se aborrecer. — Antes que o baile termine esse horrendo mal-entendido estará desfeito.

— Se precisar de minha ajuda para fazê-lo, basta pedir — disse Henry. — Daqui reconheço algumas pessoas que ficariam escandalizadas se soubessem o que outras tantas pretendem fazer ao término da festa.

— Propus-me a fazer o mesmo — Edrick informou. — Poderíamos começar a passar a nova informação desde agora. Depois conversaremos.

— Ótima ideia! — Logan assentiu para ambos. — Agradeço a vocês, meus amigos!

Edrick inclinou a cabeça e saiu de modo altivo e decidido. Antes que Henry seguisse seus passos, Logan o deteve.

— E então? Onde os encontrou?

— Perambulando pelo pátio interno. Não posso afirmar que nada pretendiam, mas apenas conversavam. Ainda assim salientei a inadequação de tal passeio e os fiz recordar que a menina é irmã de vossa esposa. Enfim, ela está de volta e os gêmeos nada fizeram.

— Não quero ofendê-lo com minha desconfiança, mas notei que Catarina chorou. Seus olhos estão vermelhos. Pode me contar o que houve e depois eu pedirei explicações aos...
— Estão?! Nada notei. — Henry pareceu surpreso. — Bridgeford, apenas cuide para que a garota não torne a passear com aqueles dois e esqueça este episódio.
— Enganei-me então... — Ante a placidez de seu amigo, Logan considerou ter imaginado alguma comoção em sua cunhada e agradeceu por ter errado daquela vez. Importante era que ela estava de volta. Assentindo, disse: — Devo-lhe um imenso favor.
— Não por isso — Henry o desobrigou. E foi sua vez de deter o amigo quando este assentiu e quis partir. — Criatura curiosa, a Srta. Bradley. O que sabe sobre ela?
— De amigo para amigo, sendo indiscreta e cruelmente sincero eu digo que, apesar da pouca idade e de ter crescido no campo, Catarina Bradley é tão maldosa, fútil e interesseira quanto algumas das damas mais experientes da corte. Tudo que almeja é um marido titulado que a mime e adore.
— Bridgeford?! — Henry franziu o cenho, mas parecia divertido. — Como pode dizer tais coisas. A senhorita em questão é apenas uma menina.
— A menina acaba de completar dezessete anos e apenas reproduzo as palavras que ela não se acanha de proferir nem mesmo na presença dos pais. Mas, por que pergunta?
— Eu a resgatei de um passeio, não? — indagou o conde como se fosse óbvio. — É válido ficar curioso. Agora, vamos à nova empreitada. Suas festas nunca são monótonas, Bridgeford.
Logan agradeceu por ter alguém que se divertisse com aquela situação. Considerando ser válida a curiosidade do amigo, esqueceu-se das questões e determinou que fizessem como Edrick que sutilmente ingressava nos grupos de adeptos à discreta e consentida traição para minar-lhes a intenção. O duque sabia ser assim, pois via as expressões decepcionadas.
Quando Henry se aproximou de outro grupo, Logan soube que faria o mesmo tão logo ele recebesse os cumprimentos e as boas-vindas. Deixando a tarefa para os amigos o duque voltou a procurar por Ketlyn. Escrutinava o salão, quando avistou Mitchell a valsar com uma sorridente duquesa. O ressentimento apertou seu peito, pois não parecia que sua saída tivesse sido notada.
O primeiro impulso de Logan foi marchar até o casal, mas conteve-se. Era imperativo que acabasse de vez com a esperança pervertida de alguns convidados. Virando o rosto para o salão Logan retomou sua busca. Encontrou a madrasta mais uma vez sendo o centro das atenções em um grupo. Ao menos havia outras damas. Sorrindo como todos faziam, Logan se aproximou.
— Duquesa, poderia me dar um minuto de vossa atenção?
— Bridgeford — disse um dos cavalheiros. — Que festa esplêndida!

— Folgo em ver que se diverte, Gassen.

Logan o nomeou para indicar que reconhecia o marquês apesar da máscara. Sua calvície avançada e a barriga proeminente eram inconfundíveis. Mesmo sem tantos detalhes, o duque reconhecia outros que estavam ao seu redor.

— Sim, divirto-me — reiterou o marquês, olhando para Ketlyn com malícia. — Entretanto, mal posso esperar para que termine.

Enquanto todos do grupo riram, divertidos, Ketlyn piscou para o velho marquês. Sem ser afetado pelo bom humor, Logan indagou despretensiosamente:

— E onde está a marquesa?

— Está na companhia de algumas amigas — respondeu o velhote, voltando a fitar a duquesa de modo lascivo. — Com sorte irá se cansar e dormir o sono dos inocentes esta noite.

— É o que desejo aos dois, Gassen — retrucou Logan seriamente. — Aliás, é o que desejo a todos deste grupo. Ao se recolherem, aproveitem a acolhida e durmam o sono dos honestos. Eu ficarei profundamente aborrecido se pela manhã minha adorada esposa souber que algumas damas e cavalheiros perderam o sono e foram flagrados perambulando pelos corredores.

— Alguns insones são infalivelmente discretos — replicou o marquês, provocando novo acesso de risos. — Mesmo que perambulem por toda noite ninguém jamais saberá.

— Pois seria sábio se os insones se mantivessem em seus respectivos quartos — Logan redarguiu. — Tenho criados suficientes para colocar de sentinela em cada corredor para assegurar a todos o sono tranquilo. Espero que a insônia não afete quem estiver sob meu teto.

— Mas... Mas eu pensei... — O senhor olhava de Logan a Ketlyn, confuso. Os membros do grupo perderam o bom humor e discretamente dispersaram.

— Apenas foi levado ao erro, marquês — disse Logan, impassível, antes de segurar o braço de Ketlyn quando ela tentou se afastar. — Minha madrasta igualmente se deixou levar por assuntos dos quais desconhece em sua totalidade. Ela é livre para participar de tantos passeios noturnos quanto queira, mas deveria saber que estes não ocorrem ao final de bailes familiares. Ela se agradou do conceito, mas o aplicou em hora e local indevido. Agora irá ajudar-me a corrigir esse erro inominável. Com vossa licença, marquês. Aproveite a festa!

— Erro inominável? — indagou Ketlyn ao se afastarem. — Que hipócrita!

— Estou avisando, Ketlyn... Não me tente! — Logan ciciou. — Está mesmo disposta a arruinar meu casamento, não é? Pois saiba que nem isto mudará o que tenho a dizer.

— Sabe que eu o trarei de volta à razão, então, a resposta é não. Não quero arruinar nada, pois nossos propósitos ainda são válidos, tanto que tive o cuidado de escolher quem participaria do passeio noturno e os acomodei na ala oeste. Era um de meus presentes para você, querido.

— Receber Gassen em seu quarto seria meu presente? — ele desdenhou.

— Não! Credo! O velho babão estava de combinação com uma das damas do grupo. Eu lhe faria uma surpresa... Quando fosse ao meu quarto essa noite, encontraria Daisy Duport ao meu lado, estaríamos nuas, esperando por você. Não gostaria disso?

A cena descrita instigou a imaginação do duque e por reflexo excitou-o, mas bastou imaginar outro homem deitando-se com Marguerite para que o desejo meramente masculino mitigasse e Logan sentisse seu estômago revirar.

— Não! — vociferou e logo ordenou: — Vai desfazer a confusão. E se eu souber que alguém deixou o quarto essa noite eu a deixarei à míngua depois de nossa conversa definitiva.

— Não pode fazer isso! Tenho direitos!

— Não, não tem direito a nada que não tenha sido dado legalmente por meu pai — replicou o duque. — Sei que não foi muito, então, senhora, realmente não me teste e vá acabar com essa loucura!

— Eu só queria alegrá-lo — disse Ketlyn num muxoxo sentido —, proporcionando-lhe os prazeres do mundo que aprecia.

— Depois de sua brilhante ideia este não é mais meu mundo. Sou um homem casado, que ama a esposa — Logan salientou o detalhe mais importante de tudo que diria a ela ainda naquela noite. — Eu não a trairia sob meu teto ou em qualquer outro lugar. Para que não reste dúvida, quando nos encontrarmos nós iremos até a sala de estudos. Não voltarei a entrar em seu antigo quarto.

Ketlyn riu com mofa.

— E não ouse citar as visitas que lhe fiz ao trazer Marguerite para Castle. Na ocasião eu ainda não a amava e apenas seguia nosso roteiro. Aceite que este será o tema de nossa conversa, ouça-me e agradeça minha generosidade, não a desamparando.

Sem mais palavras, Logan se afastou. Ao receber alguns olhares enviesados ele soube que os amigos cumpriam a tarefa com sucesso. Tanto melhor! Logan apenas não considerou que tudo corria a contento por não avistar a esposa em parte alguma do salão.

Onde estaria seu cisne azul?

# Capítulo 15

Marguerite enchia os pulmões com o frio ar noturno. Seu corpo estava cansado e sua mente muito leve após todo ponche e champanhe que tomou na companhia de Lowell e uma vez na de Mitchell. A cada dança sem que o amigo retomasse temas indevidos ela se sentia à vontade para estar ao seu lado. Era por essa razão que com ele passou do salão para o jardim, cultivado no mesmo desnível da colina em que fora construído o salão de baile. Outros convidados vagavam pelo mesmo espaço o que contribuía para que não estivesse agindo de modo inadequado.

— Está uma linda noite, não? — ela indagou ao tombar a cabeça para trás e mirar o céu. — Aqui das colinas podemos ver tantas estrelas.

— Vejo apenas uma...

— É impossível! — Marguerite se repreendeu por não prever que cedo ou tarde Mitchell voltaria a abordá-la naquele sentido e desconversou: — Vê? Todos aqueles pontinhos luminosos ao redor da lua são estrelas. Não vemos tantas em Apple White.

Sem coragem de olhá-lo, Marguerite apenas ouviu o amigo suspirar e dizer:

— Não creio. Vi o céu em Apple White e me pareceu ser mais bonito do que este que vemos agora. Deve sentir falta de vossa casa?

— Aqui é minha casa agora — disse ela com toda firmeza de que dispunha. De repente riu, divertida. — Ou castelo. Pode acreditar? Sou uma duquesa e vivo num castelo!

— É uma linda mulher que pode ser o que quiser e que vive no lugar errado. Se não der importância a títulos, poderia estar com o segundo filho de um marquês escocês.

— Por favor, Mitchell... — Marguerite fechou os olhos. — Não faça isso! Estamos em uma festa. É aniversário de meu marido.

— E onde Logan está? Nós estivemos em vários pontos do salão e há mais de uma hora não o vemos. Onde acredita que ele esteja?

— Não faça isso! — ela voltou a implorar, enfim, olhando para ele. — Logan está circulando entre os convidados. Apenas nos desencontramos.

— Se é no que quer acreditar... — Mitchell deu de ombros.

— Logan e eu assumimos nosso casamento, Mitchell. Contei-lhe isto na carta que escrevi.

— Não a recebi, então, não a considero. — Mitchell se aproximou minimamente e disse em baixo tom: — Eu o conheço... Lamento dizer que Bridgeford apenas a ilude.

— Logan me ama — ela retrucou secamente. — Não jogue sujo, por favor!

— O que faço é lutar com o que tenho. Por anos presenciei como o casal Bridgeford e Ketlyn interage. São iguais, têm os mesmos interesses. Ele não é um homem que se rende ao amor.

— Todos mudam... Em breve Logan romperá com Ketlyn.

— O fato de ainda não ter acontecido não me deixa seguro de que haja real rompimento. E se Bridgeford não mudou? E se apenas encenar um afastamento para manter as aparências?

— Que perguntas tolas! — Marguerite riu para encobrir a dolorosa pontada em seu coração.

— Pode assegurar isso? — Com o silêncio de Marguerite, Mitchell prosseguiu: — Não, não pode... E se os anos passarem e se der conta de que não viveu em detrimento de um falso marido que pensa apenas em si mesmo e em outra mulher? Caso aconteça irá sofrer, lamentar, e talvez seja tarde para nós. Estou disposto a esperá-la, mas não será indefinidamente. Em algum momento terei de assumir minhas responsabilidades, formar uma família, ter filhos. Quero todas essas coisas com você, Marguerite.

— Mitchell... — ela murmurou, lutando com a comoção. Logan não podia estar mentindo!

— Cada palavra contida em minhas cartas é verdadeira. Eu a amo!

— Mitchell... — Marguerite meneou a cabeça com pesar. — Não diga essas coisas. Sabe que está no meu coração, mas...

— Aqui estão! — Marguerite se enregelou ao ouvir a voz do duque. Ao se voltar ela tremeu ao notar a expressão beligerante. Quanto Logan teria ouvido?

— A Sra. Reed está a vossa procura, senhora — ele informou. — Vá encontrá-la!

Não era um pedido e Marguerite não ousou desobedecê-lo. Desencorajaria Mitchell em outra oportunidade.

— Irei agora — ela disse antes de olhar de um ao outro e entrar.

— O que pensa que está fazendo, Dempsey? — perguntou o duque, aborrecido.

— Estávamos conversando, com pessoas ao redor. Não demos motivos para mexericos.

— Nem sequer quero que haja a possibilidade. Não volte a chegar perto dela!

— Ah, caro amigo! — Mitchell riu brevemente, meneando a cabeça. — Como ainda insiste em dizer que nada mudou?

— Apenas cuide de sua vida, Dempsey! — ciciou Logan, bravio.

— Cuidarei depois que resgatar Marguerite de suas garras e...

Mitchell foi calado por um vigoroso e certeiro soco em seu queixo. Logan se surpreendeu com sua ação reflexiva, mas não se desculparia. Ao invés disso preparou-se para o revide. Este nunca veio. Conferindo a integridade de seu maxilar, Mitchell empertigou-se e sustentou o olhar bélico de seu agressor.

— Enfim, tenho uma resposta sincera! Tudo mudou para você. Com vossa licença, duque.

Logan deixou que Mitchell se fosse. Somente então moveu sua mão, sentindo dor em suas juntas. Olhando em volta ele notou que era observado por todos que estavam no jardim. Ignorando-os Logan entrou decidido a não deixar sua esposa sozinha. Encontrou-a aos pés da escada, conversando com uma desconfortável governanta. Esta rapidamente se retirou antes que Logan se aproximasse mais.

— O que tramavam? — perguntou o duque, amavelmente, destoando do tom ao encontrá-la com Mitchell.

— Se estivesse tramando eu não poderia confessar — ela gracejou, analisando-o.

— Se não confessará o óbvio, acompanhe-me até o centro do salão. — Ele estendeu a mão. — Devo-lhe uma dança completa.

Considerando que o marido nada tivesse ouvido do que dizia a Mitchell, Marguerite aceitou a palma oferecida.

— Pensei que nunca saldaria vossa divida — foi sua resposta.

Enquanto ambos estiveram afastados Marguerite dançou com muitos cavalheiros, inclusive com seu irmão, mas nenhum deles podia ser comparado a Logan. O modo como segurava sua cintura e sua mão era único, possessivo.

— Devo informá-lo que o ponche e o champanhe agem em meus membros. Esteja alerta sobre o risco de possíveis falhas.

— Se tropeçar, eu a segurarei — ele prometeu.

Para que o salão não girasse junto aos rodopios que davam, Marguerite mirava os olhos escurecidos pela máscara. A cada instante, contudo, especulava se a alternativa era realmente benéfica, pois a intensidade que via neles igualmente a entontecia.

— Eu disse como está linda? — indagou o duque entre um giro e outro.

— Não me recordo — ela murmurou.

— Que terrível falha! — Logan baixou um pouco mais a mão pousada às costas da esposa e a aproximou minimamente. — Está maravilhosa, Marguerite! A fantasia escolhida não é apenas criativa, ela agrada aos olhos e também ao tato. Quem imaginaria que a plumagem de um cisne azul fosse tão macia?

— Mérito da Sra. Reed... Não imagino onde ela possa ter conseguido todas essas penas e plumas. E esse bico? É lindo, mas fico com medo de furar algum olho.

— Desde que não seja o meu... — Logan exibiu um sorriso enviesado. — Não me importaria se tivesse furado um ou os dois olhos dos cavalheiros com os quais dançou.

— Que maldade! — Marguerite riu e por descuido desviou o olhar.

Foi o que bastou para que o mundo girasse e ela perdesse o ritmo. Como prometido, Logan evitou que caísse. Ao se curvar sobre ela, ficou com seu rosto muito próximo. Respiravam com dificuldade, pela dança e pelo susto. Marguerite entendia que não estavam em local próprio para um beijo, mas sabia que o receberia e não se importava. Confirmando sua impressão, o duque diminuiu a distância de suas bocas, porém o tilintar de algo batendo contra cristal quebrou o encantamento que os envolvia.

— Damas e cavalheiros, eu vos peço um minuto de silêncio e atenção!

Ao ouvir a voz de Ketlyn, Logan franziu o cenho e ajudou Marguerite a se erguer. Empertigado, ele procurou pela madrasta em meio aos convidados. Ela estava à porta que levava ao jardim ainda batendo uma faca de prata na taça de champanhe, requerendo todos os olhares. Os músicos interromperam a valsa. Nem todos os convidados se calaram, mantendo um discreto burburinho enquanto a observavam, esperando o que viria.

— Obrigada! — ela agradeceu e deixou na bandeja do lacaio ao seu lado a faca e a taça. — Bem... As horas correm e, como alguns de nossos hóspedes expressaram o desejo de retornar aos seus lares ainda esta noite, decidi adiantar a entrega do presente ao meu estimado enteado. Logan, por favor, aproxime-se. Traga seu cisne.

Por motivos distintos, Logan e Marguerite se retesaram. Com um expirar resignado o duque ofereceu o braço à esposa e a conduziu até que estivessem dentro do círculo que se formou à porta, alguns passos de Ketlyn.

— Voltamos à Idade Média, quando nobres vizinhos e súditos fiéis expunham e anunciavam os presentes que ofereciam ao seu soberano? — Logan gracejou, levando os convidados ao riso.

— De certo modo — disse Ketlyn, inabalável como sempre. — É o soberano deste castelo e como uma súdita fiel, agradecida pelos anos de acolhida e pela benevolente paciência com que aguardou minha recuperação depois da morte de meu amado marido eu quero presenteá-lo com Sand Storm.

Dito o nome, Ketlyn ergueu o braço para alguém que aguardava no jardim. Em instantes um dos criados do estábulo apareceu, trazendo um cavalo negro, de porte médio. O animal estava indócil. Talvez por estar diante de tantas pessoas que não calavam sua admiração, talvez por ser obrigado a ostentar uma máscara dourada enfeitada com um penacho vermelho em vez de usar os antolhos que o impediriam de ver muito do que se passava ao seu redor.

Fosse como fosse, como seus convidados o duque não ocultou sua admiração ante o belo cavalo. Fascinado, Logan se afastou de Marguerite e foi avaliar seu presente. Pelo tanto que entendia de equinos, baseando-se na aparência jovem, no tamanho da crina e da cauda e no corpo ainda não musculado, ele arriscou o palpite:

— É um potro.

— Sim. Eu diria que este Frísio está com dois anos — falou Henry ao se aproximar, tão encantado quanto Logan. Indiferente ao nervosismo do animal o conde correu a mão enluvada por seu pelo negro, analisando-o. — Vê? Os membros estão proporcionais, mas faltam-lhe músculos, maturidade. A crina e a cauda estão curtas.

— Como observei — revelou Logan sem deixar de fitar seu presente.

Quando Edrick se juntou aos amigos, demonstrando a mesma admiração, Marguerite se desesperou. Teria sido preferível não dar coisa alguma ao marido do que entregar seu presente depois daquele que a todos fascinava. Ela maldizia sua péssima ideia, quando Ketlyn se fez ouvir, falando em bom tom:

— Fico feliz que o tenha agradado. Quis deixar claro meu agradecimento, mas em momento algum cogitei roubar a importância de nossa querida duquesa. Portanto, providenciai para que trouxessem também seu presente.

— Não! — A assombrada negativa de Marguerite se perdeu em meios aos aplausos e vivas. Ela não podia deixar que seu presente fosse entregue, pensou. Não ali. Não depois do Frísio. Apavorada, repetiu: — Não!

Logan, percebendo o desespero da esposa, disse a todos:

— A apresentação dos presentes não é necessária. A duquesa me entregará o que escolheu em outra ocasião. Quando lhe aprouver.

— Não haverá melhor momento que agora — disse Ketlyn com um gesto amplo, indicando o lacaio que empurrava um carrinho de chá.

Marguerite não sentia suas pernas, efeito do álcool e da vergonha. Seria ridicularizada.

O pavor de sua esposa era algo palpável. Logan queria ir até ela, mas a curiosidade fez com que apenas mirasse o carrinho que o lacaio colocou à sua frente. Neste estava uma travessa de prata, grande e oval, coberta. A estranheza se sobrepôs ao cuidado com Marguerite. Ela o presentearia com comida?

— Marguerite? É este seu presente? — Logan indagou.

Sem escapatória, Marguerite assentiu.

— Sim, mas antes que abra eu quero dizer que desejei dar algo diferente a quem já tem tudo.

— Ínfimo detalhe, duquesa. Qual homem reclamaria ao ter outro par de abotoaduras de rubi, uma nova caixa de charutos importados ou um futuro garanhão? — Ketlyn indicou seu presente.

Quando todos riram da troça, Marguerite sentiu a vergonha tingir seu rosto. Lágrimas inundaram seus olhos, mas ela bravamente as reteve.

— Tem razão! Foi tolice minha — aquiesceu, cruzando os dedos das mãos trêmulas sobre a saia do vestido. — Em todo caso, espero ter acertado em minha escolha.

Logan compreendeu que o presente de Marguerite seria algo simples, sem valor monetário, nada comparável ao que havia ganhado até ali e preparou-se para demonstrar contentamento e surpresa. Faria o que fosse para alegrá-la. Ele seria positivo e excessivamente agradecido tão logo visse o que tinha na travessa de prata. Ao destampá-la, porém, Logan não contava com a real admiração seguida por uma emoção forte e paralisante.

Além de erguer a máscara como se assim pudesse ver melhor, Logan não esboçou qualquer reação por não saber o que dizer. Mirando seu presente, sem ouvir nada à sua volta, estremeceu ao sentir que lhe tocavam o ombro e olhou para quem parou ao seu lado. Lowell segurava o chapéu de bufão e também tinha erguido a máscara para avaliar o que havia na travessa com o mesmo assombro. Vieram dele as palavras libertadoras.

— Pediu para a Sra. Reed que fizesse isto — ele deduziu.

— Não, eu pedi que ela me ensinasse a fazê-las — revelou Marguerite, entre acanhada e orgulhosa de seu feito. — As primeiras ficaram perdidas, mas logo peguei o jeito.

— É uma caixinha de surpresas, irmãzinha... Há quantos anos não nos deparamos com algo tão bonito e cheiroso, Logan?

— Há seis anos — respondeu o duque, reflexivo, olhando para Marguerite.

— Exatamente — Lowell confirmou e riu com nostalgia. — Naquela noite tivemos uma de nossas brigas mais violentas. Papai lavou as mãos como Pilatos e se retirou da sala, dizendo que seria o bastante se restasse um de nós para dar sequência ao nome da família.

— Mamãe também nos deixou — Logan prosseguiu sem nunca deixar de olhar para sua esposa. — Quando voltou, ela trazia um prato com rabanadas. Disse que poderíamos nos matar depois que comêssemos, pois aquele que partisse levaria consigo uma doce lembrança dela.

— E o que aconteceu? — Alguém indagou em meio aos convidados quando ambos se calaram.

— Mamãe nunca cozinhou para nós — respondeu Lowell. — A novidade acalmou nossos ânimos e o cheiro era tão bom que como dois esfomeados experimentamos as rabanadas. E mamãe parecia tão satisfeita ao nos ver comer que passou a acariciar nossas cabeças como se fôssemos meninos. A aventura na cozinha deixou uma queimadura num de seus braços, mas ela não se importava.

— Em algum momento a razão da briga se perdeu e fizemos as pazes — Logan concluiu.

Talvez fosse rude não provar seu presente. Certamente seria chocante agradecê-lo como pretendia, mas Logan não se prendeu a protocolos e marchou decidido até a esposa. Segurando-a pelo rosto, ele murmurou no tom que a rouquidão permitia:

— Este foi o melhor presente que recebi em toda minha vida. Obrigado!

O demorado beijo que depositou nos lábios da esposa deu a dimensão do quanto o duque apreciou a travessa com rabanadas àqueles que não puderam ouvir seu agradecimento. Aturdida com o que ouviu e com o beijo inesperado, Marguerite sorriu.

— Então, gostou?

— Mais do que seria capaz de dizer — Logan reiterou. Tomando-a pela mão, levou-a para junto do carrinho e protestou ao ver que o irmão se servira de uma rabanada: — Quem lhe deu permissão de provar meu presente?

— Mamãe — disse Lowell, ocultando a boca cheia. — Ouvi claramente a voz dela.

— Tem o bastante para os dois — disse Marguerite, domando o contentamento que a invadia por sua aventura na cozinha ter conseguido seu intento. Logan claramente gracejava e Lowell parecia sereno. — Lamento não ter para todos. Realmente entregaria em outra ocasião. Foi o que combinei com a Sra. Reed.

Logan retirou uma rabanada, bateu na mão de Lowell que tentava pegar outra e voltou a cobrir a travessa.

— Leve para meu quarto! — ele ordenou ao lacaio. Ignorando os protestos do irmão e de alguns convidados, Logan provou o doce. Em alto e bom tom, disse: — A quem interessar, as rabanadas estão divinas. Sou grato a todos, apreciei cada presente, inclusive o belo Frísio, mas nada se compara ao que recebi de minha esposa. Com seu desprendimento ela não somente reaviou a doce lembrança de minha mãe, como me mostrou o quanto é inútil me indispor com este cavalheiro. — Logan segurou o ombro de Lowell. — Nossas desavenças são conhecidas, eu posso dizer muitas coisas quando nos indispomos e sei que o decepciono em muitos aspectos, mas saiba que meus dias não teriam muito sentido se você não fosse meu irmão.

— Está sendo sincero? — indagou Lowell, empertigado, sustentando seu olhar. — Por que muitas vezes não é o que parece.

— Estou sendo sincero. Lamento nossa falta de comunicação, lamento decepcioná-lo com meus erros e lamento ter de ser tão duro às vezes. Mas erro por ser humano e cobro-lhe tanto para que seja responsável, não por falta de afeto. Já lhe disse o que sinto por você e fui sincero.

Lowell mirava o irmão como se assimilasse cada palavra, quando Ketlyn se manifestou, medindo Marguerite de alto a baixo:

— Que comovente cena entre irmãos! E como é sábia a nossa jovem duquesa. Com pão frito contentou ao marido e promoveu a paz familiar. Com tudo de volta ao seu devido lugar, digo que é hora de darmos seguimento à festa.

Sem esperar resposta Ketlyn acenou para que os músicos voltassem a tocar. A música que invadiu o salão assustou o grande potro, fazendo com que empinasse. Os convidados ao redor se afastaram, alarmados. O cavalariço soltou as rédeas. A duquesa viúva se atrapalhou ao recuar e caiu sentada. Por instinto Logan protegeu Marguerite mesmo que estivessem afastados. Coube a Henry acalmar o Frísio com gestos lentos e palavras mansas, porém firmes.

Não houve risos pelo tombo da bela cigana e muitos estenderam a mão para ajudá-la, ainda assim Ketlyn levantou com fúria no olhar.

— Conde, se tem controle sobre este animal estúpido, faça-me o favor de tirá-lo da minha frente! E você — Ketlyn vociferou ao cavalariço como se fosse dele a culpa —, desapareça de minhas vistas! A todos... Aproveitem o baile!

Pisando duro, afastando as pessoas de seu caminho, Ketlyn deixou o salão.

— Terá se machucado? — Não gostava daquela mulher, mas Marguerite se preocupou verdadeiramente. — Não seria melhor verificar?

— Pouco provável que haja algo ferido além de seu orgulho — falou o duque, incrédulo. Era a primeira vez que via Ketlyn perder a compostura. — É preferível que se recupere sozinha.

— E o pobre potro?

— Alweather e Bradley têm o domínio da situação — Logan olhou brevemente para os amigos que se retiravam com o cavalo e voltou a encará-la. — Prefiro aproveitar o baile.

Contente, esquecida de Ketlyn, Marguerite somou sua vontade a do duque e aproveitou a festa. Logan passou a ser seu par constante, o champanhe era saboroso e borbulhante, o que mais ela poderia querer? A duquesa apenas estranhou quando alguns convidados que partiriam na manhã seguinte se despediram, mas nada disse.

Por seu lado, intimamente Logan agradecia cada partida daqueles cuja presença questionava o real motivo: celebrar seu aniversário ou experimentar prazeres proibidos? Ketlyn podia presenteá-lo com quantos potros ela desejasse, ele não a perdoaria. Deixaria clara sua opinião quando fosse procurá-la, decidiu, ainda a se dedicar totalmente à esposa.

Outro cavalheiro não voltaria a ter a atenção de seu belo, divertido e deliciosamente ébrio cisne azul. A determinação perdurou pelo restante da noite. Quando precisou circular pelos grupos de convidados Logan levou Marguerite apoiada em seu braço. Por vezes, enquanto ambos conversavam, ele a tocava no ombro para discretamente acariciar a nuca nua com o polegar e se regozijava ao vê-la estremecer.

— Como se sente? — Logan segurava o queixo da esposa depois de atender a própria vontade e erguer a máscara de cisne para admirar o rosto corado sem obstáculos. A dele estava erguida desde que vira seu melhor presente. — Seus pais e sua irmã se retiraram, restam poucos convidados. Não gostaria de se recolher?

— Não... — Marguerite meneou a cabeça e sorriu. — Não quero que essa noite termine. Está perfeita!

— Teremos outras noites perfeitas — prometeu, divertindo-se com a languidez da esposa. — Deixe que eu a leve para seu quarto.

— Não podemos! Somos os anfitriões.

— Despeço-me em vosso nome... Suba e descanse!

Marguerite suspirou e, olhando em volta, percebeu que há muito a noite perfeita havia chegado ao fim. A valsa que embalava a conversa era tocada sem vigor. Ninguém dançava e apenas dois grupos restaram. Para seu espanto, Marguerite viu quem fazia parte de um deles.

— O que aquele espalhafatoso gafanhoto faz aqui?! — indagou, mantendo as sobrancelhas unidas. Logan seguiu o olhar da esposa e expirou profundamente ao encontrar quem a aborrecia: Daisy Duport. — Sabia disso, Logan?

— Eu a reconheci, mas não conversamos se é o que deseja saber.

— E por que não me contou? — Marguerite tentava exterminar a criatura verde com o olhar.

— Porque a presença dela é irrelevante — Logan respondeu calmamente, fazendo com que a esposa o encarasse. — Esta foi mais uma prova de que Ketlyn está disposta a tudo para nos separar. Abalar o que você sente por mim foi o que ela desejou ao convidá-la.

— Daisy Duport dormirá aqui pelo visto — Marguerite observou.

— Certamente, mas nosso caminho não precisa cruzar com o dela. Apenas a ignore e me deixe levá-la para cima.

— Depois que nos despedirmos de todos — ela determinou de queixo erguido.

Com os acontecimentos que agitaram aquela noite, capazes de realmente abalarem o que ela sentia por ele, Logan não se recusou a atendê-la.

— Está bem! Aproveitarei para apresentá-la a alguém que estimo e que faz parte do grupo em que Daisy Duport está.

— Quem é?

— Logo verá... — disse Logan prendendo a mão dela em seu braço para que fossem até os grupos. Em um deles as despedidas foram breves e logo se dirigiram ao outro. Daisy Duport não escondia o olhar curioso que movia do duque à duquesa enquanto ele apresentava a esposa ao amigo.

— Querida, quero que conheça Henry Farrow, conde de Alweather.

— Duquesa... — O conde fez uma meia reverência e tomou a mão de Marguerite para beijá-la. — É um prazer conhecer quem fisgou o coração de meu amigo.

— O prazer é meu, conde. — Marguerite sorriu. — Gostou da festa?

— Foi animada e muito... interessante — respondeu de modo enigmático. — Posso dizer que uma das melhores entre tantas que participo ao vir para a Inglaterra.

— Ao vir para a Inglaterra... — repetiu ela, curiosa. — Não vive no país?

— Por motivos que não me animo a citar agora eu permaneço a maior parte do tempo em outros países.

— Pode-se dizer que Alweather vem à Inglaterra um ou dois meses a cada três anos. Sempre me pergunto se um dia irá ficar.

— Pouco provável, meu amigo duque — Henry refutou a ideia. — Seria preciso um bom motivo que me ancorasse aqui e, sempre que venho, deparo-me com situações que me animam a partir. Nesta não foi diferente...

— O que aconteceu que o descontentou? — Marguerite indagou sem nem pensar. Cada vez mais ela ficava curiosa com a história daquele conde; amigo de seu marido apesar da evidente discrepância de suas idades. — Alguém o afrontou?

— Decerto alguma mãe tentou fisgá-lo — Daisy se intrometeu na conversa. — Todas sabem que este é um assunto proibido para o conde desde a morte da condessa, mas não é raro vermos uma delas cercando-o, prometendo que a filha preencherá tão dolorosa lacuna.

— Eu não teria explicado melhor, mas errou na dedução assim como perdeu uma boa chance de se manter calada — retrucou o conde, estoico. Voltando-se para Marguerite, pediu: — Não se ocupe disso, duquesa. Pelo que entendi, despedem-se. Eu mesmo me recolherei já que, por sorte, muitos hóspedes resolveram partir essa noite, deixando vaga para mim.

— Fico feliz que tenha conseguido se instalar — disse Logan, ignorando o olhar aviltado de Daisy para o sincero conde. — Se eu estiver certo, seu valete não o acompanha.

— Está certo. Bem sabe que minha estada na África modificou meu estilo de vida, tornando-me mais... desprendido. Mas não se preocupe, vosso mordomo fez a gentileza de designar um dos lacaios para que me ajude. Agora, se me dão licença... Tenham um bom descanso. Mais uma vez digo... Foi um imenso prazer conhecê-la, duquesa!

— O prazer foi meu e me perdoe se fui indiscreta.

— Não foi e realmente não se ocupe disso. Tenha em mente que aprendi a lidar com a lacuna e vivo em paz. A vida de cada um é como é e não pode ser mudada — falou Henry.

— Se olhar para mim, verá que é possível — disse Logan, pousando a mão no ombro da esposa. — Não é preciso que haja lacunas.

Henry olhou para Marguerite com atenção e exalou um longo suspiro.

— Sim, Bridgeford, houve uma significativa mudança e não duvido que a responsável tenha sido esta adorável senhora. No entanto, mesmo havendo outra com semelhante graça e encanto, com capacidade de operar um milagre na vida de um homem, este jamais será eu. Nascemos muito distantes um do outro.

— Conheci a irmã da duquesa e realmente unir-se a ela seria inviável. É uma menina ainda! — Daisy Duport mais uma vez intrometeu. — Se espera por um milagre, conde, deve procurar por isto junto à outra senhorita.

— Que grande dilema! — Henry sorriu escarninho. — De um lado estão meninas... Do outro estão mulheres maduras em demasia, falastronas e intrometidas... Percebem o paradoxo no qual vivo? Por isso eu sempre opto pela lacuna e corro de volta para a África. Se me dão licença... Bom descanso a todos!

Sem mais palavras Henry reverenciou os anfitriões, inclinou a cabeça educadamente a quem mais estava no grupo, inclusive para Daisy Duport — rubra e trêmula — e partiu.

— Às vezes eu me esqueço do quanto conde Alweather é grosseiro! — resmungou Daisy. — Desprendido?! A África tornou-o selvagem, isto sim!

— Penso que o conde apenas expõe as verdades que pensa — falou Logan, esboçando um sorriso zombeteiro. — O que considera selvageria eu digo ser sinceridade.

— Pois então, esqueçamos o sincero conde — retrucou Daisy, sorrindo para o casal. — Fiquei feliz ao vê-los se aproximarem. Fiz bem em não perder a esperança de cumprimentar os anfitriões de tão belo baile. Foi uma comemoração maravilhosa!

— Obrigado!

— Oh, também quero agradecer pelo convite e a acolhida.

— Isso deve agradecer a quem lhe convidou — disse Logan, secamente.

— Foi o que acabei de fazer. Obrigada por me convidar em nosso último encontro em Londres, duque.

Logan se empertigou reflexivamente ao sentir que Marguerite fez o mesmo. Como não cometeria a indelicadeza de confrontar Daisy diante de sua esposa e de outros convidados, segurou sua mão com maior força e se dirigiu aos demais com toda serenidade que pôde juntar:

— Bem... Agradeço pela presença de todos! O salão é de vocês até que queiram se retirar para os aposentos que ocupam. O café da manhã será servido na sala de jantar logo cedo. Não se sintam na obrigação de nos aguardar. A noite foi desgastante, não poderemos prever a que horas desceremos, então, não queremos atrasar o retorno aos seus lares. E, Srta. Duport, da estação parte um trem para Londres às sete horas. Sugiro que não o perca.

Sem acréscimos Logan se retirou, levando Marguerite fortemente presa ao seu braço.

— Se causasse alguma dor eu não me importaria de arrancar uma daquelas asas — resmungou Marguerite, tentando se libertar. — Ou as duas!

Logan não conteve o riso e mais uma vez não deixou que ela se afastasse.

— De que está rindo?! Devia era me dizer por que mentiu se foi você quem a convidou.

Logan esperou até que a tirasse do salão para fazer com que o encarasse.

— Não, Marguerite, eu não a convidei. Nem sequer a encontrei em Londres. Se não fez por maldade, por eu ter apoiado o que disse Alweather, ela pode ter dito aquilo a pedido de Ketlyn.

— Ketlyn! Ketlyn! — Marguerite reagiu, odiando sentir o corredor girar à sua volta. — Quando ela vai estar fora de nossas vidas?

— Esta noite — Logan contou. — Ela aceitou me ouvir, então tudo será resolvido.

— Onde se encontrarão?

— Na sala de estudos da ala oeste. Prometo ser breve. Confie em mim, querida!

Marguerite suspirou, cansada, sentindo-se tonta.

— Farei o meu melhor... Por ora, ajude-me a chegar ao meu quarto. Depois faça o que deve fazer.

Logan riu sem humor. Gostaria de já estar livre da aborrecida ocupação tanto quanto gostaria de poder ir além do limiar do Quarto Josephine.

— Até sua porta — ele anuiu e ofereceu o braço.

Seguiram em silêncio, ouvindo a valsa à distância. Marguerite voltou a falar ao se deparar com a armadura no alto da escada.

— Perdeu um baile agitado, Dom. E foi divertido, não?

Logan franziu o cenho e indagou:

— Perguntou isso à armadura?!

— Não estou tão aérea — ela riu brevemente, mirava a saia fluída de seu belo vestido azul. — Perguntei a você.

— Sim, foi divertido. — Lembrando-se de alguns detalhes, Logan acrescentou seriamente. — Para alguns mais do que para outros.

— O que houve? Alguém se queixou?

Ele, assim como alguns convidados, poderia se queixar de uma coisa ou duas. Talvez até Henry tivesse uma queixa por ter perdido bons minutos durante a caça à Catarina, porém no momento Logan nem mesmo se importava com o fato de o amigo ter erroneamente considerado sua cunhada graciosa e encantadora. Relevante era a irritação que crescia à medida que se aproximava dos quartos interligados. Não poder entrar era um bom motivo para queixa.

— Logan? — Marguerite o trouxe de volta dos pensamentos. — Não me respondeu. Houve queixas?

— Não... Releve o que eu disse, estou exausto.

— Você poderia falar mais sobre seu amigo conde... Ele parece ser mais velho que você. Onde o conheceu?

— Participamos da mesma festa em uma das vindas dele à Inglaterra. A diferença de idade é grande, nove anos, mas não impediu que nos aproximássemos. Ele também é amigo de Bradley.

— Oh, sim? E como ele perdeu a condessa?

— A condessa e o primeiro filho do casal morreram durante o parto.

— Que tristeza! — Marguerite se compadeceu. Não era estranho que o conde quisesse ficar longe se amou a esposa. A lacuna deveria mesmo ser dolorida.

— Sim, é realmente triste, mas como Alweather pediu: não se ocupe dessa história — Logan descartou aquele assunto, pois estavam a poucos passos do quarto dela. — Marguerite?

— Sim...

— Nunca serei capaz de suficientemente agradecer o presente que me deu. — Foi sincero, mas queria mesmo era retê-la um pouco mais.

— Oh! Isso? — Marguerite piscou e respirou profundamente. — Se puder fazer com que Lowell o ouça eu me sentirei imensamente recompensada. E gostei de saber que já eram adultos quando sua mãe fez as rabanadas. A Sra. Reed me contou a história, mas não citou esse detalhe.

— Mero detalhe... Lembrar-se e cozinhar para mim foi delicado e gentil de sua parte.

— Temi que todos rissem — ela confessou ao parar à porta do quarto. — Eu as entregaria particularmente, apenas na presença de Lowell.

— Não ousariam. — Logan perscrutava os olhos azuis com inquietante intensidade.

— Bem... — Marguerite indicou a porta e esboçou um sorriso. — Devo entrar e você precisa ir até Ketlyn. Boa noite, Logan! E... Feliz Aniversário!

O duque apenas assentiu sem querer ir à parte alguma. Marguerite voltou a sorrir e entrou. Já fechava a porta, lamentando que a noite perfeita tivesse chegado ao fim, quando Logan estendeu a mão e a parou. Com o sobressalto Marguerite recusou alguns passos, deixando o caminho livre para que ele entrasse e fechasse a porta atrás de si.

— Logan...? — Marguerite analisava o rosto sisudo.

— Não basta? — Logan não se moveu. Perdia-se no contraste entre o azul da fantasia, a pele alva e a luz das chamas vindas da lamparina e da lareira.

— O que quer dizer?

— Não basta de fingirmos que estamos bem com sua determinação?

— Logan, por favor!

— Sei que criei essa situação... — ele foi além como se não a tivesse ouvido —, mas estou em meu limite. Não há a mínima condição de passar mais um minuto sem ter você.

— Está se valendo do seu direito para impor seu desejo?

— Estou implorando clemência à mulher que está na minha mente quando deito e é o primeiro pensamento quando acordo.

A declaração a galvanizou. Marguerite também o queria, mas faltava tão pouco... Bastaria ele ir até Ketlyn e arrancá-la de sua vida. Resistir ou ceder?

Ouvir o crepitar da lenha na lareira começava a ser enervante. Logan cobraria uma resposta, quando sua esposa desamarrou da fita que prendia a máscara e a tirou sem deixar de olhá-lo. Em seguida Marguerite tirou cada uma das longas luvas, levou as mãos à frente da estola de penas, desprendeu-a e a despiu, deixando os braços, os ombros e todo colo à mostra.

A língua direta não proferiu uma palavra, ainda assim, Marguerite foi eloquente.

— Dessa vez eu não vou parar — Logan a avisou ao se livrar da máscara e atirá-la ao chão.

Marguerite apenas assentiu. Ligado à esposa pelo olhar, Logan rapidamente despiu a jaqueta e o colete antes de ir até ela. Com delicadeza acariciou sua bochecha corada e com as costas dos dedos desceu o carinho ao longo do pescoço até o colo. Sem deixar de tocá-la, colocou-se às costas dela e beijou sua nuca, mordiscou seu ombro.

— Preciso corrigir o que disse... — sussurrou junto à pele macia enquanto deslizava as mãos pelo corpete, reconhecendo o contorno da cintura, apreciando pela última vez a maciez das penas azuis. — Você povoa meus pensamentos todo tempo, até quando durmo. Eu a amo!

— Logan, não precisa...

— Preciso que acredite! — Logan passou a soltar a fita do corpete, falando ao seu ouvido: — Penso em você a cada instante. Penso em você até mesmo quando nós estamos juntos.

— Não é diferente do que acontece comigo. Oh! — Marguerite gemeu quando mãos macias e mornas invadiram o corpete para cobrir seus seios.

— Teria me enlouquecido se revelasse estar sem espartilho. Eu morro por imaginar quantos homens se aproximaram com tão pouco a cobrir sua pele. Nenhum outro deve desejá-la além de mim... — Logan puxava o lóbulo da delicada orelha com seus dentes enquanto brincava com os mamilos, enrijecendo-os entre os indicadores e polegares. — Deve ser somente minha...

— Sou toda sua...

E seria dele para sempre, determinou o duque, beijando o pescoço que a duquesa mantinha inclinado. Lamentando ter de brevemente abandonar seu tesouro, Logan passou a baixar o corpete, distribuindo beijos nas costas nuas. Apoiado em um dos joelhos, livrou-a da saia, das botinhas brancas, também das meias. Com os olhos postos em cada palmo de pele que surgia, sem pressa baixou a pantalona.

Marguerite agradecia ao champanhe e ao ponche que arrefeciam o constrangimento sem fundamento por estar nua diante do duque. Não havia uma parte de seu corpo que ele não conhecesse ou que não tivesse beijado com sofreguidão ou mordiscado como fazia em seu traseiro. Também não havia parte que não tivesse tocado com intimidade como fazia no interior de suas pernas.

Marguerite tremia ao girar como Logan indicou que fizesse, segurando-a pelo quadril. Ajoelhado como estava, encarando-a, ele levou a boca até seu sexo e o lambeu.

— Logan... — ela tentou protestar, quando ele fez com que passasse uma das pernas por seu ombro, obrigando-a a se segurar em seus cabelos. O constrangimento por estar em posição tão reveladora evaporou ao ter seu centro beijado do mesmo modo que sua boca. — Oh...!

Se a bebida em suas veias a desequilibrava e entontecia, o excitamento provocado por um marido experiente a desligava do mundo, levando-a a agir sem sequer notar. Apoiando-se como podia em uma perna só, agarrada aos cabelos do duque, Marguerite passou a mover o traseiro para frente e para trás, incentivando a áspera língua a estocá-la até que sucumbisse ao primeiro orgasmo. Os espasmos ainda a estremeciam, quando Logan a levou para a cama.

Subitamente aflito, ele se despiu, exibindo sua ereção até que fosse se deitar sobre a esposa e a penetrasse. Acariciando um seio, Logan moveu seu quadril com vigor.

— Seja sempre minha... — ele pediu.

Marguerite não compreendia. Não o ouvia. Apenas sentia. Sua mente estava nublada pelo desejo crescente e forte. Quando considerou que não poderia suportá-lo, seu corpo se rendeu ao gozo. Trêmula, gritou e abraçou-se ao duque.

Sorrindo, comprazendo-se com a reação espontânea e despudorada de Marguerite, Logan teve sua satisfação. E foi abundante, intenso, forte. Foi amor.

— Eu a amo tanto — ele declarou num murmúrio ao abraçá-la, saboreando os resquícios do desejo, regulando a respiração. — Tanto...

— Combinamos, pois também o amo tanto...

A declaração veio com uma carícia. Os dedos pequenos se moviam delicadamente em seu cabelo, próximo à têmpora. Logan fechou os olhos e sorriu. Depois do momento sublime que dividiram, ele considerou que, sim, uma rainha branca e um rei preto combinavam à perfeição e seriam felizes. Bastava apenas um detalhe.

— Nada me agradaria mais que ficar aqui — ele disse, acariciando o braço que ela mantinha em seu peito. — Mas preciso me ausentar um pouco.

Marguerite não queria ser ela a detê-lo, muito menos duvidar do que Logan lhe dizia, mas com Ketlyn e Daisy em Castle ela se tornava possessiva.

— Ketlyn deve estar dormindo...

— Marguerite, não faça isso — Logan a repreendeu sem convicção, quando ela passou a acariciar seu falo com a perna nua.

— O que eu estou fazendo...? — ela indagou com ar inocente. Provando que a bebida ainda a desinibia, ela passou a estimulá-lo também com a mão. Logo sorria com malícia. — Algo está acontecendo aqui. Como resolveremos?

## Capítulo 16

Decididamente algo aconteceu, Logan considerou ao deixar Marguerite adormecida no Quarto Josephine. Ébria ou não, ela rapidamente se tornava tão despudorada quanto ele. Era a esposa perfeita, reagindo aos seus toques, correspondendo aos seus avanços, estimulando-o sem qualquer vergonha. O que um dia duvidou ser possível tornou-se realidade: Marguerite não somente superou Ketlyn em todos os sentidos como ultrapassou qualquer amante que um dia teve, Logan reconheceu enquanto comia três das rabanadas que foram levadas para seu quarto.

Depois de satisfeito, foi com ansiedade que Logan vestiu as roupas que usou durante o dia e seguiu para a ala oeste. Apreciando o silêncio nos cômodos, foi até o antigo quarto de Ketlyn e bateu à porta. Demorou mais do que imaginou, mas duvidava que ela estivesse dormindo. Para provar sua dedução, Ketlyn logo abriu a porta e nela se apoiou. Vestia um robe de veludo marrom que por estar entreaberto revelava a branca camisola.

— Pensei que tivesse recobrado o juízo sem minha ajuda — ela ronronou como uma gata satisfeita —, mas por sua expressão vejo que precisarei me esforçar para manter o que é meu. Entre!

— Eu avisei que não conversaríamos em seu quarto — ele a lembrou, sem se mover. — Vamos para a sala de estudos.

— Para congelarmos? — Ketlyn também não se moveu. — Há quanto tempo nós não entramos naquela sala? Não há fogo na lareira e mesmo que haja lenha para que o faça, quanto tempo demorará até que aqueça o cômodo. Aqui, por outro lado... — Ela abriu mais a porta e apontou para o fogo que crepitava. — A lareira está a todo vapor. Venha... Não vou mordê-lo.

Logan titubeou por um instante até que se rendesse ao válido argumento.

— Que seja! Serei mesmo breve — disse ao entrar, deixando que ela fechasse a porta.

— Não quer ficar mais à vontade? — indagou Ketlyn, seguindo até sua cama. — Eu ficarei.

Dito isso, ela tirou o robe e se sentou à beira do colchão, empertigada para que os seios ficassem em evidência. Logan apenas meneou a cabeça. Tantas aquela mulher aprontou que, sem o apelo do sexo a três que propôs, nele não causou nenhuma reação.

— Estou bem como estou — disse ao cruzar os braços. Por ter se lembrado de Daisy, do que era previsto para aquela noite e da tentativa de humilhar Marguerite durante a entrega dos presentes ele foi direto ao ponto: — Sabe o que vim dizer, não sabe?

— Sim, eu sei... — Ketlyn deu de ombros, cenicamente enfadada. — Ilude-se, dizendo a si mesmo que está apaixonado por sua esposa. Sei que diz também para ela, pois se não tivesse ouvido tal disparate, teria lido nas melosas cartas que enviou de Londres. Patético!

— Eu sabia! — Logan ciciou. — Com que direito as interceptou?

— Com o direito que há três anos me deu — ela replicou, indiferente. — Sou sua mulher, Logan. Não podia deixar que uma esposa de conveniência acreditasse ser o contrário.

— Marguerite não é esposa de conveniência! No início, talvez, mas não agora. Aceite!

— Não tenho o que aceitar. Apenas está bravo comigo porque a tenho provocado, mas prometo me comportar. Por nosso amor, pelo nosso plano.

— Seu plano, não se esqueça.

— Plano que você abraçou e executou com maestria — ela o elogiou, sorrindo. — Não poderia ter escolhido jovem melhor. Marguerite, nosso patinho feio que, ao contrário da fábula de Christian Andersen, jamais será um belo cisne, como acredita.

— É desse modo que irá se comportar? — Logan a repreendeu.

— Excedi-me? Perdoe-me, querido! — Ketlyn agitou as mãos como se assim dispersasse as palavras. — É divertido provocá-la. Não se aborreça comigo.

— Não estou aborrecido, não mais. Apenas quero resolver nossa situação. Vamos...

— Vamos reformular o plano, querido! Aceito que esteja encantado por ela e não me importarei em dividi-lo.

— Por favor, não se humilhe! — ele pediu. — Mantenha o mínimo de dignidade.

— Não há dignidade para nós, Logan — replicou Ketlyn, deixando a cama para ir até ele. — Somos iguais. A ambição sempre veio antes da paixão.

— Não sei a que se refere. Sempre fui apaixonado por você que nada tem a me oferecer.

— Eu sei. — Sustentando seu olhar ela baixou a camisola até a cintura, deixando o dorso e os seios à mostra. Altiva, acrescentou: — Considera-me bonita, não?

— Você é linda, Ketlyn! — Ele não poderia dizer o contrário.

— Exatamente! E por que foi que se casou com outra?
— Casei-me para que tivesse herdeiros e garantisse a herança de Alethia.
— Que bom que se lembra! Ainda saberia por que procurou a irmã de seu amigo?
— Fui até Marguerite porque você impôs a condição de que eu me casasse com alguém que nunca chegasse aos seus pés. E... — Logan acreditou ter ouvido algo cair no corredor e se calou, olhando para a porta. Estava entreaberta. — Não tinha fechado a porta? Não sabe que o que dissermos não pode ser ouvido por ninguém?
Aborrecido com Ketlyn que simplesmente deu de ombros, Logan foi até a porta e a abriu para verificar o corredor. Tudo continuava como antes, sem ninguém que os escutasse.
— O barulho que ouvimos certamente foi o vento ao empurrar a porta — elucidou Ketlyn. — Tranque-a e venha me amar como nunca deixou de fazer.
Há muito tempo Logan não a amava e nunca mais o faria, mas por precaução fechou e trancou a porta.
— Oh, querido, desfaça essa expressão amarrada e deixe de tolices românticas! Sou sua melhor escolha.
— Já fiz minha escolha, Ketlyn. Não deve mais se preocupar se sou tolo ou romântico, sim, Marguerite. Fui até ela por engano, baseado naquilo que formei a partir do que ouvi. Ela pode não ter sua beleza óbvia, mas é você quem não chega aos pés dela em todos os aspectos.
— Agora está me ofendendo!
— Dizendo a verdade. Marguerite possui a real beleza. É leve, divertida, e a única mulher que amarei até o fim de meus dias. Sem ela não vejo como minha vida possa fazer sentido. Por isso, tudo que você e eu tivemos, há muito tempo acabou.
— Não! Você não pode... — Ketlyn se calou, torceu os lábios num muxoxo e chorou. Ato tão inesperado quanto improvável que Logan não soube como proceder. — Isto é errado de tantas maneiras, Logan! O que eu farei com o meu amor?
Estupefato, Logan a assistiu tirar a camisola e revelar sua nudez.
— Olhe para mim! — ela pediu aos prantos. — Qual homem no mundo não se colocaria aos meus pés? Todos, Logan! Eu posso ter quem eu desejar... Mas quero apenas você... Você... Você, meu amor!
De súbito Ketlyn se atirou nos braços dele. Por reflexo Logan a acolheu e foi fortemente abraçado, repetidamente beijado.
— Ketlyn...? Pare! — ele ordenou, desviando sua boca dos lábios úmidos. — Pare com isso! É uma dama! Recomponha-se!
— Não sou nada... Não serei ninguém se me deixar... — Para agravar a cena inusitada ela escorreu lentamente até o chão e o agarrou por uma das pernas. — Eu imploro! Fique com nós duas...

— Começo a duvidar de sua lucidez — comentou Logan, extremamente desconfortável com a cena lamentável. — Levante-se, Ketlyn!

— Eu não consigo, eu...

— Ketlyn?! — Logan se preocupou quando ela simplesmente desfaleceu.

Calando uma imprecação, Logan ergueu a ex-amante e a levou até a cama. Bastou acomodá-la nos travesseiros para que ela o prendesse pelo pescoço e o puxasse sobre si, rindo.

— Ketlyn, solte-me! — Ele não queria machucá-la, porém usou sua força para escapar do abraço. Ao se levantar, Logan correu as mãos pelo cabelo, olhando-a com incredulidade. — Perdeu o juízo?

— Mostro do que sou capaz para não perdê-lo — retrucou Ketlyn, sorrindo, acariciando os próprios seios. O rosto molhado era o único indício de que havia chorado. — Você é meu!

— Está louca e por essa razão eu não a ouvirei!

— Meu, meu... — ela insistia, sorrindo para ele. Farto da encenação, Logan prosseguiu:

— Em consideração ao que nós vivemos, eu comprarei uma casa para você, onde desejar.

— Não vou a lugar algum... Sou sua mulher.

— Também lhe darei uma considerável soma em dinheiro. Se abrir mão de alguns luxos e souber administrá-la viverá com conforto.

Enfim, algo que a calou. Claramente aviltada, Ketlyn fechou a expressão e se levantou.

— Oferece-me esmolas depois de eu ter me dedicado a você? — Ketlyn ciciou, cobrindo-se com o roupão de veludo. — Como ousa?!

Logan sorriu escarninho ao ver a mulher que conhecia, não a louca apaixonada.

— Quando receber o dinheiro verá que não se trata de esmola — ele replicou, ainda a sorrir. — Será mais do que muitos recebem por herança. Estou sendo generoso, Ketlyn.

— Não, está sendo cego! — Ketlyn foi até a escrivaninha e voltou. — Eu não queria ser obrigada a mostrar isso, mas não posso permitir que cometa um erro. Leia!

Logan olhou para duas cartas dobradas que ela lhe estendia. Imediatamente ele reconheceu em uma delas o papel levemente rosado, usado pelas duquesas daquele castelo.

— Prefiro que me diga o que você escreveu.

— Não fui eu... É melhor que leia. — Ela agitou as cartas. — Comece pela branca.

Fitando Ketlyn com desconfiança, Logan desdobrou a carta indicada. Ao baixar o olhar e ver a folha timbrada ele confirmou sua origem: marquesado de Baskerville. Enquanto a lia, sentia seu sangue congelar. Era uma carta de amor de Dempsey para Marguerite. Além das juras, havia o convite para que juntos fugissem.

Depois de amassá-la em sua palma, Logan abriu a carta rosada.

*Querido Mitchell*

*Sua última carta me encheu de alegria. Reler suas doces palavras torna meus dias coloridos e ajuda a suportar a falta que me faz. Tanta falta que oprime meu coração. Não demonstro, porém não me conformo que tenha sido afastado de mim de modo tão abrupto. Queria tê-lo ao meu lado para ouvir seu riso, ter mais de seus beijos e abraços. Queria-o novamente em minha cama.*

*Bem sabe que Logan está em Londres. Com isso, não haveria meios de vir me encontrar? Em sua presença talvez eu me revista de coragem e aceite o que me propõe. É somente o que me falta para encerrar a farsa que sou obrigada a encenar e para que eu assuma meu amor por você. Desejo-o tanto que por vezes elaboro minha fuga para que possa encontrá-lo. Não é capaz de imaginar o quanto...*

Logan amassou o papel sem concluir a leitura e chispou o olhar para Ketlyn.

— Não sei como conseguiu, mas está claro que esta é uma carta forjada.

— Não, é legítima, de Marguerite para Mitchell — Ketlyn assegurou. — Enquanto estava em Londres eles mantiveram a correspondência. Fiquei curiosa e li uma das cartas. Desse dia em diante eu as abria todas. Estas eu guardei para mostrar a você quando se desviasse do foco, iludido pela boa moça da fazenda.

— Marguerite jamais me traiu com Dempsey ou qualquer outro — ele ciciou, respirando com dificuldade por involuntariamente recordar a esposa e o amigo, o sorriso dela ao vê-lo, os rodopios pelo salão animados por segredinhos ao pé do ouvido, a conversa reservada no jardim mal iluminado. — Não!

— A prova está na sua mão.

— Com seu grotesco espetáculo realmente mostrou do que é capaz para que prevaleça sua vontade. Esta é uma carta forjada — ele insistiu. — Quando provar, eu farei com que a engula!

Com os papéis firmemente apertados em sua palma, Logan destrancou a porta e marchou até a ala leste. Sem medir sua força, bateu à porta do quarto que comumente Mitchell ocupava. A carta de Marguerite podia ser forjada, não a dele.

— Dempsey, abra! — ordenou alto o bastante para que apenas Mitchell ouvisse.

Depois de mais uma vez bater sem que obtivesse resposta, girou a maçaneta. A porta se abriu e revelou um quarto vazio. Bufando de raiva e frustração, Logan foi bater na porta ao lado.

— Dempsey! Abra! — Ao ouvir a movimentação no quarto ele recuou um passo e se policiou para não agredir o traidor. Para sua consternação, quem abriu a porta foi Henry. — Alweather... Por favor, perdoe-me por acordá-lo!

— Não se desculpe — pediu o amigo, desperto. — Procura por Dempsey? Aconteceu algo? Que horas são?

— É tarde... Eu nem devia estar procurando por ele agora — Logan tentava encobrir sua ansiedade. — Volte a dormir.

— Tem certeza? Posso ajudar a procurá-lo. Não seria a primeira vez...

— Mais uma vez eu agradeço por resgatar Catarina, mas agora é diferente. Não há urgência.

— Sendo assim... Boa noite! — desejou o conde antes de fechar a porta, deixando Logan prostrado no corredor, olhando para todas as outras.

Dempsey poderia estar em qualquer um daqueles quartos, ali ou na ala oeste. Com o castelo cheio de hóspedes não havia como bater de porta em porta até encontrá-lo, Logan aceitou. Na falta dele, abordaria Marguerite. Mesmo que aquela fosse uma carta forjada, ela recebera missivas de outro homem sem que jamais revelasse. Logan queria descobrir a razão ao entrar em seu quarto e seguir até a porta de ligação. Encontrá-la trancada o estarreceu.

Marguerite dormia quando ele a deixou justamente por aquela passagem.

— Marguerite! Está acordada? Por que trancou a porta?

— Milorde... — Para tornar o momento mais estranho, foi Nádia quem lhe respondeu. — A duquesa não se sentiu bem e pediu que eu viesse ajudá-la.

— Marguerite passa mal?

Logan custava a crer, pois, apesar da carraspana, ela parecia gozar de ótima saúde.

— Sim, milorde! Suspeitamos de uma reação tardia, provocada pela bebida.

— Deixe-me entrar e direi.

— Lamento não poder atendê-lo, milorde — disse Nádia com voz incerta.

Naquele momento, sim, Logan julgou Marguerite e até mesmo Nádia por ele mesmo. Com as duas cartas a queimarem sua mão, considerou as chances de Dempsey estar com sua esposa, sendo ambos acobertados pela fiel criada.

— Irá lamentar muito mais se não abrir a porta agora mesmo! — ele a alertou.

Houve certa demora, porém Nádia abriu a porta. Sem se importar com bons modos, Logan praticamente a lançou para o lado ao entrar e caminhar até a cama. De imediato sua bronca arrefeceu. Se Marguerite padecia pelos efeitos nocivos do álcool ela apresentava novos sintomas, pois parecia destruída.

— Marguerite...? Esteve chorando?

— Não! — Ela se esquivou do toque, quando ele tentou se aproximar, confundindo-o.

— Não esteve chorando ou não posso me aproximar?

— Sim, estive chorando, pois não me sinto bem — ela respondeu com dificuldade, tentando controlar o pranto que ameaçava cair, olhando-o de modo assustador, indecifrável. — E, não, você não pode se aproximar.

Quero me deitar e dormir. Amanhã pela manhã preciso me despedir de minha família e não quero que me vejam assim.

— Marguerite...

— Por favor, Logan! — Ao dizer seu nome ela não foi capaz de conter as lágrimas. Foi com um fio de voz que praticamente implorou: — Saia.

Algo no tom, no pranto abundante, enregelou a coluna de Logan.

— Eu posso cuidar de você — ele se ofereceu. Algo lhe dizia para não deixá-la. — Entendo bem das mazelas causadas pelo champanhe e pelo ponche.

Marguerite nem sequer respondeu. Agitando a mão para Nádia, claramente pediu que a criada o conduzisse até a porta. Logan não insistiu. Ante a brusca mudança de sua esposa até mesmo as malditas cartas que ainda segurava perderam a importância. Sabendo que não conseguiria dormir, Logan as atirou em sua escrivaninha e se sentou diante da lareira. Depois de afundar na maciez da poltrona, mirou a travessa com o que restou das rabanadas e voltou a fitar o fogo.

Assim terminou a noite de seu aniversário.

Antes da hora estipulada para o café da manhã, Logan chamou por Ebert para que o ajudasse a se vestir.

— Milorde, não dormiu? — Seu valete observou. — Está com péssima aparência.

— Não tenho tempo para seus comentários, Ebert. Apenas me ajude. Tem notícias da duquesa?

— Sei que a família de Lady Bridgeford se prepara para a partida — disse Ebert, segurando a camisa para que o patrão passasse os braços. — Também que Nádia a ajuda a se vestir.

— Então, apresse-se! — ordenou enquanto abotoava a camisa. Algo estava errado, ele sentia em seus ossos.

Logan confirmou a impressão ao ver Marguerite entrar na sala de jantar e rapidamente desviar o olhar ao avistá-lo. Se durante a noite ele considerou que estivesse destruída, agora tinha certeza de que ela estava devastada ao notar as escuras olheiras e o modo curvado de caminhar. Iria abordá-la, quando seus cunhados, os barões e o conde surgiram atrás dela.

— Devia ter ficado na cama, querida — dizia Elizabeth. — Todos nós entenderíamos. Oh, duque! Bom dia!

— Bom dia, baronesa! — ele retribuiu o cumprimento fitando a esposa. — Aliás, bom dia a todos!

— Bom dia, Bridgeford! — disse Henry, parecendo mais sério que de costume.

— Não parece ser um bom dia para minhas filhas — comentou o barão ao se acomodar à mesa, desviando para si a atenção do duque. — Catarina está muda desde ontem e Marguerite não teve uma apresentação feliz às bebidas. Não devia ter se excedido, quando está habituada a uma taça de nossa sidra.

— Nunca mais cometerei enganos, papai! — disse Marguerite, desestabilizando o duque.

— Foi apenas uma experiência ruim... — Logan contemporizou, sorrindo para ela. Logo voltou à seriedade ao ser encarado por gélidos olhos azuis, mergulhados em órbitas vermelhas.

— Foi o maior erro que cometi em toda minha vida — Marguerite retrucou com sua bela voz distorcida pela rouquidão, apertando as mãos sobre a mesa. — Agora estou doente, nauseada.

— Despeça-se de nós e vá se deitar, Marguerite — Edrick sugeriu. — Ainda é muito cedo.

— Faça isso, querida... — Logan fez coro, desejando que ela de fato subisse para que ele a seguisse.

— Se realmente não se importam... — Marguerite se levantou, levando os homens a imitá-la. — Agradeço a todos pela presença. Conde, foi um prazer conhecê-lo! Catarina, depois precisa me dizer o que houve para que ficasse tão séria e, papai, eu especialmente lhe agradeço por seu esforço em vir. Espero que logo se recupere. Edrick... Mamãe...

— Ficaremos bem — assegurou a baronesa enquanto Edrick abraçava a irmã.

— Quer que eu fique até que esteja melhor?

— Não! — Marguerite meneou a cabeça. — Precisam de você em Apple White, Edrick.

Quando Marguerite os deixou, Logan considerou que a veemente recusa fosse tão somente pela debilidade do pai. Vê-la daquele modo o afetava e distraia, pois era ele quem tinha motivos para olhá-la com frieza. Era ela quem lhe devia explicações. Com esse pensamento Logan dividiu a mesa do café com a família da esposa e deles se despediu à porta.

— Foi um belo baile — disse Henry à porta enquanto calçava suas luvas pretas, mirando a carruagem que levava os barões e seus filhos. — Muito... Interessante.

— Obrigado! Lamento que o pouco tempo não nos tenha permitido conversar.

— Não faltarão oportunidades, Bridgeford.

— Não faltarão... — Logan fez coro. — Para onde irá agora?

— Esta noite descobri em mim um homem estranho e fraco, então atenderei a um súbito e questionável desejo — Henry falou, enigmaticamente. — Depois, o tempo dirá.

— Você? Um homem estranho e fraco? Impossível! — Logan refutou. — Não poderia me contar do que se trata este súbito e questionável desejo?

— Com o tempo saberá... — O conde aumentou o mistério. — No momento, preciso me apressar. Tomei a liberdade de pedir a Griffins transporte até a estação.

Logan viu que a carruagem que se aproximou e notou ser uma das suas, a menor.

— Esteja sempre à vontade! E faça uma boa viagem, seja para onde for.

— Agradecido! Até breve, Bridgeford!

— Até breve Alweather!

Com a partida do conde, Logan se preparou para subir, mas se viu preso ao *hall* por outros hóspedes que desceram para o desjejum ou para a imediata partida. Sem ter como evitar ele mais uma vez recebeu agradecimentos pela acolhida, elogios pelo belo baile e mais felicitações pelo aniversário. De bom grado Logan ficou ao ver descer quem procurou na noite anterior.

— Dempsey! Pronto para partir?

— Na verdade, não... — Mitchell levou as mãos aos bolsos da calça, encarando-o. — Espero que me ature por mais um dia.

— Alguma razão especial?

— Nada além da falta que sinto de todos aqui de Castle.

— Muito bem — Logan chegou ao limite. — Acompanhe-me até meu gabinete.

Se Mitchell cogitou evitá-lo, não o fez. Em silêncio, calmamente seguiu o duque.

— O que deseja de mim, Bridgeford? — Mitchell perguntou ao entrarem.

— Quero saber mais sobre as cartas que enviou para minha esposa — disse Logan sem preâmbulos, depois de fechar a porta.

— Foi ela quem lhe contou?

— Descaradamente admite ter escrito para ela?! — Logan meneou a cabeça, incrédulo.

— Seria ofensivo negar o que já sabe — Mitchell ergueu os ombros como se nada fizesse. — O que esperava? Que eu deixasse o caminho livre para que a iludisse indefinidamente? Acaso esquece tudo que eu sei? Disse uma vez e repito, Marguerite merece mais.

— Merece coisas que você não é capaz de oferecer — redarguiu o duque. — Não haja como se fosse melhor que eu.

— Eu não a procurei pelos motivos errados e me apaixonei no instante em que a vi.

— Posso ter demorado a amá-la, mas aconteceu e sou correspondido. Nada do que me levou a ela importa agora. Desista de conquistá-la ou esquecerei nossa amizade e o desfiarei. Não vai roubá-la de mim muito menos manchar minha honra!

— E se Marguerite preferir a mim? — perguntou Mitchell, impassível.

— Alguma vez ela lhe deu esperanças? — Cada palavra azedou sua boca como fel, mas foi impossível não especular mesmo que duvidasse da legitimidade da carta.

— Não... — Mitchell admitiu, derrotado. — Nunca tive resposta de Marguerite e na noite de ontem soube que a única vez em que ela me escreveu foi para pedir que não insistisse. Não entendo como pode ser possível, mas sua esposa o ama e eu respeitarei sua vontade.

Logan assimilou tudo que ouviu e assentiu, ocultando seu contentamento. Confiava em Marguerite, então, não precisaria de mais para saber que Ketlyn de alguma forma falsificou a letra dela para envenená-lo. Sua ex-amante merecia que a deixasse à míngua, mas resolveria suas questões com ela, depois. No momento ele preferia deixar tudo em pratos limpos.

— Se pretende respeitar a vontade de Marguerite, por que quer ficar?

— Porque antes de qualquer coisa todos nós somos amigos e se essa será minha única condição para ela, preciso me acostumar. Pode confiar... — Mitchell entendeu a mão. — Aceitei a derrota.

O duque sabia que antes de qualquer coisa, ambos eram cavalheiros. Se o amigo dava sua palavra e lhe oferecia a mão, a rendição era certa. Apertando a palma estendida, Logan sorriu.

— Se alguém como Marguerite se apaixonou por mim, resta esperança para você. Desejo que algum dia conheça uma jovem tão especial quanto ela.

— Que suas palavras sejam ouvidas! — Mitchell exibiu um sorriso enviesado. — Aceitei a derrota, então, resta-me seguir em frente. Agora, posso tomar meu desjejum?

— Fique à vontade — Logan o liberou —, mas não lhe farei companhia. A bebida não fez bem a Marguerite, então vou ver como está minha esposa.

— Marguerite está doente?! — Mitchell se alarmou, porém ao receber um olhar enviesado, aprumou-se. — Asseguro-lhe que me preocupo como amigo.

— Acalme-se! Sei que ainda é cedo... E, respondendo à sua questão, Marguerite está indisposta. Nada que um dia de repouso não resolva. Em último caso, pedirei a Ebert que prepare seu famigerado suco de tomate com limão.

— Rogo para que não chegue a tanto!

— Eu também... — Logan esboçou um sorriso e se dirigiu para a porta. Antes que saísse, disse: — Dempsey, eu não me desculparei pelo soco.

— Fique tranquilo. Eu também o socaria caso tentasse roubar a mulher que amo.

Logan mais uma vez assentiu e, rogando para que o amigo logo esquecesse Marguerite, saiu.

## Capítulo 17

O coração pacificado do duque mais uma vez se rebelou ao se deparar com Daisy Duport no *hall*, recebendo do lacaio seu casaco.

— Faça boa viagem de volta! — desejou Logan, ansioso para que ela partisse.

— Logan... — Daisy foi até o duque. Ao receber um duro olhar, parou e se corrigiu: — Lorde Bridgeford, eu quero lhe agradecer pelo convite para o baile e por me hospedar.

— Apesar do que disse diante de minha esposa, sabe que não sou o responsável por uma coisa nem outra.

— Sim, eu sei... — Daisy baixou o olhar suas mãos enluvadas. — A duquesa viúva me procurou semanas atrás e me fez crer que juntas poderíamos reconquistá-lo. Eu acreditei que fosse possível até notar como se comporta junto à nova duquesa. Quando estávamos juntos nunca o vi tão descontraído, nunca me olhou como olha para ela. Durante o baile eu compreendi que a ama de verdade. Disse o que disse para vossa esposa por puro despeito e não me orgulho do que fiz.

Um enfático pigarrear chamou a atenção dos dois. Conde Yardley estava à porta, olhando para Daisy. Logan se lembrava de já ter se despedido do amigo londrino. Antes que perguntasse o que ele ainda fazia ali, ela explicou:

— O conde me dará uma carona até Londres. Receio ter perdido o trem.

Pelo modo como ambos se olhavam, Logan soube o conde tomara para si sua ex-amante. Por considerar ser um problema único e exclusivo da condessa Yardley, ele se despediu de Daisy, acenou para o conde e subiu antes que outro hóspede o retivesse no *hall*. Logan parou apenas ao chegar à porta que ligava seu quarto ao da duquesa. Encontrou-a novamente trancada.

— Marguerite, deixe-me entrar! — pediu ao bater.

— A duquesa está dormindo — disse Nádia.

Aborrecido com as tentativas de mantê-lo longe, ele ordenou:

— Abra a porta mesmo assim! Quero ver minha esposa.

Daquela vez a criada deixou que entrasse de imediato. Sem agradecê-la, ele foi até a cama. Não havia muito a ver, pois Marguerite estava mergulhada nas cobertas, deixando apenas as pálpebras lilases e as sobrancelhas à mostra. Parecia tão pequena e frágil que Logan se condoeu. Acariciando seu cabelo revolto, levemente para não despertá-la, ele disse à criada:

— Qualquer coisa, a qualquer hora que ela precisar, mande me chamar.

— Sim, milorde — comprometeu-se Nádia.

Enquanto seguia para a porta, Logan acrescentou:

— Não volte a trancar a porta, ouviu bem?

— Sim, milorde.

Bastou que Logan deixasse o quarto para que a contraordem visse da cama.

— Deixe que ele se afaste e tranque a porta. Da próxima vez que ele chamar, deixe que a quebre, mas não abra.

— Sim, milady — anuiu Nádia, entristecida.

Depois de trancar a porta a criada se aproximou da cama. Estática, agora recostada nos travesseiros, Marguerite mirava um ponto fixo na parede fingindo não notar o olhar de pesar de sua criada. Sabia o que ela queria.

— Milady... Não vai mesmo me dizer o que tem? Já vi pessoas adoecidas pela bebida e, mesmo que tenha vomitado, todo resto está totalmente diferente. Chorou a noite inteira.

O tom embargado da criada fez com que a duquesa voltasse a chorar quando já acreditava que estivesse seca. Sim, chorou a noite inteira e também pela manhã, antes que fosse se despedir de sua família. Somente Deus e ela sabiam o quanto foi custoso deixá-los partir sem pedir que a levassem daquele castelo maldito. Não o fez por acreditar que a solução encontrada durante a noite fosse a mais acertada.

— Milady... Por Deus, conte-me o que a aflige!

Marguerite nem sequer se moveu. Não contaria a Nádia nem a ninguém o que a deixou naquele lastimável estado. Não se humilharia colocando em palavras tudo que aconteceu na noite anterior depois de acordar com aflitas batidas à porta e descobrir um papel dobrado no piso.

Foi com a porta aberta, depois de olhar para as duas extremidades do corredor sem avistar alguém, que leu o bilhete. Era anônimo, porém da melhor amiga que poderia ter. A pessoa sem rosto assegurou que, se ela fosse o quanto antes até o quarto de Ketlyn, descobria a verdade sobre seu casamento às pressas e sobre o caso amoroso de seu marido com a madrasta, este ainda vigente.

Intrigas, Marguerite pensou, mas a curiosidade levou a melhor. E havia urgência.

*Siga os passos do duque*, estava escrito. *Ou jamais saberá quem é vosso marido.*

Enfrentando o frio que atravessava o tecido de sua camisola, sem se importar de ser flagrada em tal traje, Marguerite deixou seu quarto e se aventurou pelos corredores e pelo passadiço. Em sua mente e coração carregava a certeza de que tentavam iludi-la, mas não demorou a descobrir o quanto vinha sendo enganada.

Logan a alertou para que não acreditasse no que Ketlyn dissesse, mas se esqueceu de si mesmo. Como duvidar do que ouviu e viu? Segundo Ketlyn, era ela a mulher que Logan amava, sendo a esposa alguém cuja presença era conveniente. Aquele detalhe não era novo e houve esperança quando Logan a corrigiu, porém tudo mudou com o que descobriu a seguir: havia um plano, arquitetado por Ketlyn e executado por Logan, sem hesitação. Não um plano que apenas encobrisse o caso que mantinham. Não, era muito pior!

Ketlyn não agia como uma mulher prestes a ser abertamente preterida, antes disso, ela assegurava bom comportamento ao duque, aceitava dividi-lo. Houve o pedido dele, para que ela não se humilhasse. Depois de tudo que sabia, Marguerite entendia que o pedido nada mais era para que a bela mulher não se rebaixasse, colocando-se no mesmo nível de alguém inferior. Como pensar em algo diferente?

"Sempre fui apaixonado por você que nada tem a me oferecer", Logan se declarara para a amante que várias vezes ele alegou não mais amar, isso depois de sua ambição ser citada, como comprovação de que ela estava acima de todas as coisas.

"Você é linda, Ketlyn!" Logan admirou a mulher que exibiu os seios sem que ele nunca a impedisse.

"Casei-me para que tivesse herdeiros e garantisse a herança de Alethia", ele recordou ao ser questionado.

"Fui até Marguerite porque você impôs a condição de que eu me casasse com alguém que não chegasse aos seus pés", ele dissera sem hesitar desferindo o golpe fatal no pato feio não em um cisne.

Nada do que viu e ouviu foi intriga ou fofoca de uma amante ressentida, sim, a revelação de um plano vil, arquitetado por amantes que jamais se separaram. Tão nojento que ela quis se afastar o mais rápido possível de toda aquela sujeira. Em seu atabalhoamento ela acabou esbarrando em um vaso que por pouco não caiu da coluna de mármore. Ela evitou a queda, mas não o barulho que atraiu a atenção de um homem que desconhecia.

Para que não fosse vista, Marguerite correu até o corredor transversal e deixou que a escuridão a ocultasse. Infelizmente para o mentiroso e ambicioso duque, ela ainda estava perto o bastante para ouvir o pedido de Ketlyn. Mesmo que seu coração perdesse mais um pedaço, não foi surpresa para ela ouvir a porta ser trancada por Logan para que ele fosse amar a mulher que o chamava. Foi nesse momento que vomitou tudo que havia em seu estômago.

Como passou pela porta do quarto em que seu marido estava com a amante, Marguerite não se lembrava. Recordava apenas que correu de volta para seu quarto e sem muito pensar escreveu o bilhete que deixou sob a porta do quarto de Mitchell. Se ele ainda estivesse disposto a levá-la dali, ela iria com ele. A resposta chegou naquela manhã. O bilhete que Nádia encontrou sob a porta e lhe entregou dizia:

*Nada me fará mais feliz. Encontros entre nós devem ser evitados para não levantarmos suspeita. À meia-noite, encontre-me no pomar. Eu darei um jeito de sairmos sem sermos vistos, e para que dê certo, não diga nada a ninguém.*

*Amo-a*

Ela não o amava. Provavelmente jamais viesse a amar. No momento até mesmo duvidava que um dia se deixasse tocar. No entanto, se Mitchell estivesse disposto a esperar ela faria o possível para correspondê-lo. Se fosse preciso arrancaria seu coração para extirpar o amor que sentia por Logan, que a degradava. O primeiro passo seria se afastar de Castle, deixar a Inglaterra. Nada levaria, nem mesmo teria a companhia de Nádia. Quando estivesse estabelecida a convidaria para ir até a Escócia, mas até lá, ela nada diria, como recomendado. Passaria aquele dia no quarto, alegando sofrer de uma forte ressaca.

A parte que ela odiava e a fazia desejar sair dali imediatamente era ter de suportar a falsa preocupação de um marido mentiroso. O toque em seu cabelo enquanto fingia dormir, nauseou-a tanto quanto ter de encará-lo com suas palavras ainda a queimarem seus ouvidos, sabendo que acabara de deixar a cama da mulher cujos aos pés ela jamais chegaria. Nas duas vezes foi preciso recorrer a uma força descomunal para não confrontá-lo. De que adiantaria? Ouviria mais mentiras e tudo continuaria como estava, com ele se dividindo entre duas mulheres.

Seria ela quem não se humilharia.

Sim, o duque que quebrasse a porta caso quisesse entrar, pois a mesma somente seria aperta quando estivesse pronta para deixar Castle e seus dissimulados donos para trás. Para seu infortúnio, os minutos passaram lentamente, tornando o quarto sufocante.

— Nádia, abra a janela — pediu ao se sentar na beirada do colchão.

— Milady, a manhã está fria. Tanto que alguns criados apostam que irá nevar ainda hoje. Pense bem! Está fraca... Poderá adoecer.

— Não me importo, apenas abra — insistiu, deixando as cobertas de lado para se por de pé. Não adoeceria, não merecia ser castigada. — Preciso de ar.

Nádia assentiu e abriu a janela. A manhã estava realmente fria, mas suportável, ao menos para ela que estava habituada a longos passeios ao ar livre em qualquer estação do ano; até mesmo com a neve.

Depois de vestir um grosso robe, Marguerite foi até a janela. Enquanto mirava as colinas ela reconheceu que sentiria falta de Bridgeford Hills. Ela também descobriu que sempre haveria novas lágrimas ao pensar em Lowell e em Alethia, madrasta e enteados, tão perto e tão distantes um do outro. Ambos inocentes em relação ao cobiçoso duque que tramava espoliá-los.

Marguerite os amava e jamais lhes desejaria o mal, mas não interferiria na história. Alertá-los do perigo a colocaria em evidência e tudo que queria era ser esquecida até a meia-noite. Também não suportaria estar com eles sabendo que provavelmente nunca mais os veria. E o que dizer da falta que sentiria do Sr. Griffins com seu ar empoado? Ou da boa Sra. Reed que a fez acreditar ser um belo cisne? Levaria todos no coração.

Secando as lágrimas disfarçadamente para que Nádia não a interpelasse, Marguerite se afastou da janela. Seguia para a cama, quando a criada se alarmou.

— Milady, olhe!

Instintivamente Marguerite olhou para Nádia. Esta apontava para algo, tendo os olhos maximizados. Ao se voltar, ela mesma se espantou. Acomodado no largo parapeito da janela, um falcão-peregrino a encarava.

— Krun! — Marguerite voltou a se comover, porém se conteve. — Nádia, não se mexa e nada fale. Shhh... — Marguerite reforçou o pedido de silêncio e com cautela, aproximou-se da janela. A ave se reacomodou sem nunca deixar de olhá-la. — O que faz aqui, Krun?

O falcão olhou para o lado e de novo para ela. Marguerite gostaria de compreendê-lo, gostaria de poder levá-lo para onde fosse. Em sua triste realidade deveria esquecê-lo. Após um suspiro que exprimia sua resignação, aproximou-se mais e com delicadeza passou a acariciar as penas de sua cabeça.

— Escapou de seu viveiro? — Baixando mais o tom ela indagou: — Veio se despedir? Saiba que me fez muito feliz.

De repente, como se tivesse visto ou ouvido algo, Krun olhou para fora e voou, assustando-a.

— Adeus, Krun! — Marguerite acompanhou o voo do falcão até que ele fizesse uma curva perfeita e iniciasse um rasante rumo ao pátio.

Seguindo a direção seguida pela ave, ela viu Logan com o antebraço erguido, exibindo a luva de couro em que Krun aterrissou. A grande distância que os separava não lhe permitia decifrar a expressão do duque. Sabia apenas que ele a fitava, quando ela recuou, fechou a janela e cerrou as cortinas.

— Milady... Que susto eu tomei! — Nádia a fez se lembrar de sua presença.

— Krun não é a fera que fazem parecer — disse Marguerite enquanto seguia para a cama.

— Ou talvez seja uma fera que tenha se afeiçoado à senhora — ponderou a criada.

Marguerite repetiria as palavras de Emery Giles, sobre falcões não compreenderem afeto, e se calou. Com o pouso inesperado em seu braço e a visita à sua janela, Krun provou que homens nada sabiam e que, por algum sentimento próprio de aves, sim, gostava dela.

Tão inexplicável amor a acalentou e distraiu da dura realidade até que esta viesse bater à sua porta. Marguerite não notou o tempo passar e por Logan descobriu ser hora do almoço.

— Marguerite — ele chamou ao bater à porta. — O criado trouxe um pouco de sopa. É leve e irá ajudar em sua recuperação.

— Não tenho fome, obrigada! — ela respondeu, alto bastante para que ele ouvisse.

— Deve comer, mesmo que pouco — ele retrucou e tentou entrar. — O que eu disse sobre trancar a porta?

— Volte mais tarde, por favor! — pediu, ignorando a questão. — Se dormir mais um pouco eu ficarei melhor.

Houve um momento de silêncio até que ele aquiescesse. Não sem prometer.

— Voltarei no final da tarde e espero encontrar a porta destrancada. E não volte a abrir a janela. Está frio. E há esse hábito novo de Krun, que insiste em procurá-la. Está trancado no aviário, mas pode voltar a fugir graças ao lacaio que temporariamente ocupa o lugar de Giles.

— Não temo o frio, muito menos Krun — ela replicou.

— Esse comportamento dele é novo para mim... Temo que a machuque.

— Mesmo que me bique, ou as garras dele me cortem, Krun não causará maior dano do que aqueles causados por um homem.

— Marguerite, o que isso significa? — Logan perguntou depois de mais um instante em silêncio. — Deixe-me entrar.

— Volte mais tarde — Marguerite repetiu o pedido, desejando ter mordido a língua.

— Vou atendê-la e ao voltar, trarei seu chá e a chave mestra.

— Milady...? — Nádia murmurou com pesar.

— Não se aflija. — Marguerite chegou a uma conclusão. — Quando ele vier, deixe que entre. Não tenho fome, mas em algum momento do dia precisarei comer. Devo estar forte para deixar esta cama... E viver a minha vida — acrescentou num sussurro.

Inconformado com a recusa da esposa, Logan ordenou ao lacaio que levasse a sopa de volta à cozinha. Uma vez sozinho, olhou de um lado ao outro, indeciso quanto ao que faria. Sabia por Griffins que Ketlyn ainda não tinha deixado o castelo, mas não se animava a expulsá-la, ainda que merecesse por tudo que fez. Com o mal-estar de Marguerite e sua insistência em se manter reclusa, tudo mais se tornava pífio.

Não havia o que fizesse que não o recordasse dela. Quando se deparava com a armadura de seu ancestral, lembrava-se da amizade entre sua esposa e Dom. Quando não conseguia escapar de algum hóspede que partia, lembrava-se de um bonito cisne azul. Quando se sentou para o almoço na companhia de Lowell e Alethia, sentiu fortemente a falta de sua duquesa.

Tanta falta que estava ali, perdido depois de subir atrás de um desconcertado lacaio para se assegurar que este não derrubaria o alimento que a recuperaria. Era o que Marguerite fazia: povoava sua mente, levava-o a quebrar protocolos, a chocar a criadagem, a fugir das obrigações para com o ducado porque não suportava sentar por mais de dois minutos, Logan pensou, ainda sem saber que rumo tomar.

Diferentemente de seu falcão que se desviou dele quando entrou no aviário para recebê-lo em sua luva, assustou o tratador substituto, derrubando-o, e foi se aboletar na janela de sua nova obsessão ao conquistar a liberdade. Talvez aquela fosse sua explicação. Marguerite era como um imã que a tudo e a todos atraia.

Por essa razão ele não partia. E precisavam conversar sobre tudo que aconteceu depois que a deixou. Com esse pensamento, Logan elucidou outro detalhe que o inquietava: Marguerite devia estar curiosa para saber se ele estava livre, e não estava. Algo além da ressaca a prostrava. Logan ergueu o punho para novamente bater à porta, mas não o fez, sabendo que naquele instante não passava de um covarde por temer nova recusa.

Com um bufo aborrecido, Logan enfim optou por descer. Impaciente ou não um ducado aguardava sua gestão e não poderia ser protelado por problemas pessoais. Antes que se fechasse no gabinete, o duque deixou ordens expressas ao mordomo que fosse avisá-lo caso a duquesa pedisse algo ou deixasse o quarto.

## Capítulo 18

**H**á bons cinco minutos Logan estava em sua cadeira, voltado para a janela, olhando o pátio principal, tendo na mesa ao lado o livro de registros aberto e na mão uma caneta sem tinta, quando bateram à porta.

— Entre! — liberou depois de largar a caneta na mesa e rapidamente se aprumar. A ninguém confessaria, mas esperava por Marguerite e foi custoso encobriu sua decepção ao ver Lowell.

— Eu não queria atrapalhá-lo — começou seu irmão, entrando devagar —, mas precisamos ter uma conversa que não pode mais ser adiada.

— Não atrapalha. Entre, sente-se! — Logan indicou a cadeira diante de sua mesa. Aquela conversa era esperada e necessária. Por eles dois, por Marguerite que os uniu com sua travessa de rabanadas. — Por certo devo começar... Tenho muito a explicar.

— Sim, tem... — Lowell concordou ao se sentar. Quando Logan tomou fôlego e se preparou para falar, ele disse rapidamente: — Mas, nem sempre tem a ver com você.

— Perdão? — Logan franziu o cenho.

— Sei que fica confuso quando não é o centro de tudo — Lowell desdenhou.

— Eu não acredito que veio até aqui para brigar!

— Acalme-se, grande irmão! Não vim para isso. É que às vezes é difícil mudar velhos hábitos. Se acontecer mais uma vez, apenas me ignore.

— Ignorado será! — Logan se comprometeu, encarando-o. — Então, se não se trata de mim, é sobre você? Enfim, saberei o que mudou entre nós?

— Saberá — Lowell confirmou, porém se calou. Logan sustentou seu olhar e escrutinou o rosto tão parecido com o dele mesmo sem que o irmão nada acrescentasse.

— Lowell...? — encorajou-o. — Prossiga! Não pretendo ficar aqui até o Natal.

— Nunca pensei que voltasse a trocar... — Lowell riu mansamente e meneou a cabeça. — O poder do efeito Marguerite.

— Sim... — Logan confirmava também com a cabeça, encarando-o. — Além de ela alegrar meus dias, opera milagres, como este de nos unir aqui, ambos dispostos a abrir o coração. Não torne o feito dela vão. Por favor, prossiga!

Lowell voltou à seriedade, estalou os dedos e olhou de um lado ao outro, impacientando o irmão. Antes de Logan tornasse a pedir, o jovem se moveu para tirar algo do bolso interno de seu casaco. Sem levantar o olhar, o que pegou ele colocou sobre o livro de registros e empurrou para frente. Logan viu se tratar de um maço de cartas. Mais cartas? Ele começava a temê-las.

— O que é isso? — indagou, olhando para o irmão. — E não diga que são cartas.

— É o que são — disse Lowell, voltando a encará-lo. — Considere meu presente.

— Presente? — Logan olhou das cartas ao irmão. — Papéis velhos e sujos?

— Tem razão! Em que eu estava pensando, não é mesmo? Não deve sujar vossas mãos. — Lowell se levantou abruptamente, e Logan foi mais rápido, cobrindo o maço de cartas antes que o irmão as pegasse de volta.
— Isso não lhe pertence! — Lowell ciciou.

— Dado não é roubado. — Logan não se importou de amassar as cartas já tão amarrotadas. Com todas em sua mão, recostou-se. — Sente-se, Lowell! Como vê, já sujei minha mão. Aceito o presente. Agora, se me der licença...

Ambos se encararam por um instante antes que Lowell finalmente se sentasse e esperasse. Quando acreditou que o irmão não recolheria as cartas, Logan pegou uma delas, a primeira, e deixou as outras diante de si; à mesa. De fato o papel estava sujo. O duque reconhecia limo e poeira. As beiradas e as dobras estavam roídas, a tinta esmaecida, porém legível. Era uma carta de amor, iniciada com: *minha querida*. Fora redigida e enviada a uma duquesa, mas não poderia ser para sua mãe, pois aquela não era a letra de seu pai.

Com um pigarro, Logan prosseguiu com a leitura. O apaixonado remetente deixava a amada saber o quão feliz o fez por corresponder ao seu afeto. Ele pedia máximo sigilo e cautela, pois seus pares não podiam saber do amor que os unia. Àquela altura, Logan novamente pigarreou e se moveu na cadeira. Depois de fitar um irmão ansioso, baixou os olhos para a carta. Quem a escreveu marcava novo encontro, no mesmo lugar do anterior. O local não era citado, logo Logan deduziu ser mais um segredo entre amantes. Sim, isto estava claro.

Prosseguindo com a leitura, o duque encontrou dia e hora para o encontro e, na sequência, o detalhe que confirmou a pior de todas as suspeitas. Ele leu:

*Poderemos estar juntos muitas vezes enquanto Bridgeford estiver em Londres, querida Harriette.*

Lívido, trêmulo, Logan analisou o papel de todos os ângulos, então o baixou e encarou o irmão.

— Não há remetente e o lacre há muito não existe. Sabe quem é o canalha?

— Se não descobriu pela letra — disse Lowell, tão lívido quanto ele —, leia mais.

— Então, o pulha é conhecido? — Logan elucidou. Sem entender a péssima piada do irmão ao lhe entregar provas da traição de sua mãe como um presente de aniversário, Logan largou aquela carta e pegou a seguinte.

Seguia o padrão da primeira, com juras de amor, declarações do quanto apreciou estar com ela e o pedido de um novo encontro. Daquela vez Logan não se dirigiu ao irmão. Apenas pegou outra carta, e mais outra. O teor era o mesmo, mas a cada linha ele se tornava ávido por sentir a familiaridade com a letra. Ele já a vira em algum lugar, muitas vezes. Logan sentia que logo descobriria a identidade do traidor, quando perdeu a linha de raciocínio ao ler:

*Minha amada, minha querida, Harriette. Não sabe quanto me alegra saber que carrega o fruto de nosso amor em seu ventre.*

— Temos um irmão bastardo?! — Logan encarou Lowell; ambos estáticos em suas cadeiras. — Quando soube disso? Por que não me contou? Como essas cartas foram parar em suas mãos?

— Restam duas — foi a resposta de Lowell. — Conclua a leitura.

Logan perscrutou o rosto do irmão. Odiando um pensamento que ganhava força, pegou a penúltima carta. Nesta o crápula que engravidara sua mãe reiterava a felicidade pelo filho que viria, havia o pedido de um encontro e algo mais: um convite para a fuga e um nome. Logan o leu repetidas vezes por não acreditar em seus olhos e por fim o fez em voz alta:

— Empenho minha palavra e meu bom nome, Gaston Welshyn, que a farei muito feliz. Gaston Welshyn?! — A pergunta fora feita a Lowell. — Há quanto tempo sabe disso?

— Dez... Nove anos... — Lowell deu de ombros. — Quem se importa?

— Eu me importo! — Nervoso ao extremo, Logan se levantou e passou a andar de um lado ao outro, bufando, passando as mãos pelo cabelo. — Gaston Welshyn e mamãe! Isto é... Isto é... Inacreditável! Papai sabia disso?

— Não faço ideia. E você, não lerá a última carta? É a mais importante.

— Não para mim! — Logan meneou a cabeça. — Não quero saber o que diz.

— Mas é o ápice — Lowell insistiu. Da lividez passou ao forte rubor. — A conclusão épica.

Logan não queria a conclusão que o faria aceitar o que evitava pensar. Inútil recusa, pois não tinha como se manter alheio aos fatos. Alethia se casou quando ele, Logan, era pequeno. E depois dele, ou entre ele e seu irmão, não houve outra gravidez. E havia a predileção de Gaston por seu *sobrinho* Lowell. A conclusão épica era óbvia.

— Pois dispenso tal emoção — Logan disse roucamente, ainda a andar de um lado ao outro. O ar não encontrava o caminho para seus pulmões e ele sabia que sentar tornaria tudo pior.

— Mas eu insisto — falou Lowell, atacado pela mesma rouquidão. Depois de se levantar, abriu a última carta e a estendeu ao irmão. — Precisa conhecer a identidade do bastardo.

— Não! — Agindo por impulso, Logan arrancou a carta das mãos do irmão, pegou todas as outras e caminhou de modo decidido até a lareira.

— O que vai fazer?! — Lowell foi atrás de Logan, tentou detê-lo. — Não pode fazer isso!

— Posso. — Logan se desvencilhou e atirou as cartas ao fogo. — Deu-as para mim, então, eu poderia fazer o que quisesse. Vê? — Ele encarou o irmão. — Já não há bastardo algum.

— Logan... — A voz de Lowell tremeu. — Você sabe que...

— Que somos apenas nós? Eu sei! — Ele apoiou a mão no ombro de Lowell, encarando-o. — Irmãos, filhos de uma mulher que, mesmo com o que fez, amamos. Não amamos?

— Amamos — confirmou Lowell, embargado —, mas não podemos fingir que eu...

— Qual é o seu nome? — Logan o interrompeu, compartilhando a comoção do irmão. Quando este hesitou, insistiu: — Como se chama? Diga seu nome de batismo.

— Lowell... Lowell Alexander de Bolbec.

— Este é você e sempre será.

— Você realmente não se importa?

— Não há razão para me importar — Logan assegurou num murmúrio.

— Por anos carrego essa vergonha... — Lowell não reteve duas lágrimas fortuitas. — Imaginei ver tantas reações se um dia lhe contasse... Menos esta...

— Contava com um rompimento que o livrasse de mim? — Logan gracejou para animá-lo. — Eu não tornaria tão fácil para você. Terá de me aturar até que...

O duque se interrompeu ao ser repentinamente abraçado por seu irmão. Surpreso, estacou, porém logo retribuiu o abraço. Apesar da forte emoção, Lowell não voltou a chorar. Tampouco Logan chorou mesmo afetado pelo contato que há dez ou nove anos não os unia.

— Obrigado! — agradeceu, desferindo tapas nas costas de Lowell. — Marguerite terá de me desculpar, mas o seu presente foi o melhor.

— Papéis velhos e sujos? — Lowell enfim se afastou e o encarou.

— Você — disse Logan, apertando seu ombro. — Você de volta. Posso contar que a partir de hoje tudo voltará a ser como antes?

Lowell torceu os lábios, incerto. Logan não precisou de mais para compreender.

— Ainda não, não é mesmo? Não é apenas pelo teor das cartas que mudou comigo. Se há mais a dizer, faça agora. Vamos esclarecer todas as questões.

— Você sabe o que ainda resta... — Lowell recuou um passo. — Ketlyn.

— Ajudaria a compreender-me se eu dissesse que desde que a vi eu a amei? Antes mesmo de papai apresentá-la para nós? Eu estava disposto a conquistá-la naquela noite e, de repente, ela era nossa madrasta. Quem consegue mandar no coração?

Lowell nada disse, somente escrutinava o rosto do duque. Então, assentiu.

— Posso compreendê-lo, pois acredito que possamos amar ao primeiro olhar, mas nada disso atenua seu erro. Como disse, ela se tornou nossa madrasta. Devia ter feito de tudo para se curar.

— E fiz! Deixei Castle, não se lembra?

— Mas não foi o bastante.

— Não, infelizmente não foi. — Logan meneou a cabeça, arrependendo-se mais por não ter sufocado o que quer que tenha sentido por Ketlyn. Para o irmão e para si mesmo, disse: — Lutei o quanto pude, mas depois da morte de papai, descobri que era correspondido e... rendi-me.

— Ah, Logan! — Foi a vez de Lowell menear a cabeça. — Pela cegueira do amor ou por vaidade nunca viu o que sempre esteve claro. Ketlyn ama a si mesma. E tem outro detalhe que anula qualquer sentimento por parte dela...

— O quê? — Logan não refutaria, pois os últimos acontecimentos provavam cada palavra. Curioso era que o irmão soubesse de mais e parecesse desconfortável. — Que detalhe?

— Receio que me odeie quando souber...

— Agora terá de dizer! — A curiosidade cedeu lugar à preocupação. — Vejo ser algo grave.

— Gravíssimo — Lowell revelou. — Antes que eu diga, quero que compreenda meu motivo para calar. Os tempos eram outros... Não nos entendíamos... E que o odiava por trair a memória do homem que eu sempre admirei. Revoltei-me ao descobrir minha origem por considerar injusto. Você nunca considerou papai como eu.

— Com que base diz isso? — Logan franziu o cenho. — Talvez não tenha demonstrado o quanto admirava e considerava, mas sempre amei papai.

— Não era o que parecia, e já não importa.

— Realmente não importa — Logan fez coro, decidido a voltar ao tema anterior. — Diga o que deporia contra os sentimentos de Ketlyn.

— Lembra-se de sua sensação, quando lhe falei de Ralph West? Sobre eu já ter me valido de seus serviços?

— Vagamente... Se não estou enganado, você negou e disse algo sobre eu estar ébrio.

— Ébrio ou não, estava certo — Lowell admitiu. — Eu o contratei e não havia muito tempo.

— Se estou compreendendo... Pediu que West investigasse Ketlyn?

— Foi o que pedi.
— Por quê?
— Que nunca gostei de Ketlyn não é novidade, mas eu jamais iria contra uma decisão de papai e a aceitei sem nada dizer. No entanto, com o passar do tempo minhas desconfianças de que havia algo errado passaram a aumentar. Sempre que ela se insinuava para mim, eu...
— Ketlyn se insinuava para você?! — Lowell delirava, Logan considerou.
— Sim, mas diferentemente de você, eu não caí de amores por ela. Antes disso, cada vez mais eu a desprezava.

Meneando a cabeça, incrédulo, Logan voltou a se sentar. Em sua mente não cabia aquela informação. Não esteve apenas cego de amor, sim, tornou-se obtuso?! Parecia que sim. Que Lowell revelasse o que sozinho não percebeu!

— Muito bem... Ela se insinuava a você, suas desconfianças aumentaram e...?
— Uma prostituta certa noite se interessou por meu nome, perguntou qual meu parentesco com o duque Bridgeford — disse Lowell ao se sentar.
— Uma prostituta... — Logan apertou a ponte do nariz, mas, antes que desmerecesse a informação, pediu: — Ela explicou a razão da curiosidade? O que tem a ver com Ketlyn?
— Ela era criada de Ketlyn, no tempo em que foi casada com o barão Shepway.

Logan apenas assentiu e com um gesto pediu que o irmão fosse além.

— Logo no início ficou evidente o ódio que dirigido a Ketlyn, um tanto obsessivo. Segundo ela a baronesa não queria concorrência e ao saber do romance extraconjugal, não somente demitiu-a, como espalhou boatos que destruíram a reputação da ex-criada. Sem ter a quem recorrer, restou a prostituição.
— Compreendo... — Logan conhecia um caso parecido, mas não se permitiu divagar. — O que mais ela disse? Que Ketlyn é uma caça dotes? Que matou o barão?
— Não me surpreenderia, mas não foi o que ela disse sobre a vida do casal, sim, o nome de solteira de Ketlyn que me chamou a atenção.
— Como se chamava?
— Ketlyn McGregor.
— McGregor? — Logan franziu o cenho, pensando. — Não a associou a sir Arthur.
— Foi exatamente o que fiz... Assim que deixei a prostituta procurei por West, pois sabia de sua fama. Não há nada que ele não descubra.
— Fama verdadeira — Logan concordou. O homem não descobrira Cora com poucas pistas a seguir? — E o que ele descobriu?
— Está preparado? — Lowell sustentava seu olhar. — Ketlyn é sobrinha de sir Arthur.
— Impossível!
— Tanto é possível que eu fui preso ao conseguir essas informações.

— Fala de Millbank? Disse que foi preso por duelar com um cafetão.

— Para que eu fosse preso sir Arthur precisava de um motivo. Em Millbank eu soube que a investigação de West chegou aos seus ouvidos e que eu passei a ser vigiado. Na noite em que duelei eu tinha comigo provas do parentesco entre Ketlyn e o pulha. Quem seguia meus passos incitou a briga que resultou em minha prisão.

— E McGregor pegou essas provas? — Logan não queria duvidar, mas ainda custava a crer.

— Não somente as pegou como as destruiu e mandou que me espancassem até que revelasse a quem eu havia dito o que descobri. Apanhei um pouco mais ao salientar o quão estúpido era o governador da prisão, pois se me encontrara com West naquela mesma noite, a quem teria dito?

Ketlyn, sobrinha de McGregor! De repente Logan se sentiu o rei dos obtusos, pois jamais se interessou pela família de Ketlyn. Ela lhe bastava. Seu pai com certeza padecera do mesmo mal, pois foi outro que não se prendeu a tal detalhe. Esse pensamento alimentou outro.

— Acredita que ela tenha se aproximado de papai a mando de McGregor?

— Eu sei que sim... — disse Lowell, com segurança. — Ouvi do próprio McGregor que ele instruiu a sobrinha a conquistar papai para prejudicá-lo.

— Foi esta palavra que ele usou? — Logan tremia ante a possibilidade aterradora. — Ou ela foi instruída a matá-lo? McGregor odiava nosso pai.

— A palavra foi prejudicá-lo, mas não me surpreenderia saber que ela adiantou a morte de papai.

— O que me diz é grave, mas não creio que ela fosse tão longe... — O que ele seria se traísse a memória do pai com sua assassina? — Não, ela não iria tão longe!

— Se foi, não há provas. Não se martirize.

— Será impossível — Logan assegurou. — Você deu muito em que pensar. Como, por exemplo, por que não me contou nada disso?

— Como eu disse, os tempos eram outros. McGregor destruiu as provas que eu possuía. Seria a palavra de um irmão irresponsável e ressentido contra a palavra da mulher que ama. Em quem acreditaria quando Ketlyn se enroscasse em você na cama e jurasse não saber sobre o que eu falava?

— Marguerite já estava em minha vida — Logan lembrou-o. — Várias vezes conversamos pacificamente.

— O que eu sentia não tinha passado. Marguerite o transformou, mas o que pesou foram os anos de ressentimento. De certa forma eu queria que você pagasse pelo que fez ao papai. Se você era o novo alvo, que ela o prejudicasse!

— Lowell... — Logan estava estupefato.

— Eu disse que seria você a me odiar.

— Eu não o odeio por isso, eu só... Eu só... — Logan procurava por palavras que atenuassem o que sentia. Por nenhuma encontrar, foi sincero: — Eu só queria esganá-lo!

— Agora que nos entendemos, eu deixaria — disse Lowell. — Não me orgulho da omissão.

— E não deve mesmo se orgulhar — ciciou Logan ao se por de pé.

— O que vai fazer?! — Lowell arregalou seus olhos cinzentos.

— Acalme-se! Em vez de esganá-lo eu vou saber mais dessa história por Ketlyn. Ela tem muito a me explicar.

— Vou com você! — Lowell se levantou ao ver o irmão seguir para a porta.

— Não senhor! — O duque negou, parando-o. — Você vai falar com Alethia. Vai dizer a ela o que sabe sobre Gaston Welshyn e jurar por sua vida que a partir de agora será responsável. Se antes eu não queria receber sua herança, agora terminantemente me recuso a tirá-la de quem tem real direito.

Sem esperar por resposta Logan deixou o gabinete. Seguiu para o hall e para o andar superior apressadamente. No passadiço se reteve ao descobrir que nevava e por um momento seu espírito se acalmou. Marguerite teria um Natal branco. Ele procuraria pela maior e melhor árvore para colocar no hall. Logan despertou de sua divagação ao ver Phyllis.

— Milorde?! — ela se surpreendeu ao vê-lo. — Está à procura de Lady Bridgeford?

— Não tenho de respondê-la — ele retrucou e seguiu seu caminho.

— Milorde, minha senhora não se sente bem e agora dorme — Phyllis insistiu, seguindo-o, falando alto demais. Ignorando-a, Logan foi bater à porta do quarto de Ketlyn.

— Abra! — ordenou, ainda a fazer ouvidos moucos aos protestos da criada, batendo mais. — Abra!

— Um momento! — Ketlyn pediu. Demorou alguns segundos até que ela abrisse a porta. Ao ver sua criada, sinalizou para que esta se fosse e olhou para o duque: — O que houve? Veio me fazer engolir a carta de sua esposa?

Esquecido de seu cavalheirismo Logan fez com que ela entrasse e fechou a porta atrás de si. Iria sabatiná-la, valendo-se do que ouviu de Lowell, quando sentiu que revivia uma cena. Ketlyn estava nua sob o robe, parecia afogueada. De imediato Logan olhou para a janela. Daquela vez não estava aberta, mas algo estava errado. Ele sentia.

— Quem mais está aqui? — indagou, escrutinando o quarto.

— Ora, que pergunta é essa? — Ketlyn seguia seu olhar. — Vê mais alguém aqui?

Era inquestionável. Logan não via ninguém, mas as evidências eram óbvias. A nudez, o rubor, as cobertas remexidas... Sem respondê-la, ele foi até a janela, abriu-a e se debruçou para sanar uma suspeita. Abaixo da janela havia uma pequena marquise. Um homem corajoso poderia facilmente se esgueirar por ela, mas na neve que já acumulava não havia marcas.

— Querido, está ficando paranoico — ela comentou. — Se havia alguém aqui, essa pessoa criou asas? O que eu sempre falei sobre o ciúme?

Não era ciúme! Logan pensou ao encará-la e sentir como se a visse pela primeira vez. Era movido tão somente pela desconfiança. Apesar do romance, apesar de acreditar que um dia a amou, ele não conhecia aquela mulher. E se ela foi capaz de tentar seduzir até mesmo Lowell e estava ali para prejudicá-lo, por que não o trairia?

Fosse como fosse, o único homem que ainda estava em Castle era Mitchell. Se o amigo estivesse escondido naquele quarto para que não fosse flagrado a aproveitar os prazeres que a experiente mulher tinha a oferecer, não era de sua conta.

— Não me recordo do dia em que tenha experimentado este sentimento menor, provocado por você — retrucou, voltando a encará-la. — Aliás, hoje tenho certeza de que nem sequer a amei. Para meu infortúnio e arrependimento eterno, sempre se tratou de sexo.

— Veio diminuir-me? — Ketlyn cruzou os braços, defensiva.

— Não, vim saber um pouco mais sobre a vida de Ketlyn McGregor. Você a conhece?

— Como...? — Ketlyn perdeu a pose altiva, maximizou os olhos. — Como...?

— Como descobri? Isso não interessa! A grande pergunta é: qual sua missão em Castle? Seu querido tio queria que matasse meu pai? Era isso? — Logan não queria altear a voz, mas não se conteve. — Vamos! Diga alguma coisa!

— Logan... Por quem me toma? — Lívida ela meneava a cabeça. — Não sou assassina.

— Sendo assim, em que consistia a ordem de prejudicar meu pai? — Quando Ketlyn escancarou mais os olhos, ele acrescentou: — Sim, eu sei desse detalhe, então não perca seu tempo tentando negar.

— Pois bem... — Ketlyn respirou fundo e se aprumou. — Confesso que me aproximei do duque a mando de meu tio. Ele simplesmente odiava George e pediu minha ajuda para vingá-lo.

Logan se considerava um homem ponderado, mas naquele momento perdeu o senso.

— Desgraçada! — vociferou, avançando um passo. — E o que você fez?!

— Nada! — Ketlyn se esquivou, quando Logan tentou segurá-la. — Não fiz nada porque me afeiçoei a George e desde o início amei você. Acredite!

— Mesmo que eu vivesse mil anos eu não voltaria a confiar em você! Embusteira!

— Não, Logan! — Ketlyn uniu as mãos e rogou: — Acredite em mim! Não fiz nada contra seu pai e jamais faria algo contra você. Há anos não tenho contato com meu tio. Ele deve me odiar agora por isso... Não me odeie você também!

— Pedido impossível de ser atendido — disse ele, impassível. — Sinto que odiá-la será um fato irreversível. E depois de ouvir a confirmação, vinda de você, sinto que nada mais resta a ser dito. Quero que saia de Castle imediatamente.

— Agora?! Com esse tempo horrível?

— Não é da minha conta. Não mais! Tanto que retiro o que disse. De mim nada receberá. Nem casa, muito menos dinheiro. Quero que desocupe a casa da vila o quanto antes. Volte para seu tio e esqueça o caminho para Bridgeford!

— Não pode fazer isso! — Ketlyn bateu o pé, rubra de raiva.

— Tanto posso que estou fazendo. E dê-se por satisfeita porque não estou de todo convencido de que não tenha envolvimento com a morte de meu pai. Melhor ir embora antes que eu resolva requerer uma investigação.

— Quanto a isso tenho minha consciência tranquila, então, não vai me descartar assim!

— Quer apostar? — Ele avançou para pegá-la pelo braço com ganas de atirá-la porta afora.

— Espere! — ela pediu depois de novamente se esquivar. — Eu vou... Apenas deixe que Phyllis me ajude com meus pertences.

— Dou-lhe uma hora — foi sua resposta enquanto marchava rumo à porta. — Nem um minuto a mais. Quando eu voltar aqui, quero encontrar este quarto vazio. Se Phyllis quiser acompanhá-la, diga que ela comunique a Griffins.

— Logan! — Ketlyn o chamou antes que ele saísse. — Tem certeza de que é desse modo que quer encerrar tudo que vivemos? Tenha compaixão.

— Eu vivi, você encenou — ele a corrigiu. — Portanto, veja como compaixão o fato de eu permitir que passe alguns dias na casa da vila. No mais, não desperdice a hora que lhe resta.

Ao deixá-la, Logan seguiu para ala leste e parou diante da porta do quarto de Marguerite. Precisava dela, mas antes que batesse reconheceu que não seria boa companhia; para ela ou qualquer outra pessoa. Com esse pensamento o duque foi para o salão dos retratos. De lá teria uma boa visão do pátio principal e assistiria de camarote a partida definitiva de Ketlyn.

Também teria uma hora para remoer a farsa que viveu nos últimos três anos. Perdido em seus pensamentos não sentiu o tempo correr. Se uma hora se passou ou mais, não saberia, mas Logan viu quando Ketlyn deixou o castelo, sozinha. Como se soubesse que era observada, ela olhou para o alto. A porta envidraçada estava fechada, porém não impediu que seus olhares se encontrassem. Naquele instante Logan sentiu muitas coisas, menos pesar ou tristeza.

A duquesa viúva enfim partia, com três anos de atraso.

# Capítulo 19

— Logan...?

O chamado trouxe o duque de muito longe. Olhando ao redor, Logan viu que ainda estava à mesa, na companhia de Mitchell, Alethia e Lowell. Os dois últimos pareciam especialmente animados, conversando entre si. Antes que Logan dispersasse, eles até mesmo programavam uma viagem a Paris, juntos. Não seria preciso ouvir que a conversa que tiveram sobre Gaston Welshyn havia sido proveitosa. Tanto melhor! Logan pensou antes de se voltar para Mitchell.

— Disse algo? — indagou, olhando-o com atenção, tentando descobrir se o amigo estivera escondido no quarto de Ketlyn.

— Perguntei por que a duquesa não se juntou a nós.

— Marguerite esteve indisposta o dia inteiro e preferiu ter seu jantar no quarto — respondeu.

Ele não apreciava aquela estranha reclusão, mas por ainda estar abalado com os eventos que agitaram aquele dia, não objetou quando Griffins lhe informou que no último instante a duquesa preferiu permanecer no quarto. Saber que ela aventou a possibilidade de descer já o contentou.

— Entendo... — disse Mitchell. — Eu mesmo passei toda tarde no quarto, recuperando-me do baile.

— E não o deixou em momento algum? — Logan quis saber, escrutinando seu rosto.

— Em momento algum — garantiu antes de voltar a comer.

— A neve não nos deixa muitas opções — observou Alethia. — Se eu soubesse que ela viria mais cedo este ano eu teria ido embora pela manhã. Minhas orquídeas precisam de cuidados especiais sempre que a temperatura cai bruscamente.

— Tenho certeza de que estarão bem, quando a senhora retornar — disse Lowell, com afeto. — E se não estiverem eu a ajudarei a tratá-las.

— O que você entende de orquídeas? — Ela riu, divertida.

— Absolutamente nada — Lowell admitiu, sorrindo para a tia —, mas terei imenso prazer em aprender se me ensinar. O que eu seria capaz de fazer em uma semana?

— Por que uma semana? — Logan se interessou pelo assunto.

— Esta bela senhora me convidou para passar uma semana no Solar Welshyn e eu aceitei.
— Ambos estão estranhos — comentou Mitchell, analisando-os.
— De fato estão — Logan concordou e provocou o irmão. — É como se dividissem um segredo, não lhe parece, Dempsey?
— Não há segredo algum! — Alethia fechou a expressão para ele. — Apenas estou disposta a consertar este jovem. Talvez eu até mesmo lhe consiga uma esposa.
Lowell pigarreou, incomodado, porém logo voltou a sorrir e disse:
— Uma coisa de cada vez, titia. Não empurre um vaso com tanta força para não quebrá-lo.
— Concordo com meu irmão — Logan falou. — Uma coisa de cada vez, titia.
— Alethia! Alethia! — ela insistiu.
— E eu não estarei aqui para ver essa transformação — disse, Mitchell, rindo da cena.
— Se houver solução para mim — disse Lowell —, você verá a mudança quando voltar à Inglaterra.
— Receio que não aconteça tão cedo. — Mitchell mirava a carne que cortava. — Estou pensando em dar mais atenção à minha família, em *me* consertar... Pretendo passar um longo período na Escócia.
Logan olhou para o amigo com maior desconfiança. No mesmo dia em que pediu a Ketlyn que partisse e não voltasse Mitchell dizia que ficaria afastado da Inglaterra?
— Aposto que há uma mulher por trás dessa sua decisão — Logan comentou.
— E não são as mulheres as responsáveis por nossas mais importantes decisões? — Mitchell rebateu, encarando-o.
— Sim, elas são! — ele aquiesceu, desistindo da especulação.
Caso o amigo acreditasse que nos braços de uma desqualificada conseguisse se esquecer de Marguerite, que a mantivesse longe e fosse bem-sucedido!
Sem novos temas a tratar, ambos terminaram o jantar em silêncio. Apenas Lowell e Alethia continuaram a debater entre si. E a conversa se estendeu, tanto que depois da sobremesa tia e sobrinho se retiraram para alguma das salas, dispostos a prolongá-la.
Logan convidou Mitchell para degustarem charutos e um último brandy, considerando se devia também sabatiná-lo sobre Ketlyn.
— Agradeço, mas declino — disse Mitchell aos pés da escada. — Partirei pela manhã, então, pretendo me recolher mais cedo.
— O convite estará de pé quando voltar — Logan assegurou, por fim, aceitando ser melhor assim. — Espero que faça uma boa viagem.
— Agradeço, mas vamos deixar as despedidas para amanhã. Por ora, boa noite!
— Boa noite, Dempsey!

Logan acompanhou Mitchell com o olhar enquanto este subia. Em suas cismas Logan não deixou de notar que este não perguntou por Ketlyn como fizeram seu irmão e sua tia. Talvez aquela fosse a resposta para suas desconfianças. Mitchell não perguntou por já saber da partida definitiva da duquesa viúva.

— Não é da minha conta — ele disse a si mesmo, seguindo os passos do amigo.

Ainda avistou Mitchell no corredor e pôde ver em que cômodo estava acomodado daquela vez: no quarto ao lado do que fora ocupado por Henry. Se tivesse insistido em sua busca para solucionar o mistério das cartas ele logo teria sido bem-sucedido.

Agora a desistência era irrelevante, Logan pensou ao retribuir o último aceno de seu amigo antes que entrassem em seus respectivos quartos. No momento, o único mistério a elucidar era o afastamento da duquesa. Ele nunca vira uma ressaca se estender por mais de uma manhã ou incutir no debilitado o desejo de isolamento. Foi com esse pensamento que voltou a bater à porta de ligação.

— Entre!

O consentimento alegrou-o tanto quanto girar a maçaneta e encontrar a porta destrancada. Sua alegria sofreu certo abalo ao encontrar Marguerite sentada em uma das poltronas, lendo tranquilamente. A estranheza estava no modo como se vestia. Aquele vestido azul era o mesmo que usava ao chegar a Castle e ela estava devidamente penteada, como se estivesse prestes a sair.

— Boa noite! — Ele se aproximou devagar, escrutinando seu entorno.

— Boa noite! — ela respondeu ao fechar o livro e pousá-lo em seu regaço.

Os olhos ainda vermelhos e a tez pálida o preocuparam.

— Não se recuperou? — Logan indagou com pesar.

Por alguma razão não conseguia se aproximar mais. Pela frieza com que era encarado, descobriu.

— Amanhã estarei melhor — Marguerite disse com secura —, mas hoje ainda estou fraca. Tanto que me vesti para o jantar e no último minuto resolvi permanecer aqui.

— Foi o que Griffins me disse. — Ele a analisava na tentativa de descobrir o que estava errado. — Por que não se trocou e voltou para a cama?

— Estive nela todo o dia... Quis ficar aqui, lendo.

— E onde está Nádia?

— Eu a dispensei por hoje — respondeu sua esposa, voltando a abrir o livro. Logan entendeu que também estava sendo dispensado e não gostou.

— Vejo que a leitura está interessante, mas poderia deixar este livro de lado?

Marguerite fechou o livro e o encarou. E lá estava a frieza e algo mais que o duque não identificava. Ela nada disse, apenas esperou.

— Precisamos conversar. Não lhe parece? Deixei-a para nos livrar de Ketlyn e em momento algum demonstrou interesse em saber como foi.

— Você nos livrou de Ketlyn?

— Sim! E de modo definitivo, pois descobri que...

— Tenho certeza de que fez o certo pelos motivos certos — interrompeu-o Marguerite, antes de indicar a porta. — Agora, se não se importa...

— Sim, eu me importo! — Logan se impacientou. — O que está acontecendo? Por que está estranha? É porque não vim à tarde, como prometi? Irá compreender quando eu lhe contar tudo que aconteceu.

— Dormi toda tarde, então nem soube que não cumpriu sua promessa.

O tom, gélido como o olhar, enregelou a coluna de Logan.

— Marguerite, não vai me dizer o que está errado?

— Ainda sinto-me péssima — disse ela, roucamente. — Quero apenas descansar.

— Então, deixe-me ficar com você. Não precisamos conversar.

— Prefiro que volte para seu quarto.

— Marguerite, pare com isso! — ele demandou, indo até ela para se abaixar e se apoiar em uma dos joelhos, equiparando as alturas. — Por que está fria e distante? Foi algo que fiz?

Marguerite perscrutou seu rosto com olhos rasos d'água, oprimindo seu peito.

— Foi algo que *eu* fiz — ela revelou no momento exato em que as lágrimas rolaram.

— O que você fez? — Acreditando ter a resposta, segurou uma de suas mãos e arriscou: — Tem a ver com as cartas que recebeu de Dempsey?

— Não! — Marguerite recolheu a mão e secou seu rosto. — Tem a ver com o que permito que façam comigo. Tem a ver com a minha total incapacidade de reconhecer o real caráter das pessoas.

— Marguerite, conte-me o que lhe fizeram! Quem ousou magoá-la? Foi Daisy Duport? Estiveram juntas em algum momento sem que eu não tenha visto? — De repente outra pessoa veio à sua mente. — Foi Ketlyn? Ela veio até aqui depois que a deixei e destilou seu veneno? O que eu lhe disse sobre as mentiras que ela seria capaz de inventar para nos separar?

— O que fizeram? Nada mais do que eu permiti — disse ela, comovida, bravamente lutando contra novas lágrimas. — Quem fez? Alguém que eu já tirei de minha vida.

— Marguerite, seja clara! — Logan rogou, começando a se desesperar. — Dê nome a essa pessoa. Diga-me o que fez?

— Talvez um dia, não hoje... Por favor, Logan! Vá dormir em seu quarto e me deixe voltar para minha leitura.

Logan quis insistir. Sentia como se Marguerite escorregasse por seus dedos como um punhado de areia seca, mas optou por atendê-la. A determinação dela era conhecida e se não estava disposta a falar, não o faria. Com um suspiro de resignação, ele se pôs de pé. Queria abraçá-la forte e beijá-la, mas se obrigou a apenas deixar um casto beijo em sua testa.

— Espero que se recupere e que amanhã esteja disposta a me dizer o que a abateu dessa maneira. Até lá, tenha uma boa noite, meu amor!

— Tenha uma boa noite, Logan!

Marguerite soltou a respiração, aliviada, quando o duque finalmente a deixou. Até ali seu plano corria a contento. A desculpa para que estivesse vestida e pronta para a fuga tinha sido aceita sem levantar desconfianças, nem mesmo em Nádia. Infelizmente não fora forte o bastante para lidar com o duque sem sucumbir ao pranto, mas conseguira fazer com que ele partisse.

Agora restava esperar para colocar em prática a segunda parte do plano: chegar ao pomar sem ser descoberta.

Conseguiria, dizia a si mesma. Seu maior problema seria enfrentar os pastores australianos que auxiliavam os guardas em suas vigílias. Para tanto, contava com a amizade de Dirk e Jabor, e também com a sorte. Marguerite sentia esta estava ao seu lado. Não era menos do que merecia por tudo que descobriu. Se tinha sido tola o bastante para cair naquela arapuca, deveria ter o caminho aberto para se libertar.

Foi com este pensamento que meia hora antes do horário marcado, ela calçou luvas grossas, vestiu o casaco, a capa e deixou o quarto. Com cautela desceu. Para seu desespero, descobriu que Lowell e Alethia conversavam na biblioteca. Era por lá que pretendia sair.

Com o coração aos saltos, guardando em sua memória a imagem de tia e sobrinho que conversavam como velhos e bons amigos, ela alterou seu plano. Certificando-se de que não seria notada, passou apressadamente pela porta da biblioteca e seguiu até o jardim de inverno, dele passou para o pátio interno. Por ali cortaria uma boa volta até o caminho para o pomar.

Ao abrir a porta que a levaria para fora do castelo, Marguerite apurou os ouvidos. Não ouviu latidos nem nada que lhe indicasse a posição dos cães ou dos guardas. Aquele era o momento de a sorte se fazer presente, ela determinou ao sair e fechar a porta devagar. Depois de ocultar-se sob o capuz, seguiu rumo ao pomar. A neve acumulada durante a tarde tornava a caminhada ruidosa, fazendo com que Marguerite fosse ainda mais devagar.

Quando ouviu o latido dos cães, ela já chegava ao seu destino. Rogando para que outra coisa tenha atraído sua atenção, Marguerite se escondeu. Com o tempo soube que não era por ela que latiram. Tanto melhor! A sorte realmente lhe sorria. Restava esperar.

Por que tinha aceitado participar daquela aventura em uma noite tão fria? Marguerite pensou minutos depois. Estava louca, ela considerou ao ocultar mais o rosto sob o capuz da capa preta. Em meio a um pomar não era esperado que o vento atingisse tanta velocidade ao ponto de aderir vestes ao corpo ou atravessar a trama dos muitos tecidos até atingir os ossos. Era o que acontecia, sem exageros.

Para o bem da verdade, ela considerou, aquele era um pomar diferente daquele que tinha em Apple White. Em Castle as árvores eram poucas, espaçadas, não freavam o vento nem ofereciam esconderijo seguro. A duquesa reconhecia que arriscava demais apenas por ter ido até ali. Se seu cavalheiro demorasse mais a buscá-la, tudo estaria perdido e então...

Não! Marguerite se recusou a pensar nas consequências de sua insanidade. Não queria saber o que seria dela caso fosse descoberta, tarde da noite, esperando seu salvador, escondida atrás do caule de uma macieira providencialmente cercada por arbustos. Os mesmos arbustos que no verão estariam carregados de deliciosos mirtilos. Ela não estaria lá para prová-los, mas também se recusava a pensar no que perderia.

Não havia muito a perder, Marguerite reiterou o pensamento que a exortou a seguir com o combinado. Ao deixar o castelo ela se sentiu como uma das heroínas que interpretava ao brincar com Cora. Sua preferência por vilões era conhecida, também foi fada má, mas por vezes representou a princesa em perigo que depois de resgatada era amada e feliz. Nada menos do que considerava merecer quando se recuperasse de toda mágoa e desilusão.

Entretanto, nas brincadeiras infantis o príncipe encantado não tardava a aparecer. No mundo real ela soube que vilões, mesmo os charmosos, seriam sempre mentirosos e maus. No momento descobria que heróis não eram pontuais. Com desagrado Marguerite lamentou o atraso que punha seus nervos à prova. Estava gelando!

Se Mitchell não viesse... Se ele desistisse dela... Ela não saberia o que fazer. Sabia apenas que devia ouvir a mente, jamais o coração. E nunca, nunca voltar a Castle.

De repente Marguerite ouviu o som de passos apressados, o estalo de um graveto sendo esmagado sob o peso de quem, ou do que quer que fosse, estivesse se aproximando. Seu coração enregelou, obrigando-a a fechar os olhos e se abaixar para que a folhagem a encobrisse.

— Duquesa, está aí? Apareça!

Ao ouvir o sussurro Marguerite abriu os olhos. Cogitou permanecer calada uma vez que não tinha reconhecido a voz, porém logo descartou o cuidado. Não havia como outra pessoa saber que estaria ali além daquele que ela esperava.

Antes que respondesse Marguerite foi sacudida por tremores ininterruptos e duvidou da decisão tomada, no entanto, tinha de ir adiante. Depois de respirar profundamente ela domou o arrependimento inoportuno e deixou a proteção dos arbustos. Pôde ver apenas a silhueta de um homem bem agasalhado, oculto pela escuridão. Por mais que o coração doesse intensamente, ainda valia o que pensou: não podia voltar.

— Estou aqui — disse ela. — Pronta para partir.

❦

Logan não conseguia conciliar o sono sabendo que algo o afastava de Marguerite. Durante a madrugada várias vezes ele foi até a porta de ligação e ameaçou entrar. No último segundo desistia e voltava para a poltrona próxima à lareira, temendo agravar o que já parecia péssimo. Assim agiu até que uma forte inquietação tornou impossível ficar sentado.

Que Marguerite reclamasse da hora! Que o expulsasse! Que brigassem! Qualquer reação violenta seria melhor que aquela falsa calmaria.

Depois de bater à porta Logan não esperou por liberação, apenas entrou. Encontrar o quarto vazio desnorteou-o tanto quanto o alarmou. Era cedo demais para que ela tivesse se levantado.

— Marguerite? — ele foi até o quarto de banho. Não havia ninguém lá. — Onde você está?

Logan deixou o Quarto Josephine e foi até o quarto ocupado por Mitchell, tendo um pensamento a ganhar força. Talvez estivesse enganado quanto a Ketlyn, na verdade, sempre tendo se tratado de Marguerite. Ao bater sem obter resposta, girou a maçaneta e entrou. E mais uma vez ele se viu em um cômodo vazio. A cama estava desfeita, algumas camisas estavam jogadas sobre esta, como se seu dono as tivesse retirado da valise para escolher uma delas às pressas.

Com outro pensamento a ganhar força, Logan foi até o guarda-roupa e escancarou suas portas. Ao confirmar a falta do sobretudo ele correu de volta ao quarto de Marguerite. Sem o menor cuidado abriu as portas do guarda-roupa dela. O casaco e a capa não estavam lá. Recusando-se a aceitar o óbvio, Logan foi até a penteadeira e abriu a caixa de joias. Não conhecia todas as peças, mas sentiu falta de dois ou três colares. Da safira usada em seu aniversário, inclusive.

— Não! — Logan ciciou, indo tocar a sineta com força desmedida.

Queria acordar todos os criados, acionaria todos os guardas e quando encontrasse Mitchell, flagrando-o a roubar sua esposa, matá-lo-ia! Foi com tal espírito bélico que o duque marchou até a sala das armas e da parede retirou uma das pistolas. Depois de municiá-la e escondê-la sob seu colete, voltou para o corredor que levava aos quartos.

Encontrou Nádia que vinha do quarto de Marguerite, confusa.

— Milorde? — Ela parou, encarando-o com olhos arregalados. — Sabe onde está minha senhora? Ela me chamou, mas...

— Fui eu quem a chamou — ele explicou. — Passou o dia de ontem com a duquesa. Saberia me dizer para onde ela pode ter ido tão cedo?

— Eu? Como eu poderia, milorde? Nem sequer sabia que ela havia saído!

— Pois ela saiu — ele sibilou. — Venha! Quero que me diga o que mais falta!

— O que falta?

Logan não se deu ao trabalho de responder. Agarrando-se a um fiapo de esperança, rogava para que estivesse delirando, tirando suposições de coincidências de fácil explicação.

— Olhe tudo! — ordenou a Nádia ao entrar no quarto de Marguerite. — Diga-me que levou o casaco e capa de sua senhora para a lavanderia e que há joias escondidas em outro lugar. Faça-me acreditar que a duquesa não partiu como parece.

Ainda mais assombrada, Nádia olhou em volta, então mirou o duque, sem se mover.

— Lamento, milorde, mas apenas dois vestidos e duas combinações da duquesa estão na lavanderia e as joias costumam ser deixadas todas ali — ela indicou a caixa sobre a penteadeira.

— Quero que me diga mais! — demandou. — Sei que deve lealdade à sua patroa, mas não a perdoarei se for conivente com ela.

— Não sei a que se refere, milorde... — Nádia meneava a cabeça. — Custo a crer que minha senhora tenha saído assim tão cedo, com esse tempo horrível. Talvez ela tenha perdido o sono e passado a noite na biblioteca, como costumava fazer em Apple White.

Logan de imediato olhou para a poltrona que Marguerite ocupava na noite anterior. Teria aceitado aquela explicação lógica, caso não avistasse o livro que ela lia ao encontrá-la. Uma das coisas que conhecia bem sobre Marguerite era sua organização. Ela jamais retirava um livro da biblioteca sem que tivesse colocado o anterior em seu devido lugar.

— Não, ela não está na biblioteca — refutou, indo pegar o livro esquecido. — E apenas perco tempo com essa conversa. A essa altura eles devem estar longe.

— Eles...? — Nádia parecia mais confusa e assustada.

— Se você não sabe quem saberá? — ele desdenhou, agitando o livro. — Talvez Dostoievski tenha a resposta! Talvez...

Logan se calou ao ver cair de dentro do livro um papel dobrado. Depois de atirar o livro à poltrona, abaixou-se. Ao se levantar já desdobrava o que descobriu ser um bilhete. E, então, sua suspeita se confirmou: Mitchell fugira com Marguerite e, ao que tudo indicava, por sugestão dela. Com o coração fundo no peito, trêmulo de ciúme e rancor, Logan apontou para Nádia.

— Vá acordar Griffins e a Sra. Reed. Avise sobre o desaparecimento da duquesa e diga que eu os quero de sobreaviso para o que quer que aconteça.

— Sim, milorde... — Nádia anuiu, chorosa.

Logan nem sequer a ouviu. Com largas passadas seguiu até a escadaria. Descia, quando encontrou Lowell e Alethia ainda acordados.

— Logan? O que faz de pé? — perguntou o irmão, olhando-o com estranheza.

— Poderia perguntar o mesmo a vocês, mas prefiro que me digam se vocês viram a duquesa.

— Não a vejo desde ontem — disse Alethia. — Ela não esteve todo o tempo acamada?

— Tampouco eu a vi — disse Lowell. — Está assim transtornado porque ela resolveu deixar o quarto? Para onde Marguerite poderia ir?

— Não ria, pois não é tão simples — ciciou Logan. — Tenho provas de que ela e...

— O que temos aqui? Uma reunião familiar no meio da madrugada?

Ao ouvir aquela voz, Logan girou nos calcanhares. E lá estava Mitchell, olhando-os com divertida curiosidade. O duque nem sequer pensou ou algo enxergou, antes de ir até o sorridente amigo e socá-lo, derrubando-o com estrondo. Logan ouviu o som de cacos, mas não deu atenção ao detalhe, apenas avançou sobre o homem caído para socá-lo mais.

Daquela vez, Mitchell estava prevenido e se esquivou.

— Está louco, Bridgeford?! — indagou, escapando por um triz de outro golpe.

— Estou e vou matá-lo se não me disser onde está Marguerite! — Logan praticamente rosnou, quando sentiu os braços de Lowell ao seu redor, alheio aos gritinhos de sua tia.

— Como eu poderia saber? — Mitchell retrucou no mesmo tom e pediu: — Solte-o, Lowell! Deixe-nos resolver essa questão. Aceito ser agredido com razão, gratuitamente, jamais!

— Gratuitamente? — Logan desdenhou, ainda sendo contido por Lowell. — Eu sei que planeja fugir com Marguerite!

— O quê? — Lowell e Alethia reagiram ao mesmo tempo e encararam Mitchell com reprovação.

— Está mesmo louco, Bridgeford! Sim, eu tentei conquistá-la, convidei-a para morar comigo, mas ela se recusou e nunca mais voltei ao tema. Já tivemos essa conversa e pensei que estivesse tudo esclarecido.

— Tudo esclarecido? — Logan tentou recuperar o bilhete que colocou em seu bolso. Quando não conseguiu, ordenou ao irmão: — Solte-me! Não vou agredir este traidor, por mais que ele mereça.

Lowell se afastou com cautela, olhando de um ao outro, pronto a apartar a briga iminente. Ignorando-o, Logan pegou o bilhete e entregou a Mitchell que de imediato o leu.

— Eu não escrevi isto — ciciou. — Esta é uma falsificação grotesca de minha caligrafia. Se prestasse um pouco mais de atenção veria que a letra está tremida em alguns pontos.

— Isto é o que diz! — replicou Logan, bravio, recusando-se a receber o bilhete de volta.

— Está me vendo? — Mitchell abriu os braços e girou em seu eixo, olhando ao redor. — E Marguerite? Se fossemos fugir à meia-noite eu estaria com ela, não assaltando a cozinha.

Logan seguiu o local apontado por Mitchell e descobriu o que fizera tanto barulho ao cair: um prato espatifado com bolo e frutas. Escrutinando-o reparou que ele vestia o sobretudo sobre uma camisa mal abotoada, o que explicava a desordem em seu quarto. Ante a prova irrefutável de que o amigo dizia a verdade, a raiva cedeu, deixando espaço apenas para a preocupação.

Foi Lowell a se antecipar, dando voz ao que o duque pensava, usando as palavras exatas:

— Se não foi você, quem escreveu esse bilhete? E, se Marguerite aceitou o chamado, com quem se encontrou?

— Mais perguntas sem respostas — disse Mitchell, igualmente consternado. — Alguém a enganou.

— Com que intenção? — Alethia indagou, olhando para os três homens ao seu redor.

— Milorde! — Griffins surgiu, sendo seguido por Agnes Reed. — Nádia nos relatou que a duquesa desapareceu... Isto está correto?

— Infelizmente, sim — Logan confirmou, com sua mente a girar. Se Mitchell estava ali, a segurar um bilhete falsificado, não havia razão para tratar o desaparecimento como uma fuga. — Temo que ela tenha sido raptada.

— Meu bom Senhor! — A governanta se desesperou. — Quem faria uma coisa dessas?

— Tenho uma vaga desconfiança — disse o duque, pensando nas possibilidades. Se quisesse ajuda para desvendar o mistério, precisaria revelar parte da verdade: — A duquesa foi alertada contra mim e ludibriada ao ponto de querer partir, mas atendeu ao chamado de um falso bilhete.

Logan apontou para o papel que Mitchell segurava. Este o entregou ao mordomo antes que o duque prosseguisse:

— Um encontro foi marcado no pomar, à meia-noite. Já passa das quatro horas, então eu duvido que quem a atraiu esteja lá. Mas farei com que os guardas vasculhem a área em torno do castelo. Enquanto isso, se algum de vocês tiver algo a acrescentar, o mínimo detalhe que pareça irrelevante, eu quero que me contem quando eu voltar.

Decidido, lutando contra o medo que crescia em seu coração, Logan deixou o castelo. O vento frio atingiu-o em cheio, porém a agitação não permitiu que o sentisse. Ao sair para o pátio principal, logo foi visto por Mackenzie.

— Milorde? Algo aconteceu?

— Diga-me você. Não viu ou ouviu nada de anormal esta noite?

— Agora que mencionou... Os cães farejaram algo, mas em nossas buscas não encontramos ninguém. Como se aquietaram, consideramos que tenha sido algum animal pequeno que tenha entrado pelos vãos do portão.

— Lamento informar que suas buscas foram mal realizadas, Mackenzie. Não somente alguém entrou como agora está com a duquesa.

— A duquesa foi levada de dentro do castelo?! — O chefe da vigilância se alarmou. — Como isso foi possível?! Meus homens e eu estivemos aqui a noite inteira!

— Não sei como aconteceu. O que sei que é que quero a duquesa de volta, sã e salva. Reúna os guardas e vasculhem toda a área, sem descanso. Principalmente o pomar, o ponto mais frágil em questão de segurança. Não parem até que tenham pistas do paradeiro da duquesa. Tentarei encontrá-las no castelo e logo estarei com vocês. Espero que não voltem a me decepcionar!

— De forma alguma, milorde! — Mackenzie se aprumou. — Encontraremos a duquesa!

A vontade de Logan era partir com os guardas, mas algo que disse a Mackenzie lhe deu mais no que pensar. Precisava entrar e especular. No hall Logan encontrou apenas Alethia e Lowell a ampará-la.

— Onde estão os outros?

— Quando viu o bilhete a Sra. Reed se lembrou de que havia visto rascunhos com a mesma letra no quarto de Phyllis. Dempsey, Griffins e ela foram até lá.

De certa forma aquela informação não o surpreendia, pois a fragilidade do pomar só poderia ser conhecida pelos moradores de Castle. E quem mais iria querer prejudicar sua esposa além de Ketlyn?

Logan se preparava para ir até a ala dos criados, quando Mitchell surgiu, trazendo pelo braço uma Phyllis sonolenta e arredia, sendo seguido pelo mordomo e pela governanta.

— Aí está nossa falsificadora! — disse Mitchell ao empurrá-la em direção ao duque. — A Sra. Reed se lembrou de ter visto recados semelhantes do quarto dela, então tomei a liberdade de averiguar.

— De bisbilhotar! — Phyllis resmungou, fuzilando Mitchell com o olhar. — Não tinha o direito de remexer minhas coisas!

— Deu-me todos os direitos ao imitar minha caligrafia — ele replicou. — E não apenas a minha. Veja o que mais encontrei.

Logan rapidamente pegou os papéis que o amigo estendia. Enquanto o duque os examinava, Mitchell dizia, sem se importar com os criados:

— Aí tem a carta de Marguerite, a que eu nunca recebi, e vários rascunhos com tentativas de imitação. Nossa falsificadora era aplicada. Quase chegou à perfeição.

— O que tem a dizer sobre isto, Phyllis? — Logan a questionou. — Ketlyn a pagou ou fez o que fez por lealdade à sua senhora?

Phyllis se empertigou e virou o rosto, travando os lábios.

— Calar-se não irá livrá-la da cadeia — Logan disse, contendo-se para não chacoalhá-la.

— Cadeia?! — A pose se desfez quando a criada se desesperou. — Eu não serei presa por imitar a letra de outras pessoas! Lady Bridgeford disse que não haveria mal algum! Disse que eu apenas a ajudava a fazer com que tudo voltasse ao que era antes.

— Pois lamento informá-la que será presa por sua inocente ajuda — Logan replicou. — Por falsificação e participação no rapto da duquesa. No mínimo, pois farei o possível para que seja indiciada por todos os delitos que ainda possa ter cometido.

— Rapto?! — A criada desdenhou, sem temor algum. — A duquesa correu como uma rameira para os braços de outro homem depois de descobrir vossas mentiras, milorde!

Antes que Logan assimilasse todas as palavras, lívida, Alethia se colocou entre eles e esbofeteou a criada antes que ordenasse:

— Meça suas palavras, pequena víbora, antes de se referir à duquesa nesses termos!

— Mantenham essa velha longe de mim! — Phyllis pediu. — E me deixem sair daqui! Nenhum de vocês tem o direito de me interrogar.

— Está sob meu teto, é minha criada e sua participação nesse episódio é inquestionável. Eu tenho todos os direitos — salientou Logan, preocupado com que ouviu antes. — A quais mentiras você se refere? O que sua patroa inventou?

— Lady Bridgeford não inventou nada — redarguiu a criada, novamente de queixo erguido, desafiadora. — Apenas cuidou para que vossa esposa ouvisse a conversa que tiveram na noite anterior. Tudo que a duquesa ouviu, partiu de vossa boca.

Logan sentiu o chão oscilar. Logo compreendeu ter sido ele a estremecer dos pés a cabeça. Não queria crer no que ouviu, mas sabia ser verdade. Não tinha como duvidar ao recordar a frieza, o rancor e as muitas lágrimas que aos poucos foram apagando o brilho dos olhos de Marguerite. Ela descobriu seu erro mais hediondo, de maneira irrefutável!

— Milorde, ao que Phyllis se refere? — perguntou Griffins, confuso.

— À minha completa falta de maturidade, à minha estupidez e leviandade — respondeu o duque, encarando a criada —, mas não estamos reunidos aqui para falarmos de mim, sim, para descobrirmos onde está a duquesa. Diga, Phyllis, quem estava à espera de Marguerite? Ketlyn?

— Não direi mais uma palavra — ela se recusou a responder. — Se serei presa, não tenho de colaborar.

O duque não sentia suas mãos, nem seus pés, mas se obrigou a manter-se firme e centrado. Estava claro que perdera Marguerite, que não teria palavras para implorar por perdão, mas o que realmente importava era encontrá-la e trazê-la para a segurança do castelo. Mesmo que depois ela partisse. Se para tanto seria obrigado a forçar Phyllis a falar, de algum modo, sem usar força, oferecendo-lhe vantagens, ele o faria.

Estava prestes a barganhar, quando a porta principal foi aberta para que, sem cerimônia, o chefe da vigilância entrasse na companhia de oito guardas. O corpanzil de Mackenzie escondia quem vinha exatamente às suas costas, mas bastou que ele desse um passo à esquerda para que Logan visse o homem que era contido por dois guardas. O capturado caiu de joelhos ao ser largado, com as mãos para trás, indicando estar amarrado.

— Você?! — Logan franziu o cenho e deu um passo à frente.

— Milorde, nós encontramos a entrada para o pátio da ala oeste aberta e fomos averiguar. Sabemos que aquela área estava vazia e estranhamos que houvesse luz em um dos quartos, mesmo que muito fraca. Ao entrarmos o descobrimos instalado como se fosse vosso hóspede. Seus pertences ainda estão lá.

— Este homem nunca foi ou será um hóspede — disse o duque, encarando-o. — O que faz aqui, Emery Giles?

— Como disse seu soldadinho, eu gozava de vossa hospitalidade — Emery zombou.

— Desgraçado! — Logan avançou mais um passou, mas foi contido por Mitchell.

— Contenha-se... — recomendou o amigo. — Caso ele tenha algum envolvimento com o desaparecimento da duquesa pode simplesmente nada falar.

— Não vou tocá-lo — assegurou o duque, desvencilhando-se. Para Giles, indagou: — Se sabe alguma coisa sobre minha esposa é melhor nos dizer agora.

Giles riu sem humor e se manteve calado.

— Não teste minha paciência, Giles! — Logan demandou. — O que fez com Marguerite? Sei que está relacionado ao sumiço dela. Por que mais estaria aqui? Agiu a mando de Ketlyn? Quanto ela pagou? Ofereço o dobro, o triplo se me disser onde encontrar minha esposa.

— Olhe só para *você*! — Emery escarneceu. — Implorando por aquilo que nem todo seu dinheiro, influência e título são capazes de comprar. Quer sua esposa? Procure-a! Estará viva? Quem saberá? E se estiver morta? Seu poder poderá trazê-la de volta à vida?

— Vou matá-lo! — Logan decidiu, sacando sua pistola. Disparou sem remorso, porém Mitchell evitou o pior, empurrando sua mão para cima. O projétil atingiu o teto, assustando as mulheres presentes.

— Por Deus, Bridgeford, tente manter a calma — pediu Mitchell. — Se este infeliz morrer, nós não descobriremos onde está a duquesa.

— Pois devia ter deixado que ele me matasse, escocês — disse Giles. — Nem sob tortura direi onde ela está. Se por sorte a duquesa ainda não estiver morta, o frio se encarregará de providenciar seu fim antes do raiar do dia.

— Por que me odeia tanto?! — Logan indagou, recusando-se a pensar na possibilidade de Marguerite estar morta. — Não pode ser porque o demiti.

— E não é... — disse Giles, altivo. — Eu o odeio como odiava seu pai.

— Está louco! — Logan refutou. — Quando veio para Castle meu pai já havia morrido.

— Mero detalhe. Com a morte do velho e sua vinda para cá apenas surgiu a oportunidade de eu estar perto da mulher que sempre amei.

— Não diga nada! — Phyllis pediu, aflita.

Por um momento Logan considerou ser ela a mulher a quem Giles se referia; alguém sem qualquer vínculo que justificasse o declarado ódio direcionado a ele e ao seu pai. Iria questioná-lo, quando este por si só revelou:

— Refiro-me a Ketlyn, minha esposa.

— O quê?! Louco é o que é, tanto que não darei ouvidos às suas sandices. Quero apenas que me diga onde está Marguerite, a jovem que por duas vezes intercedeu por você, rogando para que eu não o demitisse. Aceito que me odeie, mas a ela não. Se lhe causou algum mal que possa ser reparado, fale agora, antes que seja tarde.

— É bom com as palavras, duque, mas não me comove. A duquesa não fez mais que sua obrigação ao defender-me, tendo em vista que o desobedeci por insistência dela. Era agradável tê-la por perto, mas jamais nos tornamos amigos. A única mulher deste lugar que me interessa é Ketlyn. Pode duvidar do que digo, mas somos casados desde antes que ela cismasse em dar o golpe no barão Shepway. Ela dizia que o velho era louco por ela que lhe deixaria uma fortuna em joias quando morresse, mas adivinhe! O velho falido nada deixou. As joias que deu a Ketlyn não passavam de vidro colorido. Estávamos em péssima situação quando o tio dela falou sobre seu ódio pelo duque de Bridgeford e a convenceu a ajudá-lo em sua vingança.

Enfim as informações batiam. Logan não queria ouvi-lo, o tempo rugia, mas ao perceber que Giles divagava, ele teve esperança que em algum momento este revelasse o paradeiro de Marguerite. Fosse por vaidade ou por descuido.

— Foi Ketlyn quem o avisou sobre a necessidade de um tratador para Krun? — Logan o incentivou a falar.

— Sim. Por um ano aprendi a lidar com aquela ave maldita e me apresentei. Assim eu pude ficar perto dela. O plano teve de ser alterado, já que o último marido, um duque sovina, deixou-a com quase nada. O jeito foi fisgar o novo duque. Ela acreditava que seria mais fácil melhorar nossa condição por intermédio de um jovem apaixonado. E hoje, quando estávamos tão perto de termos uma casa e a *pequena herança* que prometeu, você dispensou Ketlyn sem um pence, como se ela nada valesse. Agora quer que eu me compadeça de vossa esposa? Pois espero que ela tenha quebrado o pescoço caso tenha ficado pelo meio do caminho ou se partido ao meio depois de cair de vez!

Novamente Logan sentiu o chão oscilar. Aquelas palavras só poderiam significar uma coisa.

— Eu sei onde Marguerite está. Reze para que eu esteja errado, Giles — disse Logan. Para Mackenzie ele demandou: — Destaque dois de seus homens para que fiquem com este pulha até que Griffins retorne da vila com o inspetor. Quero-o atrás das grades o quanto antes. Você e os outros virão comigo. Griffins, traga também sir Leonard. Quero o melhor médico para cuidar da duquesa.

Todos ignoraram o riso agourento de Emery Giles.

— Eu o ouvi, milorde! — prontificou-se o mordomo. — Pedirei que a carruagem seja trazida e descerei a colina o quanto antes. Acho que sei onde está a duquesa.

— Então, vai entender quando eu pedir que também peça que preparem a charrete e a levem até mim com cordas, cobertores e mantas.

— O mais rápido possível, milorde.

— Acho que todos nós sabemos onde ela está — disse Lowell, pálido feito cera. — Irei com você, Logan.

— Eu também irei — disse Mitchell. — Só preciso saber o que faremos com esta daqui.

Logan parou e olhou para Phyllis.

— Entregue-a aos guardas que vigiarão Giles e venha — Logan falou e seguiu para a porta.

Ao passar por Emery, que ainda ria, o duque reprimiu o desejo de socá-lo e saiu, tendo os guardas e Lowell atrás de si. Os *Staffies* e os pastores australianos festejaram a aparição de seu dono que, focado em sua tarefa, não lhes deu atenção. Com a neve a cobrir o chão os cães teriam pouco para farejar, mesmo que tentassem. Para dificultar um pouco mais, mesmo que fosse dia, por ser inverno o sol ainda não raiara.

— Para onde vamos? — perguntou Mitchell ao alcançá-lo.

— Para o lugar errado, espero — falou o duque, rogando por piedade a todas as entidades sacras que conhecia. Não por ele, mas por Marguerite, que não merecia sofrer as consequências daquela sórdida história. — Para o lugar errado, meu amigo.

— Assim espero! — Lowell fez coro.

— Tanto mistério me massacra — Mitchell se impacientou. — Marguerite pode mesmo estar morta? O que Giles quis dizer com *cair de vez*?

— Desestabilizar-me apenas... — respondeu Logan. — Espere e verá. Não me faça dizer o que me aterroriza pensar.

— Estou igualmente aterrorizado — Mitchell insistiu. — Você sabe o que ela significa para mim, Bridgeford.

— Em seu lugar, eu preferiria ser mantido na ignorância. Apenas agradeça meu cuidado.

— Estamos indo para o aviário?

— Sim, eu irei! — A questão de Mitchell deu uma ideia ao duque. — Prossiga sem mim, Lowell. Logo eu os alcançarei.

Quando Logan entrou no aviário, Mitchell hesitou entre lhe fazer companhia ou seguir adiante. Venceu a segunda opção. Sozinho com Krun, o duque rapidamente pegou a luva de proteção e a calçou. Pegou também o apito. A ave despertou e passou a observá-lo.

— Sei que está cedo para seu passeio e que ainda está escuro, mas preciso que elimine minha suspeita. Quando eu o soltar na campina, faça o que fez na manhã passada e vá até sua nova amiga.

Logan sabia que o falcão não o compreendia, mas depositou toda sua esperança naquela estranha afeição por Marguerite. Quando retomou o caminho até a campina, ele levava Krun em seu antebraço. No grande espaço aberto, mesmo que o sol tardasse a nascer, o duque facilmente divisou cada silhueta. Todos seguiam para a área cercada que protegia os desatentos da perigosa encosta da colina. Ele notou a pressa dos guardas e de Mitchell, assim como viu que Lowell ficou para trás. Apertando o passo, Logan foi até o irmão.

Perguntaria por que ele parara, quando este se virou, segurando um pano preto.

— É uma capa... — disse Lowell, com seus olhos cinzentos maximizados. — A capa de Marguerite. Eu a encontrei... E a neve está marcada... Os rastros levam para lá.

Logan seguiu com o olhar a direção apontada pelo indicador trêmulo de seu irmão.

— Giles pode ter deixado a capa dela aqui para me torturar — Logan disse aquilo mais para si que para Lowell. — Não aceitarei o pior até que tenha total certeza de que...

O duque se calou e seguiu caminho, deixando o irmão onde estava. Com tantos pés a pisotearem a fina camada de neve, esta derreteu, formando poças de lama que sujavam os sapatos do duque, nada próprios para aquele tipo de solo. Logan pouco se importava. Como Mitchell, Mackenzie e os guardas, ele passou pela falha que de um dia para o outro surgiu na cerca.

Outro detalhe torpe, para atingi-lo, pensou. Marguerite não tinha sido empurrada para o despenhadeiro!

— Milorde, cuidado! — Mackenzie o impediu de chegar mais perto da beirada. Logan parou e tentou acalmar Krun, que se agitou. — Não é seguro ir além. Daqui podemos ver que o solo está mexido. Parece que houve luta e... Eu lamento, mas ao que tudo indica Giles não mentiu. Vossa esposa...

— Não! — foi Mitchell quem negou com veemência, calando-o.

— Se mentiu ou não, logo saberemos — disse Logan, ainda a negar as evidências. Sem nada mais a dizer, sem dar atenção à consternação que crescia em Mitchell, ele soltou Krun.

Logan quis que o falcão voasse para longe, de preferência na direção do castelo, porém a ave deu algumas voltas acima do declive, piou e mergulhou. Logan sentiu como se todo seu sangue fosse drenado naquele instante.

Emery Giles, o desgraçado que teria prazer em matar, realmente não havia mentido. Sua duquesa, seu amor, sua vida, estava morta aos pés da colina.

— Não! Não! Não! — Logan repetia sem notar, sentindo o desespero crescer em seu peito.

— Logan, escute! — Mitchell pediu.

Ao tocar o ombro do duque, passou a receber sopapos para que o soltasse. Logan não queria ser tocado, não queria ser consolado. Queria apenas ter forças para retornar ao castelo e eliminar Emery Giles.

— Pare homem, e escute! — Mitchell pediu com firmeza. — Calem-se todos!

Logan se obrigou a parar quando nem notava que se agitava. O silêncio sepulcral se tornou insuportável, então ele ouviu. Krun piava do fundo do despenhadeiro, mostrando o local exato em que Marguerite jazia. Ao ouvir outro piado Logan compreendeu o pedido de Mitchell. Seu falcão não estava muito distante. Se estivesse mesmo com Marguerite, ela estaria a uns vinte metros abaixo.

Marguerite estava na área plana!

— Onde está a charrete? — Logan indagou, aflito. — Alguém, vá descobrir por que...

— Já está vindo! — Mackenzie avisou no mesmo instante em que o ranger das rodas pôde ser ouvido.

Logan e Mitchell correram ao mesmo tempo até o veículo. Enquanto o condutor aproximava a charrete da cerca, limite que não transporia, ambos pegaram as cordas como que ligados por um silencioso entendimento.

— Eu vou até lá — disse Logan, já a procurar uma das pontas da corda para passar ao redor de seu corpo.

— Quem deve descer sou eu, milorde — disse Mackenzie, aproximando-se.

— Não! Eu descerei — Mitchell se voluntariou. Quando o duque e o guarda ameaçaram refutar sua decisão, ele disse: — Bridgeford, deve estar aqui para recebê-la e você, Mackenzie, será mais útil usando sua força para nos trazer para cima. Por favor, não vamos perder tempo discutindo sobre quem fica ou vai!

Logan ainda preferia que fosse ele a descer, mas deu razão ao amigo. Depois de um profundo expirar, pediu:

— Tenha cuidado e... como Marguerite estiver, traga-a... Viva ou...

— Eu a trarei de qualquer jeito — assegurou Mitchell, tão rouco quanto o duque, livrando-o de proferir a horrenda palavra.

— Confio em você!

— E o que faço com Krun? — Mitchell já prendia a corda ao redor de sua cintura. — Ele me deixará chegar perto?

Sem responder, Logan pegou o apito e chamou o falcão. Obediente, Krun logo surgiu e foi pousar na luva de seu dono. Enquanto Mitchell se preparava, Logan foi acomodar a ave em uma das laterais da charrete, tirou a luva de proteção e voltou para a beirada do abismo.

— Precisaremos de algo que nos ajude. Como uma roldana para que o atrito com a borda não rompa a corda — disse Mitchell, olhando ao redor. — Uma árvore seria o ideal.

— Não há árvores aqui. — Logan também escrutinou seu entorno sem nada encontrar.

— Usem a mim! — determinou Mackenzie, posicionando-se a alguns passos da borda. Para dois de seus homens, ordenou: — Ajudem-me a suportar o peso!

Com o consentimento do duque todos se posicionaram e, então, Mitchell deu início à lenta descida. Logo nem mesmo sua cabeça acobreada podia ser vista. Logan queria chegar mais perto da beirada, mas não ousou. Devia estar incólume para socorrer sua esposa ou vingá-la. Precisava apenas ouvir o que seu amigo tinha a dizer.

— Consegue vê-la, Dempsey? — indagou alto o bastante para ser ouvido.

— Sim! — este gritou da encosta. — A duquesa realmente está na área plana, mas parou perto demais da beirada. Preciso ter cuidado para não derrubá-la.

— Confio em você! — Logan reiterou. — Vai trazê-la para cima.

— Soltem a corda um pouco mais devagar! — Mitchell pediu. — Estou quase lá! Cheguei!

Nesse momento Logan prendeu a respiração, com a mente livre de qualquer pensamento que não fosse ficar ou sair à caça de Giles.

— Eu a afastei da beirada — disse Mitchell, aumentando a expectativa de Logan. — Ela está viva!

O duque nem sequer se importou com a alegria comovida de seu amigo. O amor que este tinha por Marguerite era providencial, pois não haveria outro homem mais qualificado e empenhado em resgatá-la, quando ele mesmo não poderia fazê-lo.

— Está ferida? — Logan quis saber.

— Não sei dizer... — respondeu Mitchell, ainda embargado. — Parece que ela rolou até aqui e se foi assim, talvez não tenha quebrado nenhum membro, mas não tenho como averiguar. Ela está desacordada e gelada. Precisamos tirá-la daqui o quanto antes.

— Traga-a!

— Espere! Preciso livrá-la do vestido. Está úmido, pesado, e tantos panos me atrapalharão! Tenho de fazer isso com cuidado, pois não temos muito espaço.

— Faça seu melhor! — incentivou-o Logan.

— Pronto! Estou amarrando-a a mim — Mitchell avisou. Logo pedia: — Cavalheiros, sejam fortes e constantes. Se falharem, nosso peso poderá derrubá-los.

De imediato, todos os homens disponíveis foram segurar a corda. Até mesmo Lowell se posicionou ao lado do irmão e assentiu. Com todos preparados, Logan ordenou:

— Puxem!

# Capítulo 20

A sensação de estar sendo puxada era terrível. Queria lutar e de algum modo ela o fez, sabia. Porém de nada adiantou. Aquele homem odioso, que um dia pensou ser seu amigo, que não era quem esperava, levou-a para a campina. Arrastou-a. Arrastou-a até que a levasse para a morte. Ela teria de morrer para que outro homem sofresse, mas ele estava enganado. O outro sofreria por outra. O outro sofreria pela beldade a quem ela nunca se equipararia.

Ela tentou avisar, tentou argumentar e de repente estava caindo, rolando, até que parou. E veio a dor, a imobilidade, a neve, o frio, a escuridão. Depois veio um beijo. Vieram muitos beijos. Em sua testa, em seus olhos, em suas bochechas e em sua boca. Veio o balanço. O doce e suave balanço que a levitava. E vieram as vozes, muitas, masculinas. Vozes de desespero, de comando. Veio também o calor que não afastava o frio. E novo balanço, que a movia de um lado ao outro. E em meio a tudo isso a escuridão persistia. A doce e acolhedora escuridão.

Por um tempo houve silêncio. Agora, havia calor e vozes. Não queria ouvi-las. Queria a paz que diminuía a dor, queria o silêncio e a escuridão. Infelizmente sua testa e seu tornozelo latejavam, as vozes ficavam mais altas, começavam a fazer sentido. Eram vozes conhecidas.

— Por que ela não desperta? — perguntou um homem.

— É natural pelo trauma que sofreu — disse outro homem. — Quando menos esperar, ela acordará. Eu a examinei e não há nada que justifique a inconsciência prolongada.

— Foi o que disse ontem, sir Leonard — retrucou o primeiro homem, aborrecido. — No entanto, a duquesa permanece desacordada.

— Acalme-se, Bridgeford! — disse um terceiro homem. — Ela está segura e medicada. Por sorte, incólume, se considerarmos o risco que correu. Agradeça o milagre e tenha paciência.

— Desde ontem eu desconheço essa palavra, Dempsey — disse Bridgeford.

Bridgeford? Aquele era um nome conhecido, assim como Dempsey. E quem era a duquesa? Tudo era tão confuso longe do silêncio e da escuridão! Queria calar as vozes, sem sucesso.

— Deveria se distrair — disse sir Leonard; agora reconhecia o dono de cada voz. — Não tem nada mais a fazer além de ficar aqui?

— Sabe o quanto eu o admiro e respeito, sir Leonard, mas se sugerir que eu deixe este quarto mais uma vez, eu...

— Está bem! — Sir Leonard se rendeu. — Faça como quiser, mas saiba que quem adoecerá será o senhor. Deixa este quarto apenas quando é estritamente necessário. Não dormiu direito, não se alimentou. Aliás, isto vale para os dois! O senhor não está melhor, Sr. Dempsey.

— Não diga isto, doutor, ou Bridgeford me expulsará.

— Jamais aconteceria — assegurou Bridgeford. — Se tem alguém com direitos reais de estar aqui, além de mim, este é você. Nunca serei capaz de agradecer o que fez.

— Sei que faria o mesmo pela mulher que amo — disse Dempsey.

— Eu daria minha vida por ela — confirmou Bridgeford.

— Muito bem! Qual dos dois fiéis guardiões da duquesa irá me acompanhar até a porta. Esses corredores sempre me confundem.

— Tem certeza de que não pode ficar? — indagou Bridgeford. — Se ela acordar...

— Vale o que eu disse ontem — falou sir Leonard, paciente. — Quando ela acordar talvez se mostre confusa. Se ocorrer perda de memória, não force suas lembranças. Dores musculares são reflexos do rolamento pela encosta, normais. Os remédios estão no aparador e tanto a Sra. Reed, Nádia ou o senhor, sabe ministrá-los. Dê-lhe água e bebidas quentes à vontade. Não há restrição para a comida. Caso a duquesa fique gripada ou resfriada, tenha febre alta, forte dor de cabeça e distúrbios estomacais ou intestinais, mande me chamar imediatamente.

— Eu preferia que ficasse, mas se não tem jeito... Dempsey irá levá-lo até a porta.

— Sim, eu irei e depois vou descansar um pouco. Ontem o dia foi atribulado e realmente eu mal dormi. Qualquer novidade...

— Eu mandarei chamá-lo — prometeu Bridgeford. — E, sir Leonard, obrigado!

Depois das despedidas o silêncio reinou. Novamente houve paz e aconchego, mas não durou.

— Querida? Pode me ouvir? Se me escuta, experimente abrir os olhos.

A voz veio de muito perto, sussurrada. Era ela a querida, foi fácil compreender.

— Não pode me escutar, não é mesmo?

Sim, podia, ela apenas não se animava a demonstrar.

— Por favor, meu amor! — De repente ele segurou sua mão e apertou-a junto à testa. Os dedos doíam, mas ela não protestou, pois o cabelo que acariciava sua pele atenuava o incômodo.

— Acorde — ele pediu —, nem que seja para me deixar no minuto seguinte, como já fez! Decretará minha morte, mas não a impedirei se quiser partir com Dempsey. Apenas reaja!

Partir com Dempsey? Por que ela faria isso se apreciava mais aquela voz?

— Quero que veja no que me tornei... Não para que se compadeça, mas para que veja meu declínio até o merecido fim. Hoje sou a sombra do homem que fui e serei nada quando você se for. Se abdicar de meu título ou entregar tudo que possuo fosse suficiente para apagar o erro que cometi, eu o faria sem hesitar. Se eu pudesse prever todo o mal que Ketlyn, Giles e eu causaríamos a você, jamais teria ido até Apple White... Em minha arrogância julguei ser melhor que seus pais, prometi fazê-la feliz e em vez disso, quase a levei à morte.

De repente algo na mente dela estalou e as lembranças vieram com a violência de um vento forte. Era Marguerite Bridgeford, a referida duquesa. Fora arrastada para a morte por Emery Giles, que a encontrou no pomar antes que Mitchell Dempsey fosse buscá-la para que juntos fugissem. E ela partiria para se manter distante daquele que segurava sua mão e lhe dizia todas aquelas coisas, Logan de Bolbec, nono duque de Bridgeford, seu marido!

Com a consciência Marguerite sentiu que suas forças voltavam aos poucos. Sentiu mais forte o latejar em sua testa e tornozelo. Mesmo de olhos fechados, notou que a escuridão se dissipou, mas não se moveu. Se ficasse imóvel talvez Logan a deixasse, ela pensou. Não queria ouvir suas palavras mentirosas.

— O que estou fazendo se você não pode me ouvir? — Logan se perguntou, rindo sem humor. — Na verdade, não importa. Você não acreditaria em mim. Conheço-a bem para saber que nada do que eu diga daqui em diante irá convencê-la de que a amo. Para sempre escutará apenas um novo homem, um que mudou por sua causa, dando voz à leviandade e canalhice de um parvalhão que há meses não existe.

A mente de Marguerite ordenava ao coração que não batesse de modo descompassado, que não reagisse ao que lhe era segredado, mas este usava um argumento forte para ignorá-la: Logan dizia todas aquelas coisas a quem não o ouvia. Além de leviano e canalha, ele seria louco ao mentir para uma pessoa desacordada, sem plateia a impressionar. Para confundi-la mais a voz dele tremeu, denunciando sua comoção.

— Um homem estúpido que comparou o incomparável... A beleza de Ketlyn é vazia, usada como moeda de troca. Hoje eu sei que nunca a amei e é isso que mais me tortura... Saber que traí a memória de meu pai, que magoei você ao ponto de perdê-la e que a coloquei em perigo por frivolidades. Você é linda! Generosa, divertida, sábia. Não me lembro de dias mais felizes do que aqueles que eu passei ao seu lado.

A voz novamente tremeu e Logan chorou.

— Você me ensinou amar e... E quando caiu na encosta... mostrou-me o que é sofrer. Você é tudo que eu tenho, Marguerite! Sei que sentirei a mesma dor, quando... quando acordar e se lembrar que me odeia, mas... prefiro que seja assim... Prefiro que me troque por Dempsey a vê-la morta.

Ao se calar, Logan apertou seus lábios nos dela, arranhando-a com sua barba por fazer, afetando-a, molhando-a com suas lágrimas. Foi inevitável soluçar e igualmente chorar.

— Marguerite...?! — Logan se afastou. — Marguerite? Está acordada?

Marguerite quis responder, mas apenas chorava. Logan sentou na beirada do colchão e passou a beijar sua mão ferida.

— Meu amor! Meu amor! Não chore! Diga alguma coisa... Olhe para mim. — Marguerite respirou profundamente e pouco a pouco passou a erguer as pálpebras. Logan exultou: — Isso, querida! Olhe para mim!

Marguerite tentou abrir mais os olhos, mas a claridade os irritou. Foi preciso piscar algumas vezes, adaptar-se à luz, até que finalmente focalizasse seu marido.

O que ele dissera sobre ser a sombra do homem que foi? Não havia exageros. Logan estava deplorável. O queixo, escurecido pela barba não feita, tremia; o rosto molhado pelo pranto recente parecia desfigurado; as íris azuis se destacavam graças às órbitas vermelhas e às roxas olheiras. Aquele não era o duque que conheceu, o arrogante vilão que a atraiu com mentiras, por motivos ignóbeis. Não! Aquele era um homem que sofria. Que sofria por ela!

— Logan, eu... — Marguerite pigarreou para eliminar a aspereza em sua garganta e revelou a verdade que por um dia inteiro tentou mudar: — Eu não o odeio.

— Santo Deus! — Logan caiu de joelhos ainda a segurar a mão dela e, chorando, rogou: — Perdoe-me! Perdoe-me, Marguerite! Não vá! Não me deixe! Mal consigo respirar só de... só de pensar na possibilidade... Sei que morrerei no minuto em que for embora!

— Pensei ter ouvido que poderia partir — murmurou ela. — O que houve com sua abnegação?

— Ao inferno todos os abnegados! — Logan se aproximou mais para que ficassem face a face. — Se me odiasse eu não teria escolha, mas não me odeia... Você é minha vida! Você...

— Pensei que estivesse delirando ao ouvir suas vozes — Mitchell o interrompeu ao entrar.

Logan pigarreou e levantou devagar, como se não se importasse em ser flagrado de joelhos.

— Eu disse que o chamaria — lembrou-o, secando o rosto com brusquidão.

— Não foi o que fez, não é mesmo? — Mitchell falava com Logan, mas mantinha os olhos em Marguerite enquanto se aproximava da cama, sorrindo. Sem cerimônias ele se sentou na beirada do colchão e segurou a mão que o amigo soltara. — Aí está você! Como se sente?

— Marguerite precisa de repouso — resmungou o duque, contrariado.

— Minha garganta está seca e...

— Não deu água a ela? — Mitchell questionou o amigo, interrompendo-a. Sem esperar resposta, foi até a jarra, despejou água em um copo e a serviu. — Consegue se sentar?

Marguerite ergueu o corpo com dificuldade. Sentiu a testa latejar e dor nos membros; em especial no tornozelo esquerdo. Logan a ajudou com os travesseiros antes que Mitchell lhe entregasse o copo. Ambos a observavam enquanto ela bebia a água, constrangendo-a pelo inusitado da situação. Era casada com um, tentou fugir com o outro e os dois estavam ali, zelando por ela.

— Melhor agora? — perguntou Mitchell, tirando o copo de suas mãos.

— Bem melhor, obrigada!

Depois que o copo foi deixado no criado-mudo, nenhum outro som foi ouvido. Marguerite olhou de Logan a Mitchell depois fitou suas as mãos lanhadas. Para se distrair da intensa observação ela se apegou à curiosidade e ergueu uma das mangas de sua camisola. A dor que sentia era apenas física. Não havia arranhões ou cortes como imaginou, apenas hematomas.

— Suas roupas e suas meias protegeram a maior parte do corpo — disse Logan, como se conhecesse suas questões. A voz grave, rouca, ainda expunha sua comoção. — Você sofreu uma concussão, por isso há um calombo em sua testa. Seu tornozelo está inchado devido à torção. A possibilidade de estar quebrado foi descartada. Seu rosto está como suas mãos, mas sir Leonard pediu que nós a tranquilizássemos quanto a possíveis cicatrizes. Não ficará marcada.

— Isso é muito bom! — Ela esboçou um sorriso para ele.

— Lembra-se do que lhe aconteceu, não? — Logan indagou.

— Sim, eu me lembro... Emery Giles me encontrou no pomar. Disse que... — ela se calou, desconcertada, mas prosseguiu ao entender que sua tentativa de fuga era conhecida: — Disse que ajudaria Mitchell a me tirar de Castle e eu o acompanhei. Na campina, quando percebi para onde ele me guiava, eu quis voltar. Foi quando o Sr. Giles me segurou e tapou minha boca para que não gritasse. Eu tentei lutar, mas ele era mais forte...

— Não precisa dizer tanto — falou Logan, mas não foi atendido.

— O Sr. Giles dizia coisas como: ele sofrerá com sua morte como Ketlyn e eu sofremos todos esses anos, escondendo nosso amor, vivendo de suas migalhas... Será também uma boa vingança contra o filho uma vez que o pai já não existe... McGregor irá nos recompensar, será generoso... Quem é McGregor?

— Um desafeto de nossa família — revelou Logan. — Ele acredita ter perdido minha mãe para meu pai. Eles duelaram e McGregor acabou sendo ferido tão gravemente que perdeu seu posto no Exército. Descobri recentemente que Ketlyn é sobrinha de McGregor e que se aproximou de meu pai para ajudar o tio em sua vingança.

— Acha que ela matou seu pai? — perguntou Mitchell.

— Não me surpreenderia, mas eu creio que não... Para quem procura vingança como McGregor, a morte pode ser considerada um desfecho bom demais. E Ketlyn queria enriquecer às custas de meu pai.

— E onde Emery Giles se encaixa? — Marguerite especulou, estarrecida, confusa.

— Acredite se quiser, Giles é marido de Ketlyn — Logan revelou, impassível. O súbito divertimento veio com o acréscimo: — O casal vivia feliz sob as minhas barbas e desde que foi despedido Giles se mudou da ala dos criados para um dos quartos da ala oeste. O quanto eu sei sobre meu castelo?

— Giles e Ketlyn tiveram a ajuda de Phyllis e de mais dois criados — recordou-o Mitchell, mostrando estar ciente daquela insólita história. — Se nem mesmo Griffins e a Sra. Reed notaram a presença de um invasor, como você poderia?

— Nossa! Giles e Ketlyn... — Tanto a assimilar quando sua cabeça girava, mas Marguerite se esforçava para acompanhá-los. — O Sr. Griffins deve estar arrasado.

— Ambos estão — disse Logan. — Como se já não tivesse tanto para me preocupar, esta manhã eu tive de recusar o pedido de demissão deles dois. Com prazer pedi que expulsassem os traidores, sem cartas de recomendação.

— Realmente, imagino o quanto deva estar aborrecido por descobrir a bigamia de Ketlyn, os anos de traição...

— Não me aborrece como possa imaginar — ele retrucou. — Desde que me apaixonei por você, Ketlyn deixou de ser problema meu. Agora ela é um problema das autoridades. Quando for encontrada, será detida por bigamia e por cumplicidade em uma tentativa de assassinato.

— Quando for encontrada? — Marguerite se agitou.

— Sim, Ketlyn fugiu de Bridgeford — respondeu Mitchell.

— E se ela ainda quiser se vingar?

— Acalme-se, querida! — Logan pediu, tocando o cabelo dela. — Ela não se atreveria.

— Ketlyn pode estar no castelo, como Giles, sem que saibam...

— Vi quando ela partiu, mas diante das últimas descobertas, ordenei que Mackenzie e seus homens verificassem todos os cômodos, todo o entorno de Castle, embaixo de cada pedra. Ketlyn não está aqui — ele assegurou.

Marguerite não tinha tanta certeza, mas assentiu. Permaneceu a encará-lo, presa ao seu olhar, apreciando os delicados toques em sua cabeça. Foi Mitchell quem quebrou o encanto.

— A duquesa se sente forte o bastante para decidirmos algo importante?

— Esta não é a hora, Dempsey — alertou-o Logan.

— Pela cena que flagrei ao entrar, sei que este é o momento exato — retrucou Mitchell. — Não trapaceie, Bridgeford.

— Ora...

— Sobre o que estão falando? — Marguerite interveio, quando percebeu que brigariam.

Mitchell olhou para Logan que travou o maxilar e se empertigou, sem nada dizer.

— Você deu sua palavra — Mitchell o lembrou. — Ou foram mentiras ditas no momento de desespero?

— Mentiras? — Marguerite se reacomodou nos travesseiros, temerosa. — Mais mentiras?

Logan a encarou e deixou que seus ombros caíssem como se suportassem o peso do mundo. Depois de olhar para o amigo, ele novamente a fitou e garantiu:

— Agora, de fato, não há mais mentiras. Foi por construir nosso relacionamento em cima delas que eu quase a perdi, então... Por mais horrível que seja, por mais que a magoe ou fira a mim, sempre direi a verdade e espero que você faça o mesmo.

— O que Bridgeford está querendo dizer é que poderá partir comigo, se ainda quiser — Mitchell se adiantou, mirando-a com ansiedade. — Diga, é o que quer?

— Não deve forçá-la — Logan o repreendeu. — Não foi o que combinamos.

— Combinaram? — Marguerite uniu s sobrancelhas.

— Sim — Logan admitiu —, quando nós a trazíamos para cá, depois que ele a resgatou...

— Foi Mitchell quem me resgatou? — Ela o encarou com admiração, surpresa.

— Foi um trabalho em equipe — Mitchell corrigiu o amigo. — Bridgeford queria descer, mas eu o convenci a ficar e recebê-la. Ele nos puxou para cima com a ajuda de Lowell e os guardas.

— Obrigada! — ela agradeceu aos dois, olhando-os com a mesma adoração.

— Não me agradeça — pediu o duque, soturno. — Não fiz mais que minha obrigação. Foi por minha culpa que correu perigo de morte. Por isso... Foi por isso que, depois que a cobrimos e a acomodamos na charrete para trazê-la até o castelo, eu dei minha palavra a Dempsey. Disse que se você realmente o preferisse a mim, eu não a obrigaria a ficar.

Os olhos de Logan estavam muito abertos, ele respirava com dificuldade. Estava claro que dividiam o mesmo pensamento. Tudo que dissera antes da chegada de Mitchell ia contra o que prometera ao amigo. Ele não a obrigaria, mas implorou para que ficasse.

De repente, Marguerite notou que Mitchell a encarava da mesma forma, respirando aos bocados, e compreendeu.

— Esperam que eu decida agora?!

— Seria generoso de vossa parte — disse Mitchell, voltando a se sentar ao lado dela para segurar sua mão. — Soube da questão agora, mas a mesma nos tortura desde ontem.

Marguerite escrutinou seus olhos, seu rosto abatido, seu cabelo acobreado em desalinho, e sentiu o coração se inundar de ternura. Então olhou para Logan que empertigado ao lado da cama, com o maxilar travado e erguido, fitava as mãos do amigo e da esposa, unidas. Como um orgulhoso prisioneiro que, ciente de seus delitos, aguarda uma sentença já conhecida.

— Logan...
— Sim, Marguerite? — Ele esboçava um sorriso, quando ela pediu:
— Se importaria de me deixar a sós com Mitchell. Ele e eu temos algo a tratar.

A incredulidade tomou a expressão do duque, ele meneou a cabeça.
— Marguerite?! Por favor, não...
— Você empenhou sua palavra — ela o lembrou.

Logan chispou o olhar para Mitchell, ergueu os ombros e pisando duramente deixou o quarto. Marguerite não se surpreenderia caso batesse a porta, mas ele não o fez. Fechou-a lentamente. Ao ver-se sozinho com ela, Mitchell tomou sua outra mão e sorriu.

— Ah, Marguerite! Não sabe o quanto me alegrou saber que aceitou fugir comigo nem o quanto me desesperou ler aquele falso bilhete. Por que não me comunicou diretamente sua decisão?
— Eu não estava pensando direito... Estava ferida, magoada...
— Mais um motivo para ter ido até mim! Eu a teria tirado daqui o quanto antes.
— Eu não duvido.
— Mas não importa. — Mitchell tentou abraçá-la. — Agora tudo está resolvido, meu amor!
— Mitchell, espere! — Marguerite conteve seu avanço, livrando uma das mãos para espalmá-la em seu peito.
— Claro! No que estou pensando? Está dolorida da queda...
— Sim, estou, mas não é isso — disse com cautela.
— Então, o que é? — Ele franziu o cenho e a olhou com atenção. Sem que ela respondesse, elucidou: — Pedir que Bridgeford saísse nada tem a ver com vossa decisão, não é mesmo? Do que se trata? Quer torturá-lo, usando a mim?
— Acredita mesmo que eu seja essa pessoa?
— Não, não é... — Mitchell se desconcertou e passou uma das mãos pelo cabelo. — É que me roubou a alegria tão repentinamente que não soube o que pensar. Perdoe-me!
— Quis falar com você particularmente porque sou eu quem deve um pedido de desculpas.
— Não para mim — ele refutou.
— Sim, para você! Logan me magoou profundamente e minha primeira reação foi usar o que você sente por mim como boia de salvação. Eu o amo, mas como um bom amigo e mesmo sabendo disso, mesmo sabendo que não seria para você o que espera, eu propus que fugíssemos.

— O que sente por mim pode vir a mudar se permitir. E você adoraria a Escócia!

— Não duvido de uma coisa nem de outra, mas não seria justo alimentar um sentimento que talvez jamais seja correspondido como merecido. Tenho certeza de que irá encontrar uma jovem que o ame na mesma medida e que o faça feliz. Não posso roubar-lhe a oportunidade.

— Você poderia roubar tudo mais que quisesse de mim, pois já tem meu coração.

— Diz isso agora, mas com o tempo se ressentiria. Esqueça que um dia eu quis partir com você, aceite seu coração de volta e não o feche para que outra possa entrar.

— No momento eu duvido que possa acontecer, mas não insistirei... Tentei conquistá-la porque não me perdoaria se não o fizesse, mas eu sempre soube se tratar de uma aposta perdida. O que sente por vosso marido não desapareceria de um dia para o outro.

— Fico feliz que me compreenda... — Marguerite sorriu sem humor. — De certa forma, também faço uma aposta. Espero que seja acertada.

— Bem... Antes eu não ajudaria um rival, mas se decidiu ficar, saiba que apostou certo. O homem que vejo desde que descobriu vossa fuga e, depois, quando soube o que Giles lhe fez, é um que eu desconhecia. Quando se confirmou que você havia caído na encosta eu vi a morte no rosto de Bridgeford. Lowell, os guardas e eu vimos o desespero dele depois que eu a trouxe para cima, ferida, fria, desfalecida. Não importa quantas palavras ele empenhe... Se Bridgeford errou, aprendeu a lição e não quer perdê-la.

Marguerite sorriu. Depois de tudo, estava contente.

— Esse sorriso é a prova de que ainda o ama... — Mitchell meneou a cabeça. — Mesmo sabendo disso, neste momento eu seria capaz de beijá-la.

— Você me beijou, não beijou? — Marguerite voltou à seriedade. — Quando me salvou? Eu tenho a vaga impressão de que recebi muitos beijos. Se não foi você...

— Sim, fui eu — ele admitiu. — Bridgeford não foi o único a se desesperar nem a se alegrar ao encontrá-la viva. Vou respeitar vossa escolha e não voltarei a repetir isso, mas... Eu a amo!

Sem que Marguerite pudesse prever, Mitchell se aproximou, tomou-a nos braços e a beijou. O choque e a dor em seus membros a paralisaram por alguns segundos. Sua primeira reação foi afastá-lo, mas venceu a amizade, a compaixão e o profundo sentimento de agradecimento.

Se um beijo era tudo que Mitchell queria, ele teria. Não com ardor, não com paixão, sem abraços ou carinhos, Marguerite se deixou beijar. Então, tão rápido quanto a prendeu, ele a soltou e se levantou.

— Que grande masoquista eu sou, não é mesmo? — Mitchell arfava e sorria. — O que era para ser um beijo de despedida se tornará torturante e eterna lembrança.

— Mitchell... — Marguerite agitou-se, arrependida.

— Não! Se não me dará vosso amor, não me dê vossa piedade. Todos nós devemos arcar com as escolhas que fazemos e, apesar de tudo, eu não mudaria nada do que fiz. Bem... Vou deixar que descanse.

— Obrigada! — Ela sorriu e voltou a se deitar. — Se importa de me fazer um favor?

— Quantos me pedir.

— Não reproduza nossa conversa para Logan.

— E aliviar o sofrimento de Bridgeford? — Mitchell riu brevemente. — A senhora não entende nada de rivalidade amorosa, não é mesmo? Até logo!

— Até logo! — Ao se cobrir, Marguerite ainda ria do gracejo.

No corredor, o duque se empertigou ao ver seu amigo surgir. Este exibia um sorriso satisfeito ao passar e seguir para o quarto que ocupava. E por que não estaria contente quando enfim tinha conquistado a mulher que amava?

Para si nada restava além da derrota e da aceitação, pensou o duque. Fez tudo que pôde. Abriu o coração, implorou de joelhos por perdão e se ainda assim Marguerite queria partir... Bem feito!

Sempre soube que seria assim, Logan reconheceu, olhando para Marguerite do limiar. Vê-la sorrindo ao se acomodar, satisfeita como seu novo par, aniquilou-o. No entanto, ele não voltaria a pedir que ficasse. Apenas cuidaria para que ela tivesse o melhor atendimento e se recuperasse.

Com toda dignidade e resignação que conseguiu juntar, Logan entrou e foi até a cama.

— Logan... — ela começou, mas ele não esperaria que o comunicasse de sua decisão.

— Parece febril — comentou roucamente, recusando-se a pensar no que ruborizou um rosto antes pálido. — Não devia tratar de assuntos delicados quando ainda não está recuperada. Devia ter deixado para falar com Dempsey depois.

— Minha cabeça está um pouco zonza, meus braços e pernas doem, mas sinto-me bem. Queria contar o que decidi o quanto antes.

— Eu digo que poderia ter pensado um pouco mais — ele replicou secamente.

— Não há o que pensar, quando resta uma coisa a fazer — ela redarguiu. — Creio que agora seja hora da nossa conversa.

— Não é — Logan negou, recuando um passo. — Basta de conversas sérias por hoje. Ficou desacordada por mais de vinte e quatro horas e ainda inspira cuidados. Graças ao chá da Sra. Reed eu encontrei sir Leonard ao descer. Ele espera para examiná-la, estando acordada. Foi o que vim dizer. E depois, precisa se alimentar... Vou chamar o médico.

— Logan...?

O duque não lhe deu ouvidos. Saiu para logo em seguida voltar, trazendo um senhor atarracado, de sorriso bondoso e cabelos grisalhos.

Marguerite o conheceu no baile, era o médico à frente da coordenação do hospital.

— Duquesa! — festejou o senhor. — Enfim, despertou!

— Como a princesa que recebe um beijo de amor verdadeiro — ela gracejou.

— Bem, minha presença não é necessária — disse Logan sem rir como fizera o médico. — Vou deixá-los à vontade.

Recolhido em sua insignificância, mortificado por Marguerite não somente duvidar, como zombar de seu amor, Logan deixou o quarto. Sem dar atenção ao irmão e à tia que tentaram pará-lo no *hall* e à porta da biblioteca, respectivamente, o duque foi se trancar no gabinete. Incontinenti serviu-se de uísque e o bebeu a um só gole. Serviu-se de novo e bebeu com a mesma pressa para eliminar o travo em sua garganta. Se não estivesse empenhado em zelar por Marguerite até que se restabelecesse, beberia mais, até entorpecer seus sentidos. Talvez assim doesse menos. Tinha de doer menos!

Rogando para que assim fosse o duque bebeu mais uma dose de uísque e foi se colocar à janela. Dali viu que novamente nevava e ao observar os flocos de neve que começavam a se acumular na vidraça, lembrou-se de algo muito importante que o levou a tomar algumas decisões.

Por sua culpa, não levaria Marguerite a Paris ou a nenhum outro lugar, mas, nem que aquela fosse a primeira e última vez ele teria mais uma lembrança para recordar e, em contra partida, proporcionaria uma noite especial para ela. Para começar a colocar sua ideia em prática, foi até a biblioteca e bateu duas vezes na porta aberta para chamar a atenção de sua tia.

— Resolveu conversar comigo? — a senhora indagou, fechando o livro sobre o colo. — Como está Marguerite?

— Bem, como eu já havia dito — ele respondeu pacientemente. — Vim comunicá-la que hoje o jantar será especial e que conto com sua presença.

— Nada menos do que a data pede! — Alethia se animou.

— Exatamente! Vou falar com Griffins e com Lowell.

— Logan, espere! — a tia o reteve. — Dê-me um minuto de sua atenção, por favor!

— É que tenho tanto a providenciar... — Ele se mostrou indeciso entre ir ou ficar. — Não pode esperar?

— Realmente será breve e prefiro que seja agora, quando estamos sós — ela insistiu, colocando-se de pé. — Entre e feche a porta, por favor!

Logan tinha pressa, mas fez como pedido e foi prostrar-se diante da tia. A senhora esboçou um sorriso, acentuando as rugas em seu rosto, e desferiu leves tapinhas na bochecha do duque como se ele ainda fosse um menino.

— Logan! Sabe que é meu sobrinho querido, não sabe? — indagou, ainda a sorrir. Logan assentiu e se manteve calado para que ela logo prosseguisse: — E acredite que sempre será, mas agora que algumas coisas mudaram... Que seu irmão parece mudado... Eu me vejo obrigada a confessar que sempre quis fazer dele meu herdeiro. Por uma questão de justiça... Eu já sei que pode me entender.

— Sim, eu posso — ele assegurou. — Antes mesmo de descobrir que sua herança pertence a ele por direito eu já havia dito para fazer dele seu beneficiário. Não se recorda disso?

— Sim, eu me recordo, mas não aconteceria sem a mudança que vejo. Fico feliz que tenha acontecido, pois sei que se meu Gaston puder ver o *sobrinho* que tanto amou, recebendo o que deixou, ele ficará feliz.

— Ficará... — Logan tomou as mãos da tia e as beijou. — E a senhora? Realmente sempre quis que fosse assim? Nunca se ressentiu por...

— Oh, querido! — Ela riu levemente, sem humor. — Sou humana. É claro que me ressenti, que chorei, mas nunca odiei sua mãe... E eu a admirei, quando não destruiu dois casamentos por uma ilusão. Deus é testemunha do quanto amei Gaston, mas sei que não fui correspondida, assim como sua mãe e todas as outras mulheres que ele teve não foram. Meu marido era um galanteador nato. Conquistar e negociar eram as melhores coisas que ele fazia. Seu pai não era muito diferente e deixava Harriette sozinha por longos períodos, dava a ela pouca atenção... Um coração solitário facilmente se rende às palavras aliciadoras. Espero que não a julgue.

— Tenho evitado julgamentos, pois não sou a pessoa mais qualificada para fazê-los. E meu pai? Ele soube que...? — Logan não colocaria tudo em palavras.

— Não! Não! Meu irmão nem sequer suspeitou... Para todos os efeitos, Lowell nasceu prematuro.

— Tanto melhor! Tudo será como devido, então. Faça o que tiver de fazer, sem se preocupar comigo.

— Não esperava menos de você, querido.

Logan deixou a biblioteca, envergonhado, rogando para que a tia continuasse inocente quanto à falha dele, como seu pai no que se referia ao deslize da esposa. Agora que tinha voltado à razão e estava livre de Ketlyn, seria desnecessário decepcioná-la. Fosse como fosse, ele não ocuparia sua mente com aquele assunto quando tinha tanto a providenciar.

— Griffins! — chamou, quando já descia para a ala dos criados.

— Milorde? — o mordomo surgiu à porta de seu escritório, sendo seguido pela governanta. — O que houve para que viesse até aqui?

— Algo com a duquesa? — Agnes Reed se alarmou.

— Acalmem-se! — ele pediu, olhando para a porta à frente, sentindo um fabuloso aroma. — É ali a cozinha?

— Sim, mas... Milorde! — Griffins se calou e seguiu o patrão, quando este foi até a cozinha.

— Vossa Graça! — disseram os criados, quase em uníssono, ao reverenciá-lo.

— Bom dia! — ele cumprimentou a todos, olhando ao redor. — Então, foi aqui que a duquesa preparou meu presente.

— Sim, milorde, contra a minha vontade, que fique claro — respondeu Griffins. — Mas, quem pode com a duquesa?

Logan reconheceu admiração e respeito no tom de seu mordomo. Se Marguerite conquistou o sisudo Joe Griffins, que chances ele mesmo teria?

— Ninguém — Logan respondeu com um triste sorriso.

— Exatamente, milorde. E se já viu tudo, peço que volte para cima. Aqui não é lugar para um nobre de vossa estirpe.

— É um lugar tão bom quanto outro qualquer — retrucou o duque, pegando dois morangos de uma farta cesta. Depois de comê-los, dirigiu-se à estática cozinheira. — Parabéns por seu excelente trabalho! Parabéns a todos! — disse às auxiliares e aos lacaios que lá estavam.

Dentre todos abaixo do mordomo e da governanta ele recordava os nomes apenas de Ebert, Alfie e Nádia. Não era admirável que criados sem rosto ou anônimos ajudassem dois impostores a enganá-lo. Com o tempo, aquilo mudaria. Seria um patrão mais atento.

— O... Obrigada, milorde! — O agradecimento dito de cabeça baixa somou-se aos demais.

— É um prazer servi-lo, milorde — falou Alfie.

— Milorde? — indagou o mordomo. — Há alguma razão para vossa excepcional visita?

— Há, sim — Logan respondeu, voltando a se concentrar. — Quis vê-lo o quanto antes, Griffins, por isso simplesmente desci. E já que estou aqui, direi diretamente o que desejo de cada um. Hoje é véspera de Natal, o primeiro da duquesa em Castle, então, decidi que teremos uma noite especial.

Ignorando a súbita animação, Logan disse à cozinheira:

— Não sei o que tinha em mente para a sobremesa, mas se importaria de fazer torta de limão à francesa?

— Sim, Elza a fará — garantiu Agnes Reed, quando ficou claro que na cozinha havia perdido a fala. — Deseja algo mais?

— Para o jantar, este é meu único pedido para Elza. — Logan decorou o nome. — Confio que tudo mais será de nosso agrado. — Ele se voltou para Griffins. — Nem preciso dizer que também confio em seu bom gosto para os vinhos. Sei que escolherá os melhores.

— Com imenso prazer, milorde.

Logan assentiu, satisfeito, e deu sequência aos pedidos:

— Quero escolher um pinheiro que será colocado junto à escada, então preciso que removam o vaso do lugar e também de um ajudante que vá comigo à floresta.

— Não precisa ter todo esse trabalho, milorde — disse Griffins. — Irei com Alfie e traremos o melhor pinheiro que encontrarmos.

— Preciso da distração — Logan refutou a oferta. Se não se ocupasse, aquele seria um longo e angustiante dia, por isso ele determinou: — Alfie me fará companhia. Minha tia já está ciente, então Griffins, eu prefiro que organize o que for necessário e que avise a duquesa, Lowell e Dempsey sobre o jantar. E, Sra. Reed, quero que leve para o *hall* os enfeites natalinos e a base para o pinheiro.

— Será providenciado, milorde.

Com tudo acertado, Logan chamou seu valete e juntos foram ao seu quarto. Precisava se agasalhar.

— Estou errado ou não parece animado para a empreitada, milorde?

— Está errado — respondeu o duque, enquanto o valete escovava seu casaco. — Ainda estou abalado com o que aconteceu à duquesa.

— Quanto a isso... — Ebert parou o que fazia e se colocou diante do duque. — Tenho algo a dizer.

— Quanto ao que aconteceu? — O que seu valete poderia saber?

— Agora que tudo passou, eu poderia ficar calado, mas... Receio não conseguir conviver com meu remorso.

— Do que está falando, Ebert?

— Não disse nada na ocasião, nem depois, por temer perder meu emprego... — Ebert mirava a escova que tinha nas mãos. De súbito, encarou o duque e revelou: — Eu reconheci Giles no instante em que o vi, milorde.

— Você já o conhecia? — Logan franziu o cenho. — De onde? Sabia sobre a ligação dele com minha madrasta?

— Disso eu não sabia, juro pela minha vida! — Ebert negou também com a cabeça. — O que eu poderia tê-lo alertado... O que eu devia ter dito, era que Emery Giles já esteve preso, acusado por roubo e assassinato.

— Como sabe dessas coisas?

— Dividimos a mesma cela, milorde...

Estupefato, Logan escrutinou o valete como se o visse pela primeira vez.

— Você já esteve preso?! Como eu nunca soube disso?

— Por que essa vergonha faz parte de um passado que quero esquecer — respondeu Ebert. Parecia sincero, mas Logan considerou que não tinha como saber.

— E por que foi preso?

— Por perder no pôquer, milorde. Perdi para um amigo tudo que eu tinha e quando ele não quis perdoar a dívida, perdi a cabeça e o feri no braço. Ele não morreria, nas chamou a guarda e fui preso. Teria sido julgado se este amigo não tivesse mudado de ideia e retirado sua queixa. Talvez tivesse sido melhor, pois preso eu teria onde ficar e o que comer. Ninguém queria dar emprego a um bandido. Por dois anos vivi da caridade de um padre. Foi Finnegan quem me ajudou. Ele sabe que sou um homem de bem e me recomendou, lembra-se?

— Sim, eu me lembro — disse Logan ainda sem saber o que pensar. De concreto tinha a boa índole de Ebert, seu discreto servir. Lamentaria se fosse obrigado a demiti-lo. — Se sabia sobre Giles, por que não nos alertou?

— Temi perder meu emprego, milorde — Ebert confessou com dignidade, porém comovido. — Ele também me reconheceu e chantageoume. Se eu fosse despedido pelos motivos que ele denunciaria, eu não teria uma carta de recomendação e voltaria a viver de caridade.

— E o que mudou? — Logan compreendia menos ainda a confissão tardia.

— Ele atentou contra a duquesa! — O valete meneava a cabeça, inconformado. — Por dois anos eu acreditei que no fundo Giles fosse como eu, já que as denúncias contra ele nunca foram provadas. Se tivessem sido, estaria preso, não à procura de emprego. E havia o comportamento exemplar... Se eu tivesse imaginado o que faria... Se eu pudesse... — Ebert se calou por um instante. — Eu entendi vossa pergunta. Apesar de tudo, a duquesa está viva e bem, mas ainda não me perdoo por ter deixado o pulha conviver entre gente de bem. Se ela tivesse... Se...

— Acalme-se, Ebert! — Logan pediu ao notar que lutava contra o pranto. — Como disse, a duquesa está viva. Poderia simplesmente seguir calado.

— Não, milorde, não poderia porque temo o que Emery Giles ainda possa fazer. Vi o ódio que dirigia ao senhor e, ao ser levado, ele prometeu se vingar.

Logan jamais se esqueceria daquele detalhe. Ao entrar com Marguerite nos braços o crápula ainda estava sob a vigilância dos guardas, aguardando a chegada do inspetor. Caso não tivesse pressa para aquecer sua esposa, ele a teria entregado a Mitchell e apagaria a socos a decepção que se estampou no rosto do infeliz.

Depois que sir Leonard chegou e assumiu o trato de Marguerite, já acomodada entre muitas cobertas depois de ter sido limpa e vestida por Nádia e Agnes Reed, ele desceu para receber o inspetor e seus guardas. A conversa não durou mais que dez minutos e então Emery e Phyllis foram levados. Antes que deixassem o castelo Giles jurou que teria sua vingança no mesmo dia em que fosse solto.

Ebert sabia de todas aquelas coisas, pois estava no *hall* quando o patrão chegou com a esposa desfalecida e lá ficou ao ter sua ajuda dispensada. Agora, sabendo tudo que o valete omitiu, Logan compreendia a palidez de sua face ao assistir todo o desenrolar da cena. O duque também compreendia o temor. Dividia o mesmo, pois jamais subestimaria o rancor de homens como Emery Giles, mas não passaria seus dias sendo refém do medo.

— Ele que venha! — disse por fim. — Mackenzie e seus homens já estão de sobreaviso. A vigilância a partir de agora será redobrada.

E em breve Marguerite estará na Escócia, em segurança, Logan pensou com tristeza. Se ficasse, ele a protegeria com sua vida, mas ela decidiu partir...

— Esqueça-se disso! — O que disse para si serviu ao valete.

— E quanto a mim, milorde? Qual será meu futuro?

— Não sei mais do seu futuro agora do que sabia há dez minutos, Ebert — falou o duque, passando a olhar seus braços com exagerada atenção. — Tudo que eu sei é que precisa parar de me contar histórias velhas e tirar todos os ciscos de meu casaco. Começo a considerar que esteja perdendo a mão.

Ebert piscou algumas vezes, confuso, então esboçou um sorriso.

— Não tenho palavras para agradecê-lo, milorde!

— Queria que fosse assim quando me aponta o óbvio — Logan murmurou.

— O que disse, milorde?

— Pedi que se apressasse, pois ainda tenho de encontrar o pinheiro perfeito.

— É para a duquesa, não é?

— Sem dúvida — Logan confirmou.

— Eu poderia ajudar? Com todo respeito, milorde... Gosto da duquesa.

Depois do que ouviu Logan não tinha dúvidas.

— Toda ajuda será bem-vinda. Venha!

## Capítulo 21

— Considera que tenha sido agraciada por um milagre? — perguntou Lowell. O cunhado e a tia estavam no quarto de Marguerite, ele sentado ao lado dela na cama, a senhora acomodada em uma das poltronas. Foi uma grata surpresa para a duquesa vê-los entrar de braços dados. Tanto que dispersava, levando Lowell a gracejar: — Tem certeza de que despertou? Às vezes parece que está dormindo de olhos abertos, irmãzinha.

— Perdoe-me é que... — Marguerite não conseguiria calar sua curiosidade. — Distrai-me ao ver como estão mudados. Sinto que perdi algum detalhe. Por quanto tempo eu dormi.

— Tempo demais — disse Lowell. — Logan ficou como um louco. Não muito diferente de como ficou quando soube que você havia rolado encosta abaixo.

Marguerite estremeceu e disse:

— Mitchell me contou. Obrigada por ajudar a nos trazer para cima!

— Deve agradecer também a Krun. O falcão confirmou que você estava lá embaixo e também nos mostrou que não caiu no precipício.

— Krun fez isso?!

— Tive a mesma reação, querida — disse Alethia. — Aquela ave salvou sua vida.

Marguerite sorriu, pensando no falcão, seu novo amigo. Agora, seu salvador.

— Pedi a Logan que me ensine a lidar com ele — contou.

— Oh, querida! Não será perigoso?

— Sempre há perigo, Alethia, mas acredito que se souber o que fazer o risco diminuirá.

— Minha irmãzinha é destemida! — Lowell sorriu e piscou para ela. — Se domou Logan, não há criatura com a qual ela não saiba lidar.

— É disso que estou falando! — Marguerite apoiou-se melhor nos travesseiros, olhando para o cunhado com curiosidade. — Você e Alethia estão próximos... Seu tom ao se referir a Logan mudou... O que devo entender?

— É exatamente o que está pensando — disse Lowell. — Entreguei as cartas para Logan.

— E como foi?

— Bem, meu tom mudou não é mesmo? — ele brincou. Depois de respirar profundamente, disse: — Logan queimou as cartas. Não quer que saibam... Você sabe o quê.

— E Logan está certo — disse Alethia. — Basta que tudo esteja no lugar. E agora que Lowell voltou a ser o rapaz que eu conhecia, ele será meu herdeiro.

— Não quero falar sobre isso, Alethia.

— E não está falando, querido... Apenas me deixe fazer o que é certo.

— Logan já sabe dessa decisão? — Para Marguerite foi inevitável questionar. — Ele está de acordo?

— Não há com o que concordar, mas por ser quase certo que eu o elegesse meu herdeiro, comuniquei a ele o que farei. E não houve surpresa. Na verdade, mesmo sem saber a origem de Lowell, Logan já havia pedido que eu o beneficiasse. Deve se lembrar, querida. Estava conosco, quando ele tocou neste assunto.

— Sim... — ela murmurou ao se lembrar da visita que fizeram ao Solar Welshyn semanas antes. Durante o chá Logan tentou fazer com que Alethia mudasse de ideia, sem sucesso. Aquela era mais uma prova de que ele havia mudado. Contente, com maior firmeza, falou: — Sim, eu me lembro.

— Pois então, agora que tudo está acertado, não há razão para essa história se tornar notória.

— Realmente, Alethia. Este é um assunto familiar e assim deve ser mantido — reiterou Marguerite.

— Já que falamos em assuntos familiares... — começou Lowell, com tato. — Titia e eu...

— Alethia, querido, não se esqueça — corrigiu-o a senhora. — Isso não mudou.

Lowell sorriu e a atendeu, voltando à seriedade.

— Alethia e eu estávamos acordados quando Logan descobriu sua... fuga. Havia um bilhete, supostamente escrito por Dempsey... Descobrimos que Phyllis o escreveu e assistimos o desenrolar da história. O que não sabemos é por que você abandonaria seu marido.

— Para nós não há segredos — disse Marguerite —, portanto, podemos falar abertamente. Todos sabem sobre Ketlyn e...

— Nós sabemos, querida! — Alethia a interrompeu. — E você descobriu, não foi?

— Sim... E foi demais para mim — confirmou a duquesa, aproveitando a explicação de sua tia. Agora que tudo começava a se encaixar não havia motivo para reavivar ressentimentos.

— Sei que há algo mais — comentou Lowell, analisando-a.

— Algo mais...? — Marguerite se fez de desentendida.

— Sim... Quando estiveram em Altman Chalet, na noite em que Logan abusou do uísque e eu o levei a outro quarto, ele comentou sobre um segredo que, se descoberto, faria com que o deixasse.

— Logan disse isso?! — Ela maximizou os olhos.

— Não revelou o que fez, mas assegurou ser algo grave. Ele até mesmo quis confessar a você, mas eu não permiti.

— Por quê? — Se tivesse sabido antes, por ele, tudo teria sido diferente.

— Uísque é um péssimo conselheiro. Preferi que conversassem quando Logan estivesse sóbrio. Se você descobriu essa falta e se magoou ao ponto de desejar fugir com outro, não sei se foi sábio interferir.

— Cada coisa acontece no tempo certo, não se culpe. E, sim, descobri esse segredo — ela admitiu —, mas este pertence a mim e a Logan. Não quero sofrer novamente, mencionando-o.

— Você o perdoou? — Alethia quis saber.

— Não sei como viveremos a partir de agora, mas sim, eu o perdoei.

— Se entenderem que estão quites eu penso que ambos viverão muito bem. Não me olhe assim, irmãzinha! Se Logan errou, você fez o mesmo. Ou considera fugir com outro algo comum? O bilhete era falso, mas a intenção, real. Eu digo que estão quites.

Julgando o caso com parcimônia, Marguerite reconheceu que seu cunhado tinha razão. Com sua ação impensada, feriu a honra do duque. Restou assentir e teria concordado em palavras se Nádia não tivesse entrado, trazendo uma bandeja.

— Com licença, milady... A Sra. Reed pediu que lhe trouxesse esta sopa — disse a criada.

— Obrigada, mas não estou com fome.

— Nada disso, irmãzinha — disse Lowell, sinalizando para que Nádia entrasse. — Precisa se recuperar logo.

— Eu estou bem — ela assegurou. — Dolorida, mas bem.

— Não discuta conosco, querida — pediu Alethia, pondo-se de pé. — Coma tudo que a Sra. Reed mandar e descanse. Hoje teremos um jantar especial e queremos sua companhia. Vamos, querido!

— Vamos, Alethia! — Lowell sorriu e ofereceu o braço para a senhora. — Vemo-nos mais tarde, irmãzinha.

— Vemo-nos mais tarde... — Ela sorriu para tia e sobrinho que deixavam o quarto, então assentiu para que a criada se aproximasse. Enquanto a bandeja era acomodada em suas pernas, comentou: — Creio que não tenha se passado duas horas desde que a Sra. Reed pediu que você me trouxesse chá com torradas.

— Ficou um longo período sem se alimentar, milady — disse Nádia, sem olhá-la. — Todos nós queremos vê-la recuperada. E esta noite terá o jantar especial, como disse Lady Welshyn.

— Não sei se participarei. — Marguerite pegou a colher para se servir. — Não há uma parte em meu corpo que não esteja dolorida. E meu rosto... Eu ainda não o vi, mas sei que está como minhas mãos...

— Milady saberá tomar a melhor decisão — falou a criada, parada ao lado da cama, de cabeça baixa e mãos postas diante do branco avental.

Marguerite experimentou a sopa, analisando Nádia. A criada agia da mesma forma desde que a serviu depois da saída se sir Leonard. Estava macambúzia, monossilábica, evitava encará-la.

— Nádia, poderia pegar um copo com água para mim?

— Por certo, milady! — Nádia imediatamente providenciou a água e levou até sua patroa, entregando o copo sem olhá-la.

— Muito, bem! — Marguerite deixou o copo na bandeja e demandou: — Vai me dizer agora o que está acontecendo, Nádia. Por que está estranha?

— Não é nada, milady — ela negou, mirando o chão, e embargada sugeriu: — Posso sair e voltar depois para retirar a bandeja. Não quero aborrecê-la.

— E agora está chorando? — Marguerite largou também a colher e, não sem sentir seus músculos reclamarem, cruzou os braços. — Há algo errado e quero saber o que é. Comece olhando para mim, quando eu estiver falando com você.

Nádia ergueu os olhos úmidos e apertou os lábios. Via-se que estava magoada, triste.

— Nádia... Conte-me o que aconteceu. Somos amigas, não?

— Perdoe-me por discordar, milady, mas não somos. Penso até que não sou vossa criada, pois... — A voz tremeu, ela chorou, mas prosseguiu: — Pois partiu sem mim.

— Oh, Nádia! — Marguerite se compadeceu. — Por favor, tire essa bandeja daqui. Coloque-a no aparador e volte.

Depois de fazer como pedido, Nádia voltou e se prostrou ao lado da cama.

— Dê-me suas mãos — Marguerite pediu. Quando a criada segurou as mãos que estendia, puxou-a para que se sentasse no colchão ao seu lado. Nádia tentou objetar, mas cedeu. — Olhe pra mim, Nádia! Vejo que lhe devo um pedido de desculpas.

— Nada me deve, milady. Sou só mais uma criada do castelo. Pelo menos espero que assim seja considerada, pois somente Deus é capaz de saber o que aconteceria comigo sem que Vossa Graça estivesse aqui.

— Está magoada — Marguerite comentou o óbvio.

— Não tenho esse direito — disse Nádia, com resignação. — Como disse, eu...

— É uma amiga que se sente abandonada — Marguerite a interrompeu amavelmente. — Foi exatamente o que eu fiz e se não me perdoar eu serei obrigada a aceitar. Mas, antes que me condene, ouça tudo que aconteceu para que eu agisse sem pensar.

— Não deve explicações para uma criada, milady... — Nádia se agitou e tentou levantar.

— Devo-as a uma amiga — Marguerite insistiu, segurando-a no lugar. — Apenas escute.

Para uma amiga, como faria que estivesse com Cora, Marguerite revelou tudo que passou desde que foi acordada e encontrou o bilhete sob sua porta. Contou para uma atenta criada o que motivou o duque a ir até Apple White em busca da esposa "perfeita". Marguerite omitiu apenas a parte em que foi mencionada a herança de Alethia, pois não estava diretamente envolvida e com a anuência de todos, Lowell era o novo herdeiro.

— Oh, milady! — Com olhos marejados, Nádia se aproximou mais, apertando as mãos da patroa. — Nem sequer posso imaginar o que sentiu ao ouvir essas coisas horríveis.

— Não pode, mas viu ao que elas me levaram — disse Marguerite. — Movida pela dor eu agi sem pensar. Queria apenas sair daqui o quanto antes. Errei com você, sim, mas não podia levá-la e a simples ideia de reproduzir em palavras tudo que ouvi me dilacerava. Não posso dizer o que teria acontecido, mas quero acreditar que, na pior das hipóteses, fosse mandada de volta a Apple White. Bem... Agora que sabe, considera que possa me perdoar?

— Quando milorde encontrou o bilhete e soube de vossa fuga eu me desesperei e depois, quando descobrimos que o recado era falso e que tinha sido vítima do antigo tratador, eu fiquei apavorada. Sei que não devo, mas eu a considero uma amiga e temi perdê-la.

— Nádia! — Marguerite a puxou para um abraço e deixou que a criada chorasse em seu ombro. Comoveu-se com ela, mas domou seu pranto. — É claro que deve. Não foi o que eu lhe pedi? Que fosse minha amiga? Agora peço que me perdoe e esqueça meu ato impensado.

— Depois de tudo que me disse, como eu não a perdoaria? — A criada se afastou e, secando os olhos, também perguntou: — E o que fará agora, milady? Não duvido do que me disse, mas as palavras que ouviu não combinam com as atitudes do marido que vi transtornado com a falsa fuga e praticamente enlouquecido depois que o tratador confessou o que fez. Creio que o duque tenha fortes sentimentos por Vossa Graça.

— Hoje acredito no mesmo, Nádia — Marguerite sorriu. — Por isso não planejo ir à parte alguma, mas o duque ainda não sabe e prefiro que fique assim.

— Como uma pequena vingança, milady? — Nádia sorriu com cumplicidade. — De minha boca ele nada saberá.

— Obrigada, minha boa amiga! Agora, poderia trazer aquela sopa de volta. Nossa conversa abriu meu apetite.

— Agora mesmo! — Nádia se levantou para atendê-la. — Por certo a sopa está fria. Não prefere que eu busque outra?

— Não precisa — disse Marguerite ao receber a bandeja. — Tomarei esta mesmo e depois descansarei. Como disse... Cada pedaço de meu corpo dói.

— Pelo que eu soube, milady rolou por um barranco muito íngreme de quase vinte metros. Se tivesse caído de mau jeito, mesmo onde parou, poderia ter morrido.

— Sim, foi horrível! — Marguerite estremeceu. — As lembranças voltam aos poucos. O Sr. Giles me empurrou, mas eu segurei seu casaco e para

que não fosse comigo ele jogou o corpo para trás. Com isso eu me desequilibrei e apenas rolei. Pela vontade dele, eu teria caído no precipício.
— Ela riu sem humor. — E eu pensei que tivéssemos alguma amizade.
— Homem odioso! — Nádia ciciou. — Espero que seja condenado e apodreça na prisão!
— Será — disse Marguerite. — O melhor que fazemos é esquecê-lo. Agora, deixe-me tomar esta deliciosa sopa fria.
Nádia assentiu, mas não se calou por muito tempo.
— Tem certeza de que não participará do jantar? — indagou quando a patroa finalizava a sopa. — Todos na cozinha estão em polvorosa com os preparativos.
— Devo estar horrível... — Marguerite torceu os lábios, incerta.
— E quem ainda não a viu? Não haverá convidados além dos que estão hospedados no castelo e todos sabem que sofreu um acidente. Está viva, milady! — Nádia sorriu. — É véspera de Natal. Anime-se!
— Convenceu-me! — Marguerite sorriu de volta. Realmente devia se animar, pois escapara por muito pouco da morte certa. — Confiarei que escolherá um belo vestido.
— Escolherei o melhor! — prometeu, indo recolher a bandeja. — Bom descanso, milady!
Marguerite se deitou lentamente, calando gemidos de dor. Ao se cobrir, olhou as mãos, analisou os arranhões e os hematomas. Pelo que via, podia ter ideia de como seu rosto estava. Com cuidado, tocou o ponto que mais latejava em sua testa e descobriu o grande calombo. Seus olhos marejaram, mas não chorou. A nova decisão era não chorar por nada que Giles ou Ketlyn tivesse feito. O mal que causaram a atingiu, mas permanecia viva!
Se havia dúvida as dores confirmariam seu pensamento, Marguerite gracejou para si mesma enquanto se esforçava para ficar de pé, apoiando seu peso no tornozelo bom. Logan não voltou para vê-la durante a tarde, mas fez chegar até ela o aviso de que deveria se animar e se preparar para o jantar. Era o que fazia com a ajuda de Nádia. Preparava-se, mas a cada latejar de sua testa ou do tornozelo torcido ela se perguntava se não seria preferível permanecer na cama.
— Nádia, eu não sei se aguentarei muito mais tempo de pé — avisou.
— Aguente só mais um instante — ela pediu. Já estou terminando de abotoar vosso vestido. Espere... Espere... Pronto!
Marguerite exalou um suspiro de alívio, girou o corpo e se sentou aos pés da cama.
— Nossa! Lembre-me de não rolar ribanceiras nunca mais.
— Não brinque com isso, milady — pediu a criada, séria.
— Brinco para amenizar o horror pelo qual passei. E agora? Resta apenas me pentear, não é? Porque não conseguirei calçar qualquer sapato.

— Nem pensei na possibilidade... Vou apenas penteá-la e enfeitá-la. Eu poderia disfarçar as marcas em seu rosto com pó de arroz, mas não sei se devemos cobrir os ferimentos...

— Não se preocupe com isso. Como você mesma me lembrou, todos sabem de meu acidente e já viram minha péssima figura.

Nádia sorriu e prosseguiu com a tarefa. Finalizava o coque frouxo, quando bateram à porta.

— Entre! — liberou a duquesa. A porta foi aberta, porém ninguém entrou ou falou. Ao olhar para o limiar ela encontrou o duque paralisado, com a mão na maçaneta, fitando-a. — Logan?!

O nome foi dito em tom de chamado, mas foi também a confirmação da surpresa de Marguerite. Logan estava lindo, vestido a rigor para o tão comentado jantar especial, tinha o rosto escanhoado. O único detalhe que o diferenciava do duque empertigado que conheceu era o cabelo revolto e o olhar. Apesar da elegância, Logan estava abatido, sofria silenciosamente.

— Perdoe-me! — ele pediu e finalmente entrou, sem deixar de olhá-la. — Está... linda!

— Como o monstro de Frankenstein — ela retrucou, desconcertada.

— Seus dentes são alvos como pérolas, mas sua pele não é amarela, seus olhos não são cinzas como as órbitas nem seus cabelos corridos ou negros como os lábios retos — Logan gracejou, aproximando-se da cama. — Não... Decididamente não é a criatura descrita por Mary Shelley.

— Uma versão mais humana, talvez. Completamente marcada. Sou a noiva incompleta da criatura — ela insistiu com a pilhéria.

— Falta muito para ficar pronta? — Logan mudou o tema, sem acompanhá-la no humor.

— Terminou o penteado, Nádia? — ela indagou à criada, mirando o marido com atenção.

— Sim, milady... Precisamos apenas escolher as joias que usará.

— O duque parece ter pressa. Talvez seja o caso de...

— Conclua sua arrumação — Logan a cortou, indo se sentar em uma das poltronas.

Nádia se moveu apenas quando a patroa assentiu. Vez ou outra Marguerite olhava para Logan enquanto decidia o que usaria. Sempre flagrava o olhar dele posto nela. Sob a vigilância do duque Nádia enfeitou sua patroa com uma tiara e brincos de rubi. Ela prendia a fita com um belo pingente, quando Marguerite indagou:

— Há algo que queira me dizer, Logan?

— Não — mentiu de pronto. Tinha muito a falar, especialmente ao vê-la se aprontar para o jantar que preparou, sabendo que em breve ela não estaria mais em Castle, mas todas as frases se converteriam em súplicas para que ficasse. Naquele sentido, tudo foi dito e nada mudou. Em todo caso, podia revelar um detalhe: — Estou guardando esse momento em minha memória.

— Não escolheu um bom momento para recordar — disse Marguerite.

— Não imagino melhor momento — ele redarguiu. — Vê-la neste belo vestido vermelho, fresca, penteada e perfumada é como testemunhar um milagre.
— Quanto a isso eu não posso discordar... — ela murmurou.
— Terminei, milady — anunciou Nádia, recuando um passo.
— Então, vá se aprontar, Srta. Riche — ordenou Logan ao se pôr de pé. — Na hora combinada, quero todos conosco.
— Sim, milorde! — Nádia o reverenciou e também à patroa. — Com licença...
— O que está aprontando? — Marguerite uniu as sobrancelhas, desconfiada.
— Se permitir que eu a carregue em breve verá — disse Logan, seriamente. Depois de um pigarro, acrescentou: — Ou eu posso chamar Dempsey, caso não queira que eu...
— Você já está aqui — ela usou o mesmo tom. Era maldade, sabia, mas queria que Logan remoesse a dúvida quanto ao futuro. Para tanto, falou tão logo ele a tomou nos braços: — Sabe? Não vejo problema algum em você me carregar, afinal, ainda é meu marido.
— Sim, eu ainda sou! — concordou guturalmente e, sem que ela esperasse, beijou-a.

Marguerite gemeu de dor e surpresa quando Logan caiu sentado com ela em seu colo. Ato contínuo ele a abraçou pela cintura, não com força excessiva, apenas o bastante para que ela não escapasse. Com a mão livre, segurou-a pelo pescoço e aprofundou o beijo.

Maldade das maldades, Marguerite considerou, pois uma moribunda não deveria ser beijada daquele jeito. Crueldade das crueldades era ter a língua provada com paixão e a nuca acariciada com gentileza; combinação luxuriante que fazia seu sexo pulsar.

— Marguerite, não... — Logan começou e se calou depois de quebrar o beijo, sem se afastar. Lá estava ele, prestes a implorar, apegando-se a um fio de esperança por ter sido correspondido. — Lembra-se do que eu disse? Esta manhã...
— De cada palavra — ela garantiu, recuperando o fôlego. — Gostei de ouvi-las.
— Gostou? — Ele fitou os olhos tão próximos, confuso. — Mas optou por Dempsey.
— Conversar com ele era certo. Não havia outra opção.
— Entendo! — Logan pigarreou e se empertigou. Se nem sequer houve outra opção, não tinha mais o que dizer. — É melhor descermos, então.
— Penso o mesmo — anuiu Marguerite, segurando-se melhor no pescoço do marido.

Logan travou os lábios para se manter calado e levantou com Marguerite nos braços. Com a dura realidade a arreliá-lo, sentindo o olhar dela em seu rosto, ele seguiu pelos corredores e parou no alto da escadaria. Fitando um ponto fixo no andar abaixo, falou roucamente:

— Creio já poder desejar que tenha um feliz Natal.

Marguerite seguiu seu olhar e perdeu o ar. A espera pelo jantar se daria no *hall* naquela noite. Algumas cadeiras estavam dispostas em semicírculo. Diante de uma delas tiveram o cuidado de colocar um banquinho. Marguerite sabia que era para seu pé torcido, porém não foi o cuidado que a extasiou. Via apenas o topo e sabia que aquele não era dos maiores, mas havia um robusto pinheiro no vão entre a escada dupla.

— Logan...? Você se lembrou! — Marguerite exultou. — Procurou a melhor árvore.

— Não pude me afastar muito por causa da neve, mas é uma bonita árvore — disse ele seriamente, antes de começar a descer com cautela.

No *hall*, esperando por eles, estavam Mitchell, Lowell e Alethia. Eles vestiam casacas e ela um lindo vestido azul escuro. Também Griffins, Agnes Reed e Alfie. Os rostos sorridentes se tornaram apreensivos enquanto Logan descia.

— Venha devagar, querido! — pediu Alethia.

Mitchell foi além, subindo alguns degraus para encontrá-los a meio caminho. Antes que ele oferecesse auxílio, Logan sibilou:

— Ela ainda é minha esposa!

Mitchell nada disse. Apenas desceu ao lado deles, claramente pronto a ajudar caso o amigo se desequilibrasse. Ignorando-o, Logan foi acomodar Marguerite na cadeira próxima ao banco no qual gentilmente fez com que ela apoiasse o tornozelo.

— Está confortável? — indagou num murmúrio, muito perto.

— Sim, obrigada! — Marguerite sustentava o penetrante olhar. Se estivessem sós, ela encerraria seu castigo naquele momento. Não precisava de outras provas para o amor do duque.

— Se ficar sentada a incomodar, avise-me imediatamente — ele pediu antes de se afastar. De súbito esboçou um sorriso e indicou o pinheiro fixado num suporte de madeira, colocado sobre um grande e rico tapete. — Aí está sua árvore de Natal. Infelizmente não poderá enfeitá-la, mas todos concordaram em ajudá-la.

— Apenas eu não me ofereci — disse Alethia, indo se sentar ao lado de Marguerite. — Não tenho idade para executar tal tarefa.

Marguerite sorriu para a tia e voltou sua atenção para Logan que prosseguiu:

— Sim, com exceção a Alethia, basta dizer para nós onde cada peça deverá ficar.

Maravilhada, Marguerite olhou para Mitchell e Lowell que assentiam e para a caixa que Logan indicava, próxima à governanta. Apesar de tudo pelo que passou a duquesa considerava aquela a melhor véspera de Natal.

— Posso ver o que tem aí? — ela indagou à governanta.

— Sim, milady! — Sorrindo para ela, Agnes Reed colocou a caixa ao lado da cadeira. Ao se aprumar, disse: — Não imagina o quanto me alegra vê-la bem-disposta.

— Logo estarei recuperada. — Marguerite assegurou e especulou o que havia na caixa. — Tantos enfeites. Alguns parecem novos.

— São novos, querida — informou Alethia. — Lowell e eu fomos à vila e trouxemos o que encontramos a pedido de seu marido.

— Oh, não deveriam ter tido o trabalho — ela comentou, mirando Logan. Ele nada disse, apenas cruzou as mãos atrás das costas, empertigado.

— Não foi trabalho algum — disse Alethia. — Sabe o quanto eu gosto de fazer compras.

— E eu descobri um prazer especial ao acompanhar Alethia — acrescentou Lowell. — Agora, podemos deixar a conversa para depois e colocarmos mãos à obra?

— Sim, claro! — Marguerite voltou a especular os enfeites na caixa. — Poderiam começar com as bolas vermelhas.

— Boa escolha, milady — elogiou Griffins antes de se dirigir ao duque. — Milorde, se nos der licença, a Sra. Reed e eu iremos cuidar do jantar.

— Fiquem à vontade — Logan os liberou. Para Mitchell e Lowell, disse: — Cavalheiros, ouviram a duquesa.

Com discreta animação os três se aproximaram para pegar as bolas citadas tão logo foram deixados pelos criados. Ao se posicionarem junto aos galhos do pinheiro, cada um esperou que Marguerite assentisse ou indicasse outro a ser enfeitado. Sempre que se aproximava para pegar uma nova peça, Logan aproveitava para decorar a imagem da esposa, que sorria contente.

Em seu entusiasmo, Marguerite não notava a seriedade do duque. Ao contrário de Lowell e Mitchell, que descobriram uma nova forma de divertimento ao pendurarem os enfeites em galhos errados, levando a duquesa a ralhar com eles, Logan colocava cada item em seu devido lugar apenas para receber um sorriso de aprovação. Decididamente estava rendido, submisso a ela, no entanto, era tarde para agradá-la. Ele nem sequer tinha sido uma opção!

# Capítulo 22

A verdade que o aniquilava estava explícita no modo como Marguerite sorria para Dempsey, contudo, Logan lutava contra a dor que cruzava seu coração. Como dito a Marguerite, preferia perdê-la a vê-la morta e quando partisse, deixaria aquele momento de divertimento para que ele recordasse. Contentava-o contentá-la, por essa razão Logan se preocupou ao notar o triste olhar que ela dirigia para algum enfeite entre todos que ainda estavam na caixa.

— O que houve? — Ao se aproximar Logan viu que Marguerite mirava um anjinho de porcelana. Era uma peça antiga, de sua mãe. — Não gosta dele?

— Oh, não! — Marguerite meneou a cabeça. — É lindo!

— Então, por que parece triste? — Alethia indagou, mostrando ter notado a súbita seriedade.

— Não estou triste... Apenas me lamentava por não poder ser eu a colocá-lo na árvore. Mas não tenho o direito de me queixar, quando nem deveria estar aqui. E estão fazendo um ótimo trabalho! — Marguerite acrescentou rapidamente, sorrindo para Mitchell e Lowell. — Você também, Logan.

— Não repita isso, querida! — Alethia deu dois tapinhas leves na mão da duquesa. — É óbvio que deveria estar aqui, tanto que está.

— Exatamente! E com todo direito de queixar-se — reiterou o duque, aproximando-se mais para pegar o anjo e entregá-lo a ela. — Se a árvore é sua, nada mais justo que ajude a enfeitá-la.

— Logan... — Marguerite arfou, surpresa, quando ele a ergueu nos braços.

Enquanto era levada, segurando-se nos ombros largos, ela fitava o rosto contrito do duque. Sim, ele a magoou profundamente, mas não restava dúvida de que se esforçava para redimir-se. Ao encontrar o olhar fixo em si, Logan sustentou-o bravamente, tentando decifrá-lo. Havia nas íris azuis uma resolução que o instigou e apavorou na mesma proporção.

— Onde quer que fique o anjo? — Sua grave voz soou rouca e baixa.

— Neste galho frontal para que fique visível — disse ela, sem olhar para lugar algum. Coube a Logan se posicionar junto ao galho que julgou ter maior destaque para que Marguerite pendurasse o enfeite. Depois de fazê-lo, ela o enlaçou pelo pescoço com ambas as mãos e sorriu. — Ficou perfeito, obrigada!

— Quer pendurar outro enfeite? — Logan ofereceu.

— Não pode me carregar o tempo todo. — Marguerite riu brevemente.

— Eu poderia carregá-la a noite toda, senhora.

— Tentador, mas prefiro que me coloque de volta no lugar e ajude aqueles dois a fixarem as velas. Você é o único que me compreende.

— Como é ingrata, minha irmã! — Lowell protestou teatralmente. — Veja como está bonito o meu lado!

Lamentando ter de se afastar dela, Logan colocou Marguerite na cadeira e foi fazer como pedido, vendo ela e seu irmão arreliarem-se. Enquanto fixava porta-velas de ouro nas pontas dos galhos, o duque repetia para si que aproveitasse o momento único. Apesar da iminente partida ele tinha mais a agradecer que lamentar. Seu pensamento se confirmou ao ver o brilho nos olhos de Marguerite, e também nos de Lowell, quando todas as velas foram acesas. Atraído por sua esposa, o duque foi se colocar ao lado dela para admirar a árvore.

— Como lhe parece?

— Logan... — Marguerite não tinha palavras. As árvores que enfeitavam em Apple White ficavam tão belas quanto, porém aquela era a primeira de sua nova vida, depois de praticamente ter renascido. Mais que a imagem, afetava-a o simbolismo. — Está divina!

— Divino seria se Griffins anunciasse o jantar — troçou Lowell. — Toda essa atividade abriu meu apetite.

No tempo perfeito o mordomo surgiu e anunciou, olhando para a árvore com um misto de admiração e apreensão:

— O jantar está servido!

— Vamos? — Logan disse a Marguerite antes de tomá-la nos braços e seguir para a sala de jantar com todos os outros atrás de si.

— Obrigada! — ela agradeceu depois de acomodada na cadeira à direita da cabeceira.

Maravilhada, Marguerite analisava a mesa ricamente decorada. Havia dois belos arranjos de flores coloridas e folhas verdes, saídas do jardim de inverno provavelmente. Os castiçais e os talheres de prata reluziam, as taças de cristal brilhavam. Na louça de porcelana via-se a flor de Lis, símbolo do ducado, em ouro e prata. Sem dúvida aquele era um jantar especial.

Os cavalheiros se sentaram depois de Alethia para que os criados pudessem servi-los. Bastou que a entrada fosse colocada diante de Marguerite para que ela se descobrisse faminta, porém, antes que se dedicasse à sopa de tomate e ervas finas, Logan pediu a palavra:

— Não retardarei o jantar, prometo — disse com leveza e brandura enquanto Griffins servia o vinho. — Antes de iniciarmos, quero dizer a todos que muito me alegra tê-los aqui esta noite. Mitchell, um bom amigo;

Lowell, irmão cuja amizade e afeto eu tive a chance de reconquistar; Alethia, tia forte, generosa; Marguerite... — hesitou, mas a descreveu por quem era — esposa sábia e corajosa, que fez de mim alguém melhor. Se a tivesse perdido para a morte nada restaria em mim. Agradeço a Deus por protegê-la e rogo que a faça muito feliz, esteja onde estiver. Brindemos a isso! — sugeriu ao erguer sua taça.

— À felicidade da duquesa! — Mitchell fez coro, erguendo sua taça.

— À nossa nova fase! — brindou Lowell.

— À união de nossa família e aos amigos! — disse Alethia, sorrindo também para Mitchell.

— Saúde! — disseram todos antes de beberem um gole de vinho.

Depois de Marguerite baixar a taça sob o intenso olhar do duque, ele falou:

— Não deve beber muito mais para que não interfira na ação dos remédios.

— Bem lembrado! — Marguerite sorriu, agradecida e enfim pôde se dedicar à entrada. Do mesmo modo saboreou o prato principal, vez ou outra bebericando água, sem nada dizer.

Em silêncio também permaneceram Logan e Mitchell. Todo assunto ao redor da mesa era mantido entre Lowell e Alethia. Marguerite não participava, mas dava a eles sua atenção, sorria quando diziam algo engraçado, ignorando os olhares que recebia dos cavalheiros silentes. Ao ser servida a sobremesa, contudo, foi impossível para Marguerite calar sua surpresa.

— A Sra. Reed pediu que preparassem torta de limão à francesa!

— Sugestão do duque, milady — informou Griffins.

Marguerite olhou para Logan que confirmou com um discreto mover de cabeça e sorriu.

— Seu doce francês preferido, não é assim? — ele indagou, voltando à seriedade ao recordar tudo que foi dito na ocasião em que ela fizera aquele comentário. Ele jamais a levaria a Paris!

— Meu doce francês preferido é o *Saint Honoré* — revelou Alethia.

— Eu prefiro as francesas — disse Lowell com um impudente sorriso, nada intimidado pelo olhar enviesado do irmão.

— E quem duvidaria disso? — troçou Mitchell antes de sorrir para Marguerite. — Esta torta é mesmo deliciosa, duquesa, mas não a eleja vossa preferida sem antes provar as opções de uma pâtisserie.

— Oh, querida, você amará as pâtisseries! Íamos a Paris todos os anos, Gaston e eu — Alethia suspirou, nostálgica. Logo se animou e olhou de Marguerite a Logan. — Talvez vocês pudessem adotar o mesmo hábito. Poderiam viajar no início da primavera. O clima nessa época é agradabilíssimo e a cidade se transforma com a profusão de flores. Vocês caminhariam do *Arc de Triomphe*, iriam até a *Place de la Concorde* e chegariam ao *Jardin des Tuileries*.

Logan meneou a cabeça com pesar e contida fúria contra si mesmo. Procurava palavras para educadamente refutar a ideia, quando Marguerite sorriu e indagou:
— Para mim parece perfeito. E para você, Logan?
Confuso, Logan franziu o cenho e a analisou. O olhar inocente e curioso em nada ajudou. Marguerite o questionava sobre algo que nunca fariam? Ser tripudiado seria merecido, porém igualmente cruel. Sem saber o que pensar, Logan olhou para Mitchell. Este ergueu os ombros com discrição, exalou um resignado suspiro e assentiu. Logan julgou ter compreendido o gesto, mas se recusou a crer. Seria tolice alimentar esperanças vãs quando ele nem ao menos foi uma opção.
— Logan? — Foi Lowell quem o chamou. — A questão é bem simples. O que há com você?
— Sim, querido... — falou Alethia. — Não seria perfeito levar Marguerite a Paris no início da primavera?
— Talvez ele prefira outra estação — sugeriu Mitchell.
Ou preferisse que todos parassem de torturá-lo, pensou Logan, com azedume. Ele especulava para onde foram a amizade e a união celebradas no início do jantar, quando Marguerite expôs a sua sugestão:
— Ou talvez ele prefira ocasião mais oportuna. Quando as portas de Castle forem abertas para a visitação pública, quem sabe? Eu não me importaria de cruzar com estranhos curiosos, mas para Logan talvez seja enfadonho. Estou certa?
Logan voltou a franzir o cenho, mas bastou que Marguerite erguesse uma sobrancelha de modo inquiridor e assentisse para que a compreendesse. Domando o choque, ele piscou algumas vezes para eliminar a súbita e vexatória umidade que atacou seus olhos. Era ele o escolhido!
Com a revelação o ar rareou e a voz se extinguiu, restando ao duque capturar a mão que a esposa mantinha sobre a mesa e demoradamente beijá-la.
— Podemos considerar que sim? — Marguerite gracejou após domar sua comoção. — Não me importaria ir à Paris com você em qualquer estação ou ocasião.
Logan se aprumou e assentiu com veemência. Seus olhos brilhavam para a duquesa, úmidos e vermelhos, quando bebeu um generoso gole de vinho. Seu peito queimava enquanto todo seu corpo se enregelava. Naquele momento Logan entendeu a espontaneidade da esposa que não se abstinha de demonstrar alegria com entusiasmo fosse onde fosse. Com esse pensamento o duque considerou certo e merecido expor-se, tanto que arrastou a cadeira com estrondo e abaixou-se ao lado de Marguerite, apoiando-se em um dos joelhos.
— Logan?! — Ela o encarou, surpresa e confusa, quando sua mão foi presa mais uma vez.

— Todos que aqui estão sabem que eu quase a perdi — disse com dificuldade. — Por minha estupidez ou pela maldade humana, mas se me perdoou e ficará em Castle eu reafirmo meu compromisso de fazê-la feliz. Nada menos do que me faz agora. E se sua condição me impede de apertá-la num abraço, ajoelho-me para demonstrar minha alegria e meu amor.

— Oh, Logan! — Marguerite soluçou, comovida, quando seus dedos foram beijados.

— Eu vivi para ver isso! — Lowell troçou. — O que eu disse sobre Marguerite ter domado meu irmão?

— Domado ou não, ainda sou seu irmão mais velho — Logan o lembrou ao voltar para seu lugar — e posso chutá-lo se me usar como tema de suas piadas.

— Não acontecerá, irmão! Eu mesmo fui domado e de bom grato me ajoelharia para beijar a mão de sua esposa por me conduzir de volta à nossa família.

— Ambos me constrangem — ela disse, ruborizando. — Ninguém mais irá se ajoelhar.

— Concordo com a duquesa — falou Alethia, sorrindo para os sobrinhos e indicando a porta —, pois seria um espetáculo para quem chega.

Curiosos, todos olharam para a porta. Agrupados à entrada estavam alguns criados, ladeados pela governanta. Vestiam suas melhores roupas, pareciam agitados e apreensivos. Logan sorriu e assentiu para que Griffins, parado junto ao console, deixasse-os entrar. Antes que obedecesse, o mordomo se aproximou da mesa e disse:

— Milorde, eu gostaria de expressar nossa gratidão por tão honrado convite e generoso consentimento.

— Sei disso, Griffins — assegurou o duque. — Ora, peça que entrem.

— O que está acontecendo, Logan? — Marguerite sussurrou.

— Espere e verá! — Logan segurou a mão da esposa e não soltou nem mesmo quando Agnes Reed a manter as mãos para trás, Ebert, Nádia e outros quatro criados do castelo se posicionaram junto à mesa, ao lado de Griffins e Alfie. Logo Marguerite notou ser ela o centro das atenções. Expectante, viu a governanta revelar uma pequena caixa.

— Milady, nós gostaríamos que aceitasse este presente, símbolo de nossa gratidão pelo que fez por nós e também de nossa alegria por vê-la sã e salva.

— Um presente de todos? Para mim? — Contente e ainda mais surpresa Marguerite recebeu a caixa. — Obrigada! Mas... O que posso ter feito para merecê-lo?

— Revolucionou Castle, sem dúvida — disse Griffins. Seu meio sorriso contestava o tom reprovador.

— Afastou Phyllis e a duquesa viúva — disse Alfie, ao que foi duramente repreendido por Griffins, mesmo que tivesse divertido os demais criados.

— Trouxe paz e dias de alegria para Castle — atalhou Agnes Reed, meneando a cabeça para o sincero lacaio. — Esperamos que Vossa Graça aprecie o que escolhemos.

— Antes de tudo eu aprecio o gesto... — Marguerite passou a abrir seu presente e sorriu ao descobrir um camafeu de madrepérola e prata, preso a um colar de renda branca. — É lindo! Logan, ajude-me a colocá-lo, por favor!

— De muito bom gosto — Logan aprovou antes de deixar a cadeira e fazer como pedido, colocando o camafeu junto ao colar que a esposa usava.

— Ficamos felizes que tenha gostado, milady — disse Ebert.

— Griffins, agora deve servi-los — disse o duque ao se prostrar ao lado da duquesa. Todos à mesa olharam para ele que explicou: — Cada um que aqui está foi de suma importância durante o desaparecimento de minha esposa e, depois, no seu pronto socorro. Portanto, eu os convidei para que juntos brindássemos o Natal.

Alethia mostrou-se um tanto deslocada, mas assentiu. Mitchell e Lowell olharam para Logan como se não o conhecessem. Marguerite sorriu, contente. Quando todos tinham suas taças de champanhe, ela se esforçou para ficar de pé e logo foi amparada pelo marido.

— Obrigado a todos! — disse Logan o erguer sua taça. — Desejo-lhes um feliz Natal!

— Feliz Natal! — os criados repetiram em uníssono e beberam um gole de champanhe.

— Feliz Natal, Logan! — Marguerite murmurou ao ouvido do duque, levando-o a sorrir e sussurrar de volta:

— Feliz Natal, meu amor! Dá-se conta de que me deu o que eu mais queria? Você.

— Inclua-nos na conversa — Alethia pediu, atraindo a atenção do casal.

— Perdoe-me, Alethia, mas conversaremos em outro momento — disse Marguerite. — Eu pediria ao duque que me levasse ao quarto. Foi uma noite realmente especial, eu agradeço por enfeitarem a árvore e este lindo presente, mas preciso repousar.

Logan não esperou novo pedido. Com Marguerite em seus braços, disse aos criados:

— Sintam-se à vontade para comemorarem no *hall*, junto à árvore. Griffins tem permissão de servir-lhes mais champanhe. Apenas não fiquem acordados até tarde.

— Agradecemos — disse Griffins em nome de todos —, mas nossa ceia nos aguarda na ala dos criados, milorde. Haverá música se Vossa Graça não se importar.

— Não me importo — disse Logan. — Boa comemoração e boa noite!

Marguerite se despediu de todos quando já era levada da sala de jantar. Enquanto subiam seguidos à distância por Ebert e Nádia, ela admirou sua árvore, relembrando quão divertido fora decorá-la e quão especial fora aquela noite.

— Logan, obrigada! — ela agradeceu enquanto era acomodada na cama.

Logan não precisou de mais detalhes para compreendê-la.

— Não fiz nada menos do que merecia — ele minimizou seu gesto e indicou a criada que esperava no limiar. — Agora, vou deixá-la para que a Srta. Riche a ajude. Caso precise de mim, basta me chamar — falou para Nádia. Para sua esposa, indagou: — Eu a incomodaria se ficasse aqui durante a noite?

— Incomodar-me-ia se não fizesse — Marguerite respondeu de pronto.

Com tais palavras brincando em seus ouvidos, Logan assentiu e as deixou. Ao fechar a porta de ligação, apoiou nela suas mãos e baixou a cabeça, regulando sua respiração.

— Algum problema, milorde? — indagou Ebert que já o aguardava.

— Nada além das emoções da noite, bom amigo — disse o duque, avançando para deixar que o valete tirasse sua casaca. — Ajude-me para que possa descer.

Enquanto era despido Logan repassava mentalmente tudo que aconteceu, desde o momento em que descobriu o falso bilhete de Mitchell até ali. Depois de ter asseado a boca, já vestir seu robe de chambre, ele ainda considerava insólito que Marguerite o tivesse perdoado e decidido ficar depois da vil armadilha de Ketlyn.

— Que o diabo a carregue e a faça se esquecer de nós! — Logan ciciou.

— Perdão, milorde... Disse alguma coisa? — Ebert parou o que fazia e o encarou.

— Não me dê atenção — Logan pediu, amarrando a faixa de seu robe. — E deixe essas roupas aí. Vá cear e se divertir.

— Faço com prazer, milorde. — Ebert voltou ao trabalho. — Estou terminando.

— Faça como preferir... Eu agora vou deixá-lo — anunciou o duque, caminhando para a porta de ligação.

— Tenha uma boa noite, milorde! E mais uma vez, obrigado por me deixar ficar.

— Se partisse quem iria me lembrar do óbvio? — Logan gracejou. — Boa noite, Ebert!

Ansioso por estar com Marguerite e confirmar que tudo não passou de ilusão, Logan se despediu do valete e voltou para o Quarto Josephine. Entrou tão logo bateu à porta e encontrou Nádia a cobrir as pernas de Marguerite, que o aguardava recostada nos travesseiros. Ao ter os olhos dela nos seus, Logan encheu-se de ternura e ansiou juntar-se a ela.

— Se fez tudo, pode descer agora, Srta. Riche.

— Sim, milorde — anuiu a criada. — Tenham uma boa noite!

Bastou que a porta fosse fechada para que Logan tirasse o robe e o deixasse em uma poltrona antes de apagar as lamparinas. Com o quarto iluminado pelo crepitante fogo da lareira ele foi se sentar junto aos travesseiros. Logo se sentiu deslocado, temendo magoar um corpo machucado, e ficou distante.

— O que a diverte? — perguntou quando Marguerite riu brevemente.

— Nós dois. Parecemos dois estranhos que por obra do destino são obrigados a dividirem a mesma cama.

— Não me causaria espanto se me considerasse um estranho. Conheceu um e hoje sou outro.

— Estranho para mim era o duque a quem fui apresentada na Sala Rosa, tão arrogante e orgulhoso da própria existência.

— Hoje não há orgulho — ele garantiu, fitando-a. — Eu consideraria merecido, mas a bem da verdade seria injusto se eu a perdesse agora.

— Não perdeu — ela disse docemente; passada a mágoa, pensava como ele.

— Sempre se tratou de mim? — Vendo-a unir as sobrancelhas Logan refez a pergunta: — Quando pediu que eu saísse... Se você optou por mim, por que quis ficar a sós com Dempsey?

— Depois de tê-lo envolvido, considerei o mínimo explicar a Mitchell minha decisão.

Logan assentiu. Pensou em se calar, mas, restava uma questão.

— Teria mesmo partido com Dempsey sem dar-me chance de defesa?

— Na ocasião não me pareceu necessária qualquer defesa. Eu o ouvi, Logan. Cada palavra.

— Não todas as palavras, caso contrário não teria tomado uma decisão extremada.

— Depois de tudo, não sei dizer o que faria ou não. O que vi... Ketlyn se desnudando à sua frente... E o que você disse... O que fez...

— O corpo de Ketlyn não mais me afeta e ela sabia disso. Hoje sei que tudo que fez foi mero teatro para seus olhos. Com certeza partiu antes que eu dissesse a ela como me sinto em relação a você. Se tivesse nos confrontado... Ou se tivesse me interpelado quando vim vê-la, Giles não teria tido a chance de atacá-la.

— Eu não teria acreditado em nada que dissesse depois do que vi e ouvi. E quando voltou, bons minutos depois que os deixei, eu também não acreditaria. Não sei o que aconteceu depois, mas demorou muito para vir me ver. Eu ouvi quando você fechou a porta, como lhe foi pedido.

— Fechei a porta justamente para que não fossemos ouvidos, não para fazer o que ela me pediu. Eu encerraria a conversa, mas Ketlyn encenou um pequeno espetáculo para retardar-me. Fingiu desmaiar e eu não podia deixá-la daquele modo. Cada ação foi bem pensada.

— Agora não mais importa — Marguerite murmurou. Após um longo suspiro, perguntou: — Acredita que ela soubesse das intenções do Sr. Giles?

— Não sei dizer, pois não pude confrontá-la — respondeu com evidente fúria —, mas não me surpreenderia se soubesse. E não nos esqueçamos de Phyllis, a falsificadora de cartas. Descobri que pouco sei das pessoas e que nunca conheci Ketlyn. Hoje acredito que ela seja capaz de qualquer baixeza ou vilania.

— Por isso temo que ainda queira se vingar... — Marguerite estremeceu e deslizou até o duque para abraçá-lo.

— Estarei vigilante. Eu prometo! — Logan passou os braços pelos ombros da esposa e beijou seus cabelos. — Ketlyn terá de passar por mim antes de chegar a você.

— Não quero que ela chegue a nem um de nós dois — disse ela junto ao largo peito.

Com gentileza Logan tocou o queixo de Marguerite e fez com que ela erguesse a cabeça para olhá-lo. O fogo da lareira reluzia em seus olhos, ao pedir:

— Não se ocupe dela. Enfim, somos apenas nós dois e empenho minha palavra que assim será para sempre. Só tenho olhos para você.

— E eu para você, meu amor.

— Meu amor... — Logan murmurou e ergueu o rosto corado um pouco mais para beijá-la.

Seria um beijo terno se toda falta que sentia dela, o temor da perda para a morte ou para seu galante amigo não o instigasse a ir além. Com um gemido incontido, Logan aprofundou o beijo, explorando os recantos da boca amada. Marguerite correspondeu com o mesmo furor e, sem que os lábios se separassem, ela passou a descer o corpo até que estivesse deitada.

Logan estacou, estupefato, e ergueu o rosto ao notar o que ela fazia.

— O que pretende a senhora ao abrir a camisola?!

— Não parece óbvio? — Marguerite agia languidamente, puxando a fita que enfeitava e prendia frente da camisola. — Quero-o, senhor!

— Marguerite! — No chamamento havia a devida dose de assombro e excitamento. — Está machucada — disse para ela, mas como reafirmação a si mesmo.

— Dolorida é a palavra — ela o corrigiu, formando um revelador decote ao abrir a camisola. — E desde que me beijou antes que descêssemos acendeu meu desejo. Precisa aplacá-lo.

— Senhora, comporte-se! — Novamente falou mais para si que para ela, literalmente a salivar por ver um mamilo hirto sem que sequer o tivesse tocado. O desejo citado era visível.

— Não sou seu presente de Natal? — indagou a corruptora.

Logan meneou a cabeça, porém rendeu-se. Com delicadeza beijou-a nos lábios e longamente no pescoço. Marguerite gemeu baixinho ao ter seu seio acariciado. O duque estimulou mais o mamilo exposto até deixá-lo firme como uma conta enquanto descia seus beijos. Chegando ao seio, cobriu-o com a boca e o chupou sem pressa, torturando também a si mesmo.

— Logan... — Marguerite se remexeu, aflita, deixando que ele erguesse a barra da camisola e sob a pantalona acariciasse seu ventre. Suas dores minguaram pouco a pouco, abrindo espaço para o aflitivo desejo e logo eram nada ao ter seu sexo tocado. — Oh...

Logan sorriu junto ao seio, contente pelo simples fato de estar com ela, excitando-a. A fome que sentia dela doía, mas não se ocuparia de si. Ignorando o clamor de sua ereção, penetrou-a mesmo com os dedos e a estocou com deferência, tratando de dar o que lhe foi pedido.

— Logan... Precisa vir... Quero você... — ela choramingou, em seu limite.

— Tens-me aqui, senhora... — Logan sussurrou junto ao ouvido dela antes de prender o lóbulo delicado entre seus dentes. — E esta noite isto é tudo que terá... Deixe vir...

Marguerite queria insistir, queria-o dentro dela, mas já não raciocinava com clareza e bastou ter um ponto muito sensível acariciado por dedos úmidos para que atendesse seu marido.

— Oh, não... — ela lamentou sua fraqueza, mas reflexivamente apertou-se junto ao braço forte para saborear o prazer que a estremecia em espasmos involuntários.

Naquele momento Logan lutou contra o desejo que o instigava a ir além. Não importava que Marguerite não estivesse quebrada ou gravemente ferida. A imagem que tinha dela ao surgir junto ao corpo de Mitchell, desfalecida e tão pálida que sua pele parecia azul, tornava-o zeloso.

— Trapaceou... — ela o acusou e tentou tocá-lo. — Mas podemos...

— Não... — negou gentilmente, segurando a mão atrevida antes que tocasse seu sexo rijo.

— Logan...

— Ficarei bem — assegurou. — Talvez a senhora esqueça, mas eu sempre me lembrarei que rolou por vinte metros, direto para a morte. Se tudo que devo tratar é de um tornozelo torcido e de uma testa inchada, farei com responsabilidade. Agora, poderia se comportar?

— O que me resta? — Marguerite suspirou e se recompôs antes de voltar a abraçar o marido. — Pronto! Estou comportada.

Logan sorriu e a ajeitou melhor junto a si. Mesmo com o prazer negado, sentia-se satisfeito ao fechar os olhos.

— Durma em paz, meu amor! — desejou.

Em resposta, Marguerite beijou seu peito e apertou-o mais. Para Logan aquele momento era a representação da paz.

Na manhã seguinte, vestido e penteado, Logan esperava que uma sonolenta Nádia finalizasse o coque de Marguerite para que ele pudesse levar sua esposa para baixo. Por sua vontade ela ficaria em repouso absoluto, no quarto, mas quem recusaria atender qualquer pedido que ela fizesse com os olhos a brilhar? Não ele. Especial quando um antigo presente a esperava.

— Está pronta, milady... — anunciou Nádia, tentando ocultar um bocejo.

— Quando recolher minhas roupas, Nádia, durma um pouco mais — sugeriu a duquesa, mirando a criada pelo espelho. — Não precisarei de você nas próximas horas.

— Obrigada, milady, mas a Sra. Reed não permitiria.

— Diga a ela que o duque permitiu — falou Logan. — Pelo que noto a festa na ala dos criados foi animada e enveredou madrugada adentro.

— Nem tanto, milorde. O Sr. Griffins deixou que ficássemos acordados até uma hora, pois todos nós teríamos de assumir nossa função no horário habitual. Ainda mais com vossos hóspedes partindo essa manhã. Eu é que não estou acostumada a festejar.

— Pois então se acostume, pois mesmo com a rigidez de Griffins os criados de Castle têm permissão para comemorarem datas especiais.

Nádia assentiu timidamente e indicou a patroa, sorrindo.

— Bem, nossa paciente está pronta, milorde.

— Não tenho paciência para ser paciente — Marguerite gracejou ao ser pega no colo pelo duque. — Sir Leonard poderia ter algum elixir que me colocasse de pé milagrosamente.

— Logo estará de pé. Basta se comportar — disse Logan ao deixar o quarto. — Comportar-se de verdade. Quem deveria voltar para a cama e dormir deveria ser eu.

— Em minha defesa digo que apenas minhas mãos são desobedientes.

— Gostaria de me lembrar quando se tornou tão descarada, senhora — disse Logan, rindo, divertido. — Não é certo bolinar um homem indefeso.

— Eu tentarei me... — Um forte pigarrear às costas de Logan fez com que ela se calasse.

De imediato Logan se virou, colocando-os de frente para Mitchell. O cabelo acobreado estava devidamente penteado e as roupas ocultas pelo sobretudo. Seu amigo mirava as luvas que segurava e parecia escolher o que diria, quando Logan questionou:

— Já está de partida? Não se junta a nós no desjejum?

— Não! Comerei algo no trem — respondeu Mitchell depois de olhar para Marguerite.

— É bem-vindo caso queira ficar um pouco mais — disse Logan, instintivamente apertando mais a esposa junto a si como se o amigo estivesse prestes a roubá-la.

Mitchell olhou para Logan, mas incontinenti voltou seu olhar para Marguerite.

— Já me estendi por demais... É melhor que parta o quanto antes.

— Sendo assim, faça boa viagem! — desejou o duque seriamente. Sentia-se em dívida com o amigo, mas não gostava do modo como mirava sua esposa.

— Sob a árvore eu deixei um presente, duquesa — disse Mitchell como se nem tivesse ouvido seu amigo. — Espero que goste.

— Não é justo — disse Marguerite, desconcertada. — Não tenho nada para você.

— Continua respirando. Este é um bom presente para mim.

— A que horas sai seu trem, Dempsey? — A boa vontade de Logan se esvaiu. — Não vá perdê-lo.

— Estou adiantado — informou Mitchell, esboçando um sorriso e indicando o caminho. — Eu os aguardava no hall e me lembrei de minhas luvas. Deixava o quarto quando os vi. Vamos descer?

— Vá você na frente.

Logan se afastou com Marguerite e não se moveu até que Mitchell passasse. Não daria chance ao descarado de segui-lo com os olhos postos em sua esposa, ele pensou. No alto da escada o duque viu que não somente o amigo partiria, mas também sua tia e seu irmão.

— Todos se vão? — Marguerite indagou a Logan com pesar.

— É o que parece... — Logan os amava, mas não lamentava. Uma vez no *hall* ele deixou Marguerite na cadeira ocupada por ela na noite anterior e logo acomodou o pé torcido no banquinho. Somente então deu atenção se dirigiu a Lowell e Alethia: — Todos de partida?

— Já é tempo — respondeu Alethia. — Sabe que ficamos além do previsto por tudo que aconteceu. Minhas orquídeas me esperam. E, como também sabe, este jovem irá comigo.

— Serei transformado em um especialista em orquídeas — Lowell troçou.

— Quando nos veremos de novo? — Logan foi até o irmão e o segurou pelo ombro.

— Decerto na primavera, irmão. Amo Castle, mas abomino o inverno fora de Londres.

— Então, iremos visitá-lo — avisou Marguerite. — Não ficarei sem ver meu irmãozinho por tanto tempo.

— Será muito bem-vinda em Altman Chalet! — Lowell foi beijar suas mãos. — Vai cuidar bem de meu irmão?

— Sem dúvida! — Ela sorriu. — E você? Vai cuidar bem de si mesmo?

— Quem sabe? — Lowell ergueu os ombros como quem se exime. — Prometo tentar.

— O que já é muita coisa — comentou Logan, indo colocar-se ao lado da esposa.

— Até breve, querida! — despediu-se Alethia, já coberta por seu grosso casaco de pele e suas mãos enluvadas. — Espero que também vá me visitar, pois o inverno não é a melhor estação para uma velha sacolejar pelas estradas.

— Assim que eu estiver caminhando — Marguerite prometeu antes de receber um beijo em sua bochecha. — Faça uma boa viagem, Alethia!

— Duquesa... — Mitchell se aproximou, segurou a mão de Marguerite e sem hesitação a beijou longamente antes de aprumar-se. — Foi um prazer revê-la. Receio que tão cedo não torne a acontecer, portanto eu desejo que seja feliz. Poder imaginar que esteja bem alegrará meus dias.

— E eu desejo que encontre ocupação que não lhe deixe muito tempo livre para imaginação — disse Logan, atraindo para si o olhar do temerário amigo. — Não estava de partida?

— Estamos todos — Lowell respondeu por Mitchell, eliminando a animosidade entre os amigos. — A carruagem da titia nos aguarda.

— Alethia! Alethia! — reclamou a senhora, seguindo para a porta. — Quantas vezes eu terei de repetir?

Marguerite ficou a rir enquanto Logan seguiu seus hóspedes até a porta. O duque parou ao lado do mordomo para assistir a partida. Com o deslocamento da carruagem ele acenou e sorriu com sinceridade até mesmo para Dempsey. Talvez para sempre se tornasse possessivo quando sua esposa estivesse entre eles, mas pelo mesmo período de tempo lhe seria grato.

— Agora somos apenas nós, Griffins — disse ao mordomo quando a carruagem cruzou o portão do castelo.

— Animadoras palavras, milorde! Animadoras palavras... — suspirou o senhor empertigado. — Acostumei-me ao espírito revolucionário da duquesa, mas não sei se aguentaria por mais tempo o mesmo comportamento vindo de toda vossa família e de vosso amigo.

— Por que diz isso? — Logan olhou para o mordomo com o cenho franzido.

— Depois que Vossas Graças se retiraram, lorde Lowell convidou a si mesmo para participar da festa dos criados. Sr. Dempsey e Lady Welshyn fizeram o mesmo. Essa quebra de protocolo me... Milorde, por acaso ri do que digo?! — Griffins olhou com assombro para seu divertido patrão.

— Desculpe-me, Griffins, mas o que chama de quebra de protocolo é tão somente o efeito que Marguerite causa nas pessoas. Já devia ter se acostumado.

— Se é como diz, pela duquesa eu tentarei.

Logan bateu amistosamente no ombro do mordomo e entrou, sorrindo. Exalando um suspiro de pura satisfação ele foi até Marguerite e indicou a árvore.

— Nem reparou no que *Father Christmas* trouxe para você.

Marguerite estava dispersa. Com a saída de todos, depois de tantos acontecimentos e com o real temor de uma vingança por parte de Ketlyn ela considerou o castelo assustador, grande e vazio. Tentou tirar da animação do marido força para acreditar que doravante viveriam em paz, então sorriu e olhou na direção apontada. Ao ver mais presentes do que esperava ela deixou que as cismas se fossem. Restou apenas uma, de simples solução.

— *Father Christmas* foi assombrosamente generoso, mas antes que me conte de onde surgiram esses embrulhos eu quero fazer um pedido.

— Um pedido? — Logan aprumou os ombros, expectante. — O que seria?

— É sobre meu... *acidente*. Quero que tome as devidas providências para que nada do que passei chegue à Somerset. Não quero que meus pais, Catarina ou Edrick tomem conhecimento do perigo que corri. Conseguiria fazer isto?

— O que me pede não é tarefa fácil — falou o duque, parado ao lado da cadeira que ela ocupava. — Pelos crimes cometidos contra minha esposa, pedi que Giles e Phyllis fossem levados sob custódia para Coldbath Fields. Estarão longe de nós, mas eles não atentaram contra uma pessoa comum, querida, e as notícias se espalham por Londres como faísca em rastilho de pólvora. O que mais quero é manter tudo em sigilo, mas...

— Vai manter! Seria problemático lidar com Edrick. Se ele souber do desfecho quererá saber de todo resto. Temo que meu irmão não aceite o que você fez, mesmo que hoje seja outro.

— Com tantas coisas eu reconheço que não pensei em Edrick... Ele não me perdoaria.

— Com o tempo talvez eu o convencesse de que hoje sou de fato feliz, mas não queria que ele passasse pelo mesmo dissabor que...

— Não conclua! — Logan apertou a mão que a esposa pousou em seu braço, tomando uma resolução. — Farei o que estiver ao meu alcance para que o atentado que sofreu não se torne a mais nova fofoca londrina. Recorrei a alguns amigos influentes.

— E irá conseguir — Marguerite o encorajou com sua confiança e sorriu.

— Sei que irá! E agora que isto está arranjado eu quero mesmo saber de onde vieram tantos presentes.

Seria uma tarefa complicadíssima, porém Logan queria crer que não impossível. Quiçá, lhe ocorreu de súbito, fosse mais fácil tornar a realidade em vil boato. Com tão inspirada epifania o duque verdadeiramente se animou e decidiu que não se ocuparia do assunto naquele momento.

— Bem... Um foi deixado por Dempsey — disse, mirando os presentes. — Três são meus e os outros eu creio que sejam de Alethia e Lowell.

— Quando compraram tantos?

— Lembra-se que titia foi à vila ontem às tarde? — Logan a lembrou, pegando-a no colo. — Vamos mais para perto.

Depois de instalá-la no tapete, junto aos presentes, sentou-se ao lado dela. Nesse momento os *Staffies* surgiram, fazendo algazarra, farejando o ar em direção à árvore.

— Dirk! Jabor! Feliz Natal! — Marguerite tentou coçar suas cabeças, mas os cães cismaram com algo na árvore. Coube a Logan ralhar com eles e ordenar que se afastassem. Obedientes, ambos sentaram na extremidade do tapete. — Pobrezinhos!

— Pobrezinhos grandes e estabanados — disse Logan, averiguando os embrulhos. — Não quero que eles a machuquem.

— Lindos estabanados! — A duquesa sorriu para os cães e observou: — Parece que viram algo na árvore.

— Queriam bisbilhotar os presentes. Até mesmo destruí-los. São terríveis, querida! Não se deixe seduzir.

— Se é como diz... — Marguerite esboçou um sorriso. — Há outro que me seduziu. Depois de abrir os presentes eu gostaria de ver Krun.

— E eu não duvido que Krun queira vê-la, mas com o péssimo tempo e seu tornozelo torcido eu receio que tão cedo este encontro não ocorra. Tome! Distraia-se com este embrulho.

Conformando-se, Marguerite pegou o pequeno e leve pacote. Havia um bilhete.

— É o de Mitchell — observou Marguerite, surpresa com a escolha.

— Prefiro ver de uma vez o que um rival deixou para minha esposa.

— Ele não é seu rival... — A duquesa meneou a cabeça e se pôs a abrir o presente. Na caixa estava um lindo broche. Tinha o formato de uma ferradura arredondada, de prata trabalhada com rubis cravados nas duas bordas. Um pino comprido o dividia ao meio. Era uma peça conhecida, mas Marguerite não recordava onde a vira. — Que lindo!

— Deixe-me ver — Logan pediu, inclinando-se para frente e logo se aprumou; rubro. — Dempsey testa minha paciência! Eu devia pegar este *presente* e tratar de fazê-lo engoli-lo.

— Logan?! É apenas um broche...

— Não apenas isso! — ele retrucou, aviltado. — Sabe que é o penannular que Dempsey usa no ombro ao se enrolar no Tartan da família. É uma peça pessoal e secular, dada pelo marquês.

Logan omitiu que Dempsey dizia que daria o penannular à mulher que um dia amasse e ria. Era uma anedota, pois tanto jamais aconteceria. Ou seja, Dempsey sempre o conservaria. Dá-lo a Marguerite soava como uma afronta, indo contra a declaração de que havia aceitado a derrota.

— Oh, sim! — Marguerite olhou para o penannular com maior atenção. — Agora eu me lembro de tê-lo visto na veste tradicional que Mitchell usou em seu baile.

— Espero que não esteja enlevada — resmungou Logan.

— Não estou... Para mim é apenas um lindo presente. Uma joia como tantas outras.

— Joia esta que espero jamais vê-la a usar. Devia era devolvê-la.

— Não posso fazer esta desfeita, Logan — disse Marguerite antes de fechar a caixa. — Posso não usá-lo, mas devolver está fora de cogitação. Se a peça é familiar e Mitchell agiu por impulso, talvez um dia se desculpe a peça de volta. Nesse dia eu a devolverei com alegria. Até lá... Passe-me outro embrulho, por favor!

Malgrado sua contrariedade, Logan entregou outro presente. Alethia deu à duquesa um lindo regalo. A peça cilíndrica, usada para proteger as mãos do frio intenso, era de pelo negro, forrado por seda da mesma cor; delicadamente bordada. No bilhete estava escrito:

*Não foi uma coincidência estupenda falarmos de Paris na noite do dia em que escolhi este manchon (como chamam as francesas) para dá-lo a minha querida sobrinha? Espero que a viagem aconteça e que o clima permita que a use. Feliz Natal, sobrinha Marguerite!*

— Alethia quer que eu use este regalo em Paris — disse, ocultando as mãos na maciez dos pelos negros. — Nós iremos, não é mesmo?

— Por certo. E a tantos outros lugares que queira conhecer! Agora abra este. É de Lowell.

O embrulho era pesado, grande. Marguerite logo descobriu ser um diário com capa de couro. No bilhete anexado, ela leu:

*Para que minha irmãzinha curiosa e ativa registre cada detalhe de sua nova vida.*

— Será uma boa distração escrever sobre meus dias. — Marguerite folheou o diário em branco. — Escreverei também sobre nossas viagens.

— Será divertido. Agora, abra um dos meus — pediu Logan, entregando o menor dos três presentes que comprou.

— Logan, é lindo! — Marguerite elogiou o conjunto de colar e brincos de esmeraldas, mas torceu os lábios num muxoxo. — Não tenho nada para você.

— Já tratamos sobre isso — ele replicou, sorrindo, e estendeu outra caixa. — Abra este.

Marguerite estendia a mão, quando um ruído vindo da árvore chamou sua atenção e também a dos *Staffies*, que ergueram as orelhas, em alerta. Com o mesmo instinto a duquesa escrutinava os galhos à procura do que produzia aquele som. Descobriu que vinha da maior caixa deixada sob a árvore.

— Tem alguma coisa viva naquele presente?!

— Ao que parece... — Logan sorria. — E o que tem ali deve ter pressa de sair. Eu sei que este presente a dispersará por isso queria que fosse o último a ser aberto, mas se não há jeito... Abra. Espero que goste!

Com a curiosidade aflorada Marguerite pegou a pesada caixa e a destampou. Logo um acinzentado filhote de galgo se apoiou na borda, olhando para ela, farejando o ar. Dirk e Jabor se colocaram de pé, mas Logan ordenou que ficassem no lugar.

— Logan...? — Marguerite não encontrou palavras, pois a lembrança de outro filhote que ganhou quase que da mesma forma, anos atrás, a comoveu. — Ele é lindo!

— Não pense que tento substituir Nero, mas considerei que você devesse ter seu próprio cão.

— Quando o conseguiu? — ela indagou enquanto alisava a cabeça do filhote.

— Eu o trouxe de Londres, mas não a encontrei aqui e depois que voltamos de Apple White tanta coisa aconteceu que eu simplesmente o esqueci no canil. A ideia de colocá-lo de volta na caixa e entregá-lo esta manhã foi de Griffins.

— Ideia genial, mas não mais adorável que seu gesto. — Marguerite olhava para o marido com admiração. — Realmente pensava em mim enquanto esteve em Londres!

— A cada minuto, meu amor! — Logan sorriu e indicou o galgo. — Queria que tivesse um Sr. Graveto.

— Também se lembrou disso?! — Marguerite beijaria o marido naquele instante não fossem suas limitações e o filhote entre eles. — Eu o amo tanto, Logan!

— Eis a confirmação do que digo! Por que me presentear quando a tenho aqui, dizendo-me essas coisas? — Logan se aproximou e a beijou ternamente. — Está feliz?

— Felicíssima! Tanto que desejo muitos outros Natais como este. De preferência com nossos filhos entre nós.

— Quanto a isto... — Logan disse seriamente: — Sei que me ouviu falar sobre herdeiros. Quero que saiba que desejo tê-los, muitos, mas estes virão quando você determinar para que não reste nenhuma dúvida quanto...

— Agora é minha vez de pedir que não conclua — Marguerite o silenciou, tocando seus lábios com o indicador em riste. — Independente de tudo eu desejo ter filhos seus, muitos, para que eles, nossos genros e noras, completem nossa mesa.

— É a senhora quem me faz feliz. — Logan a beijou levemente. — Obrigado, querida! E agora, diga-me... Que nome dará para este Sr. Graveto?

— O nome que daria a Nero se este não tivesse prevalecido: Magrelo. Logan, não ria!

— Como não rir? Sr. Graveto soava melhor.

— Não lhe darei atenção! — Marguerite se fez de ofendida e se dirigiu apenas ao pequeno galgo: — Magrelo é um nome pertinente e você gostou, não gostou? Magrelo lindo!

— Linda é a dona do Magrelo — Logan murmurou ao ouvido da esposa, fazendo com que ela estremecesse. — E então... Não vai abrir seu segundo presente?

Ainda a fingir que não lhe dava atenção, Marguerite tirou Magrelo da caixa e o colocou em seu regaço antes de pegar o último presente a ser aberto. A caixa era comprida e leve. Ao abri-la foi impossível manter sua farsa. Sorrindo Marguerite procurou pelos olhos do marido.

— Como conseguiu? Disse que procuraria em Londres.

— Pedi que Lowell se mantivesse atento durante suas compras. Se visse algo do tipo, deveria trazer para você. Gostou?

— Claro que sim! — ela exultou, mirando uma luva de couro, semelhante à que Logan usava para lidar com o falcão, na medida certa para ela. — Agora poderei lidar com Krun.

— A partir de hoje — Logan sussurrou ao ouvido da duquesa —, considere-o um pouco seu.

— Obrigada! — murmurou languidamente, pois ele chupava o lóbulo de sua orelha. — Logan... Estamos no *hall*...

— Sozinhos no *hall* — corrigiu ele antes de lamber seu ouvido, excitando-a.

— Há um inocente em meu colo e dois observadores muito atentos — lembrou-o, inclinando a cabeça para que o marido beijasse seu pescoço.

— Os observadores estão mais interessados em um graveto de pelos. Vou pedir que Griffins leve Magrelo de volta ao canil antes que Dirk e Jabor expliquem a ele a hierarquia canina de Castle. Depois eu a levarei para cima — disse Logan junto à pele delicada. — Deve repousar.

— Não quero dormir.

— Acredite, querida... — Logan mordiscou sua nuca. — Hoje não me sinto tão cuidadoso. A senhora fará o oposto de dormir. Quero persuadi-la a escolher um nome melhor para o filhote.

— Mesmo que Magrelo prevaleça nós estaremos contribuindo para a formação de nossa família.

— Gosto da ideia, mas não se iluda! Magrelo não prevalecerá. Prefiro... Maylon.

— Veremos depois que Magrelo for levado ao canil.

# Capítulo 23

Quão curiosa era a vontade do tempo e irrelevante o desejo humano, pensou Logan ao correr o indicador pela testa da duquesa adormecida. Naquele ponto, assim como em toda alva pele do rosto sereno, não havia resquícios do inchaço ou dos arranhões que por dias foram lembretes do atentado. Também no ventre de Marguerite não havia um herdeiro como tanto almejavam. Por vezes Logan considerava a demora um merecido castigo por suas primeiras intenções abjetas.

Era preferível culpar-se a aceitar o temor de Marguerite: nela não havia deficiência!

Tanto a amava que não se importaria de dividir sua vida apenas com a esposa, mas seu coração se partia como o dela sempre que ela sangrava, especialmente quando há dias enjoava e expelia tudo que comia no desjejum. Naquelas ocasiões nem mesmo Krun ou Maylon a animavam. Se fosse um castigo, apenas ele deveria ser atingido, não Marguerite.

— Por favor! — Não Marguerite, Logan concluiu o pedido em pensamento, descendo o carinho para a bochecha corada.

— Por favor, o quê? — Marguerite indagou sem abrir os olhos.

— Está acordada? — Ele riu mansamente, acariciando-a no pescoço. — Aproveitava-se de meus carinhos?

— Não nego... — Ela sorriu e finalmente o fitou. — E não me respondeu... Por favor, o quê?

— Por favor, não amanheça! Era o que eu pedia... Não queria ter de deixá-la.

— Como se fôssemos nos separar mais que alguns minutos! Por uma razão ou por outra, sempre estamos juntos. Qualquer dia se cansará de mim.

— Nunca! — Logan a puxou para si e abraçou fortemente. — Queria poder ficar com você assim, nua, em meus braços... Todo tempo!

— Se assim fosse seria eu a me cansar de você e... Ah, não! — Logan passou a fazer cócegas. — Logan! Pare! Pare!

— Retire o que disse! — ordenou ainda a atacá-la impiedosamente, comprazendo-se com a divertida gargalhada. — Retire!

— Não!

— Não? — Logan fez com que ela deitasse de costas e sentou em seu quadril. Marguerite o encarou com olhos semicerrados, rindo, ofegando. Ele esquadrinhou os seios nus que subiam e desciam, apreciando seu tesouro mais adorado. Sorrindo maliciosamente, indagou: — Não vai retirar o que disse?

Marguerite apenas meneou a cabeça, como tantas vezes semelhantes àquela, sabendo o que viria. Logan retomou as cócegas, mas se curvou sobre ela para mordiscar o ombro, o colo, o cume de um seio. A sensação aflitiva que provocava o riso compulsivo se tornava excitante quando o duque se estendia ao lado dela e se distraia com seu mamilo. Em instantes restava o desejo crescente quando dava início à maldade seguinte.

— Logan... — Marguerite choramingou, contorcendo-se em direção à mão que acariciava o interior de sua coxa, perto de seu sexo, sem nunca tocá-lo.

— Retire o que disse! — pediu num murmúrio rouco, parando o indecente carinho.

— Retiro! Retiro!

A rendição de Marguerite ditava o fim da brincadeira e bastava que ela movesse as pernas para que se tornassem um. Logo Logan movia o quadril, amando-a com seu sexo, empenhado como antes. No entanto, não havia humor, não havia riso. Os gemidos de um incitavam o outro a entregar-se mais. E quando Marguerite sucumbia ao gozo, Logan dava a ela seu sêmen. Sobretudo era amor, entrega, mas também outra tentativa de criar uma nova vida.

Que seja eu o castigado! Logan rogou ao beijar a esposa.

<hr />

— Logan, você está estranho — Marguerite observou. — O que há?

Era uma linda manhã de final de inverno. Estavam na campina, ambos com suas luvas de couro a dividir a atenção de Krun. No momento o falcão voava alto enquanto os *Staffies* repousavam sobre os brotos de grama, ignorando um filhote desenvolvido que ora lhes mordia as orelhas, ora lhes atacava as caldas.

— Maylon, deixe Dirk e Jabor em paz! — ela ralhou com seu cãozinho, mas, sem conferir se foi atendida, voltou a mirar o duque.

Logan nem sequer a ouviu chamar a atenção do galgo. Decididamente, estranho! Ela chegou àquela conclusão depois de analisá-lo por toda manhã, desde que deixaram a cama, tomaram o desjejum e foram até ali. Apesar da deliciosa brincadeira matinal, Logan estava ensimesmado, disperso. Demorava a responder quando inquirido ou simplesmente não tomava conhecimento da questão, como naquele momento.

— Logan?!

— Sim, querida! — Ele deixou de acompanhar o voo de Krun para encará-la. — O que há?

— Foi o que eu perguntei, Logan... Em que mundo você está?

— Estou em Castle, com minha questionadora duquesa.

— Não sorria desse jeito, muito menos desconverse — ela pediu seriamente. — Tem algo acontecendo? Tem a ver com o Sr. Giles?

— Não!

A pronta recusa levou Marguerite a crer que acertara. Lívida, recuou um passo.

— Não minta para mim! É ele, não é? Está solto? Esteve aqui?

— Marguerite, chame Krun de volta. Ele obedece mais a você. Basta que erga o braço.

Logan dissera a verdade para distraí-la, Marguerite sabia. Desde que ela passou a participar das solturas o falcão vinha pousar em sua luva sem a necessidade de soprar o apito. E em todas as vezes aquela estranha relação desenvolvida pela ave a envaidecia; não foi diferente naquele instante. Mesmo alarmada, voltando a sentir os enjoos que há dias a adoeciam, a duquesa ergueu o braço e esperou. Depois de duas voltas no ar, Krun se aproximou e pousou em seu antebraço, próximo ao punho. Logan foi até eles, cobriu a cabeça da ave com o caparão e a passou para a própria luva. Depois de deixá-la no pequeno poleiro, garantiu:

— Giles continua preso em Coldbath Fields. O tempo de mentir para você já passou. Deveria saber disto.

Marguerite estremecia ante a mínima possibilidade de o antigo tratador, marido de Ketlyn — ainda fugida —, alimentar o desejo de vingança. Com o tempo e as idas à campina ela perdera a péssima sensação de ser arrastada até a encosta, mas o temor que sentia nunca teria fim. E havia outro receio que vez ou outra a assombrava.

— Então, tem a ver com Edrick?! — Ela estremeceu. — Ele descobriu a verdade!

— Não, querida! Revelar o ataque que sofreu, atribuindo-o ao rancor de Giles por ter sido demitido foi a melhor decisão que tomamos. Mesmo com toda influência não daria para ocultar o que passou, afinal, foi por tentar assassiná-la que o biltre está preso. Para Bradley e todos que não estavam em Castle, sempre será esta a versão oficial.

— Espero que seja assim para sempre! E já que falamos dele... Quando será o julgamento do Sr. Giles? — ela indagou num fio de voz. Sua cabeça girava.

— Ainda não sei, querida, mas não tem com o que... Marguerite?! — Logan se precipitou para ampará-la antes que caísse, desfalecida. Desequilibrou-se e deixou que seus corpos fossem ao chão. Com a duquesa inerte em seus braços Logan passou a desferir leves tapas em seu rosto. — Marguerite! Marguerite! Acorde!... Saia daqui, Maylon!

Depois de afastar o galgo que veio farejar o rosto da dona, Logan abriu botões e colchetes do casaco, do vestido e do corpete. Poucos, apenas o bastante para que ela pudesse respirar sem nada a apertá-la e novamente tentou reanimá-la.

— Marguerite! Querida... Acorde!

Enfim Marguerite suspirou e lentamente abriu os olhos. Depois de mirar um ponto à frente, ela olhou em volta até se deparar com o peito do duque e erguer a cabeça para encará-lo.

— Logan...? O que aconteceu?

— Você desmaiou... Acha que consegue se levantar? Quero levá-la para o castelo, mas Krun se debaterá se o deixarmos aqui.

— Posso tentar. Precisamos deixá-lo no aviário.

Confiando que a esposa ficaria bem, Logan se levantou e a ajudou a fazer o mesmo. Ela ficou de pé, estável, mas ele não quis soltá-la. Marguerite estava assustadoramente pálida.

— Estaria adoecendo? — perguntou, preocupado.

— É possível... — Marguerite fechou os olhos, pois a campina girava. Logo ela voltou a se sentar. — É melhor que leve Krun ao aviário e venha me buscar. Não conseguirei caminhar em linha reta. Será que Griffins batizou meu chá?

— Não faça brincadeiras! — Logan não dividia com ela o bom humor. — Fique exatamente onde está!

— Está bem... — Marguerite não ousou assentir ou negar, pois sempre que o mundo girava ao mover a cabeça seu estômago reagia. Ficou sentada na grama rasteira, acariciando a cabeça de um filhote ativo que tentava morder seus dedos até que Logan voltasse com reforços, bons minutos depois. O duque veio em sua carruagem e logo acomodou a duquesa no estofado.

— Maylon... — Marguerite o lembrou, quando Logan se sentou ao seu lado e bateu no forro para que Murray os levasse até o castelo.

— Ele está com Dirk e Jabor. — Logan tocou em sua testa. — Se o traquina não foi engolido até agora, não será hoje que acontecerá. Está febril! Preciso levá-la para cama. Pedi a Griffins que mandasse chamar sir Leonard.

— Não é necessário... Acho que se permanecer quieta, logo eu ficarei bem.

— Quero ter certeza disso. Agora, acalme-se!

Marguerite fez como pedido não por obediência, sim, por necessidade. Sua boca se encheu de água e a náusea a adoeceu, quando a carruagem passou a sacolejar. No castelo Logan a tomou nos braços tão logo saltaram e a levou até o Quarto Josephine. Com a ajuda de Nádia ele livrou a esposa do vestido e do espartilho.

— Como se sente? — Logan perguntou ao colocar Marguerite na cama, vestida apenas com a combinação, sob o olhar consternado de Nádia.

— Ainda um pouco tonta e enjoada, mas respiro melhor.

— Deve beber um pouco de água — Logan determinou. — Nádia, providencie água para...

— Não! — Marguerite recusou, segurando sua mão. — A simples ideia de beber água me adoece mais.

Logan trocou olhares com Nádia, ambos aflitos. Até a chegada do médico, nem um dos dois se afastou do leito da duquesa.

— O que tem Lady Bridgeford? — indagou o senhor depois dos cumprimentos, olhando para a enferma. — Pediram que eu viesse com a máxima urgência.

— A duquesa desmaiou tem quase uma hora... — Não era uma crítica pela demora, pois Logan sabia o tempo necessário para ir e voltar da vila.

— Um desmaio sempre é motivo de preocupação... A duquesa bateu com a cabeça? — perguntou o senhor, indo até Marguerite com um fino bastão que moveu diante dos olhos dela: para os lados, para cima e para baixo, para longe e para perto. — Vê-nos em dobro, duquesa?

— Não, sir Leonard.

— Bom... Vossos olhos se movem normalmente — disse o senhor, guardado o bastão. — Não há trauma nem paralisias. O que mais sente?

— Sinto-me enjoada... O desjejum fica a girar em meu estômago...

— Enjoada, não é? — O médico pegou um termômetro e o colocou na boca de Marguerite.

— Isso tem acontecido quase todas as manhãs — Logan acrescentou seriamente —, mas este foi o primeiro desmaio.

Sir Leonard assentiu e segurou o punho de sua paciente para sentir o pulso. Para desespero do duque, o médico se calou enquanto novamente examinava os olhos de Marguerite, conferindo a cor da pele interior, abaixo das órbitas.

— Com vossa licença — pediu o médico antes de levemente apertar a barriga da jovem. Em seguida recuperou o termômetro e o conferiu. — Não há febre, como eu suspeitava. Devo eliminar apenas mais uma suspeita.

Sir Leonard retirou de sua maleta o aparelho usado para ouvir o coração e os pulmões. Ele encostou a pequena trombeta de madeira no peito da duquesa, depois de pedir licença, e os tubos finíssimos, curvos e compridos colocou em seus ouvidos.

— Respire fundo, duquesa — pediu o senhor. Logo sorria e divagava: — Encanta-me a função do estetoscópio. *Laennec* por certo vibra no além ao ver como seu tubo de cartolina evoluiu... Duquesa, agora diga Aaaaaa...

— Aaaaaa... — repetiu Marguerite, olhando para Logan.

— Esplêndido! Esplêndido! — Sir Leonard sorria ao guardar o aparelho que o encantava. — Simplesmente fabuloso!

— O que é fabuloso? — Logan franziu o cenho.

— O coração bate fora do compasso. Por certo como reflexo dos últimos acontecimentos, mas os pulmões estão excelentes. Limpos como o céu desta manhã primaveril.

— E o que isto quer dizer? — Logan perdia sua paciência.

— Acalme-se, duque! — Sir Leonard sorriu, complacente. — Duquesa, tem sentido enjoos matinais? E tonturas? — Marguerite assentiu. — Certo! Certo!

— Certo? O que está certo? — Logan foi se sentar ao lado de Marguerite sem deixar de olhar para o médico. — O que tem minha esposa?

— Bem! Por tudo que vi e ouvi a duquesa goza de ótima saúde. — Antes que o duque refutasse, sir Leonard acrescentou: — Logo, só me resta crer que ela esteja grávida.

— Grávida? — Logan segurou uma das mãos de Marguerite e a encarou com espanto.

Ele se recusava a acreditar por temer a tristeza que viria com a constatação do engano. Como se o entendesse, ela disse para o médico:

— Perdoe-me por questionar seu diagnóstico, doutor, mas minhas regras não estão atrasadas. E eu sinto os sintomas que descrevi há mais de um mês.

Sem nada dizer, Logan olhou para o médico e esperou pela resposta.

— Então, agora sabemos que está grávida há dois meses provavelmente — disse sir Leonard. — Não me olhem como se estivesse senil. Sou velho, mas dono de minhas faculdades mentais e pela experiência que possuo, digo que um herdeiro está a caminho. Ainda não acreditam por causa das regras? Digo-lhes que não é comum, mas também não é raro que haja sangramento no primeiro mês após o início da gravidez. Se estiver certo, e sei que estou, não voltará a acontecer.

Com olhos maximizados Logan procurou pelo olhar de Marguerite, tão surpresa quanto ele. Foi preso às íris azuis que perguntou ao médico:

— O que devemos fazer?

— Bem, não devem se preocupar, mas mesmo não sendo raro não é aconselhável que haja sangramento, então pedirei que fiquem de sobreaviso. Se voltar a acontecer não hesitem em me chamar. No mais, recomendo que vivam normalmente, evitando esforços e certas... Como direi? Certas *atividades*. Desde já comprometo-me a retornar em um mês. Isto era tudo?

— Sim... — respondeu o duque vagamente, ainda a mirar a esposa. — Se não se importar, Nádia irá acompanhá-lo até a saída.

— A companhia de belas jovens nunca me incomoda. Duque... Duquesa... Passem bem!

Logan e Marguerite não viram a saída do médico ou da criada. Presos em uma bolha própria, olhavam-se sem nada dizer, como se qualquer palavra fosse capaz de desfaz o encanto. Coube a ele quebrar o silêncio ao ver rolar uma lágrima pelo pálido rosto da esposa.

— Ficou triste com a notícia? — Logan estranhou a reação.

— Estou com medo de me alegrar com ela — reconheceu Marguerite.

— Eu a compreendo... — Ele capturou a lágrima e sorriu. — Senti-me assim ainda há pouco, mas sabe? Não me lembro da vez em que sir Leonard tenha errado em seu diagnóstico.

— Mas estamos casados há tanto tempo... — Marguerite baixou o olhar para as mãos unidas. — Somos tão *ativos*... E nunca aconteceu. E minhas regras...

— Marguerite! — Logan segurou-a pelo rosto para que o encarasse. — Caso sir Leonard esteja errado, continuaremos tentando. E se não formos agraciados com filhos, sempre teremos um ao outro. Mas até que uma ou outra coisa se confirme, não vamos ser racionais, está bem? Vamos crer que teremos nossa família e nos alegrar. Nem que seja por duas semanas.

Marguerite não conteve seu pranto, mas sorriu e assentiu. Queria crer e se alegrar. Queria todos os filhos que aguentasse ter de seu duque, ex-vilão, amor de sua vida.

— Sim! Vamos nos alegrar, pois Lionel pode estar bem aqui! — Marguerite sorriu e levou as mãos ao ventre.

— Lionel? — Logan riu mansamente mesmo que franzisse o cenho.

— Você se importa? Gosto da história de seu antepassado.

— Gosta de seu amigo Dom, não é mesmo? — Logan sorriu com ternura e pousou uma das mãos sobre as dela que tocavam o ventre levemente arredondado, exatamente como o conhecia. — Pois Lionel será! O próximo Conde de Edgemond.

— Como eu disse, ele será uma criança antes de tudo. — Marguerite suspirou, secando seu rosto. — Não quero que ele sinta o peso dos títulos que herdará.

Logan imitou-a no suspiro, estendeu-se ao lado dela e cruzou os tornozelos, deixando apenas as solas das botas para fora da cama. Considerando Marguerite ainda mais bonita, mesmo com a palidez que destacava o nariz vermelho e o rosto úmido, indagou:

— Querida... Realmente acredita que um filho seu não haveria de viver plenamente toda sua infância? O que fez por mim não é bom exemplo? Reconhece em mim o duque empedernido que conheceu? Desde nossa viagem a Londres não domo a bagunça que é meu cabelo. E deve recordar que rodei por este cômodo, fazendo-me de corsário? Acaso esqueceu que a persegui pelo castelo até o pomar para espanto dos criados? Se desperta o menino que há num homem, o que não fará com um que de fato é? Será a melhor das mães, senhora, de crianças afortunadas!

— Oh, Logan! — Marguerite apertou os lábios, calando o pranto.

— Não quero que chore por minhas palavras.

— Não vou chorar — garantiu. — Preciso conter minha emoção para pedir o quanto antes que não diga nada a nossos parentes. Não quero criar expectativas vãs, então...

— Comunicaremos a vinda de Lionel, quando esta for irrevogável — Logan completou.

— Duas ou três semanas, é esse nosso tempo. Até lá, tentarei lidar com os enjoos e viver um dia de cada vez... Não me olhe assim, será sem excessos. Prometo!

— Folgo em saber! — Logan soou repreensivo, mas sorriu ao se acomodar melhor junto a ela e fechar os olhos. — Por ora, vamos dormir. Eu lhe farei companhia.

— Dormir?! No meio da manhã? O mal-estar passou e sinto-me mais bem disposta.

— Mas o susto que me deu abalou meus nervos — gracejou o duque. — Seja uma boa esposa, feche os olhos e durma comigo. Caso queira, eu posso cantar para embalá-la.

Marguerite riu, divertida, levando o duque a encará-la.

— Duvida que eu possa cantar? — ele simulava seriedade. — Pois escute!

A duquesa ainda ria, quando Logan iniciou uma conhecida música de amor, empostando sua grossa voz. O riso frouxo de Marguerite imediatamente cessou. Emudecida, passou a observar o marido que de olhos ainda fechados entoava a canção, sem errar ou desafinar. Entre enlevada e surpresa ela se deitou, sem deixar de fitá-lo. Ao final da música, de súbito Logan a encarou.

Estavam muito próximos, olhos nos olhos, as testas quase se tocavam.

— E então? — Logan murmurou. — Devo prosseguir ou me calar?

— Deve me beijar para coroarmos este instante... Não lhe parece perfeito?

Em resposta Logan eliminou a distância e moveu seus lábios nos dela, carinhosamente. O beijo foi breve, de amor puro e sincero. Depois ele fez com que Marguerite deitasse a cabeça em seu ombro e, acariciando o braço que ela pousou em seu peito, voltou a cantar.

Para Marguerite aquele era o momento perfeito de sua história com Logan, ouvindo-o cantar e acalentando a esperança de dar a ele um herdeiro; fruto de um amor que contrariou a lógica, que estremeceu e que, em vez de se partir, fortalecia-se a cada dia com gestos como aquele.

Sim, Marguerite reiterou o pensamento ao fechar os olhos. Aquele momento para sempre seria o ápice de seu romance. Se alguém o narrasse num livro ali devia encerrá-lo, assegurando aos leitores que tiveram muitos filhos e que foram felizes para sempre. Logo abaixo, ao pé da página, quem eternizasse sua história deveria arrematá-la com a conclusiva palavra "Fim".

# Capítulo 24

A vida, entretanto, não era uma obra Shakespeariana muito menos um conto quimérico e ápices cediam a outros tantos, plenos ou não. Marguerite considerava seu saldo positivo, tendo muitas alegrias, mas não estava livre da tristeza. Confirmar sua gravidez alegrou não somente ao duque e a ela, como também aos parentes de ambos e aos criados de Castle, porém o júbilo era eclipsado pelas notícias relatadas em cartas, como aquela que Marguerite segurava.

Junto à janela do Quarto Josephine, a acariciar sua barriga distendida com a mão livre ela relia a missiva enviada por Edrick. Cada vez mais seu irmão assumia o comando da sidreria, substituindo o pai cada vez mais adoentado. O barão se recuperava de uma forte gripe para em poucos meses ser acometido de outra. Marguerite queria ir até Apple White, mas não aventava a possibilidade, pois sabia que Logan, sir Leonard e uma gestação de oito meses não permitiriam que ela sacolejasse de Dorset a Somerset.

— Por que tão quieta?

— Logan! — Marguerite se sobressaltou ao receber um beijo em seu ombro antes que fosse abraçada por trás e tivesse duas grandes mãos em sua barriga. — Não o ouvi chegar.

— Não me ouviu chamá-la — ele disse. — As notícias de Apple White a distraem?

— Na verdade, as notícias me preocupam. Papai está novamente doente... Tem acontecido com maior frequência e o Dr. Morrigan não consegue chegar a um diagnóstico preciso.

— Compreendo sua preocupação. Se fosse possível nós iríamos até lá. Lamento!

— Não lamente... Levou-me a Apple White e duas vezes a Londres. Se eu não posso viajar agora é por um bom motivo.

— Por um ótimo motivo, mas eu não gosto de vê-la assim.

— Mesmo que o barão não tivesse mudado o trato conosco, e hoje não mantivéssemos boas relações, ele ainda seria meu pai. Enviarei uma resposta a Edrick e pedirei que me mantenha informada. Até que saiba de outra gripe eu prometo não me entristecer.

— Tenho algo para distraí-la — disse Logan, girando-a em seus braços para que o encarasse.

— Logan...? — Marguerite sorriu. — O que combinamos sobre nos comportarmos agora que Lionel está crescido?

— Que mente maliciosa tem a senhora! — O duque meneou a cabeça, reprovador, mas não se furtou de descer o olhar faminto para o farto busto. — Apenas lhe diria que recebi uma carta de Alweather. Algo, no mínimo, intrigante.

— Que falha a minha! — Marguerite tocou-o no queixo com o indicador e fez com que ele levantasse o rosto. — Mas o que lhe causou surpresa? Este não é aquele seu amigo, o delicado conde que tão amavelmente colocou Daisy Duport em seu devido lugar?

— Ele mesmo! Apesar de sermos amigos não trocamos correspondência. Em anos esta é a primeira carta que recebo. Veio da África.

— Talvez o conde queira estreitar os laços... O que disse em sua carta?

— Reiterou o quanto apreciou o baile em Castle, afirmou estar bem. Também comentou a falta que tem sentido de Londres, desejou que minha esposa estivesse bem e o que eu achei mais espantoso... Alweather perguntou por Catarina.

— Catarina, minha irmã? — Marguerite uniu as sobrancelhas.

— Por associação penso que sim, mas confesso que vasculho minha memória atrás de outra Catarina que ambos conheçamos. Por que Alweather perguntaria por sua irmã?

Logan subira até ali repetindo aquela questão para si mesmo. Recordava que o amigo salvou sua cunhada das garras dos gêmeos Halsey, mas, conhecendo-o bem, sabia que por tal episódio a existência da jovem não seria lembrada por mais de meia hora. Que Alweather pensasse nela por quase um ano ao ponto de citá-la era estupendo. Logan não sabia o que pensar e esperava que a esposa tivesse uma resposta plausível.

— Eles foram apresentados em algum momento? — ela indagou.

— Sim... — Logan não mentia para a esposa, mas os detalhes aquela situação iria omitir. — Ele a encontrou ao ar livre e a conduziu de volta ao baile por não ser aquela a melhor noite para passeios. Quando os avistamos, Edrick e eu, nós os apresentamos formalmente.

— Se isto ocorreu não me causa estranheza que ele pergunte por ela. — falou Marguerite. — Apesar do modo como tratou aquela *senhorita londrina*, o conde me pareceu ser um cavalheiro e se perguntou por mim, estendeu a questão à minha irmã. Ele foi apenas polido, querido!

Logan preferiu deixar aquela ser a versão oficial, mas não se recordava de o conde ser assim, *polido*. Fosse como fosse, o tempo tinha o poder de mudar um homem e a verdade era que pouco se relacionaram nos últimos anos e nesse ínterim Alweather poderia ter assumido a conduta de um real cavalheiro. Aquela era a única opção aceitável, afinal, vinte anos separavam o conde de Catarina.

— Não! Alweather não pode estar...

— Acha que estou errada?

Com a questão Logan soube que negou um espantoso pensamento em voz alta, sem notar. Procurando o olhar da esposa, sorriu e disse:

— É que não me recordava desse lado atencioso do conde, mas, se ele teve a iniciativa de me enviar uma carta por que não seria polido, não é mesmo?

— É o que penso... — Marguerite sorriu, exibindo todos os dentes e propôs: — O que me diz de esquecermos as cartas e irmos ver como está Krun?

— Sente-se disposta para caminhar?

— Sinto-me disposta para muitas coisas, senhor, mas caminhar é o aconselhável.

Logan beijou-a levemente e retribuiu o sorriso.

— Então, vamos agora antes que eu queira saber o que seria desaconselhável.

Sendo sincera Marguerite preferia mesmo era que ficassem onde estavam. Era torturante não poder ser amada como desejava, quando seu apetite pelo duque aumentava mais e mais. Mas, se queria que tudo corresse bem até o parto, deveria seguir os conselhos de sir Leonard e resignar-se. Com este pensamento Marguerite aceitou o braço que seu marido oferecia e se deixou levar.

Os *Staffies*, o galgo e o falcão eram o que tinham de melhor para distraí-los quando o duque não se ocupava do ducado ou a duquesa não se dedicava ao bordado do enxoval para o bebê. Nessas ocasiões Nádia a ajudava, já conformada com a variedade de linhas azuis.

— E se nascer uma menina, milady? — Nádia perguntara certo dia.

— Teremos peças bordadas com linhas neutras.

— Mas o que fará com as bordadas em azul? — ela insistia.

— Providenciaremos laços cor de rosa para adorná-las, mas não se preocupe. Será menino!

Não houve sonhos premonitórios nem havia adivinhação, Marguerite simplesmente sentia que assim seria. Desde o primeiro instante, mesmo com a dúvida quanto à gravidez, ela sabia que esperava um menino. Suas palavras se confirmaram no dia vinte quatro de dezembro de mil oitocentos e sessenta e cinco. Lionel tinha pressa de vir ao mundo, pois nasceu enquanto o pai vasculhava a colina à procura de uma árvore de Natal.

Griffins enviou um criado atrás do patrão e outro à vila, para que trouxesse sir Leonard, mas coube à Agnes Reed e à Nádia auxiliarem a duquesa a parir. Naquele dia Logan entrou no castelo e subiu os degraus de dois em dois, mas estacou antes que entrasse no Quarto Josephine.

Ouvir o potente choro de seu filho provocou nele uma emoção nunca experimentada. Fora uma mistura de alegria e temor por saber que ao cruzar a porta seria pai. Passaram-se bons dois minutos antes que ele entrasse e visse uma das cenas que para sempre ficariam gravadas em sua memória: sua esposa, sorrindo e chorando, conversando baixinho com o barulhento embrulho que tinha em seus braços.

Logan nem sequer percebeu a governanta e a criada de quarto ao redor da cama quando foi se juntar à sua família. Com cuidado sentou-se ao lado de Marguerite e demoradamente beijou-a na testa. Somente então olhou para o vermelho e enrugado bebê. Naquele instante pouco lhe importou se fosse um menino, herdeiro almejado por todos os nobres, ou uma menina que os obrigasse a escolher um nome às pressas. Para ele aquela criança era a junção dele e de Marguerite, o que de melhor fizeram juntos.

Não era um bebê bonito, mas para ele tinha a beleza dos deuses.

— Que pulmões! — Logan observou, rindo para encobrir sua comoção.

— Lionel quer mais leite — explicou Marguerite, confirmando ser um varão. — Dei-lhe de mamar assim que a Sra. Reed o limpou, mas ainda não peguei o jeito, doeu um pouco. Era o que eu dizia para ele, quando você chegou. Pedia que tivesse paciência com uma mãe inexperiente.

— Como é possível já tê-lo amamentado?! — Logan franziu o cenho e olhou da esposa à governanta. — Quanto tempo eu estive fora?

— Talvez umas duas horas, milorde — calculou Agnes Reed. — Mas não demorou, o parto da duquesa é que foi rápido. Ela teve sorte. Algumas mulheres padecem com as dores por horas.

Mesmo que não tivesse padecido como esperado, Logan notou que Marguerite ainda estava extenuada. E havia comentado o incômodo ao amamentar. Já amava seu filho, mas ainda a amava mais. Acariciando seu cabelo, comentou:

— Disse que doeu ao dar seu leite. Caso queira, Griffins pode contratar uma ama de leite.

— Agradeço sua preocupação — disse Marguerite, analisando o bebê que ela silenciara ao colocar o dedo mindinho na pequenina boca —, mas faço questão de cuidar de nosso filho. Como também disse, é apenas uma questão de jeito. Veja como ele chupa meu dedo!

Logan não a atendeu. Olhava para ela, reparando no modo enlevado com que fitava o filho. Sem nada dizer Marguerite também confirmava o que ele já sabia: ela seria a melhor das mães. E se estava feliz mesmo com as agruras maternas, quem seria ele para interferir?

— Sim, ele parece ávido — comentou, sorrindo.

— Ávido, é este o termo! — Marguerite fez coro. — Ele é nosso presente de Natal, Logan!

— Um lindo presente! Nem nos importaremos com a falta da árvore, não é mesmo?

— De jeito nenhum! — ela anuiu, olhando para o marido brevemente.

— Acha que está pronta para tentar alimentá-lo mais uma vez? — ele indagou, querendo ser incluído na bolha que via se formar ao redor de mãe e filho. — Eu gostaria de ver isto.

Marguerite assentiu e expôs seu seio. Depois de posicionar o bebê, ofereceu seu mamilo. Mostrando saber mais que ela, seguindo um instinto milenar, o recém-nascido acomodou-se e sugou com a avidez comentada por seus pais. Se a ação doía ou não, Logan não saberia dizer, pois Marguerite sorria abertamente, feliz.

— Creio ter feito corretamente agora — ela exultou.

— Creio que sim, querida! — ele concordou antes de olhar para seu filho. — Creio que sim!

Ambos estavam certos.

Marguerite não somente aprendeu a lidar com o filho em poucas horas como no decorrer dos dias tornou-se mãe extremamente zelosa. Por um dia foi mãe rebelde, resistindo o quanto pôde à contratação de uma ama, quando Logan considerou excessivo que passasse noites em claro por temer que algo acontecesse em sua ausência. Ele dividia com ela a preocupação — mesmo que sir Leonard assegurasse a boa saúde do recém-nascido —, mas entendia que cedo ou tarde a esposa sucumbiria.

— Minha mãe cuidou de todos nós sem ajuda — ela argumentara.

— E fez um excelente trabalho — ele falara com carinho, compadecido pelo abatimento da esposa —, mas não teria feito menos se tivesse a ajuda de uma criada. Poderá fazer o que faz, porém com tranquilidade. Precisa de algum descanso, querida.

Desde então, três semanas após o nascimento de Lionel, contavam com a ajuda de Sofia Crown; babá experiente. A nova criada ajudava a zelar pela melhor parte deles dois, um bebê de beleza divina, pequeno e frágil. Por tão delicada compleição toda aproximação entre Logan e Lionel se dava quando a duquesa embrulhava o bebê até que formasse um firme pacotinho que depositava no colo do marido ou quando este se inclinava sobre o berço para escrutinar o rosto diminuto, os vívidos olhinhos azuis e as fofas bochechas rosadas.

Nesses momentos Logan agradecia a Deus por ter seus pedidos atendidos. Lionel era a prova viva de que Marguerite não fora cobrada pelos erros que ele cometeu, pensou o duque naquela agradável tarde primaveril, apoiado na grade do berço enquanto o filho apertava seu indicador.

— Não há no mundo criança mais amada — disse, ignorando a babá prostrada ao lado do berço, zelando por Lionel enquanto a patroa repousava depois de mais uma noite insone. — Compreende isto? Claro que não! Que pergunta a minha! Evidente que nada sabe.

— As crianças sentem nosso afeto — disse Sofia. Ao ser encarada a criada baixou o olhar e se desculpou: — Perdoe-me, milorde!

— Acredita mesmo que ele saiba? — Logan indagou, voltando a mirar o saudável bebê já com cinco meses de nascido. — É tão pequeno!

— Eu penso que sim, pois retribuem nosso afeto com sorrisos e alegria — respondeu com mais firmeza.

— Pude ver a que se refere, mas não há tanta festa nem sorrisos para mim.

— Se me permite dizer, milorde... — Sofia começou com cautela. Logan assentiu. — Bem... É um pai presente, mas raramente o carrega em seu colo. Laços de afeto são construídos aos poucos, nos pequenos momentos diários. Por Deus, milorde! Não o critico! O que fui dizer. Se a Sra. Reed descobre minha...

— Acalme-se, Srta. Crown! Não tomei como crítica ou liberdade a verdade que citou. Tento estar perto sempre que posso, mas não me atrevo a carregá-lo. Não saberia lidar com sua falta de coordenação e excessiva agitação. Temo machucá-lo.

— Duvido que o fizesse, milorde. — Sofia sorriu timidamente. — Como saberá se não tentar?

Logan apenas escrutinou o bebê que soltara seu dedo para agitar braços e pernas sem o menor controle sobre tais membros, esboçando um sorriso para ele. Era fato que Lionel estava maior e se fortaleceria a cada dia. Naquele momento Logan se perguntou o que esperava para tentar aproximar-se do filho logo nos primeiros momentos de vida.

Em tempo algum criticaria seu pai, mas acreditava que não teria sido mau se este tivesse sido mais presente e até mesmo mais afetuoso. A resistência em aprender sobre o ducado, também o afastamento, se deu pelo distanciamento de George. Talvez, se a hierarquia seca e patriarcal não tivesse imposto um limite tivesse sido mais fácil demonstrar o quanto admirou e amou o pai.

Logan queria que com seus filhos fosse diferente. Seria rígido quando preciso, mas o faria antes de tudo com amor, diálogo e compreensão. Para tanto deveria estabelecer a amizade o quanto antes, determinou, tomando uma resolução. Aprumando-se, ele indagou:

— Eu atrapalharia a ordem estabelecida pela duquesa se levasse Lionel a um passeio?

Sofia piscou algumas vezes, confusa, então meneou a cabeça.

— Eu o faria dormir quando Vossa Graça se fosse, mas como vê, Lionel parece querer o oposto. Preciso agasalhá-lo? Para onde o levará? Devo acompanhá-los?

Logan olhou para Lionel. O filho parecia agasalhado o bastante para o que tinha em mente. Por um instante considerou a terceira questão. Não compreendia muito sobre bebês — quase nada era verdade! —, mas arriscaria um passeio a sós. Com a resolução tomada, respondeu:

— Será um passeio de cavalheiros. Lionel está bem assim... Fique aqui. Logo estaremos de volta.

— Perdoe-me a insistência, milorde, mas para onde o irá levar?

— Apenas para conhecer a família — Logan respondeu, disperso, estudando qual o melhor jeito de tirar o filho do berço.

Percebendo sua dificuldade, Sofia pediu licença, tomou Lionel nos braços e foi depositá-lo no colo do duque.

— Assim, milorde... Apóie a cabeça e o corpinho em vosso braço... Exatamente deste modo. Se precisar de ajuda, basta...

— Não se preocupe, Srta. Crown! — disse Logan, fitando o filho que segurava rigidamente. — Lionel será compreensivo com seu desajeitado pai e se comportará. Não demorarei a trazê-lo.

No corredor Logan aprumou os ombros e, segurando Lionel como se este fosse se partir ao primeiro movimento brusco, seguiu até o melhor lugar para fazer o que dissera à babá: a sala de retratos. Alguns pontos do vasto cômodo estavam na penumbra, mas o sol ainda iluminava boa parte, tornando desnecessário acender as lamparinas.

— Falarei baixinho para que não se assuste com o eco de minha voz, está bem? Considerarei isto sua resposta positiva — disse Logan ao ver o filho sorrir para ele. — Podemos começar? Pois bem... Este é Lionel! Sim, têm o mesmo nome. Sua mãe e ele são muito amigos. Ela o chama de Dom, pela semelhança com dom Quixote, mas ainda é cedo para introduzi-lo no mundo de Cervantes. Espero que esteja rindo para mim, não de mim... Sou seu pai! Passemos a outro...

Com postura impecável, lutando para manter o filho na mesma posição, Logan caminhou até outro retrato. Um a um apresentou os Bolbecs que o antecederam até que chegasse aos pais.

— Esta é Harriette, sua avó! Era linda, não é mesmo? E o era também por dentro, como sua mãe. É esta a beleza que você sempre deverá procurar, Lionel. Não seja ludibriado por belezas óbvias nem envolvido por sentimentos levianos. Esteja sempre atento!

Ao se calar, Logan desviou sua atenção para o pai.

— Este é George, seu avô... — apresentou, mirando os olhos do retrato, reproduzidos com vivacidade assombrosa; era como se observasse quem o olhasse. Passados tantos meses desde que encerrara sua relação com Ketlyn ainda era incômodo sustentar aquele olhar, mas Logan queria crer que estivesse perdoado. Agora tinha uma família e considerava-se um bom homem. Foi para o retrato que falou roucamente: — Este é Lionel, papai, seu neto. Penso que herdou seus traços. Consegue notar a semelhança das sobrancelhas? Espero que herde também a força de seu caráter, que no futuro seja um duque melhor que eu e que zele por todos de Bridgeford. — Após uma longa pausa acrescentou: — Queria que o senhor estivesse aqui para conhecê-lo.

— Creio que o oitavo duque conheça o neto... — A voz de Marguerite ecoou pelo salão, levando Logan a se voltar para a entrada e segurar Lionel com maior cuidado, pois o menino se agitou ao avistar a mãe.

— Marguerite... — Logan pigarreou para afastar a breve comoção enquanto via a esposa se aproximar, sorrindo. — Há quanto tempo está aí?

— Tempo bastante para descobrir que sou bonita por dentro e por fora, como minha sogra — ela gracejou ao parar diante dele. — Assim que eu soube sobre a apresentação da família deduzi que os encontraria aqui e vim. Atrapalho o passeio de cavalheiros?

— Eu preferia que estivesse descansando — disse o duque, enfim encontrando um modo eficaz de segurar o filho ao sustentá-lo pelo tronco, de frente, para que agitasse seus braços e pernas livremente.

Marguerite se preocupou ao ver o bebê naquela posição, mas Lionel não parecia incomodado e ela estava contente demais com o avanço do marido para intervir, portanto apenas respondeu:

— Era esta a minha intenção, mas Nádia não foi tão sorrateira quanto tentou ser e acordou-me ao deixar a correspondência da tarde em minha escrivaninha.

— Pois deve alertá-la sobre a necessidade de seu descanso! A correspondência pode esperar até que esteja acordada.

— Não se zangue com ela! — pediu Marguerite, fingindo não ver que Lionel agitava os bracinhos para que ela o pegasse. Que ficasse com o pai um pouco mais. — Acredite, em uma das cartas estava escrito: urgente. Nádia quis que eu a visse assim que despertasse.

— Pois conseguiu — ele retrucou. A contrariedade dividia espaço com a curiosidade. — Sei que leu a tal carta e deduzo que não seja nada relacionado ao barão, pois noto certo divertimento em seu rosto. Conheço-a, senhora.

— E conhece bem! — Marguerite riu brevemente e assumiu ar conspiratório ao segredar como se houvesse alguém ali que os ouvisse: — Que a previsão de Lady Luton se confirmou ao dizer que Catarina seria a sensação na temporada londrina não é segredo. Até mesmo Alethia confirmou o sucesso de minha irmã nos bailes e jantares aos quais foi convidada. O que não sabíamos, e que a dita carta veio nos esclarecer, é que ela tem se recusado a ser cortejada.

— Alguém lhe enviou uma carta com fofocas sobre sua irmã?! — estarreceu-se o duque. — Quando penso que a maledicência dos...

— Não, não é disto que se trata! — Marguerite o interrompeu antes que ele assustasse o bebê com seu arroubo. — Recebi a carta de uma mãe muito preocupada com o filho. Ele não confessa, mas Catarina se tornou seu tema preferido, mesmo sendo um dos rapazes que ela desprezou. Recebi um pedido de ajuda em favor dele.

— Desta prática eu nunca tomei conhecimento! — Logan franziu o cenho, então, girou o filho para si. — Esqueça o que ouviu, Lionel. Quando seu tempo chegar, honre seu nome e suas calças. Nada de pedir a sua mãe que facilite suas conquistas. — Depois de segurar o filho corretamente, perguntou à esposa: — Quem é o fracote?

— Não me recordo do rapaz, mas lembro-me da família vagamente. Você nos apresentou na Abadia Westminster em minha primeira ida a Londres... Lorde e Lady Caldwell.

— Estamos falando de Benedict Caldwell?! — Com seu assombro Logan conseguiu enfim fazer com que Lionel chorasse. Sem o preparo necessário para acalmar o filho, passou-o à mãe e começou a andar de um lado ao outro, deixando que ela embalasse o menino. Com o ânimo infantil acalmado, Logan pediu: — Perdoe-me, Lionel, mas jamais estive preparado para o que ouvi.

— Não seja tão rígido — ralhou Marguerite. — O jovem está apaixonado!

Às favas com a paixão de Benedict Caldwell ou seu pouco pendor para conquistas legítimas! Pensou Logan. Digna de nota era a negativa de

Catarina. Falavam da mesma moça interesseira e fútil que ele conheceu em Apple White? Havia ali algum engano ou um mistério.

— Não estou sendo rígido, apenas me espanta saber que Lady Caldwell tomou para a si essa, como direi? Essa... negociação. Prefiro crer que o jovem Caldwell nada saiba quanto a isso. O que pergunto é: Catarina sabe que se recusa a receber a corte do herdeiro de um dos ducados mais antigos e proeminentes de toda Inglaterra? O sobrenome da família dá nome às terras e ao título!

— Acredito que todas essas informações lhe foram passadas ainda no baile em que foram apresentados — respondeu Marguerite. De modo menos evidente, com ele dividia o assombro, mas apegava-se a uma tese. — Sabe? Penso que Catarina não esteja empenhada em se casar agora, pois papai ainda está adoentado.

— Perdoe-me por lembrá-la de que a enfermidade do barão não impediu Catarina de ir para Londres, muito menos a empatou de participar de bailes, jantares e passeios.

— Tem razão, mas não a julgue. Catarina é jovem... — justificou a duquesa, ainda a embalar Lionel de um lado ao outro. — Talvez ela nem sequer entenda que a doença de papai pode ser algo mais grave e tenho certeza de que ele mesmo a incentivou a ir para Londres. Era um sonho!

— Sonho este muito bem aproveitado pelo que soubemos — observou o duque. — Como bem comentou, Catarina se tornou a sensação dos salões e sempre se mostrou propensa a fazer bom casamento. Agora ela recusa um Caldwell?! O que nós perdemos, querida?

— Bem... Eu escreverei para Catarina e também para Lady Caldwell. Espero tranquilizar o coração de uma mãe aflita e conseguir respostas de uma irmã enigmática.

— O que fez de mim, Marguerite?! — Logan exasperou-se consigo, quando sua curiosidade se elevou. — Agora preciso entender o que está acontecendo. Mantenha-me informado.

— Não esconderei nenhum detalhe — ela prometeu e sorriu abertamente.

Vê-la naquele exato instante deu a Logan impressão de jamais ter visto como realmente era estonteantemente linda. Marguerite estava cansada, era notório, mas muito satisfeita em mover compassadamente o filho que agora dormia em seus braços. A maternidade fizera muitíssimo bem a ela, tornando-a mais voluptuosa. Por meses Logan evitou tais pensamentos, pois a esposa se dedicava totalmente ao filho, mas ali foi impossível contê-los.

Estavam juntos em todas as refeições, conversavam, beijavam-se, porém desde o nascimento não voltaram a estarem juntos como um casal e a falta que sentia dela fez-se presente com força incontrolável. As idiossincrasias de Catarina perderam a importância e se Lionel não estivesse entre eles Logan apagaria aquele sorriso com um beijo e a amaria em algum dos móveis do espaçoso salão, sem se importar com o eco de seus gemidos. Não seria assim!

— Preciso resolver umas questões em meu quarto — disse ele, aprumando os ombros. — A senhora importar-se-ia de deixar nosso filho com a criada e ir até lá para prosseguirmos com nossa conversa?

— Em absoluto! Talvez me ajude a elaborar uma boa resposta para Lady Caldwell, pois sinceramente não sei o que dizer. Irei ter com você tão logo deixe Lionel em seu berço.

Marguerite deixou o salão, distraída pelo rostinho sereno que mirava. Ainda custava a crer que o duque tivera a iniciativa de segurar o filho sem que este estivesse imobilizado por mantas ou lençóis e com ele passeasse pelo castelo. Também, ainda a alegrava ter flagrado o monólogo que Logan manteve com o bebê como se este o compreendesse. Com a certeza de que o marido seria um bom pai, Marguerite entrou no quarto de Lionel. Sofia se adiantou para afastar o véu que protegia o berço para que nele sua senhora depositasse o bebê adormecido.

— Encontrou-os com facilidade, milady? — perguntou a criada num sussurro, vendo a mãe cobrir o menino. Marguerite apenas assentiu. — E Lorde Bridgeford se saia bem?

— Sim, o duque saia-se muito bem — respondeu Marguerite ao se aprumar, sorrindo para a criada que aprendera a aceitar. — Penso que o receio de pegar o bebê tenha findado. Bem... Eu preciso ir ter com o duque. Caso Lionel precise de mim, estarei em nossos aposentos.

— Eu não hesitarei em chamá-la, milady! — Sofia inclinou a cabeça, reverente.

Marguerite assentiu e deixou o quarto rumo ao do marido. Estranhou não vê-lo ao entrar e precisou cobrir a boca para calar um grito ao ter um corpo colado às suas costas e um braço nu e restritivo prendendo-a pela cintura.

— Logan?! — inquiriu ao ter seu pescoço cheirado longamente depois de a porta ser fechada e trancada. — Quase me mata de susto!

— Tolice, pois preciso que esteja bem viva para fazer o que pretendo — retrucou Logan roucamente, afastando alguns fios de cabelo que desprendiam do coque para ter melhor acesso à nuca esguia que de imediato beijou.

— Logan, nós não podemos... — Marguerite murmurou, sentindo seus pelos se eriçarem ao ter o farto colo acariciado. — Lionel...

— Nosso filho dorme e, se tiver consideração pelo pai, assim permanecerá por uma ou duas horas — redarguiu, — Cuide um pouquinho de mim, querida... Há quanto tempo nós não...

— Muito tempo! — ela respondeu a questão incompleta, sendo lembrada que além de mãe era mulher pelo forte e repentino desejo que fez doer seu centro tão logo Logan passou a soltar os pequenos botões do corpete. — Espero que seja muito considerado por seu filho, senhor...

— Querida! — Logan beijou seu cabelo e apressou sua ação para logo despi-la.

Marguerite usava apenas a combinação quando foi erguida por braços fortes e levada para a cama. Depois de acomodada viu que foi esperada por um duque coberto apenas por uma ceroula branca que no momento denunciava uma admirável ereção. A prova da urgência aumentou seu desejo e antes que Logan se deitasse ela o surpreendeu, livrando-se rapidamente das peças que ainda restavam.

Logan se perdeu naquela imagem por alguns segundos, então se obrigou a sair da catatonia para despir-se. Nu, foi de juntar à esposa e a beijou com paixão, sem deixar que seus corpos se tocassem. Queria mordiscar o pescoço e o colo farto enquanto acariciasse um seio. Queria aspirar diretamente dela o odor de lavanda e leite, limpeza e vida. Para Logan tal combinação teve poder avassalador. Incapaz de esperar mais ele se acomodou entre as pernas roliças e incontinenti penetrou-a.

— Marguerite! — chamou-a guturalmente ao apertá-la num abraço e mover sua ereção, repetidas vezes, nas dobras úmidas e quentes.

Marguerite por sua vez nada dizia, emudecida pelo desejo que crescia e a engolfava a cada arremetida do corpo forte, viril, ativo. Gemidos involuntários escapavam por sua garganta e reverberavam pelo quarto. Ela teria gritado quando o gozo veio libertá-los da agonia caso Logan não a tivesse beijado.

— Sempre foi assim? — Marguerite perguntou minutos depois, acomodada junto ao corpo do marido, mirando os dedos dele que brincavam com os seus.

— Acho que o afastamento nos tornou melhores — ele opinou, sorrindo —, mas prefiro que não fiquemos outros cinco meses sem nos amarmos. Talvez a senhora possa encontrar um modo de se dividir entre os dois homens de sua vida.

— Farei isto, com certeza! — prometeu, erguendo-se minimamente para encará-lo. — Perdoe-me por não ter-lhe dado a devida atenção! Não notei a passagem do tempo.

— É passado! — Logan acariciava suas costas com a mão livre. — Eu também poderia tê-la chamado antes. Acho que ambos nos perdemos com a passagem do tempo.

— Devemos nos manter atentos a partir de hoje — Marguerite sorriu e beijou-o no peito. — E se ainda não fomos procurados, o que me diz de aproveitarmos um pouco mais do tempo que temos agora?

— Digo que a maternidade não a tornou apenas mais apetitosa como também mais sábia. Nada de desperdiçarmos tempo.

Com um beijo selaram o acordo e daquela tarde em diante mantiveram-se vigilantes para que os dias não passassem sem que em algum momento não se dedicassem um ao outro. Quanto mais Lionel crescia mais a vida voltava ao curso anterior à sua chegada. Na véspera do Natal seguinte, quando completou um ano, em uma pequena reunião — da qual os moradores de Apple White não participaram devido à debilitada saúde do barão — ficou determinado que o menino tivesse apenas a companhia da babá durante as noites. Lowell se compadeceu do sobrinho, Alethia aprovou a mudança.

— Este castelo precisa de mais crianças e como virão se o casal não cumprir com suas obrigações? — ela questionou de modo inocente enquanto escolhia outra rabanada feita por Marguerite.

— Não ocupe sua cabeça com nossas obrigações, titia — pediu Logan, divertido.

— Alethia! Alethia! — ela corrigiu, causando maior divertimento. — E tratem de ensinar Lionel a forma correta de se dirigir a mim. Tomem Lowell como exemplo... Ele nunca mais se enganou.

— Seus leques batendo em minha cabeça foram eloquentes — troçou o rapaz, beijando uma de suas mãos, galantemente. — Para sempre será Alethia!

— Fico tão contente em ver a sintonia entre vocês — comentou Marguerite.

— Sintonia perfeita e sincera — assegurou a senhora, sorrindo para o enteado. — Lowell não me visita tanto quanto eu gostaria, mas quando vai ao Solar ele demonstra ter se tornado profundo conhecedor de orquídeas. Trata delas melhor que eu!

— Causa-me maior contentamento saber que os dias de rebeldia ficaram para trás — disse Logan, erguendo sua taça de vinho em direção ao irmão num brinde mudo.

— E a mim contentaria que parassem de escapar do assunto e me dissessem quando terei outro sobrinho. Lionel acaba de completar um ano. Quero ver Castle abarrotado de crianças.

Logan e Marguerite não sabiam nada sobre abarrotamentos, mas dividiam o desejo de terem mais filhos e cumpriam religiosamente suas *obrigações*. Para alegria geral outra gestação foi descoberta e confirmada em fevereiro. Infelizmente, daquela vez em nada pode ser comparada à primeira. Logo nas primeiras semanas ficou evidente a necessidade de repouso.

Passeios à campina na companhia dos cães e do falcão foram descartados, assim como notícias inquietantes deveriam ser omitidas para que a gestante não sofresse qualquer abalo. Todos em Castle faziam o que podiam para poupar a duquesa, mas a vida seguia seu curso e certos acontecimentos não poderiam ser ocultados.

Marguerite entrava no quinto mês de gravidez, tendo como hóspedes há uma semana sua mãe e sua irmã, quando recebeu a notícia de que o barão havia falecido. Elizabeth e Catarina retornaram a Somerset tão logo organizaram a bagagem, e Marguerite não pôde acompanhá-las. Restou chorar a perda do pai abraçada ao marido, longe de Lionel para não assustá-lo.

— Pobre papai...! Pobre Edrick...! — ela dissera entre um soluço e outro. — Como estará... meu irmão? Ambos eram tão... tão unidos!

— Perdoe-me se pareço insensível, querida, mas no momento preocupo-me com você — retrucara Logan, acolhendo a esposa enlutada em seu colo. — Tanta tristeza não fará bem ao bebê.

— Sei disso... — Marguerite fungou e tentou secar as lágrimas com um lenço. — Sei até mesmo que por nosso afastamento e... por todas as coisas que ocorreram eu não deveria estar assim, mas... dói tanto, Logan! Não sabe as coisas horríveis que pensei sobre papai nos últimos anos e agora... Agora ele se foi! Nunca descobrirei a verdade... Está perdida a chance de saber se fui injusta ou se ele foi um...

— Um o quê, querida? — Logan acariciou seu rosto, condoído.

— Oh, não me dê ouvidos! Papai morreu e eu fico aqui, ainda a pensar o pior sobre ele... Cora se foi... Ele se foi... O que importa?

— Cora?! — Logan empertigou-se. — O que sua amiga tem a ver com o barão, querida?

— Oh, nada! Nada! — negou Marguerite, chorando mais. — Pobre papai...! Pobre Edrick...!

Naquela tarde foi preciso que sir Leonard fosse a Castle ministrar calmantes que ajudassem a duquesa a dormir. Estes foram usados por uma semana até que ela conseguisse conciliar o sono sem valer-se deles. Marguerite sossegou seu coração somente ao receber uma carta de Edrick, assegurando estar bem e revelando que assumira de vez a herdade. O título seria repassado para ele quando o período de luto findasse.

A calmaria depois de grandes tormentas durou por apenas dois meses. Era meados de outono, outubro de 1867, quando Castle foi eclipsado por outra perda. Alethia foi encontrada em sono eterno por uma criada, em sua cama. A tranquilidade do passamento não arrefeceu a comoção de seus sobrinhos nem de seu enteado.

Foi com o coração partido ao meio que o duque seguiu sozinho para a reservada despedida no cemitério atrás da igreja, em Dorchester. Marguerite estava bem cercada em Castle e Lowell precisaria dele. Fosse como fosse, Logan não deixaria de prestar suas últimas homenagens à tia tão amada.

— Ainda não acredito que ela se foi, Logan — disse um Lowell amadurecido, fitando o ataúde que lentamente desaparecia de vista ao ser baixado para a cova. — Como serão nossas vidas sem Alethia?

— Ela fará falta, sem dúvida — comentou Logan, escrutinando o rosto do irmão —, mas nós ainda temos um ao outro.

— E você tem sua bela família para alegrar seus dias! O que tenho eu? Desde que a verdade sobre mim foi revelada era como se Alethia e eu formássemos nossa própria família.

— Alethia praticamente o adotou — Logan acrescentou, esboçando um sorriso. — Você foi para ela o filho que jamais teve. Deve se orgulhar e não decepcioná-la agora que ficará com o que é seu por direito.

— Por herança, afinal, apenas nós sabemos a verdade.

— Tem razão... — Logan anuiu. — Espero que saiba administrar sua nova fortuna.

— Não quero pensar sobre isso ainda... Preferia que Alethia ainda estivesse aqui.

— Não imagina o quanto me alegra ouvir isto, Lowell! — Logan o abraçou pelos ombros. — Enfim, a maturidade!

A satisfação vinda com aquela confirmação sofreu forte abalo, quando Logan retornou a Castle e notou a agitação anormal de seus criados. Por um mordomo lívido o duque soube que a duquesa entrara em trabalho de parto antes do previsto e que o médico a auxiliava há algumas horas. Esquecido de Alethia, Logan se livrou do sobretudo, do casaco preto, do chapéu e correu escada acima, de dois em dois degraus, apenas para estacar à porta do Quarto Josephine.

Daquela vez não havia o choro potente de um bebê, apenas os gritos de Marguerite. Passaram-se bons segundos até que o duque notasse a presença de Nádia e Ebert no corredor; ambos igualmente aflitos. Sem dirigir-lhes palavra Logan levou a mão à maçaneta.

— Não faça isso, milorde! — Ebert correu para se colocar à porta, barrando a entrada do patrão. — Não me olhe como se quisesse matar-me. É a ordem de sir Leonard.

— O que provocou o parto fora de hora? — Ele se afastou a contragosto e passou a andar de um lado ao outro. Ao notar a troca de olhares entre os criados, exasperou-se: — Não ouviram? O que aconteceu?

— Milorde, eu... — Ebert foi calado pelo choro do recém-nascido.

Atraído pelo som, Logan afastou o valete da porta e entrou. Ele mentiria se um dia dissesse que os lençóis ensanguentados não o impressionaram, entretanto estes não tiveram o poder de freá-lo. Dispensando cumprimentos o duque foi se colocar ao lado da esposa pálida, suada. Ela ergueu seus olhos lacrimosos e balbuciou:

— Perdoe... Eu... Seria rápido...

— Acalme-se, querida! — pediu, beijando uma de suas mãos. Para a governanta que lidava com o recém-nascido indagou: — Do que ela está falando?

— Terão tempo para conversar, Lorde Bridgeford — interveio o médico que ainda lidava com sua paciente. — Foi um parto difícil. Não deve cansá-la mais.

— Diga-me apenas o que pode ter havido — pediu o duque. — Estamos em outubro.

— Quanto a isso não se agaste. Se tivesse dado uma boa olhada em vosso filho veria que seu tamanho corresponde a uma gestação regular. Minha teoria é que eu tenha me confundido ao fornecer-lhes a data. Vosso segundo filho é tão sadio e forte quanto o primeiro. Preocupa-me apenas que tenha demorado a chorar. Talvez tenha sido o trauma.

— Trauma?! Que trauma? Refere-se às perdas que sofremos? A duquesa amava o pai e também minha tia.

— Eu... Caí... — Marguerite balbuciou antes que suspirasse e tombasse a cabeça para o lado.

Logan nem sequer assimilou o que ouviu. Terrificado, colocou-se de pé e se afastou da cama, contendo o ímpeto de chacoalhá-la. Marguerite parecia... Não! Ele se recusou a pensar no pior. Ele não sobreviveria àquela perda.

— O que aconteceu? — indagou, mirando a esposa com seus olhos arregalados. — Ela...

— A duquesa acaba de bravamente dar à luz a vosso filho, Lorde Bridgeford — respondeu o médico com questionável bom humor. — Vossa esposa apenas sucumbiu à exaustão. Deixe que durma. Por que não dá uma boa olhada em vosso filho?

Seria julgado se externasse seu pensamento, mas o que de fato queria era ficar ao lado de Marguerite e se possível despertá-la somente para que confirmasse as palavras do médico. A palidez e as olheiras lilases davam a ela tétrica aparência. E não ajudava a tranquilizá-lo ver os lençóis sujos.

— Anime-se, duque! — Sir Leonard resgatou Logan de suas cismas ao bater em seu ombro amistosamente. Logan nem notou a aproximação. — E não se impressione com o que vê. O parto foi demorado, difícil, mas as mulheres estão preparadas para este momento. É a natureza seguindo seu curso. Logo a duquesa despertará.

— Nem todas as mulheres saem ilesas desse processo — retrucou o duque, crendo ter tido uma amostra do horror vivido por seu amigo conde que havia perdido esposa e filho em momento tão *natural*. Alweather era alguém a ser admirado, considerou. Ele simplesmente não via a si mesmo sem Marguerite. — Pode garantir que minha esposa está bem?

— Estou velho, errei grosseiramente em meus cálculos, mas posso lhe assegurar que a duquesa em breve despertará. Vá ver vosso filho, Lorde Bridgeford. Já sabe como ele será chamado?

— Conversamos sobre alguns nomes, mas ainda não optamos por nenhum.

Com essa resposta Logan enfim se aproximou do aparador junto ao qual a governanta terminava os primeiros cuidados com o recém-nascido. O bebê sem nome era tão enrugado e vermelho quanto Lionel em seus primeiros instantes de vida e surtiu no pai o mesmo efeito imediato. Escrutinando o corpinho trêmulo, o sexo que comprovava seu gênero e a diminuta boca desdentada que liberava o tardio e forte choro, Logan considerou ser aquele seu segundo presente de beleza divina e decidiu que não se furtaria de segurá-lo desde o primeiro dia.

— Depois que o vestir, quero-o em meu colo — disse à governanta. — Enquanto o prepara, conte-me sobre a queda da duquesa. O que aconteceu?

— Creio eu que um engano que teve consequências quase fatais, milorde — disse Agnes Reed com voz trêmula. — A duquesa estava inconsolável pela perda de vossa tia e decidiu distrair-se, dando um passeio ao redor do castelo com a babá e o pequeno conde.

Logan respirou pausadamente, tentando relevar a rebeldia da esposa.

— Prossiga...

— Parece que tudo ia bem até que Maylon derrubou o menino com suas estripulias, causando um pequeno ferimento. O corte em sua testa foi mínimo, mas segundo a duquesa este sangrou em demasia. A babá desmaiou, restando a ela correr para socorrer o filho. Foi quando caiu.

O duque olhou para a esposa, dividido entre a compreensão e a contrariedade.

— Por sorte o Sr. Ebert viu toda ação da janela de vosso quarto e imediatamente foi ajudá-la. Foi ele quem a trouxe para cá e a tranquilizou, tentando distraí-la da dor até que o doutor viesse. Jamais imaginaríamos que o ocorrido provocaria o parto.

— E fez ele muito bem! — disse sir Leonard enquanto lavava as mãos. — Eu não queria alarmá-lo agora que tudo passou, mas a duquesa ter sido deitada o quanto antes e ter mantido a calma contribuiu para que algo mais grave não acontecesse. Com sua presteza vosso criado pode ter salvado a vida deste inocente e também a de vossa esposa, Lorde Bridgeford.

Logan sentiu seu sangue esfriar nas veias ante a imagem projetada em sua mente: ele com um menino ao lado e outro em seus braços enquanto um esquife com o corpo de Marguerite era baixado lentamente em uma fria e suja sepultura.

— Milorde, para onde vai?! — indagou a governanta ao vê-lo seguir para a porta.

Logan não respondeu por não tê-la ouvido. Tão logo deixou o quarto encarou o valete que permanecia no corredor ao lado de Nádia. Os criados fiéis olhavam-no com ansiedade.

— Milorde — começou Nádia —, como está Lady Bridgeford? O doutor não me deixou ficar...

— A duquesa está dormindo, Srta. Riche — Logan respondeu, sustentando o olhar do valete. Foi para ele que disse: — E devo agradecer por isso a você, Ebert!

— Nada tem a me agradecer, milorde — refutou o valete, empertigado. — Não reitere as palavras de sir Leonard. Não sou um salvador, apenas cumpri com meu dever. Zelo por vosso bem-estar e isto inclui vossa família. Pedi que chamassem sir Leonard para que examinasse a duquesa, apenas isso. Se tivesse imaginado o que aconteceria eu a teria levado ao hospital. Foram momentos angustiantes de espera e eu...

— Não diminua seu feito, Ebert — interrompeu-o o duque. — Soube que a acalmou como pôde, evitando que fossem momentos de desespero. Hoje minha família teria sofrido novo golpe em curtíssimo espaço sem sua ação. Em vez disso trouxe alegria a uma data que para sempre seria apenas marcada pela tristeza. Considero-me em débito e não vejo o que possa fazer para demonstrar o quanto agradeço. Dizer obrigado parece-me pouco. Queria que sentisse a mesma felicidade que me toma.

— Se é assim, milorde, eu poderia dizer algo particular que me faria também feliz — disse Ebert. Nádia se empertigou e meneou a cabeça para o valete. Apenas Logan notou o gesto, pois seu criado em tempo algum deixou de fitá-lo. — Algo bem simples na verdade.

— Pois diga o que é — liberou o duque, olhando do valete à criada da duquesa. Este assentiu e deu um passo atrás para se colocar ao lado de Nádia cuja pálida face de súbito foi tingida por forte rubor ao ter a mão capturada de modo rápido e discreto. Logan entendeu a razão do toque, mas a perplexidade não permitiu que a assimilasse. — Ebert, diga o que deseja... Sem sombra de dúvidas este é mais um momento que preciso ouvir o óbvio.

— Sempre será um prazer, milorde! — Ebert inclinou a cabeça, deferente, e disse: — Quero que dê vosso consentimento para que eu me case com Nádia Riche.

Ouvir o óbvio de um valete empertigado, envolto em seu eterno ar de enfado, nada ajudou. Nádia era a única que agita de acordo, exibindo até mesmo as orelhas vermelhas, mantendo os olhos baixos e um discretíssimo sorriso.

— Creio não ter compreendido... — Logan escrutinava o insólito casal. — Pediu que eu...?

— Desse vosso consentimento, milorde... Para que possamos nos casar.

Enfim o sisudo valete sorriu ao fitar Nádia. O rosto dela ficava bons centímetros abaixo do dele; suas idades estavam ainda mais distantes. Contudo, tal detalhe não era de sua conta, assim como não lhe concernia especular como ou quando o romance teve início, Logan considerou. Se casar com Nádia tornasse Ebert tão feliz quanto estava, que corressem os proclamas!

— Tem meu consentimento — Logan respondeu por fim, ainda olhando de um ao outro.

— Agradecido, milorde! — Ebert sorriu, surpreendendo ainda mais seu patrão.

— Não por isso... E quando pretendem se casar? Em algum momento pensaram em datas? Precisaremos decidir como ficará a situação de vocês depois do casamento... Será meu valete pelo tempo que desejar, mas Nádia há de querer cuidar da própria casa... de seus... filhos...

— Oh, milorde — disse Nádia —, não pensamos em todas essas coisas, mas por enquanto pretendo continuar a servir a duquesa. Preciso do serviço.

— Temos planos de comprar uma casa na vila, milorde — informou Ebert, de volta ao seu estado natural. — Juntaremos nossas economias.

Logan agradeceu, divertida e intimamente, o retorno do tom monótono e da altivez. Era aquele o valete que conhecia.

— Sendo assim, procurem a casa que mais lhes agrade e digam-me o quanto falta. Faço questão de contribuir. E não se atrevam a recusar!

— Milorde... — chamou-o Agnes Reed ao abrir a porta, impedindo qualquer agradecimento ou recusa por parte dos criados. Ela trazia o recém-nascido em seus braços, roubando toda a atenção do patrão para si.

— Perdoe-me por interrompê-lo, mas disse que queria segurar vosso filho tão logo estivesse pronto.

— Sim, claro! — Surpreendentemente sem receio, Logan deixou que a governanta passasse o frágil e agitado pacotinho para seu colo. — Olá, meu filho... Bem-vindo ao mundo!

— Milorde — disse Agnes —, importar-se-ia de segurá-lo enquanto Nádia e eu limpamos a duquesa?

— Em absoluto — ele anuiu e deixou que as criadas se fossem. Com seu novo menino no colo o duque deixou que a conversa fosse encerrada e ficou a embalá-lo. Nem sequer notou quando Ebert se retirou. Sua dispersão era natural, pois a vida que tinha em seus braços afastava as sombras que escureciam aquele dia. Alethia cumpriu seu ciclo, aquele menino iniciava o dele. Assim era a vida, feita de morte e vida.

Que eles tivessem uma vida plena, Logan rogou quando voltou ao quarto e pousou os olhos em sua esposa.

## Capítulo 25

Marguerite estava acordada, apoiada nos travesseiros. Mesmo cansada, tratada e acomodada em meio a limpos lençóis, ela era o retrato da serenidade. Logo a duquesa se tornou o retrato da consternação ao torcer os lábios para conter o pranto.

— Querida, não chore! — Logan pediu ao chegar junto à cama. — O pior já passou.

— Não está aborrecido comigo? — Sua voz saiu trêmula, sussurrada. — Eu não deveria ter descido... Eu não me perdoaria se tivesse feito algo a ele... — Marguerite indicou o filho. — Posso pegá-lo?

— Sim. Ele ansiava estar com você — disse Logan, amavelmente, sentando-se com cuidado na beirada do colchão para promover o encontro entre mãe e filho. Marguerite recebeu o bebê com desenvoltura e rapidamente o despiu para olhá-lo com demasiada atenção, como se conferisse sua integridade. Então, chorou, preocupando o duque. — Shhh... Vê que ele está inteiro, querida. Não há razão para chorar.

— Eu tive tanto medo quando percebi que ele nasceria antes do esperado...

— Não antes do tempo — disse sir Leonard, que ao lado das criadas assistia à cena. — Já lhe expliquei isso, duquesa. Vossa queda apenas adiantou o que aconteceria em poucos dias. Por favor, alimente vosso filho para que eu vá embora despreocupado.

Marguerite assentiu e, depois de apenas cobrir o bebê com a manta, ofereceu seu peito com experiência e passou a acariciar levemente a mínima cabeça coberta por ralos tufos de cabelo esbranquiçado. De súbito ela esboçou um sorriso e olhou para Logan.

— Ele é lindo, não é? Como Lionel.

— Sim, ele é lindo, querida — Logan anuiu, considerando ser ela a criatura mais bonita.

Naquele instante sentiu o amor inflar seu coração. Ebert merecia mais do que seu consentimento para o casamento ou ajuda para a compra de uma casa por ter salvado a vida daquela que sempre seria a razão de sua existência. Amadurecendo uma ideia, perguntou: — Como iremos chamá-lo?

— Sei que cogitamos alguns nomes, mas se você não se opuser eu gostaria que fosse John. Sei que Ebert é apenas um criado, mas...

— Hoje ele provou ser mais que isso, querida — Logan não permitiu que ela se justificasse, quando ele pensava o mesmo. Carregar o nome daquele que o salvou seria tão digno e legítimo que receber o nome de um valoroso antepassado. — John é um bonito nome.

— Bem... Vejo que o recém-nascido se alimenta sem qualquer dificuldade e que seus pais encontraram a tranquilidade — disse o médico. — Devo retornar a Bridgeford. Caso haja alguma necessidade...

— Pedirei que retorne — falou o duque. — Obrigado por tudo, sir Leonard!

— Não me agradeça por cumprir meu dever, duque. E se agora me der vossa licença...

— A Sra. Reed o acompanhará até a saída antes que desça e descanse.

Com a saída do médico, da governanta e da criada que levava os lençóis sujos, Logan fitou a esposa e seu novo filho.

— Como John está se saindo?

— Muito bem! Vejo que será um glutão. — Marguerite sorriu levemente, mas logo voltou à seriedade. — Como foi tudo em Dorchester? E Lowell, como está?

— Arrisco dizer que meu irmão esteja sentindo a partida de Alethia mais do que nós — disse Logan depois de beijar os cabelos dela. — E tudo correu como previsto. Alguns amigos e os criados do Solar compareceram ao funeral, mas não quero falar sobre isto. Para sempre o dia de hoje deve ficar marcado pela chegada de nosso querido John. Ah, sim! E por algo espantoso.

— Espantoso? — Logan sabia que a curiosidade da esposa a distrairia de temas tristes. — O que é espantoso, Logan? Não negue informações a uma mulher exaurida.

— Agora me ocorre que talvez para a senhora não seja novidade...

— Seu suspense beira à maldade! — ela o acusou. — Conte-me!

— Está bem — Logan aquiesceu —, mas me diga você o quanto sabe sobre Ebert e Nádia.

— O que sei sobre eles? — Marguerite uniu as sobrancelhas e pensou enquanto ajudava o filho a reencontrar seu seio. — Sobre Ebert não posso dizer muito, apenas sobre Nádia. Ela veio comigo de Apple White e em nossas conversas falou de sua família e... Por que está meneando a cabeça e sorrindo assim? Não é o que quer saber?

— Não. E agora vejo que nada sabe... — Logan sorriu mais. — Prepare-se para a novidade: Ebert e Nádia irão se casar em breve. Dei-lhes o consentimento ainda há pouco.

— O quê?! — Se Marguerite não estivesse tão cansada ou com o filho nos braços teria se levantado, tamanha sua surpresa. — Como é possível? Nádia nunca me disse nada.

— Conhecendo Ebert eu arrisco dizer que ele pediu discrição. Você se opõe?

— Não... Apenas não esperava por isso. Se assim querem, que sejam felizes! — Marguerite afastou o filho e passou a vesti-lo. — Parecerei insensível se disser que, depois de ver que você está bem eu desejo apenas saber como está o machucado de Lionel e entregar John aos cuidados de Sofia para que eu possa dormir?

— Não, querida... Eu também quero saber como está Lionel. Irei até o quarto dele e pedirei que a babá venha ajudá-la com John. E quanto a Maylon? Devo mantê-lo afastado?

— Este é outro assunto que deixarei para depois — disse Marguerite, contendo um bocejo. — Estou exausta. Com tudo em seu lugar eu sinto que poderia dormir por um ou dois anos!

Impossível dormir tanto, porém para Marguerite os anos passaram com a brevidade de dias e horas.

Entre a paz das calmarias e os sobressaltos dos acontecimentos insólitos, logo estavam em 1869. Seu casamento com o duque encontrou a estabilidade das relações sólidas; seus filhos cresciam fortes e sadios; Edrick havia elevado a qualidade da sidra Apple White, aumentado seu prestígio e ampliado o campo de distribuição; Catarina se tornou um desafio à compreensão humana, pois, contrariando tudo que sempre almejou e as conhecidas regras das temporadas, seguia sendo a sensação dos salões londrinos e dispensando a corte de nobres pretendentes.

Sobre Catarina, Edrick não parecia preocupado e Marguerite tinha desistido de entendê-la. Somente a baronesa se desesperava e dizia que cedo ou tarde todos se cansariam do esnobismo de sua filha caçula e que esta se tornaria uma solteirona encalhada. Não foi o que se deu.

Pouco depois da temporada de caça a raposa vermelha, para a qual foi convidada a participar pela família Caldwell, Catarina enviou uma carta a Castle anunciando seu comprometimento com o conde de Alweather. Aquela união chocou a Logan e a Marguerite do mesmo modo que outra, anos antes, de Ebert e Nádia; pela incompatibilidade de gênios e discrepância entre suas idades. Eram como água e vinho, miscíveis, porém de composição distinta e contrária.

Para Marguerite o conde era a água e Catarina o vinho, pois sua beleza embriagava os nobres que desprezava e o ego próprio a entorpecia por tê-los todos à sua volta. Para Logan prevalecia ainda o temor por quem a desposasse, afinal, mesmo que a cunhada tivesse amadurecido, fora pouco, e recusar a corte de nobres abastados não significava que estivesse menos interesseira.

Por que Catarina havia aceitado se casar com Alweather era uma incógnita. Que Deus se apiedasse de seu amigo! Rogou o duque antes que comentasse ao saber da novidade:

— Nas poucas cartas que me enviou Alweather perguntava por Catarina, mas para mim valia o que você me disse: mera polidez. Agora ele e sua irmã irão se casar?! Como é possível? Ela não começava a pender para o lado de Benedict Caldwell?

— Era o que eu imaginava... Como prometi à duquesa Caldwell, eu intercedia por ele sempre que estava com Catarina. Ela nunca me pareceu entusiasmada, apenas dizia que o considerava interessante. E agora isto! — respondeu Marguerite, mirando a carta. — Inacreditável!

Tão inacreditável que Marguerite duvidou daquela informação até o momento em que ouviu a irmã dizer "sim", na St. Margaret — igreja anglicana localizada exatamente ao lado da Abadia de Westminster —, perante seletos convidados, a fitar o conde como se no mundo apenas eles dois existissem; mesmo que tentasse disfarçar. O noivo, por sua vez, manteve-se empertigado e sóbrio, como se estar naquele altar demandasse resignação ou algum esforço. Tomando por base sua própria história, Marguerite temeu que algo de errado estivesse acontecendo entre o casal ao ver a noiva ser beijada na testa, brevemente, ao término do casamento. Na testa!

Marguerite jamais esqueceria tal detalhe ou outros tantos que reparou durante a recepção, organizada e realizada na casa londrina do conde. A postura de Henry Farrow em momento algum mudou. Sim, ele manteve o protocolo, abriu o baile valsando com a esposa e com ela circulou pelo salão, mas sempre mantendo respeitosa distância. Nem sequer a levava pelo braço, sim, pela mão que ela mantinha sobre a dele; sem apertos ou dedos entrelaçados.

— Qualquer dia precisa repetir a história de como aceitou o conde depois de tantas cortes recusadas — disse a duquesa à nova condessa de Alweather quando ficaram a sós no quarto, antes que a criada chegasse para ajudar a noiva a se trocar para que com o marido saísse em viagem para Paris. — Enfim seu casamento com ele toma ares de realidade, mas sinto que por algum tempo não assimilarei todas as informações.

— Não é nada extraordinário... — Catarina ergueu os ombros, blasé. — Conhecemo-nos em Castle, no aniversário à fantasia do duque. Depois disso ele me enviou flores e dois dias depois foi até Apple White, mas para ver papai particularmente. Eu nunca soube o que conversaram ou voltei a vê-lo por um longo período. Vimo-nos mais uma vez em Castle, bem sabe, e outra vez aqui, em Londres. Encontramo-nos então na casa de campo dos Caldwells, durante a caçada. A proposta foi inesperada e por alguma razão eu não consegui recusar... E cá estou! Fim.

— Não aceito o resumo nem essa conclusão — retrucou Marguerite. — Um dia terá me contar a história completa.

— Algum dia, eu prometo! — disse Catarina, indicando a criada que entrou e fechou a porta. — Agora preciso me entregar aos cuidados de Leonor, antes que me atrase. Já deve ter notado que o conde não é muito paciente.

Henry Farrow deixava muito pouco a ser "notado". Ele era o que era e mostrava ao mundo, sem mascarar, contemporizar ou atenuar. Por um instante de maldade, Marguerite considerou merecido que a irmã tivesse se casado com alguém rude e muito mais velho, mas com o tempo viu que errou em seu julgamento. O casal era tão feliz quanto Ebert e Nádia, casados há pouco mais de um ano.

Infelizmente nem todos trilharam caminhos conhecidos e escolhidos. Meses depois do casamento de Catarina, souberam em Castle que o marquês de Baskerville e seu filho mais velho morreram em um trágico acidente de trem, o que fazia de Mitchell o herdeiro do marquesado. Com a anuência do duque, Marguerite escreveu ao amigo, porém não obteve resposta. Encontrava-se com o novo marquês em Londres, porém nas poucas vezes em que conversaram os diálogos eram tensos, de teor dúbio, como se ele tentasse ocultar o amor que ainda sentia. Para evitar dissabores e duelos, ela passou a evitá-lo. Lamentava, mas a vida tinha de seguir seu curso.

Esquecendo-se de Mitchell e com Catarina bem encaminhada, Marguerite voltou-se para o irmão. Estabelecida em sua posição a duquesa tinha em seu rol de amizade jovens damas que muito a contentaria ver unidas a Edrick. O novo barão, entretanto, esquivava-se de qualquer e toda tentativa de apresentação que ela promovia. Naquele caso a duquesa compartilhava da preocupação de sua mãe, pois o tempo passava implacavelmente para todos e se continuasse como estava, Edrick, sim, seria um solteirão encalhado.

Apesar dos temores, também não foi o que se deu. A boa nova chegou a Castle narrada em um telegrama com ares de convite, numa manhã de março. O ano era 1871. Edrick convidava os membros da família Bolbec para seu casamento, a ser realizado em Apple White. Por ser aquela união tão insólita quanto a de Catarina era difícil confiar em sua veracidade, mas apesar da descrença de Marguerite, Edrick se casaria em breve.

Em dias! A duquesa reiterou o pensamento. Ela estava no trem que levava a Westling, revezando sua atenção entre a conhecida paisagem e seus filhos, acomodados lado a lado no assento à frente. Sofia estava ao seu lado, vigilante, como a esperar um solavanco mais forte para segurar um dos meninos. Notava-se que não estava à vontade. O duque tampouco aprovava a escolha do trem, porém venceu a vontade da maioria. Os meninos apreciavam a rapidez e o barulhento apito, Marguerite preferia o que lhes alegrava. Seu contentamento não era maior por não ter o marido incluído na aventura. Seria justo que juntos descobrissem a identidade da mulher que laçara um solteiro convicto como Edrick Ludwig Preston Bradley.

— Madeleine Kelton é a noiva — Logan arriscara o palpite ao ler o telegrama. — Talvez as voltas pelos jardins tenham evoluído para algo mais. Não seria espantoso.

— A união entre eles era certa. Edrick não precisaria usar este expediente — ela retrucou.

— E seu irmão não agiria como eu agi, não é mesmo?

— Em momento algum eu os comparei. — Marguerite ainda se arrependia do que falou, mesmo que tenha rapidamente contemporizado: — Cada um tem sua história, com começos distintos. O nosso não foi como um conto de fadas, mas o amor colocou tudo no lugar.

— Sempre sábia, minha bela esposa! — Logan a recompensou com um beijo. — Consegui apenas nublar seu olhar e nos distrair no que interessa... Westling foi fisgado! Resta confirmar se creditamos a Srta. Kelton este feito histórico.

Depois de tal comentário Marguerite se sentiu culpada. Com suas responsabilidades como duquesa, esposa e mãe, deixou a amizade com Madeleine relegada ao mais baixo plano. Há anos falavam-se apenas em Apple White ou em Londres. Tanto havia mudado que...

— Ficarei feliz se for Madeleine, mas pode ser outra pessoa. Uma dama que tenha roubado o fechado coração de meu irmão — ela sugerira, sorrindo. — Quero descobrir qual de nós tem razão, Logan. Devemos tratar de nossa partida o quanto antes.

— Compreendo seu entusiasmo e vi que Westling pede urgência, mas temos assuntos inadiáveis a resolver nos próximos dias. Bem sabe!

Nomear o novo coordenador para o hospital de Bridgeford era o assunto que concernia a ela resolver. Como diretora Marguerite organizou a polêmica votação e com sua influência, gentil e firmemente, convenceu sir Leonard a repassar o cargo. A duquesa riu ao pensar que precisou de muita gentileza e o dobro de firmeza para que o velho médico encerrasse suas funções.

— O que é divertido, milady? — perguntou Sofia, outra que se tornara uma boa amiga ao longo dos anos. O oposto de Gertrudes Webb, criada de quarto que substituíra Nádia Ebert.

— Estava pensando em sir Leonard.

— Oh, sim! — Sofia riu discretamente, sem precisar de detalhes para compreender a diversão da patroa. — Ele lhe deu trabalho.

— Mas quem pode culpá-lo? Décadas no cargo e então... — Marguerite se calou e sorriu, olhando para a estação que avistava. — Enfim, chegamos!

No segundo seguinte a composição perdia força.

— Será que Nero ainda está vivo? — perguntou Lionel, com reservada animação. John ergueu os ombros e torceu os lábios, deixando evidente que não saberia a resposta.

— Creio que sim. Seu tio Edrick não me faria uma surpresa como esta — disse Marguerite, fitando o filho mais novo.

Aos três anos de idade John a tudo compreendia, porém nada dizia. Suas tentativas frustradas de proferir palavras compreensíveis levaram-no ao mutismo; detalhe que entristecia a duquesa, pois ela cria piamente ser a culpada. Se não tivesse deixado a cama nem se desesperado ao ver a testa de Lionel ferida como resultado das brutas brincadeiras de Maylon, o parto não teria sido adiantado e... Não! Marguerite refutou o pensamento quando o trem finalmente parou.

— Vamos? — ela disse aos meninos. Incontinenti ambos se colocaram de pé e esperaram que seus casacos, cachecóis e gorros fossem mais bem acomodados para protegê-los do frio.

Sofia, Gertrudes e Alfie já estavam prontos e aguardavam a duquesa para deixarem o vagão.

Seguiram para Apple White num coche de aluguel. Como nas últimas vezes em que esteve na fazenda, Marguerite era invadida pela alegria, mesclada a certa melancolia. Os anos corriam, a vida seguia seu curso, e nada eliminava a impressão de que veria seu pai ao chegar. Segundo Logan para sempre ela se sentiria assim, pois não houve despedidas.

Marguerite dava razão ao marido, mas secretamente desejava que ele estivesse errado. Era angustiante avistar Apple White, imponente e reinante, e esperar encontrar quem há anos não mais existia. Certo seria somente se alegrar sempre que retornasse ao seu antigo lar.

— Chegamos! — Lionel sorriu. — Saberemos se Nero ainda está vivo, mamãe.

— Sim, ele está... Veja lá.

Lionel e John olharam na direção indicada pela mãe e riram ao ver o galgo que corria para recebê-los. Bastou deixarem o coche, com a ajuda de Alfie, para que Nero saltasse à volta deles.

— Meu velho e bom amigo! — Ela esfregou a cabeça do cachorro, sorrindo. — Como tem passado? Sim, eu sei... Também sinto sua falta, mas ali tem dois meninos que querem vê-lo.

Como se a tivesse entendido, Nero a deixou e foi festejar Lionel e John.

— Agora que já o se cumprimentaram, venham! — chamou a duquesa.

No mesmo instante a baronesa e a condessa cruzaram a porta principal para recebê-los. Logo atrás das damas surgiu Beni que reverenciou a duquesa e se adiantou para receber a bagagem.

— São mesmo vocês! — Elizabeth sorriu para a filha e seus netos. — Catarina pensou que fossem os Keltons que voltavam por algum motivo, mas eu disse que não havia razão. Tanto que pedi a Beni que nos acompanhasse depois que ouvi a aproximação de um veículo.

— Madeleine estava aqui? Lamento não tê-la visto — queixou-se Marguerite.

— Hoje foi um dos domingos de visita — explicou Elizabeth. — Poderá encontrá-la em outra ocasião. Se houver...

Marguerite estranhou o tom evasivo, também o acréscimo murmurado. Também não lhe passou despercebido o olhar que a mãe trocou com a filha caçula.

— Aconteceu algo durante a visita? Por favor, digam-me: Madeleine e Edrick irão se casar? Desentenderam-se? Onde está ele?

Houve outra troca de olhares que deixou Marguerite ainda mais curiosa.

— Terá todas as respostas em breve — disse Elizabeth, suavizando a expressão. De súbito aflita agitou as mãos e pediu: — Venham! Entrem! Está frio demais para toda essa conversação ao ar livre.

Marguerite guardou suas questões e fez como pedido, guiando os filhos, sendo seguida por Sofia, Gertrudes e Nero. No hall ela se voltou para a mãe e finalmente a cumprimentou como devido, abraçando-a:

— Mamãe, como tem passado? E Catarina? — Ela abraçou também a irmã e tocou sua barriga com carinho. — Como está meu sobrinho?

— No momento, dorme, dando-me algum descanso — disse Catarina, esboçando um sorriso. — Ele está bem, como vejo que você está. Agora, deixe-me falar com meus sobrinhos...

Marguerite meneou a cabeça e deixou que a irmã fosse se juntar à mãe que já se acercara dos netos para cumprimentá-los.

— Digo-lhes, pensei que o trem nunca fosse chegar — comentou a duquesa depois de entregar sua capa a Gertrudes, sorrindo para Nero que agora pulava à sua frente.

— Quanto exagero! — soou uma voz masculina, vinda da porta.

— Edrick! — Foi com extrema alegria que Marguerite se virou e abraçou o irmão, considerando-o ainda mais bonito com seu cabelo cortado e o rosto escanhoado.

— Bem-vinda a Apple White! — Edrick ainda a estreitava num abraço.

— Estou tão feliz por estar aqui — ela murmurou. — Finalmente escolheu alguém!

A alegria da duquesa não era compartilhada pelos membros de sua família. Catarina tornou o momento leve e divertido com queixas nada condizentes com sua conhecida personalidade, mas nem isso foi capaz de mitigar a preocupação que se instalou em Marguerite. Causou maior estranheza ser levada até a saleta por seu irmão para que conversassem particularmente.

— Por Deus, Edrick! Está me matando... O que houve? Não terá casamento? É isso?

— Não é isso. E deixemos para falar sobre meu casamento mais à frente. Agora, preciso lhe fazer uma pergunta.

Marguerite incentivou-o, curiosa e aflita. Jamais esperaria que o irmão indagasse por Cora.

— Cora Hupert?! Como poderia me esquecer? — Nostálgica Marguerite acariciou a cabeça do galgo sentado ao seu lado. — Estaria mentindo se dissesse que penso nela todos os dias, mas, vez ou outra, desde que deixou esta casa, Cora ocupa meus pensamentos. Aos domingos eu a incluo em minhas orações, pedindo que esteja bem, onde estiver. — Ela fitou o irmão com curiosidade. — Isto é o esperado, pois fomos ligadas por muitos anos. Estranho é ouvi-lo falar sobre ela... Acaso tem notícias de Cora?

Em vez de responder, Edrick especulou mais.

— Eu gostaria de saber como foi depois que ela partiu. Como foi para você, chegar de seu passeio e não a encontrar. O que lhe disseram?

— Voltar de meu passeio?! O que está dizendo? Eu estava aqui naquele dia.

— Você estava...

Cada vez mais estranho e misterioso Edrick levantou e passou a andar de um lado ao outro.

— Edrick, você me assusta! O que foi agora? Não consigo entendê-lo.

Novamente ele ignorou as perguntas para fazer as próprias.

— Se estava aqui, diga-me, o que houve? Lembra-se de ter acontecido algo anormal?

Marguerite não gostava de pensar na tarde que nunca foi capaz de esquecer, mas, olhando para o irmão que ia de um lado ao outro contou tudo que aconteceu no referido dia como se visse a cena. Cora sendo espancada pela avó, o antigo barão consternado, a expulsão de sua amiga. Contou também de seu gesto desesperado para ajudá-la, deixando que levasse suas economias e roupas usadas. Pior foi lembrar o modo como viu sua amiga pela última vez.

— Ela... Ela estava machucada... Ruth tinha cortado seu cabelo. Quase tudo, de qualquer jeito... Quando mamãe e Catarina voltaram do passeio, nem se importaram com o que tinha acontecido. Acho que somente eu e Nero sentimos a falta dela. Depois que Cora se foi, não houve um único dia em que eu não chorasse, mas o tempo passou... Hoje tento acreditar que ela esteja bem, vivendo feliz em algum lugar.

— Posso entendê-la — Edrick murmurou.

— Evidente que entende! — Marguerite secava as lágrimas com os olhos postos no irmão. — Sempre nos viu juntas. Eu é que não entendo esse interesse... Lembro-me de que, quando chegou pela primeira vez depois que Cora se foi, somente no dia seguinte deu pela falta dela. E nem se importou quando eu disse que ela havia partido. Agora, criva-me de perguntas. — De súbito um pensamento surgiu e rapidamente ela segurou as mãos do irmão. — Acaso sabe de algo? Tem notícias dela? Vamos! Diga-me!

— Peço que se acalme. Vou pedir que lhe seja trazido um copo com...

— Edrick, eu não quero nada! — Ela o segurou quando ele tentou se esquivar. — Conte-me o que sabe, por favor!

— E se eu lhe dissesse que ela está aqui? — Edrick indagou depois de um profundo espirar.

— Aqui?! — Marguerite se pôs de pé, instintivamente olhando em volta, sorrindo. Confusa, seguiu até a porta, mas parou, sem saber o que pensar. — Como *aqui*? Trabalhando? Como ela está? Quero vê-la! — O irmão nada dizia ou fazia, afligindo-a. — Edrick?!

Como se despertasse de um transe, Edrick foi até ela e a segurou pelos ombros.

— Ela está repousando — disse mansamente, como se fosse algo natural. — Pedi que Marie a mantivesse deitada depois que sofreu um desmaio.

— Um desmaio? — Marguerite se alarmou mais. — O que houve? Ela está doente? Onde ela está? No quarto com Ruth? Depois de tudo...

— Ela não voltou a trabalhar nesta casa. Está agora no seu antigo quarto... Ao lado do meu.

Marguerite nada entendia, mas quis acreditar que a deferência fosse por serem amigas.

— Bem, se ela está doente, você não poderia tê-la colocado em melhor quarto, mas... Se Cora não voltou a trabalhar aqui, então... O quê?

— Antes, venha cá! Não sei como receberá minha revelação e desde já peço que me desculpe por ter escondido tal segredo por tanto tempo.

Edrick a tratava como se fosse ela a enferma. Falava pausadamente depois de fazer com que se sentasse. Era desesperador.

— Por Deus, esqueça os preâmbulos! Conte-me de uma vez... Qual segredo?

— Você se lembra que eu nunca deixei de vir para Apple White, em minhas férias ou datas festivas. — Curiosa, ela apenas assentiu para que ele prosseguisse: — Bem, em uma dessas vindas, eu... Eu me envolvi com Cora.

— Você e Cora?! Envolvidos? — Marguerite riu mansamente. — Impossível! Vamos eliminar a possibilidade de que algo acontecesse sem que Cora me contasse, o que por si só já derruba sua fantasia, diga-me grande conquistador, quando e onde ficariam juntos?

— Não esqueça que estamos em Apple White. Lugar para estarmos juntos nunca foi o problema.

Bem sabido! Não fosse Nero tê-los delatado o duque e ela teriam tido um instigante e breve encontro na biblioteca sem que nunca alguém soubesse. Mas, não seria tão simples.

— Ainda teria de me dizer *quando*. Cora e eu estávamos sempre juntas.

— Tem certeza? Pense. De fato ficavam *sempre* juntas? — Ante tão penetrante olhar Marguerite foi obrigada a retificar sua afirmação, mas perguntou como ficaram juntos ao que Edrick respondeu: — Hoje não importa saber como, apenas interessa que ficamos juntos. E me envergonha revelar que não trocamos beijos somente.

— O que está me dizendo?! Você abusou dela?!

— Eu estava apaixonado! Apaixonei-me, sim... Confesso que não a princípio, mas a amei. E era minha intenção assumi-la, mas a avó descobriu e a expulsou.

— Oh! — Estarrecida, Marguerite reviu as deduções sobre o ocorrido naquele dia e pensou nas possibilidades que jamais aventou. — Então, papai também descobriu. Por isso não intercedeu. Ele jamais admitiria que o herdeiro do título se casasse com uma criada.

Sem dúvida aquela era uma versão infinitamente melhor que a dela, em que o pai estivesse direta e obscenamente ligado à expulsão. Alheio aos seus pensamentos, Edrick se aproximou.

— Exatamente! Não sabe como sofri quando cheguei aqui e não a encontrei.

— Teria sabido se me contasse. Para alguém que sofria por amor, disfarçou muito bem. Por que nunca tentou encontrá-la? Eu nada poderia fazer, mas você...

— Eu tentei, mas ela desapareceu. Somente agora, tantos anos depois, eu soube a razão... Cora mudou de nome, de cidade. Ela é Ashley Walker agora. E tem mais...

— Mais?! — Com tantas novidades e tudo mais que deduzia, foi impossível não se ressentir.

— Acho que já compreendeu ser ela a minha noiva, não? E... Nós temos um filho, Benjamin.

Marguerite sentiu o tempo estagnar. Ainda digeria o romance improvável, descartando anos de ressentimento dirigido ao pai morto, quando era informada de que havia um filho de Edrick e Cora?! Edrick narrava um drama ou uma comédia? Só havia um modo de saber...

— Quero vê-la! — Marguerite determinou.

— Eu a acompanharei até seu antigo quarto, mas antes devemos...

— Agora! E irei sozinha. Mesmo que esta propriedade seja grande o bastante para que as duas pessoas em quem eu mais confiava se encontrassem às escondidas, eu não me perderei.

— Marguerite, por favor! Desculpe-nos! Ou culpe a mim. Eu ordenei que Ashley nunca nada dissesse. Nem a você.

— Não duvido que tenha ordenado. O que custo a digerir é que *ela* tenha lhe atendido.

Marguerite deixou a saleta e, sozinha, de modo decidido tomou o caminho de seu antigo quarto para descobrir mais sobre aquela fantástica história de amor. Verdade fosse dita, em aparência ela mostrava força e determinação, porém em seu interior a iminência de reencontrar Cora Hupert desestabilizava-a. Em poucos passos estaria ante a amiga que julgou perdida.

— Sua Graça — Marie anunciou sua entrada, curvando-se de modo deferente.

A dama de costas para a porta se voltou lentamente. A imagem guardada conflitava com a vista. A jovem mirrada, surrada, de cabelo curto e desgrenhado deu lugar à mulher feita, de tez alva e belas madeixas. O pescoço ossudo agora era esguio, delicado, e ostentava uma gargantilha de pérola e ouro. Em vez do vestido gasto, rasgado durante uma agressão, havia um modelito caro, de cetim azul. Mesmo mudada era a amiga de uma vida e involuntariamente Marguerite se comoveu, mas Cora era também outra pessoa: Ashley Walker, alguém que desconhecia.

— Marguerite... — murmurou a nova versão de Cora, dando um passo adiante, sorrindo.

— Então, é verdade! É mesmo você. — Marguerite não modulou o rancor e talvez por isso a bela dama tivesse parado, voltando à seriedade. Melhor assim!

— Sim — Cora confirmou, comovida. — Não sabe o quanto desejei encontrá-la.

— Deixe-nos a sós, Marie! — Marguerite ordenou. Depois da saída da criada, avançou até que estivessem face a face e indagou: — Desejou me encontrar? Quando? Para quê?

— Como para quê? — Cora se mostrou surpresa. — Tantos anos se passaram sem que nos encontrássemos. Agora que voltei...

— Ah, agora que voltou! Muitos anos se passaram sem nenhuma notícia sua. Sem que eu soubesse se estava viva, mas agora que voltou desejou me encontrar.

— Marguerite...

— Pois saiba que este foi meu desejo desde que partiu. Tanto, tanto tempo se passou e eu sempre roguei por uma única notícia sua e tudo o que tive foi silêncio! Devo lhe dizer que nesse último ano acreditei que estivesse de fato morta, afinal, não havia razão para que nunca me mandasse uma carta, um bilhete... Uma nota com apenas duas palavras: estou bem.

— Eu não podia...

— Por quê? Estava envergonhada por sua traição?

— O quê?! — Cora se afastou, estupefata. — A que se refere?

— Ao caso amoroso que manteve com meu irmão! — A confusão explícita nos olhos negros mostrou o quanto Cora era dissimulada, constatação que feriu Marguerite profundamente. — Não me olhe assim... Edrick revelou toda verdade.

— Marguerite, eu posso explicar...

— Como pôde esconder de mim? Éramos confidentes! Bem sabe que eu não me oporia caso um dia Edrick a correspondesse... Nada me deixaria mais feliz que tê-la como minha cunhada.

— E é o que serei! — Cora se aproximou e estendeu as mãos para tocar as de Marguerite, porém esta prontamente se afastou.

— Com isso espera me alegrar? Acredita que para voltar a ser como antes basta estar aqui, noiva de Edrick, com novo nome e um filho que eu tampouco sabia a existência?

— Eu não podia falar sobre ele, não podia enviar recados. Por favor, entenda! Você não se oporia, mas sua família, sim. É o que acontece agora.

— Não apele por compaixão para obter perdão. Será inútil. — Marguerite se repreendia por não domar a emoção, mas não se curvaria quando a insensibilidade da outra era cada vez mais evidente. — O que diz é prova de que somente adiou o inevitável, fazendo-nos sofrer.

— Eu também sofri — disse a descarada.

— Por sua livre escolha! — lembrou-a Marguerite, evitando ter suas mãos tocadas. — Ao se manter longe, sofrendo como alega, condenou a mim e ao meu irmão. Juntos, seríamos fortes e venceríamos a resistência. Bastava você querer.

— Não era tão simples... — Cora foi sentar na cama. — A vida não é como nos contos que criávamos no pomar, onde a boa vontade dos fortes a todos vencia. Para o bem de sua família eu tive de ficar longe.

Nada do que Cora dissesse atenuaria o golpe. No fim, era uma lembrança vazia que a fez se apegar a uma menininha londrina pelas semelhanças, nada mais. Era uma estranha!

— Há muito tempo sei que a vida não é doce, mas aprendi que sempre devemos lutar por aquilo que consideramos justo e certo — disse Marguerite, cansada. — Imaginava que você tivesse aprendido o mesmo. Ao que vejo, estive enganada.

— Marguerite, por favor!

— Cansei deste assunto! — Marguerite tentou secar o rosto com suas luvas e ergueu o queixo. — Tive uma longa viagem, necessito de descanso.

— Marguerite... Espere!

— Farei o que meu irmão determinar em consideração exclusiva a ele, depois, partirei — disse a duquesa, sem se voltar. — Até lá, fale comigo o essencial. Meu afeto pertencia a Cora. Ashley eu não conheço nem faço questão de estreitar os laços de amizade. Passar bem!

Ao deixar o quarto Marguerite se recostou na parede, arfante. As descobertas a adoeciam. Trêmula, engolindo o pranto, seguiu para seu quarto. Queria abrir a maior distância possível entre ela e Cora, a dissimulada. Foi por aquele encontro que por anos esperou? Quanta tolice!

# Capítulo 26

Sem prestar atenção no caminho foi inevitável a colisão com seu irmão. Reconhecendo-o, depois de um segundo de confusão, a duquesa o abraçou e deixou que as lágrimas viessem.

— Não posso com isso! — foi sincera. — Não suportarei olhar para ela. Deixarei que os meninos descansem essa noite e amanhã partiremos logo cedo.

— Não pode! — Ele a afastou para que o olhasse. — Preciso de você aqui para ajudar nos preparativos.

— O que me pede é demais. Não consigo nem me alegrar por você. Jamais a perdoarei pelo o que me fez passar.

Não tinha como perdoar. Logan havia sido mais fácil, pois não tinham qualquer tipo de relação quando ele a enganou, mas Cora... Cora era como uma irmã. Não havia perdão!

— Irá cortar relações comigo, suponho — disse Edrick.

— Não seja tolo! Evidente que estou magoada com você, mas é homem! Pensei que não fosse como todos os outros, mas ser insensível é esperado, logo, perdoável. Para ela não há desculpa! Anos se passaram sem uma única notícia.

— E nenhum deles foi fácil para ela tampouco.

— Acabo de ouvir este argumento, mas não acredito. Caso ela padecesse por qualquer razão, teria nos procurado. Há um filho, pelo amor de Deus! Como pôde deixá-los separados?! Eu não a reconheço, Edrick. Não a reconheço!

Edrick novamente a abraçou e não voltou a justificar Cora, Ashley, fosse ela quem fosse.

— Escute — ele disse docemente. — Peço por mim. Fique! Deixe que seus filhos conheçam o meu. Pense no quanto se alegrarão... Se não reconhece sua antiga amiga, tente ao menos tolerar minha noiva. Eu já a perdoei. Se lhe der uma chance, sei que fará o mesmo.

Marguerite duvidava, mas não diria. E seu sobrinho não seria julgado, jamais. Recuperada, ansiando conhecê-lo, a duquesa pediu que o irmão levasse o menino até o quarto de seus filhos. Ao confirmar que este se chamava Benjamin, nome de seu avô preferido, ela sentiu seu ressentimento renovado.

Ao entrar no quarto dos meninos, Marguerite os encontrou a brincarem com Nero. Mirar o cachorro, companheiro dela e de sua amiga nas horas de aventura no pomar, trouxe de volta a comoção, mas não choraria por Cora.

— Mamãe, Nero é muito divertido. Por que não podemos levá-lo para Castle?

— Ainda vale a resposta anterior, Lionel — ela disse, agradecendo a distração. — Nero pertence a Apple White.

Talvez por seu tom ou por seus olhos úmidos, o menino tenha notado que algo estava errado.

— Está triste, mamãe? — ele indagou, fazendo com que John viesse olhá-la mais de perto.

— Não — ela garantiu aos dois. — Estou apenas cansada da viagem. Não sou criança como vocês e tenho assuntos de adultos a tratar. Fico ainda mais cansada.

— Milady, vá descansar — sugeriu a babá. — Estes pequeninos senhores estão bem.

— Irei num instante, Sofia? — disse Marguerite, fitando os filhos que ainda a miravam com desconfiança. — Meu irmão trará um visitante.

— Quem tio Edrick trará? — Lionel se animou. John assentiu, querendo saber o mesmo.

Sem saber como explicar a novidade aos filhos, Marguerite resumiu:

— Descobriu-se que seu tio tem um filho já crescido. O casamento para o qual viemos será com a mãe do menino e Edrick o trará aqui para nos apresentarmos.

— Tio Edrick tem um filho grande?! — Lionel arregalou os olhos. John o imitou. — Mas eu ainda sou o primeiro neto da vovó Elizabeth, não é mesmo?

Marguerite ocultou o riso. Não ofenderia o filho, diminuindo sua preocupação. Ainda mais quando este havia perdido o referido posto. Com um suspiro, informou:

— Ele é mais velho, mas tenho certeza de que no coração de sua avó não há separação. Não importa quem seja o primeiro ou o último, todos são seus netos e ela os amará do mesmo modo.

Lionel torceu os lábios em desagrado, mostrando que em seus cinco anos não havia maturidade para entender amores incondicionais. Meneando a cabeça, Marguerite sugeriu:

— Veja desse modo... Mais velho ou não, Benjamin será um novo amigo com quem brincar.

Lionel torceu os lábios mais uma vez e inclinou a cabeça em um típico gesto de tanto faz antes de tocar no ombro do irmão para que se afastassem. Ainda ocultando o riso, Marguerite foi se sentar junto à janela. Independente de sua vontade repassou tudo que foi dito até ali, por Edrick, por *Ashley*. E toda frase, toda fraca desculpa, alimentou seu rancor.

Marguerite lutou para espantar o péssimo sentimento quando o irmão chegou, trazendo uma tímida versão dele mesmo que estacou ao ver Nero de barriga para cima, recebendo afagos dos primos. Sem deixar de analisá-lo, espantada com a semelhança entre pai e filho, Marguerite se pôs de pé e esperou que Edrick fizesse as apresentações.

— Lionel, John, quero que conheçam seu primo Benjamin. Marguerite, este é meu filho.

— Prazer em conhecer, Benjamin — disse a duquesa, junto ao irmão.

— Mamãe nos falou dele. — Lionel se aproximou entre acanhado e curioso. Analisava o primo, comparando as alturas. — Ele não é tão grande. Pode ser meu amigo.

— Eu gosto de ter amigos — disse Benjamin. Sorrindo, indicou Nero e iniciou uma conversa sobre cachorros e potros ainda dentro de barrigas. Era espontâneo, puro e tão semelhante ao pai que seria impossível não se encantar.

— Ele se parece com você — comentou Marguerite, incapaz de desviar o olhar. — Se havia resistência de minha parte em aceitar o que disse, esta findou.

— Ele é meu filho — Edrick disse com orgulho.

— Sim, ele é! — Marguerite sorriu. — E já o conquistou, não? Por isso a perdoou?

— Eu a perdoei porque a compreendo. Porque a amo.

— Por que não me disse? Eu o teria ajudado. Juntos nós seríamos fortes!

— Agora é tarde para falarmos do que eu poderia ter feito ou como Ashley devia...

— Argh! — Marguerite bufou, aborrecida. — O nome é Cora, mesmo ela sendo outra!

— O nome é Ashley — Edrick a corrigiu, fitando os meninos. — Minha Ash, mãe de meu filho. Por favor, respeite a vontade dela. Se não por ela, por mim.

— Sua Ash costumava ser minha Cora — Marguerite resmungou, igualmente olhando para os primos que agora conversavam animadamente. — Amiga que existiu só na minha cabeça.

— Não deixe que a mágoa dite o que diz. — Edrick a encarou com ternura, porém falou com firmeza. — Nem seja egoísta. O que aconteceu não se referia a você ou à amizade que tinham.

— Não estou sendo egoísta, sim, sentindo-me traída por não ter tido notícias. Éramos unidas, Edrick, como irmãs. Testemunhamos a dor uma da outra no momento da partida. Tudo que ela devia a fazer era mandar um bilhete e eu iria clandestinamente até onde estivesse. Eu tentaria convencê-la a procurá-lo e se não conseguisse, guardaria seu segredo. Jamais a colocaria em perigo. Eu confiaria a ela minha vida, Edrick, e ela não confiou em mim.

Edrick a ouviu em silêncio, por fim, meneou a cabeça.

— Você não sabe disso — disse roucamente. — Lembra-se do que vovô Benjamin dizia?

— Não julgue uma pintura pelo primeiro traço — disseram em conjunto, atraindo a atenção das crianças por um instante. — O que me disse até aqui são apenas os primeiros traços? Do que se trata toda a pintura? O que eu ainda não sei?

— Foi apenas modo de falar! — Edrick desconversou. — Bem, esse encontro já se estendeu demais. Benjamin... Nós devemos ir agora!

— Tão cedo? — Benjamin indagou com um muxoxo. — Lionel me contava do castelo onde moram e do falcão do pai dele. Sabia que os cachorros deles não entram no castelo desde um deles quebrou a cabeça de meu primo?

— Conheço outra versão. Bem, Lionel contará o restante, amanhã — Edrick falou, resoluto, segurando-o pelo ombro. Para a irmã, disse: — O jantar é servido no horário habitual.

— Se não se importa, hoje não descerei para o jantar. Estou exausta.

Se Edrick quis objetar, não o fez. Apenas assentiu, despediu-se de todos e se foi, levando o filho. Seu filho com Cora. Com Cora! Era demais para assimilar. Como dormiria? Não tinha como, Marguerite sabia. Depois de ditar ordens à Sofia a duquesa saiu, decidida a ver toda a pintura. A noiva de seu irmão lhe devia explicações adicionais.

— Marguerite... — A duquesa se sobressaltou ao ouvir seu nome. Catarina a chamava da porta de seu quarto, movendo a mão para reiterar o pedido. — Venha até aqui.

— Agora? — Ela queria ir até a amiga traidora o quanto antes.

— Se não fosse para ser agora eu não estaria chamando! — Catarina se exasperou. — Ande!

— O que é tão urgente? — Marguerite indagou num resmungo, indo para o quarto da irmã.

— Claro, Marguerite, eu também sinto sua falta! — Catarina desdenhou ao fechar a porta.

— Perdoe-me! — A duquesa desarmou-se. — Eu sinto sua falta.

— Não duvido, mas não se compara a que sente de Cora e com ela na casa...

— Não diga bobagens! Você é minha irmã, é diferente.

— Sou sua irmã desde que nasci e isso nunca fez diferença — Catarina redarguiu, indo sentar em uma poltrona junto à lareira.

— Era outro tempo, Catarina. — Marguerite foi se sentar ao lado. — Crianças não têm o mesmo entendimento dos adultos. E somos adultas agora.

— Se está dizendo... — murmurou Catarina, descrente.

— Sim, estou. E isso é mais do que a senhora está fazendo. Para que me chamou?

— Como para quê? Para falarmos sobre o que está acontecendo. Eu tive uma ideia esta manhã e quero que me ajude a convencer Edrick a aceitá-la. Escute... Sugeri que ele mandasse Ashley para longe, por um ano. Ela ficaria com amigos em Londres, como se fosse parente. Seria apresentada nos bailes e, então, Edrick entraria em cena.

— Seria a encenação perfeita... Se Benjamin não existisse.

— Não pensei no menino — a condessa admitiu, torcendo os lábios, pensando.

— Desista, Catarina! Não há com explicar um filho de sete anos.

— Sempre há explicação para tudo — disse com ar experiente. — Ashley seria conhecida, talvez fizesse amigos importantes. Quando Benjamin fosse descoberto seria comentado, mas logo esquecido pela boa vontade de todos e nosso irmão não teria sua reputação abalada por...

— Desista! — repetiu Marguerite. — Também não sei o que Edrick lhe disse, mas deve saber que ele não dá importância para reputação nem a nada que seja relacionado.

— Sou obrigada a reconhecer que tem razão — disse Catarina, derrotada. Mirando o fogo, explicou: — Eu não tive certeza durante nossa conversa, sim, depois... Especificamente quando Ashley desmaiou diante de todos, hoje mais cedo. Edrick ficou transtornado. Sugerimos que a deitasse ali mesmo, mas ele nem sequer nos ouviu. Sei que foi educado por costume, pois a tomou nos braços e saiu sem olhar para trás, deixando os Keltons, mamãe e eu estarrecidos.

— Pobre Madeleine! — Marguerite murmurou, compadecendo-se de sua amiga. — Posso imaginar como tenha ficado.

— Duvido que possa! — Catarina encarou a irmã exibindo sua descrença. — Entre todos, ela foi quem mais se abalou com toda essa história de casamento. Ficou lívida quando Edrick saiu com Ashley em seus braços, como um herói das histórias românticas.

— Que lástima! O casamento entre eles era tido como certo.

— Também me compadeci, mas Madeleine não soube lidar com a situação. Quando Edrick voltou, ela o crivou de perguntas e hostilizou Ashley. Foi além ao menosprezar o menino. Erro gravíssimo, pois está claro que tudo se resume a ele. Benjamin a todos conquistou.

— Ele a conquistou? — Marguerite a desafiou.

— Sim! Ele até mesmo promoveu as pazes entre mim e Nero.

— Conquistador e milagreiro o pequeno Benjamin! — admirou-se a duquesa.

— Milagreiro por certo. Então, imagine como todos nós ficamos quando Madeleine passou a atacá-lo, chegando ao ponto de colocar em duvida sua paternidade.

Catarina perdeu a atenção de Marguerite naquele ponto. Ela não conhecia os pormenores do encontro vespertino, mas deduzia que Benjamin não tivesse sido apresentado aos Keltons, caso contrário contestações semelhantes não seriam feitas. O menino era a cópia de Edrick, que por sua vez era a cópia de outro homem...

— Não! — Marguerite exclamou sem notar, horrorizada com um pensamento fortuito.

— Exatamente — disse Catarina, como se a irmã reagisse ao que contava. — Madeleine disse em bom tom que Benjamin podia ser filho de qualquer um. Edrick perdeu a compostura e por muito pouco não a expulsou. O que fez foi pedir licença e sair.

Com o coração aos saltos Marguerite se esforçou para participar da conversa, mesmo que em sua mente repetisse: Não filho de qualquer um! Não filho de qualquer um! Não...

— Edrick fez muito bem — disse roucamente e se levantou. — Bem, se falar de sua ideia era tudo, vou me recolher... Estou exausta.

— Mas nem falamos sobre Marie ser agora a governanta — Catarina se lamuriou. — Nem sobre Edrick ter se livrado daquele cavanhaque secular e do cabelo longo. Mamãe disse que...

— Amanhã trataremos desse assunto — Marguerite a interrompeu, sem ouvi-la na verdade. Precisava se deitar. — Boa noite!

Se Catarina respondeu, Marguerite igualmente não ouviu. Mesmo a determinação de ir até Cora estava perdida. Ao entrar em seu quarto a duquesa tocou a sineta para que Gertrudes fosse ajudá-la. Com a mente a divagar foi despida e vestida para se deitar. Ao fazê-lo, já sozinha, ela repassou o pensamento: não filho de qualquer um. Se Benjamin fosse filho de outro homem este seria o primeiro barão.

— Não! — Marguerite sentou, aflita. — Isso seria a prova de que meu pai... Não! Não! Não!

Do mesmo modo que Marguerite se recusava a reconsiderar a possibilidade de o pai ter feito algum mal a Cora, recusava-se expressamente a dizer. E mais! Edrick, seu irmão, não assumiria um menino que não fosse dele. Edrick não mentiria para ela! Ou mentiria?

Marguerite não encontrou a resposta antes que dormisse nem a tinha ao despertar. Ao descer para tomar o desjejum e encontrar apenas Catarina à mesa, tinha a mente cheia de suposições.

— Bom dia! Onde estão todos? — indagou ao se sentar.

— Edrick foi para a sidreria e mamãe está no quarto com Benjamin, servindo o desjejum.

— É mamãe quem está responsável por ele?! — Marguerite parou a ação de tomar um gole de café, estupefata.

— Por que o espanto? — Catarina a olhou de esguelha. — Ela fez o mesmo por todos nós. Acreditou que com um filho de Edrick seria diferente? Ainda que a mãe seja Ashley isso não me surpreende.

— Tem razão! — Marguerite aquiesceu, demandando a si mesma que se portasse melhor para não transparecer suas suspeitas. Na verdade, devia descartá-las. Seu pai não era um abusador, Benjamin não era seu irmão, nem sua mãe tratava um enteado com desvelo. Por que não? Considerou de súbito. Alethia não fizera o mesmo por Lowell? Descartando o pensamento, indagou: — E Cora, onde está?

— Ashley está em seu quarto — informou Catarina, entre repreensiva e confidente. — Leonor soube e me disse que a noiva costuma ter o desjejum no quarto, como se já fosse uma mulher casada.

— Duvida que seja? — Marguerite se permitiu uma pequena indiscrição. — Eles já têm um filho... Os quartos são interligados...

— Um escândalo! — Catarina sorriu e se inclinou na direção da irmã, mais divertida que chocada. — Leonor sabe de tudo. Eles dormem juntos todas as noites e se separam pela manhã.

Como um casal que se ama, Marguerite pensou. O que ouviu de Edrick era a verdade.

— Então — disse no mesmo tom —, nada mais justo que ela tenha privilégios de mulheres casadas. Que fique em seu quarto! Tratemos de nós... O que faremos essa manhã?

— Podemos ficar na saleta, bordando ou conversando. O bebê me deixa preguiçosa.

— Parece ótimo para mim. — Marguerite sorriu. — Nossos bebês sempre ditam as regras.

O restante da refeição foi feita em silêncio. Marguerite foi até o quarto dos filhos e os descobriu já na companhia de Benjamin e Nero. Após os cumprimentos matinais ela se perdeu na admiração do menino. A aparência e a idade seriam as respostas óbvias às suas questões não fossem as palavras de seu irmão. Desistindo de pensar naquele assunto a duquesa os deixou e foi se juntar à irmã, na saleta. Depois que Elizabeth se juntou a elas a conversa girou em torno de suas famílias, festas e amigos em comum. Amigos como o conde vizinho, Stuart Grings.

— Lorde Stamford ainda não se casou — disse Elizabeth, olhando para Marguerite.

— Por que me olha assim? — Ela estranhou.

— Ora, por quê? — troçou Catarina. — Depois de seu casamento, descobriu-se que ele a queria para esposa.

— Pois teve todas as chances e nada fez — Marguerite redarguiu. — E isso já tem muito tempo. Se não se casa é tão somente porque não quer.

— Talvez não tenha aparecido alguém que a substitua no coração dele — opinou Catarina.

— É o bebê falando essas coisas? — Marguerite a provocou. — É a única resposta, pois a Catarina que conheço não diria nada meramente parecido.

— As palavras são minhas — disse Catarina, indiferente. — Faz tempo que não nos vemos, por isso está desatualizada sobre o que penso ou sinto.

— Estive com ela há pouco tempo e posso atestar a mudança — disse Elizabeth —, mas acredito que se deva ao conde, não ao meu neto que virá.

— O que posso dizer? — Catarina ainda se mantinha altiva. — Admito! O conde soube mostrar como o amor faz toda diferença em nossa vida. Hoje não me vejo com outra pessoa e se Stuart sente o mesmo, será difícil se casar com qualquer uma.

— Fico feliz por você e lamento por ele — falou Marguerite. — Sinto-me da mesma forma com relação a Logan, então, estou perdida para qualquer outro e... Mamãe, o que houve?

Marguerite se surpreendeu ao flagrar a mãe a olhá-las com comovida admiração. Ao ser descoberta a baronesa viúva pigarreou. Reacomodou-se e disse:

— Apenas me contenta ver minhas meninas felizes. Resta apenas Edrick.

— Não acha que ele esteja feliz? — Marguerite indagou.

— Não. Antes disso, está tenso, defensivo e não creio que tenha lhes contado tudo. Meses trás essa moça esteve hospedada aqui. Eles mantiveram um caso aos olhos de todos da casa, dormiram juntos e isso sem que ele a reconhecesse. Em momento algum Cora se revelou ou falou do filho. Foi Ruth Wood quem enviou uma carta para mim, contando a situação. Deixei Alweather House o mais rápido que pude para trazer juízo ao meu filho.

— Por isso voltou às pressas — disse Catarina. — Por que não me contou?

— Não era coisa que se contasse assim... — Elizabeth respondeu em tom de escusa. — E eu não pensei que fosse tão grave. Para mim era somente inconsequência masculina, mas quando cheguei eu o encontrei em estado lastimável. A mocinha simplesmente havia desaparecido.

— Eles romperam? — quis saber Catarina.

— Não houve rompimento! Ela se foi sem dizer adeus e Edrick ficou miserável.

As palavras de Elizabeth tornaram flagrantes as mentiras contadas por Edrick e alimentaram a desconfiança de que Benjamin era, na verdade, filho do falecido barão.

— Fiz de tudo para que ele a esquecesse — prosseguiu a baronesa. — Por muito pouco não assumiu compromisso com Madeleine Kelton, como esperado. Se o noivado não se concretizou foi por culpa de sir Frederick que se recusou a dar a mão da filha.

— Santo Deus! Chegou a tanto?! — Catarina se surpreendeu. Marguerite apenas ouvia.

— Chegou — Elizabeth reiterou —, mas seu irmão nem sequer se abalou. Arrisco dizer que para ele foi um alívio. Isso tudo se deu na noite de Ano Bom e, então, na festa de aniversário de sir Frederick, Edrick a viu...

— Ashley?! No aniversário de sir Frederick? Que interessante! — A condessa parecia se animar a cada detalhe. — Conte-nos mais. Como estava na festa? De onde se conheciam?

— Não tenho essas respostas, mas gostaria — disse Elizabeth duramente. — Não tenho o quadro geral e isso me desespera e preocupa. Enfim, como a criatura estava lá eu não sei, o que sei que é nessa mesma noite sir Jason provocou seu irmão e eles se bateram como arruaceiros.

— Por isso o rosto de Edrick ainda está marcado — elucidou Catarina.

— Exatamente! — Elizabeth prosseguiu: — Não sei o que sir Jason falou, mas notei pela postura de seu irmão que ele tinha estado com a mocinha durante a festa. Menos de uma semana depois ele estava aqui, com ela e com meu neto. O resto, vocês já sabem.

— Pouco nós sabemos, é a verdade — disse a condessa, alisando a barriga. — Mas se é isso que Edrick quer, deveria estar feliz.

— Mas não está — assegurou a baronesa viúva. — Pode estar satisfeito por ter conseguido quem queria, mas, feliz? Não, ele não está.

— Sente como se Edrick estivesse cumprindo uma obrigação? — perguntou Marguerite.

— Sim, é como se ele agisse por senso de dever — disse Elizabeth.

Outro detalhe que denunciava a mentira! Pensou Marguerite, mais uma vez optando pelo silêncio. Do mesmo modo agiu durante o almoço. A noiva e o noivo foram sabatinados pela baronesa e a condessa, mas tinham resposta para tudo. Na ocasião foi sugerido ao barão que se valesse de uma licença especial, como Logan. Marguerite abalou-se com a lembrança, mas nada falou. Manifestou-se apenas para se oferecer como decoradora. Faria pelo irmão.

— Posso cuidar da decoração da casa — disse.

Ficou acertado que Catarina ajudaria a noiva a escolher um vestido em Westling Ville e Elizabeth cuidaria da recepção, pequena e discreta como Edrick insistia que fosse. Este enviaria os convites para os poucos convidados que testemunhariam a união.

Marguerite mentiria se dissesse não ter se ressentido por não ser ela a companhia de Cora. Até mesmo reconheceu a tristeza nos olhos negros, mas logo considerou melhor que tudo fosse feito como decidido e, com a desculpa de que veria o que os filhos aprontavam, subiu. Seguiu direto para seu quarto, pois sabia que Lionel e John estariam bem com Sofia e com o primo.

Sem ter o que fazer e com a inquietação arreliando-a mais que suas cismas, Marguerite vestiu um chapéu, alçou as luvas, pegou a capa e saiu.

— Milady? — Gertrudes a encontrou no corredor. — Aonde vai?

— Visitar uma velha amiga. Se perguntarem por mim é o que deve dizer.

Ao deixar a casa, Marguerite marchou até o estábulo.

— Tem alguém aí? — indagou da entrada. — Tobey? Olá!

— Em um instante, senhora! — disse o rapaz, saindo de uma das últimas baias. Ao reconhecê-la, aprumou-se e acelerou os passos. — Vossa Graça, em que posso ajudá-la?

— Olá, Tobey! Quero que sele Luna para mim.

— Imediatamente, milady! Com vossa licença...

Marguerite o liberou com um gesto de mão e olhou em volta. A iminência de uma cavalgada aliviava a opressão em seu peito, mas não eliminava a pressa. Pareceu que Tobey demorou uma eternidade até que entregasse a égua baia, selada. A duquesa sentia falta do pomar, mas naquela tarde as lembranças teriam sabor amargo. E havia a pressa, Marguerite pensou ao incitar Luna a trotar. Aos cruzar os portões de Apple White ela iniciou um moderado trote, equilibrando-se de lado na sela. Logo estava na ponte e em minutos cruzava os portões da Mansão Kelton.

Um jovem lacaio recebeu dela as rédeas e a recomendação para que cuidasse da égua. Ato contínuo Marguerite subiu os poucos degraus até estar diante do Sr. Pierce.

— Vossa Graça! — disse o mordomo, educadamente. — Boa tarde!

— Como tem passado, Sr. Pierce? Não sou esperada, mas gostaria de falar com Madeleine.

— Por sorte hoje a Srta. Kelton não fez companhia à mãe em seu passeio. Vou avisá-la de vossa chegada. Por favor, entre!

O mordomo recebeu sua capa e a acompanhou até a sala de estar. Marguerite acabava de se sentar quando a amiga irrompeu porta adentro como se estivesse no corredor.

— Vi quando chegou — disse Madeleine a um só fôlego. — Estou tão feliz que tenha vindo!

Sem que pudesse prever Marguerite foi presa em um abraço apertado tão logo se levantou. Foi surpreendente, pois não estavam habituadas a tanto. Em todo caso, a duquesa não teve opção além de se deixar ser abraçada, tendo os braços comprimidos ao lado do corpo.

— Também estou feliz em vê-la — disse de modo estrangulado.

— Você veio me ajudar, eu sei — falou Madeleine ao soltá-la. — Venha!

— Para onde vamos? — Marguerite indagou, sendo puxada pela mão.

— Para a biblioteca. Lá não seremos ouvidas. Papai e mamãe não estão, mas sei que até mesmo as paredes dessa casa estão contra mim.

Menos as da biblioteca? Marguerite troçou em pensamento, questionando a sanidade da amiga. Madeleine parecia mesmo estar fora de si quando a encarou depois de fechar a porta.

— Então, o que faremos? — indagou ansiosamente. — Temos de agir o quanto antes.

— Creio que primeiro nós devemos nos acalmar. — Marguerite indicou as poltronas. — Por que não nos sentamos?

— Talvez eu devesse pedir chá e biscoitos para saborearmos enquanto aquela criadinha se apodera do meu lugar — escarneceu Madeleine, rindo de modo forçado.

— Eu dispensaria os biscoitos, mas um pouco de chá calmante não seria má ideia. — A duquesa agora tinha certeza de que a amiga não estava em seu estado normal.

— E quem precisa se acalmar?! — Madeleine alteou a voz e passou a andar ao redor de Marguerite, encarando-a. — Preciso de um plano. Achei que tivesse vindo me ajudar. Somos amigas, não? Espere! — De súbito ela parou, pensando. Logo maximizou os olhos, alarmada. — Aquela mulher! A criada! Aqueles olhos... O cabelo... É ela, não é? A menina estranha que todos comentam... A que vivia atrás de você? Como Edrick pôde?!

— Para essas coisas não tem explicação. Parece que ele a amava...

— Amava?! — Madeleine meneou a cabeça. — E quanto a mim? Há anos nossa união é tida como certa e o que ele fez? Edrick me traiu?

— Não pode ter havido traição, Madeleine — Marguerite tentou ajudá-la a racionalizar —, se não havia um compromisso formal.

— Se não havia... Foi para isso que veio? Para dizer que eu me conforme, pois não havia um compromisso formal? Eu aceitaria isso de qualquer um, menos de você.

— Vim para saber como está — disse Marguerite, indo até a amiga para segurar suas mãos, evitando demonstrar seu pesar. — Pois como disse, somos amigas. Não quero que sofra!

— Não sofrerei se me ajudar. — Madeleine apertou os dedos de Marguerite. — Edrick a ouvirá! São ligados, sempre foram... Diga a ele que está cometendo um erro. Estou disposta a perdoá-lo se esquecer esse absurdo de tornar a criada uma baronesa. Este título é meu!

Aquela era a primeira vez que Marguerite ouvia a amiga falar daquele modo, como se o título fosse mais importante que o amor. Fosse como fosse, era uma esperança vã.

— Madeleine, escute-me...

— Não! — Ela se afastou de súbito. — Não vou ouvir se vai dizer que perdi seu irmão. Já basta papai e mamãe repetindo isso a cada minuto.

— Devia ouvi-los... Edrick está decidido e nem mesmo eu tenho argumentos para freá-lo.

— Edrick não pode me trocar por uma criada!

— Ele não trocou. Eu soube que quase ficaram noivos, mas não foi ele quem recuou.

— Está certa! — Madeleine riu sem humor. — Esta gracinha se deve ao meu pai. Meu próprio pai foi o primeiro a me apunhalar e agora Edrick conclui o mortal serviço.

— Não seja tão dramática! — Marguerite se impacientou. — A vida seguiu por um curso inesperado, mas não é o fim. Você é jovem, bonita. Há de ter muitos pretendentes.

— Tenho vinte e seis anos, Marguerite! Bem sabe. E por estar certa de meu casamento com seu irmão recusei várias cortes. Tornei-me inelegível.

— Algum cavalheiro há de cortejá-la! — Marguerite sorriu para encorajá-la.

— Quero Edrick! — replicou a moça, resoluta, encarando-a duramente. — E queria sua ajuda, mas se você nada pode fazer eu encontrarei quem possa.

— Madeleine, o que pretende?

— No momento, ir para meu quarto. Perdoe-me por não oferecer o chá e passe bem!

Marguerite cogitou insistir, mas se estava sendo convidada a se retirar, sairia com dignidade.

— Dê lembranças minhas aos seus pais — pediu e saiu sem olhar para trás.

O retorno a Apple White foi feito sem pressa, com a opressão no peito ameaçando instalar-se na cabeça. Ir até Madeleine não tinha sido uma sábia decisão.

— Onde esteve? — indagou sua mãe ao encontrá-la no *hall* enquanto Marguerite tirava a capa e a entregava a Beni.
— Estive com Madeleine — disse, cansada.
— Oh! E como ela está?
— Eu lhe direi, mas antes... Beni, peça que Marie providencie uma xícara de seus chás calmantes e sirva na saleta.
— Irei agora mesmo falar com a Sra. Channing — ele se prontificou.
— Sra. Channing! — divertiu-se brevemente. — Acho que nunca vou me acostumar com Marie sendo a governanta.
— Uma das tantas novidades de seu irmão! — Elizabeth não ocultava o desagrado. — E a *Sra. Channing* se derrete em cuidados pela futura baronesa.
— Provavelmente por exigência de Edrick — contemporizou Marguerite.
— Não seja tão resistente. Sei que gosta de ter o controle, mas hoje entendo que toda casa deve ter seu quadro de funcionários completo, com direito a mordomo, governanta, lacaios e todo o resto.
— Reconheço e respeito a ocupação de cada um, mas sempre quis gerir minha casa. — De súbito séria, acrescentou: — Em breve me tornarei obsoleta. Apple White terá uma nova patroa.
— Aconteceria um dia...
— Sim, aconteceria e eu estaria exultante se a escolhida fosse outra — retrucou a mãe antes de agitar as mãos. — Mas isso não importa agora. Quero saber de Madeleine.
— Venha, vou lhe contar. — Com a mãe ao seu lado, a duquesa seguiu até a saleta. Ao se acomodar, suspirou longamente e disse: — Madeleine não está nada bem. Sai de lá preocupada.
— Com o que exatamente? — Elizabeth se afligiu.
— Não sei com exatidão, mas ela fará alguma coisa.
— Espero que não seja nada que acabe com o casamento — disse a baronesa. — E não me olhe assim! Há o menino... Não posso ser de todo contra. Se Madeleine estivesse disposta a criá-lo eu a ajudaria, mas ela deixou claro que não seria uma boa madrasta para meu neto.
— A senhora já o ama, não é mesmo? — Marguerite escrutinava o rosto da mãe.
— Ele é um pedaço de Edrick... Como não amá-lo?
— E se Benjamin fosse pedaço de outro homem?
— De outro homem?! — Elizabeth uniu as sobrancelhas. — Como pode duvidar? Benjamin é exatamente como seu irmão quando este tinha a mesma idade! O que insinua?
— Nada! Apenas esqueça o que eu disse — Marguerite desejou ter mordido a língua.
No que esteve pensando para dizer aquilo? Pensava no bendito quadro cuja totalidade não conseguia ver, elucidou Marguerite. Para salvá-la chegou uma das criadas, trazendo seu chá. Esta serviu a baronesa viúva depois de informar, sem que nem uma das duas perguntasse, que a condessa e a noiva do barão haviam voltado da vila. A primeira fora se

recolher e a segunda se encontrava no quarto dos lordes Lionel e John. Marguerite sentiu um estranho enregelamento em seu peito ao saber que Cora estava com seus filhos. Decerto Benjamin estaria com eles, completando a cena que as duas descreviam quando ainda jovens, no pomar.

 Foi difícil se manter na saleta depois de ter bebido o chá. Com a curiosidade a incitá-la, Marguerite se despediu da mãe e seguiu para o andar superior. O certo seria entrar, porém ela parou à porta do quarto. Pela fresta Marguerite via Amy, de pé com as mãos postas para trás, sorrindo, enlevada. A duquesa podia imaginar a razão, pois a voz de Cora, doce e pausada, narrava uma história. Mesmo que não os visse, Marguerite sabia que os meninos prestavam atenção. Talvez sorrissem como Amy. Antes de se comover, ela se ressentiu ainda mais.

# Capítulo 27

Marguerite sabia ter sido taxativa, mas se Cora quisesse seu perdão a teria procurado. Em vez disso, refugiava-se entre os meninos e tentava adulá-los com narrativas encantadas. Com isso, Marguerite deu meia-volta e até mesmo durante o jantar não deu atenção à antiga amiga. Repetiu a ação no dia seguinte, consequentemente ficando longe de sua irmã, pois Catarina parecia ser a nova sombra de Cora.

Vê-las juntas era insólito e, por alguma razão, incômodo. Tanto que na manhã de quarta-feira Marguerite fez chegar até Cora um recado sobre algo que se recusou a pessoalmente especular: quais as flores que a noiva gostaria de ter na decoração.

A portadora da questão trouxe uma resposta *blasée* e totalmente insatisfatória.

— Milady — disse Marie ao encontrá-la depois de servir o desjejum da futura baronesa, no quarto —, a Srta. Walker disse que escolhesse flores que agradem ao barão para a decoração.

Era o que deveria ter feito desde o início, recriminou-se Marguerite. Por que se preocupar com a vontade de quem parecia não dar tanta importância àquele casamento?

— Marguerite? — Catarina a chamou da porta da saleta tão logo passou pelo corredor, rumo à Sala Rosa.

— O que deseja? — indagou a duquesa, parando a contragosto.

— Saber se precisa de ajuda — respondeu, analisando-a. — Minha participação foi mínima. Ontem mesmo Ashley e eu conseguimos um bom vestido, todos os acessórios. Hoje eu...

— Hoje você descansa — cortou-a, impaciente. — Obrigada pelo oferecimento!

Sem esperar resposta Marguerite seguiu seu caminho. Na Sala Rosa, repetindo para si que fazia aquilo por Edrick, passou a idealizar a decoração.

— Marguerite? — Daquela vez era Elizabeth que a chamava ao entrar. — O que faz aqui?

— Tenho uma decoração a organizar — disse sem se voltar para a mãe.

— Não parece animada tanto quanto eu. Pensei que exultaria, afinal...

— Sou amiga da noiva? — Marguerite riu escarninho. — Muito tempo se passou.

— Mas considera que seu irmão está cometendo um erro?

— Não um erro... Benjamin não deve ser punido pelo erro dos pais. De toda forma, estou confiando no julgamento e na palavra de Edrick.

— Há nas palavras de Edrick algo que ainda precise confiar? — Elizabeth a encarou com desconfiança. — Acha que ele pode estar mentindo, por isso se esforça para aceitar?

— Não! — Marguerite negou rapidamente. — Expressei-me mal. Confio, sem dúvidas, no que Edrick nos contou. Apenas queria que tudo fosse diferente.

— Então somos duas! — Elizabeth suspirou, mirando seu entorno. — Já sabe o que fará?

— Sim! — Marguerite igualmente olhava em volta. — Amanhã farei com que providenciem as flores. Jacintos, lírios do vale e heras.

— E onde ficará o coral da igreja?

— O coral?! — A duquesa se surpreendeu. — Entendi que Edrick espera que organizemos uma reunião pequena.

— Será pequena, mas precisa haver música. Se não tem jeito e nós temos de fazer, faremos direito. Como no seu casamento... Oh! — Elizabeth se alarmou. — Não estou comparando.

— Mas são comparáveis — disse Marguerite. — Casamentos adiantados, questionáveis, sem opções além de serem reservados e breves.

— Mas no seu caso já havia um compromisso — Elizabeth teimou. — E Logan é duque!

— É passado! — Marguerite encerrou aquele assunto. — E não desconverse. Conheço Edrick bem o bastante para saber que não vai gostar de ter o coral da igreja aqui.

— Alguns músicos, ao menos — ela pediu. — A Sra. Hope contratou três deles para o aniversário do Sr. Hope no ano passado. Sei que ela ficaria feliz em nos ajudar a contratá-los.

— Acomodar três músicos será fácil. — Marguerite riu. — Difícil será convencer seu filho.

— Edrick não precisa saber.

— Mamãe... Não devemos enganá-lo.

— Não estamos... Apenas vemos além. O senso de dever o torna cego, mas quando Edrick vir que seu casamento será simples, porém animado e requintado, ele nos agradecerá. Será uma boa surpresa, você verá.

Marguerite tinha suas dúvidas, mas não desejou encerrar a pouca animação. Por alguma razão desconhecida sua mãe parecia aceitar melhor aquela união. Gostaria de ser ela a ter motivos para mudar de opinião, mas parecia impossível. A chance de confirmar seu erro surgiu naquela tarde. Bordavam na Sala Rosa enquanto seus filhos corriam fora da casa. O chá servido não era acompanhado de assuntos pacíficos. Antes disso, Cora cruzou a barreira do embaraço e especulou sobre as flores que seriam usadas em seu casamento. Marguerite não perdeu a chance de alfinetá-la. Catarina tentou reduzir o impacto das farpas, mas foi Elizabeth quem roubou a cena, expondo detalhes sobre Cora até então desconhecidos por suas filhas.

Pela baronesa viúva Marguerite soube que Benjamin tinha sido criado em um internato e que o antigo endereço de Cora era um mistério. A duquesa teria tentado solucioná-lo caso sua mãe não recebesse a visita de Verne Zimmer, amigo da família. A novidade desviou a atenção de todas para o senhor que, segundo Cora, já havia ido até Apple White outras vezes também a levar flores. Marguerite não tinha dúvidas de que o comentário fora feito tão somente para que o foco fosse desviado de si.

Comprovando tal dedução Cora se manteve em silêncio, recolhida em seu canto. Marguerite deixou que assim ficasse ao notar o claro intento de Verne Zimmer. Ela fazia muito gosto naquela corte à baronesa viúva. Formariam um belo casal, pois os anos foram generosos com ambos. Infelizmente naquele primeiro momento Elizabeth não se mostrou receptiva, esteve até mesmo defensiva. Verne por sua vez parecia decidido a expor suas intenções. Apesar dos esforços de Elizabeth para silenciá-lo e do atabalhoamento de Beni que derrubou a bandeja na qual trazia o chá que serviria ao visitante, quem interrompeu a iminente declaração foi o barão.

— Mas o que está acontecendo aqui?! — indagou ao entrar um minuto depois do incidente.

— Barão! — Verne balbuciou, afastando-se de Elizabeth. — Eu...

— O Sr. Zimmer nos trouxe flores! — disse Catarina. Marguerite duvidou que a informação ajudasse de alguma forma e mentiu, procurando pelo apoio de Cora para salvar a situação.

— Ele veio nos pedir uma sugestão de presente de casamento. Não é mesmo, Ashley?

— Sim! Primeiro tentei desobrigá-lo de nos presentear. Como não pude demovê-lo, disse que ficasse à vontade para nos dar o que quisesse. O que vier, será bem recebido.

— Beni demorou a trazer o chá — Catarina disse a verdade. — Mamãe foi apressá-lo e, quando vieram, ele se desequilibrou e derrubou a bandeja. Prestativo, o Sr. Zimmer socorreu mamãe que quase caiu e a fez se sentar.

— Então, você chegou e esbravejou como o vilão da ópera — Marguerite acrescentou.

— Eu prefiro vê-lo como o herói — falou Cora. — Orfeu ao entrar no submundo.

— E você por certo se considera Eurídice. — Marguerite meneou a cabeça. — Sempre quer ser a donzela em perigo que suspira pelos heróis.

— Os vilões sempre foram interessantes para você, não para mim — ela bem lembrou.

— Credo! — refutou a condessa. — A história de Orfeu e Eurídice é trágica. Desejo um destino melhor aos noivos.

— E eu que as três encerrem a conversa sem sentido — Edrick ralhou, mirando o senhor. — O que de fato deseja? E diga algo melhor do que questionar sobre presentes. Trouxe flores e eu sei que esta não é a primeira vez.
— Bem... Lorde Westling... — gaguejou o senhor e se calou.
— Edrick... — Cora o chamou, desviando a atenção para si. — Não me sinto bem... Acho que vou... — disse depois de levar uma das mãos à testa, cambalear e cair. Não foi ao chão porque Edrick a segurou.
— Ashley! — ele a chamou duramente, tentando mantê-la de pé. Quando não teve sucesso, bufou, tomou-a nos braços e saiu. — Se me dão licença, vou levar minha noiva até seu quarto. E o senhor me espere bem aqui.
Marguerite não tinha Cora em alta conta, mas admirou a coragem de salvar a situação, correndo o risco de aborrecer o noivo quando este constatasse o falso desmaio. Para que o esforço não fosse vão, Verne Zimmer deveria partir o quanto antes.
— Sr. Zimmer — Marguerite o chamou. — Diante de tudo que se passou, creio que seria melhor deixar essa visita para outra ocasião.
— Prefiro esperar — disse o senhor, indicando os assentos para que as damas se sentassem.
Com todos acomodados, o silêncio reinou. As senhoras olhavam-se entre si e para o homem empertigado que mirava em frente. Quando a duquesa pensava em repetir o que dissera, sua mãe se adiantou:
— Penso o mesmo que minha filha, Sr. Zimmer. Sem querer parecer rude, peço que deixe esta visita para outra ocasião. De preferência venha depois do casamento. Bem depois...
— Creio não dispor de tanto tempo — ele negou, olhando para a senhora com surpreendente segurança. — Sinto que se partir agora eu não terei coragem para fazer o que vim fazer.
— O que seria? — Catarina indagou, mal ocultando sua ansiedade.
— Visitá-las, não está claro? — Elizabeth parecia aflita ao se voltar para o senhor. — Diga a elas que veio vê-las, por favor, Sr. Zimmer! Não há nada além a fazer aqui.
— Eu me surpreenderia se descobrisse que a senhora realmente não sabe a razão de minha visita — Verne parecia muito seguro. — Estaria assim enganado?
Marguerite encarou a mãe. Elizabeth estava corada e não foi capaz de desdizê-lo.
— Não estaria... — ela anuiu. — Mas há certas coisas que devemos deixar como estão.
— Assim como há outras que devemos ao menos tentar mudar — ele retrucou, aprumando-se mais. — Esperarei até que a jovem noiva se recupere e o barão retorne.
— Sendo assim... — Elizabeth se mostrou vencida. — Pedirei que Marie vá apressá-lo.

— Eu irei! — Marguerite se ofereceu de súbito. Tinha pressa de ver aonde aquela conversa os levaria. — Voltarei em um instante.

Marguerite deixou a sala sem esperar resposta. Seguia rumo à escadaria de modo decidido quando ouviu as vozes de Edrick e Cora vindas da biblioteca. Não era seu feitio ouvir conversa alheia, mas não se furtou de parar próximo ao limiar da porta entreaberta. Durante a conversa tensa ela confirmou o amor que um tinha pelo outro, descobriu que Cora estava grávida e que isso a preocupava. Descobriu também que ela se relacionava com sir Kelton e ouviu um nome desconhecido. Quem seria Lily? Quantos segredos havia naquela na história de Cora?

Mistérios demais que ela não elucidaria naquele instante, considerou Marguerite entender que demorou tanto a chamá-los que agora estavam aos beijos. Resignada ela bateu à porta. Ao notar que não tinha sido ouvida, entrou. Flagrou Cora no colo de Edrick, ambos aos beijos.

— Vejo que a noiva está recuperada — comentou para ser notada.

Cora teria se afastado se Edrick não a segurasse em seu colo, olhando para a duquesa com velado aborrecimento.

— Costumávamos bater à porta antes de abri-las — ele disse.

— Eu bati — ela garantiu, olhando para Cora —, mas estavam ocupados. Mamãe pediu para vir ver o que acontecia e eu me ofereci. O Sr. Zimmer tem algo a lhe dizer.

— Ainda isso — resmungou o barão.

Recuperada, sentindo-se leve após dividir com Edrick seu segredo, Ashley se pôs de pé e se dirigiu a Marguerite:

— Edrick já vai atendê-lo em um instante... — disse Cora ao se por de pé com segurança, demonstrando ter se recuperado do susto. — Poderia nos deixar a sós?

— Posso, mas espero que não voltem ao que faziam.

Marguerite os deixou, mas não foi longe. Estava envolvida demais com o que ouvia para perder o que mais diriam. Talvez conseguisse algumas respostas, por essa razão deixou a porta aberta. Para sua consternação o que ouviu lhe daria mais no que pensar.

— É inteligente, sem dúvida — Cora argumentava em defesa de Verne Zimmer —, mas falta-lhe consciência. Sabe o que *ele* fazia comigo antes que fosse expulsa. Nunca se perguntou se a baronesa, em algum momento, tenha tido algum dissabor? Nunca lhe ocorreu quais os motivos que a levaram para longe na ocasião da morte *dele*? Edrick... Pense! Se sua mãe teve um casamento infeliz, compete a você negar-lhe a oportunidade de experimentar algo novo?

Ao final do pequeno discurso Marguerite estava sem fôlego. Cora não foi explícita e várias situações podiam ser deduzidas a partir do que disse, mas foi o nome suprimido e o tom que mais calaram fundo.

— Vá descansar, sem argumentos — Edrick pediu, tirando a irmã do torpor que a prostrou, fazendo com que voltasse para a Sala Rosa ao crer que logo o casal deixaria a biblioteca.

— Até que enfim! — exclamou Elizabeth, claramente impaciente. — Por que a demora?

— Demorei a encontrá-los — ela mentiu. — No fim, estavam aqui ao lado, na biblioteca.

— Então, Ashley está bem? — indagou a baronesa viúva.

— Sim, está! — garantiu, tentando calar seus pensamentos. Antes que novas questões fossem feitas, Edrick assomou à porta, tendo Cora às suas costas.

— Barão! Folgo em ver que vossa noiva se recuperou — disse Verne. — Se agora pudesse...

Edrick o silenciou com um gesto e disse às damas:

— Saiam todas, por favor! E espero que não fiquem a ouvir atrás da porta.

Se Elizabeth e Catarina se ofenderam, Marguerite não soube. Sabia apenas que ela não poderia, pois foi exatamente o que esteve fazendo nos últimos minutos. E agradecia o fato, pensou ao sair, olhando para Cora que fechava a porta. Depois de encará-la brevemente ela as seguiu. Ao chegar à saleta Cora escusou-se e acrescentou:

— Não ficarei com as senhoras. Edrick pediu que eu descansasse. Com licença...

— Fico feliz que ela tenha atendido ao pedido de meu filho — falou Elizabeth. — Este é um assunto de família.

— Cora é praticamente da família.

Marguerite surpreendeu com sua súbita boa vontade. Não era como se tivesse esquecido o que lhe fizera, mas se um *assunto de família* estava sendo tratado por Edrick isto se devia a Cora. Outro assunto relacionado à amiga roubava toda atenção de Marguerite. Estava curiosa como a mãe e a irmã quanto ao que acontecia ali ao lado, mas os novos indícios de que seu pai teve envolvimento com a expulsão de Cora a tudo se sobrepunham.

Infelizmente a agitação de todos não dava a ela tempo para ordenar os pensamentos. Em poucos minutos Verne Zimmer partiu com um convite para o jantar e, sem maiores explicações, Edrick solicitou a mãe para uma conversa particular. Catarina anunciou que se recolheria e, como sugerido por Edrick, Marguerite foi ver como estavam seus filhos. Diante da casa, ela olhou de um lado ao outro, sem saber que rumo tomar. Estava tão confusa quanto suas ideias.

Sendo sincera, não havia muito a pensar. O que fazia era se agarrar à negação.

"Sabe o que ele fazia comigo antes que fosse expulsa", dissera Cora.

— Mamãe! Mamãe! — Lionel a chamou ao se aproximar, correndo ao lado de Benjamin e John. — O que faz aqui fora? Está frio!

— Ah, está frio para mim, não para os senhores? — Ela foi obrigada a rir para o filho, mas mantinha os olhos em Benjamim.

— Somos fortes, tia Marguerite — disse o menino, seriamente. — E a senhora é uma dama.

— As damas também podem ser fortes — ela o informou. Nesse momento surgiu Amy, ofegante e desmazelada, mostrando ser a exceção entre as damas resistentes.

— Perdoe-me, milady! Eu não consigo acompanhá-los.

— Onde está Sofia? — indagou apenas.

— Ficou a cuidar das roupas e da refeição de vossos filhos, milady.

— E Nero?

— Acho que se cansou de tanta atividade, pois foi para o canil.

— Eu o compreendo. — Marguerite riu. — Até mesmo ele sabe que brincaram o suficiente.

Ao indicar a entrada aos meninos houve certa resistência, mas venceu a palavra da duquesa. Falando entre si, tendo John entre eles, olhando de um ao outro, Lionel e Benjamin subiram para o quarto. Marguerite os seguia com Amy um passo atrás de si.

— Tia Marguerite — Benjamin a chamou ao entrar no quarto dos primos. — A senhora sabe contar histórias?

— Eu disse a ele que sim — falou Lionel. — Disse que a senhora conta histórias como a Srta. Walker.

Marguerite não se surpreendeu que Cora lhes contasse histórias e gostaria de saber do que se tratavam, mas ela viu ali a chance de obter algumas informações de modo indireto.

— Sim, Benjamin, há alguns anos aprendi a contar histórias e ficarei feliz em fazê-lo, mas... — acrescentou rapidamente. — Proponho uma brincadeira.

— Qual? — Benjamin se animou.

— Direi num instante — ela garantiu e se voltou para Amy. — Pode ir cuidar de seus afazeres. Ficarei com eles até que Sofia chegue.

— Obrigada, milady! — Amy tentava ocultar seu alívio ao sair apressadamente. Marguerite meneou a cabeça, condescendente e olhou para os meninos.

— Bem, a brincadeira será assim... — ela começou, sorrindo. — Eu contarei uma história depois que você me contar a sua.

— Benjamin tem uma história? — Lionel franziu o cenho, curioso.

— Sim, ele tem — Marguerite confirmou, mirando o sobrinho. — E é bem interessante. Ele já morou em Londres, sabiam?

— Oh! — Lionel olhou para o primo com interesse e admiração. — Sempre passeamos em Londres, mas nunca moramos lá. Sua casa era grande como Altman Chalet?

Benjamin torceu os lábios, olhando da tia ao primo, sem nada dizer.

— Diga, querido! Quero saber como era morar lá. Você gostava? — Marguerite se abaixou para equiparar as alturas quando o menino negou com a cabeça, apertando a boca. — Então, não gostava? Era ruim? Sua mãe não estava com você?

— Era ruim porque eu estava de castigo — disse Benjamin após um instante de hesitação.

— De castigo?! — Marguerite uniu as sobrancelhas. — Por quê? O que fez?

— Eu não sei... Mas não importa porque meu pai não estava morto como minha mãe falou e quando ele soube sobre mim foi me buscar e agora eu estou aqui.

— E onde sua mãe morava antes que viesse para cá com você?

Aquela não foi uma boa pergunta, Marguerite soube pela expressão do menino. Novamente houve hesitação, porém esta precedeu uma resposta minimamente satisfatória.

— Meus pais não querem que eu responda. Temos até um jogo e se falar eu vou perder.

Marguerite manteve o sorriso. Não podia demonstrar seu assombro a cada novo detalhe.

— Sua vez, mamãe! — Lionel a resgatou dos pensamentos. — Conte uma história.

Sabendo que nada mais conseguiria a duquesa se sentou no chão, ao que foi imitada pelos meninos. Começou a contar uma das histórias que costumava encenar com Cora no pomar, em que ela era a bruxa malvada e a amiga uma boa fada, no tempo em que eram unidas e faziam planos; antes da expulsão.

— Mamãe? — A voz de Lionel vinha de muito longe. — Mamãe?!

— Sim! — Marguerite respondeu rapidamente, tinha dispersado.

— A senhora está bem? — Lionel, assim como Benjamin e John, olhava-a atentamente. — Ouviu o que primo Benjamin perguntou?

— Sim... — disse reflexivamente, sem pensar.

— Então, podemos ir ao pomar! — Lionel exultou. — Não é maravilhoso, primo Benjamin?

— Não! — ela se corrigiu antes que o sobrinho se animasse mais. — Eu me enganei. Não tem como irmos ao pomar. Com certeza está lamacento. Iremos outro dia.

— Milady?! — A chegada de Sofia e de Leonor interrompeu as lamúrias que viriam.

— Que bom que chegou Sofia — disse Marguerite ao se pôr de pé. — Assuma o cuidado dos meninos. Eu irei ao meu quarto.

— Vim buscar Benjamin a pedido de Lady Westling — anunciou Leonor. — O jantar dos meninos será servido um pouco mais cedo para que não haja atrasos no jantar dos adultos.

— Sim, claro! Teremos visitas... Bem, fiquem à vontade! — Antes que saísse, Marguerite dirigiu um longo olhar para Benjamin, escrutinando o rosto entristecido.

Ainda havia tanto a descobrir!

Em seu quarto, com a cabeça a doer levemente, Marguerite se recostou nos travesseiros e com um dos braços cobriu os olhos. Logo pensava em Cora, desde que se conheceram até o dia da separação e foi impossível refutar a verdade. Marguerite se sentou de chofre, alarmada. Sua amiga nunca foi dissimulada. Desde crianças que se olhavam nos olhos. Quando Edrick estava em Apple White, Cora mal respirava. Mesmo que omitisse o romance clandestino, não seria capaz de ocultá-lo.

Era verdade que Cora havia mudado seu comportamento pouco antes de completar quinze anos, mas não de modo positivo. Antes disso! Animá-la era custoso e logo a amiga era tomada pela seriedade. Pela tristeza, corrigiu-se a duquesa. Com a experiência adquirida de forma dura em seu relacionamento de começo nada convencional, Marguerite era capaz de identificar o sentimento. Também era capaz de reconhecer outros sinais referentes ao amor. Agora ela sabia as reações que este causava.

Recordando a adolescência de ambas, Marguerite confirmou que Cora desaparecia quando Edrick surgia. Não havia suspiros, rubores, olhares fortuitos... O que havia era o detalhe fundamental: meses antes o casal se relacionou sem que houvesse reconhecimento por parte de Edrick. Ambos esqueceram-se daquele pormenor. Cora estava mudada, mas alguém que conviveu com ela nunca esqueceria sua feição. Especialmente o homem que a amava e sofreu com a partida.

Agora, sim, amavam-se. Havia proteção e cumplicidade. E Edrick sabia o que *Ludwig* fazia com Cora antes que fosse expulsa. E Cora se referia ao seu antigo senhor por *ele*, *dele*, com ênfase e rancor. Rancor, não... Com asco.

— Oh, papai! — Marguerite sentiu o estômago girar. — O foi fazer?!

Com a decepção a pesar em seu coração Marguerite se deitou e, sem que pudesse evitar, chorou. Tinha de falar com sua amiga, mas não o faria sem que domasse o horror, a decepção. A duquesa soube que adormecera em algum momento em meio à tristeza quando Gertrudes a chamou. A tarde se tornou noite, o quarto estava na penumbra.

— Milady? Não está se sentindo bem?

— Estou! — Marguerite mentiu, procurando por vestígios de lágrimas enquanto sentava. — Apenas repousava, pois a tarde foi agitada.

— E a noite não está diferente — disse a criada, indo acender as lamparinas. — Todos estão agitados para o jantar. O horário se aproxima, por isso vim ajudá-la. Esteve chorando?

— Tenho sono — mentiu. — Ficarei melhor depois que me ajudar.

— Sim, milady — anuiu a criada, indo até a duquesa para despi-la. Em silêncio ajudou em seu asseio e a vestiu. Penteava-a diante do espelho quando bateram à porta.

— Entre! — permitiu Marguerite. Logo Catarina olhava para dentro, meio oculta pela porta.

— Ainda não está pronta? — A condessa entrou e se sentou em uma poltrona, olhando para a irmã pelo reflexo do espelho. — Mamãe terá uma síncope se você se atrasar.

— Não irá acontecer! — assegurou Marguerite, lamentando ter adormecido.

Se tempo tivesse ela iria até *Ashley Walker* para confrontá-la. Enfim, aceitava a mudança do nome e se estivesse certa a amiga que conheceu não seria capaz de sustentar a mentira, olhando em seus olhos. Infelizmente, se o fizesse correria o risco de se atrasar para o jantar.

— Você está estranha — observou sua irmã. — Esteve chorando?!
— Estive dormindo — Marguerite desconversou. — Ainda estou com sono.
— Estaria grávida?! — Catarina se animou. — Terei um novo sobrinho?
— Pouco provável... É apenas sono mesmo.
— Pouco provável? O duque e você não estão... — Catarina se calou de modo sugestivo.
— Não! — Marguerite negou, corada. Ao ver a irmã maximizar os olhos compreendeu o que dissera e, ainda mais corada, corrigiu-se: — Digo... Sim, mas isso não é da sua conta!
— Então, não é pouco provável — disse a condessa, dando de ombros, mirando sua barriga. Após um suspiro, acrescentou: — Eu a invejo. Depois que o conde soube de minha gravidez nós nunca mais... Você sabe!
— Não, não sei! — Marguerite agitou a mão sobre suas joias, indicando a Gertrudes que escolhesse algo, e se voltou para a irmã. — E você devia saber que isso não é da *minha* conta.
— Ora, estamos entre mulheres aqui. Sei que criadas falam, mas você sempre elogia a discrição de Gertrudes, então... Confesso que sinto falta de meu marido nesse sentido. Ele diz que pode fazer mal ao bebê.
— Mas você o compreende, não? — Marguerite se compadeceu da irmã. — Eu penso que o conde esteja sendo cauteloso por causa do que houve com...
— Com Gisela, eu sei — Catarina a cortou, entre sentida e bravia —, mas sou outra pessoa.
— No mesmo estado — lembrou-a Marguerite, indicando a barriga evidenciada pelo vestido branco ornado por bordados pretos. — Logo o bebê nascerá e os cuidados findarão.
— Penso que serão redobrados, mas você passou por isso duas vezes, então, deve ter razão.
— Sim, eu tenho! — assegurou a duquesa ao se levantar, por fim, agradecida pela distração proporcionada por sua irmã. — Vamos descer?

Catarina assentiu e se levantou com cuidado para que seguissem até a saleta. Edrick levantou ao vê-las e se dirigiu à mãe que andava de um lado ao outro.

— Pronto, aí estão vossas filhas! Poderia se tranquilizar agora?
— Ainda não estão todos aqui, estão? — Elizabeth retrucou, olhando para as filhas. — Se aquela moça está aqui e fará parte da família, deve participar.

Marguerite notou o sorriso de satisfação que iluminou o rosto do irmão. Desde que chegou aquele foi o primeiro instante de real descontração que flagrou e se alegrou por ele. Apesar de ter tentado iludi-la, mentindo descaradamente, compreendia-o, admirava-o, e o amava mais.

Ainda sorrindo, Edrick se voltou para as irmãs e ofereceu:

— Aceitam beber alguma coisa? Catarina, eu posso servir-lhe licor de...

— Quero o mesmo que servir a Marguerite — disse Catarina, indo se sentar.

— Alweather aprovaria? — ele indagou, tendo o cenho franzido.

— O conde não está aqui e o bebê passa bem — retrucou a condessa, altiva como sempre.

Edrick olhou para Marguerite, incerto. Ela apenas assentiu. Também compreendia o péssimo humor causado pelo excesso de zelo. No caso, agravado pela falta de visitas íntimas. Logan não teve o mesmo cuidado e seus filhos nasceram fortes e saudáveis. John era a exceção por culpa dela. Enfim, infelizmente para Catarina, sua irmã igualmente entendia o conde. A dor da perda da primeira esposa e filho o abalou ao ponto de exilar-se por anos.

— Pelo bom Deus, Edrick, sirva-as de uma vez! — rogou Elizabeth, indicando uma taça já usada. — E me sirva um pouco mais.

Se Edrick cogitou negar, Marguerite não saberia, pois ele abriu e fechou a boca sem nada dizer antes de servir as três damas. Quando o teve diante de si, ela notou como estava bonito em seu traje completo. Algo havia mudado, pois a tensão vista em seu olhar não estava lá. Agora havia um brilho de contentamento. Sentir a paz de Edrick levou Marguerite a sorrir.

— O que houve? — Edrick indagou, rindo com ela, analisando-a.

— Nada! — Ela sorriu mais. — Apenas reparei no quanto está bonito esta noite.

— Isso porque sou o único a ser notado — gracejou Edrick, leve como de costume. — Por sorte será apenas até amanhã. Bridgeford e Alweather devem chegar logo cedo.

— Como esperado. — Marguerite sentia falta de Logan. Tinha tanto a lhe falar.

— Já não era sem tempo! — falou Catarina, ocultando um sorriso. — É melhor eu saborear este xerez, pois poderá ser o último por um longo tempo!

— Sim, será perfeito ter meus genros aqui, mas onde está a futura nora? — Elizabeth estava cada vez mais impaciente. — Percebe-se o pouco trato, pois está atrasada!

— Não, ela não está — Edrick a desdisse amavelmente. — Mamãe, por que não se senta? Andar de um lado ao outro e cismar com minha noiva não adiantará os acontecimentos.

— Deve ter razão — disse Elizabeth antes de se sentar. Edrick enfim, pôde fazer o mesmo. — Do que trataremos?

— Boa noite! — O cumprimento de Cora chamou a atenção de todos para a porta.

Edrick imediatamente se levantou e esperou que a noiva fosse até ele, claramente a admirá-la. Justificável, visto que Cora estava linda no vestido verde.

— Sente-se aqui — ele disse depois de levar a noiva até uma poltrona com cuidado. — Hoje não oferecerei uma taça de xerez.

— Por que não? — Catarina logo especulou.

— Por que ela desmaiou esta tarde — Edrick respondeu com os olhos postos em Cora.

— Ah, essa resposta não vale! Até as almofadas sabem que aquilo foi mentira — refutou sua irmã. — Teria alguma outra razão?

Marguerite sabia a razão, mas não cabia a ela revelar.

— Sim. Apesar de tentar me iludir, Ashley tem demonstrado certa fraqueza e no domingo verdadeiramente desmaiou. Com a proximidade do casamento, prefiro que ela se resguarde. — Edrick falava olhando para Cora. — Não deve ingerir álcool ou se exceder.

— Assim farei — Cora aquiesceu de pronto, corada. Marguerite ainda a analisava quando Beni parou à porta e disse:

— Com licença! Sra. Channing manda avisar que o Sr. Zimmer se aproxima.

Muito pálida Elizabeth se levantou. Todas fizeram o mesmo e esperaram depois de Edrick ordenar que o criado trouxesse o convidado. Verne Zimmer entrou empertigado e a todos cumprimentou.

— Como disse, poderá conversar com minha mãe — Edrick falou para o senhor. — O que ela decidir estará bem para todos nós. Venham! Vamos deixá-los a sós.

Como Catarina e Cora, Marguerite o seguiu até a biblioteca. Edrick passou a andar de um lado ao outro, claramente preocupado com o que se passava na saleta.

— Com licença! — Marie surpreendeu a todos ao abrir a porta em menos de dez minutos e se dirigir ao patrão. — Lorde Westling, o Sr. Zimmer está no hall, preparando-se para partir.

— Partir?! — Edrick imediatamente seguiu para a porta. — Vocês permaneçam aqui.

— Por que temos de ficar aqui? — protestou Catarina sem ser ouvida pelo irmão.

— Acho que Edrick quer evitar algum constrangimento para o Sr. Zimmer — disse Cora, aproximando-se de Catarina. — Se está indo embora é porque algo não deu certo.

— E como estará mamãe? — A condessa indagou para a irmã depois de sorrir para a nova amiga. — Não devíamos procurá-la?

— Iremos, mas antes, vamos esperar por Edrick — opinou Marguerite, olhando de uma a outra. O silêncio as envolveu até que Marie surgisse, poucos minutos depois.

— Lorde Westling pediu que avisasse que o jantar será servido com atraso.

— Por quê? — Catarina se adiantou até a porta. — O que está acontecendo, Marie?

— Bem... — A governanta começou com aparente incerteza, olhando-as. — O Sr. Zimmer se foi depois de brevemente conversar com o barão. Lorde Westling pediu que eu repassasse seu recado e foi ter com a mãe.

— O que faremos? — Catarina se voltou para a irmã. — Vamos até eles?
— Penso que devemos esperar — disse Marguerite, segura. — Moramos longe e pouco sabemos sobre o que se passa aqui. Edrick e mamãe devem se entender melhor sem nós.

Catarina olhou para Cora, que assentiu, exasperando-a.

— Ah, está bem! — A condessa se rendeu. — Vamos esperar, mas não aqui. Prefiro a saleta.

Todas passaram para a referida sala em silêncio, porém logo Marguerite esperava por notícias, ouvindo os resmungos de Catarina para Cora. Foi assim até que Edrick voltasse.

— Até que enfim! — Catarina foi até ele. — O que houve? Como está mamãe? Por que...?

— Respire, Catarina! — ele pediu, cansado, interrompendo-a. — Mamãe está bem, apenas triste e indisposta. Ela deve descansar.

Marguerite entendeu o recado. De toda forma, ele devia se preocupar que Catarina fosse até o quarto da baronesa viúva. Ela própria estava recuperada, mas em aparência. O choro e o sono não eliminaram a decepção com seu pai nem o desejo de conversar com Cora a sós. Marguerite se compadecia da mãe, mas era com a amiga que queria ter uma conversa franca.

— Sendo assim, vamos ao jantar? — indagou Marguerite, sustentando seu olhar.

— Vamos — ele anuiu, sorrindo, agradecido.

Catarina deixou claro que não compartilhava do mesmo sentimento, sendo praticamente obrigada a seguir para a sala de jantar. Seus resmungos caíram no vazio e logo era ouvido apenas o tilintar dos copos e talheres. Ao término da refeição Marguerite viu sua chance de estar com Cora se aproximar. Ledo engano! Seguiam para seus respectivos quartos quando, sem se importar em manter o decoro, Edrick se despediu à porta de seu quarto e simplesmente puxou a noiva para dentro, deixando as irmãs no corredor, estarrecidas.

— Eu vi o que parece que vi? — indagou Catarina, mirando a porta fechada.

— Foi exatamente o que viu — disse Marguerite, contrariada. — Seu irmão perdeu o senso.

— Ou o tem muito aguçado — troçou Catarina, demonstrando estar mais divertida que chocada. — Nem posso desejar que Henry estivesse em Apple White, pois não faríamos o que esses dois farão mesmo conosco aqui, no corredor. Eu invejo sua amiga!

— Sua amiga, você quis dizer — Marguerite retrucou, seguindo para o quarto que ocupava, sendo movida pela frustração e o ciúme. — Quem as vê não diz que antes você mal a suportava.

— E isso a aborrece? — Catarina acelerou os passos para acompanhá-la.

— Em absoluto! — negou com veemência ao chegar à porta de seu quarto. — Boa noite!

Sem esperar resposta ou se importar em ser rude, Marguerite fechou a porta com demasiada força, assustando Gertrudes que a esperava.

— Milady?!

— Não me faça perguntas você também — disse à criada, fuzilando-a com o olhar.

Gertrudes não se atreveu a falar, apenas atendeu a patroa e logo saiu. Sozinha, Marguerite reconheceu seu exagero. Teria muito tempo para tratar de assuntos espinhentos. Depois de ir até os filhos e ver que dormiam com tranquilidade, Marguerite reconheceu que sentia mais a falta de Logan do que imaginava. Precisava dele para que dividissem aquele pesado fardo.

— Apenas uma noite nos separa... — ela murmurou, olhando para Lionel e John.

## Capítulo 28

Para que esta logo passasse, Marguerite voltou ao seu quarto e se deitou. Não conciliou o sono como desejado, ainda assim agradeceu quando Gertrudes foi acordá-la.

— Está melhor, milady? — Esta indagou com cautela.

— Sim... E me desculpe por ontem. A noite foi estranha.

— Sei que não devo me meter, mas soube que vossa mãe recusou um pedido de casamento.

— Recusou, mas não pense nisso... Venha me ajudar. E capriche, pois Logan chegará hoje. Quero que me encontre impecável!

Impecável, era como Marguerite se sentia ao descer para o desjejum. Gertrudes escolhera um vestido azul, cor preferida do duque, e prendera o cabelo da patroa num coque alto, deixando alguns cachos soltos. Marguerite estremeceu ao imaginar que o marido poderia beijar sua nuca exposta. Divertida pelo pensamento ela sorria ao entrar na sala de jantar.

— Vejo que está com o humor melhorado esta manhã — observou Catarina, secamente.

— Sim... — Marguerite se sentou, olhando-a de esguelha. — Sobre ontem, perdoe-me!

— Eu não tenho culpa que *sua amiga* tenha desaparecido e voltado anos depois para se casar com seu irmão, com novo nome e cheia de mistérios — disse Catarina, sentida, mirando o que tinha no prato. — Fui contra no início e acho que ainda sou... Um pouco... Aceito por não ter jeito. Resta-me atenuar o impacto que essa união terá em nossas vidas. Não considero a noiva uma amiga. Damo-nos bem e isso é só. Não precisa me morder só porque acha que roubei algo que lhe pertence. Resolva seus problemas com ela e regale-se!

— Catarina...

— O bebê quer silêncio no café da manhã — Catarina interrompeu a irmã antes de levar um pedaço de toucinho à boca e mastigá-lo lentamente.

Marguerite pensou em insistir, mas desistiu. A reação de Catarina estava à altura de sua grosseria. Com um suspiro resignado a duquesa deu atenção à comida, em silêncio. Melhor seria seguir a vontade do bebê.

— Sabe onde está mamãe? — perguntou a duquesa ao final da refeição.
— E Edrick?
— Onde mais estariam? — indagou Catarina, indiferente. — Edrick está na sidreria e mamãe cuidando de Benjamin.
— Então, irei ver meus filhos — anunciou Marguerite ao se levantar. — Com sua licença...

Catarina respondeu num resmungo. Marguerite entendia a bronca, mas considerava-a exagerada e não se ocuparia dela, especialmente quando tinha tanto a resolver.

— Mamãe, bom dia! — Lionel sorriu ao vê-la, como John.
— Bom dia, meus queridos! Bom dia, Sofia! — cumprimentou ao entrar.
— Bom dia, duquesa! Ainda bem que chegou... Eu estava explicando para Lorde Edgemond que deve dar atenção aos vossos estudos, não apenas às brincadeiras.
— Concordo, mas não hoje — ela acrescentou ao ver a babá sorrir. — A senhorita tem meu respeito e admiração por seus esforços, mas vamos considerar este passeio como um pequeno intervalo. Os meninos acabam de conhecer o novo primo, estão exaltados pela novidade. Creio que não seria produtivo manter Lionel preso aos livros.
— Será como milady determinar — disse Sofia, nada satisfeita.
— Obrigado, mamãe! — Lionel sorriu mais. — Vovó confirmou que papai chega hoje quando veio nos desejar bom dia. Agora ela está com Benjamin.

Marguerite apenas sorriu e assentiu, preocupada com a ostensiva atenção que sua mãe dava a um menino cujo real parentesco desconhecia. Batidas à porta vieram livrá-la das cismas.

— É vosso sobrinho, milady — anunciou Sofia ao abrir a porta, dando passagem ao menino.

Ao olhá-lo, ciente da verdade, Marguerite esboçou um sorriso. O inocente menino não devia jamais pagar pelo erro do pai; do pai de ambos. Iria cumprimentá-lo, quando notou sua palidez.

— Benjamin, o que houve? — Marguerite o tocou nos ombros. Ao ter os olhos azuis em si, reparou nas lágrimas bravamente mantidas à borda. — Não se sente bem, querido?

Benjamin meneou a cabeça, apertando os lábios.

— É uma daquelas coisas que não pode responder?
— Eu perdi o jogo — ele disse, assentindo. — Acabo de dizer o que não devia para vovó e ela ficou brava com minha mãe. Acho que elas vão brigar.
— Não creio! Não deve ter dito nada que seja grave — tentou tranquilizá-lo e arriscou: — Se o jogo está perdido, não pode dizer para mim? — Benjamin olhou para Sofia e sinalizou para que a tia se aproximasse. Marguerite logo fez como pedido para que ele lhe segredasse:
— Eu não devia falar de sir Frederick. Este era o jogo.

— Compreendo... — murmurou Marguerite ao se aprumar, voltando a especular onde exatamente o banqueiro se encaixava naquela história. — Teve seu desjejum?

— Sim, tia Marguerite.

— Seus primos também — ela anunciou, sorrindo para animá-lo. — O que me dizem de irmos todos até a biblioteca. Podem escolher o livro que quiserem e eu o lerei.

— Eu acho ótimo! — disse Lionel, ajudando o irmão a descer da cadeira. — Vamos, John!

Benjamin sorriu e se deixou levar, ouvindo as sugestões de Lionel. Marguerite o escrutinava, pensando em Frederick e em seu pai. Como o falecido barão tivera coragem de abusar de uma menina, cria da casa. Como tinha sido capaz de engravidá-la, deixando-a a própria sorte. Havia tanto que gostaria de saber e mais uma vez não podia estar com a amiga. Naquele momento Cora estava com a baronesa viúva em algum lugar daquela imensa casa. Sem brigas, ela rogou.

Ao entrarem na biblioteca, encontraram Catarina ocupando uma das poltronas, apoiando um livro em sua barriga, lendo baixinho.

— Perdoe-nos! — pediu Marguerite. — Não queríamos ter atrapalhado.

— Não me atrapalham — Catarina garantiu, deixando o livro de lado. — Entrem!

— O que estava fazendo, tia Catarina? — Benjamin perguntou, aproximando-se. Marguerite olhou para os irmãos, juntos, sem que soubessem o que eram um do outro.

— Estou lendo para o bebê — ela respondeu, desviando a atenção da irmã para a novidade.

— Ele pode ouvir, aí dentro de sua barriga? — Foi Lionel quem indagou.

— Não sei. Acho que não — Catarina respondeu, ignorando o olhar que recebia da irmã. — Mas gosto de pensar que sim. Quando leio, ele se acalma e com isso eu fico bem.

— E ele se mexe? — perguntou Benjamin, tomando a liberdade de tocar a redonda barriga, logo sendo imitado por Lionel e John. Marguerite se adiantou para intervir, mas a irmã meneou a cabeça para ela antes de sorrir para todos e dizer:

— Está quieto agora, mas é bem bagunceiro. Como os senhores, quando correm por aí.

— Por que não deixa que ele saia e venha correr conosco?

— Não seja bobo, primo Lionel! — pediu Benjamin do alto de sua sabedoria. — Bebês são pequenos demais, por isso eu não sei como saem das barrigas e meu pai não quis me dizer.

— Isso eu também não sei, pois quando John nasceu eu estava em meu quarto. Sei que eu tinha um corte na testa e que a mamãe tinha caído. Ninguém me deixou ver, mas acho que...

— Que devem decidir qual livro eu lerei! — Marguerite os interrompeu. — Deixem sua tia em paz e escolham?

— Eu escolherei! — adiantou-se Lionel, afastando-se da tia.

— Deve ser pequeno, pois minha mãe me levará ao pomar essa manhã — disse Benjamin.
— Ela lhe prometeu isso? — Marguerite se interessou.
— Sim, tia Marguerite — o menino reiterou. — Espero que ela logo venha.
— Por que esperar? O que me dizem de irmos agora?
— Podemos? — Como Lionel e John, Benjamin se animou.
— Sim! Iremos agora... Despeçam-se de sua tia.
— Até breve, tia Catarina! — Benjamin e Lionel falaram em conjunto. John acenou para ela e foi segurar a mão da mãe.

Se Cora não fosse uma completa estranha ela iria até o pomar atrás do filho e, longe da casa, as duas conversariam. O plano pareceu perfeito até que Marguerite começasse a considerar a espera longa demais. Os meninos brincavam há bons minutos. Até mesmo Nero foi se juntar à algazarra, menos quem era esperada. Marguerite revia sua ideia quando Benjamin estacou e sorriu para alguém que se aproximava.

— Mamãe! — ele exultou, mostrando todo seu amor ao correr para Cora, com Lionel, John e Nero em seu encalço.

Marguerite não pôde ouvir o que diziam, mas viu o menino segredar algo para a mãe. De súbito a cena a enterneceu. Estavam no pomar, com seus filhos, como sempre imaginaram. Sem nada dizer, ela assistiu ao desenrolar da cena até que os meninos voltassem a brincar. Restaram apenas as duas mulheres a se olharem, mudas. Por um instante Marguerite acreditou que Cora fosse embora. Em vez disso, esta se aproximou lentamente e a cumprimentou.

Marguerite retribuiu, enfim, reconhecendo sua amiga. Esta pareceu não notar a diferença, pois se colocou um passo adiante, deixando-a para trás. Marguerite compreendeu a ação, tendo em vista tudo que dissera desde que se reencontraram. Agora a mágoa era tênue, sustentada apenas por ter sido excluída de tão chocante segredo. O casal devia saber desde o início que ela os apoiaria, sem que mentissem. Era hora de encerrar a farsa.

— Ontem fiz uma coisa horrível — Marguerite murmurou.
Cora se virou lentamente, olhando-a com incerteza
— Perdão... — ela pediu, unindo as sobrancelhas. — Disse alguma coisa?
— Disse que fiz algo horrível. À tarde, quando fui chamar por Edrick... — Marguerite não quis constrangê-la, revelando ter ouvido boa parte da conversa. — Depois que os deixei, fiquei ouvindo junto à porta.
Cora uniu ainda mais as sobrancelhas, pensando, e indagou:
— Se a duquesa considera horrível, por que fez?
— Não sei... Intuição, talvez — disse o que considerava ser verdade. Condenável ou não, ouvir conversas alheias se mostrava revelador.
— Intuição? — A incerteza de Cora estava explícita na voz.
— Sim... Nosso reencontro em nada foi parecido com os que eu imaginei, caso este um dia acontecesse. Fiquei extremamente

decepcionada ao saber de seu romance com Edrick, de seu filho... De seu silêncio. Para mim, você ter estado perto, sem nunca me procurar, foi um maldoso descaso. Eu odiei você. Fiquei porque Edrick me pediu, mas considerei-a falsa, cruel, interesseira.

— Não... — Cora sussurrou roucamente.

— Era o que parecia, mas... mesmo magoada eu sentia que algo estava errado. Crescemos juntas e, quando foi embora, seu caráter já estava moldado. Mesmo que mudasse, enquanto morou aqui você foi minha amiga. Não se relacionaria com Edrick sem que eu soubesse.

— Marguerite... — Cora se alarmou, como se a tivesse compreendido. — Por favor, não...

— É inútil insistir! O que disse a Edrick, sobre o que *meu pai fazia a você*, somado às minhas lembranças, mostrou-me a verdade. Benjamin só pode ser...

— Filho de Edrick — Cora manteve a mentira. — De Edrick!

— Sim — anuiu, sendo vencida pela comoção —, ele só pode ser filho de um Edrick.

— Marguerite, por favor... — Cora implorou num fio de voz.

— Seu plano, ou de Edrick, seria perfeito se eu não estivesse em casa aquela tarde — falou Marguerite, sem dar-lhe ouvidos. Agora que via o quadro todo e admitia a verdade ela iria até o fim, não importando o quanto as lembranças doessem. — Pensando a respeito, a contrariedade de meu pai na ocasião poderia ter sido por descobrir sobre você e meu irmão, mas há os detalhes que desmentem o que agora alegam. Meu pai estava descomposto... *Você* estava descomposta... Hoje sou adulta, casada... Sei como um homem desarranja uma mulher ao tomar liberdades. Agora faz sentido o modo como passou a se comportar sempre que estávamos perto do meu pai. O modo como por vezes ele a olhava. Enfim, mesmo que o tempo tenha passado, vou considerar que ainda a conheço. E farei isso baseada na adoração com que olha para meu irmão. Agora, quer mais bem a ele do que antes.

— Eu o amo — Cora assegurou, de olhos fechados.

Marguerite pediu que a amiga a olhasse. Demorou um instante até que fosse atendida e visse a dor que provocava. Tinha tanto a dizer, tanto a questionar, mas especulou a razão de revirar o passado e reabrir feridas quando o causador de tanto mal nem sequer vivia. Seria somente doloroso e desnecessário, por isso falou apenas:

— Como eu dizia... Baseada nas atitudes que reconheço em você, sei que meu pai a forçou. Imaginar o quanto era nova, choca-me profundamente, mas não devemos enveredar por esse caminho, não é mesmo? A quem condenaríamos? Quanto a Ruth, expulsá-la foi nada menos que esperado. Sendo assim, eu a entendo. No seu lugar, não teria acusado alguém poderoso e influente, em especial sendo pai de duas pessoas a quem quisesse tão bem, esperando uma criança que facilmente me seria tirada.

Cora apenas assentiu, parecia em choque.

— Minha intuição estava certa — disse Marguerite, aproximando-se. — E mesmo sendo horrível, fiz bem em escutar a conversa de vocês dois. — A moça assentiu mais uma vez. — De quem foi a ideia de dizer que Benjamin é filho do *atual* barão?

— De Edrick — Cora murmurou, embargada.

— Muito bem! E algum dia eu saberei o que aconteceu com você e como veio parar aqui, com um filho do meu irmão?

— Se Edrick permitir, sim — disse Cora, sem hesitar.

— Eu poderia me zangar, mas agora entendo que sua lealdade seja dada primeiramente a ele.

— Obrigada!

— Entender é o que as amigas fazem, não?

Cora maximizou os olhos, emudecida e comovida. Domando suas lágrimas a duquesa sorriu e, tirando o lenço que trazia em sua faixa para secar os olhos, exclamou:

— Oh, que horror! Odeio chorar! Meu nariz fica parecendo uma maçã. E não uma maçã bonita. Veja quanto fôlego! — Acrescentou, indicando os meninos que corriam pelo pomar. Cora olhou para os meninos e voltou a encará-la, confusa. — Devo parabenizá-la e ao meu irmão por gerarem um filho tão forte.

Ainda sem palavras, agora a encará-la com evidente gratidão, Cora voltou a chorar.

— Não. Não se emocione com meu elogio. Tenho certeza de que tanto fôlego foi herdado do meu irmão. Bem me lembro de que você era fraquinha. Não fugia de mim por mais de dois minutos.

Cora sorriu a secar o rosto e disse:

— O tempo deve ter afetado vossa memória, duquesa, pois raramente me pegava.

— Tem certeza? — Marguerite guardou seu lenço. — Se eu quiser ainda pego você a um piscar de olhos.

Cora deu um passo atrás, olhando-a com desconfiança. Provavelmente duvidando de sua sanidade. Para mostrar que não brincava Marguerite fez uma pergunta muito conhecida do seu tempo de brincadeiras:

— Está esperando que lhe dê alguma vantagem?

Não demorou muito até que Cora compreendesse sua intenção e corresse. Marguerite a seguiu, tentando pegar sua amiga, sua irmã. Tudo era novo e alguns detalhes ainda doíam, mas estavam juntas. Contrariando todas as possibilidades, Cora Hupert estava de volta!

Os meninos se surpreenderam e se divertiram ao ver as duas damas a correr. Incitados por Cora todos gritaram e entraram na brincadeira, ora perseguindo, ora sendo perseguidos. Nero os seguia de um lado ao outro.

— Meu Deus! O que está acontecendo aqui?! — Catarina fez com que parassem.

Marguerite olhou para a amiga e reparou o quanto estava desmazelada. Sabendo que não estava em melhor estado ela riu, divertida, levando os meninos a fazerem o mesmo.

— As duas enlouqueceram? — Catarina parecia assombrada. — Não vão se explicar? Marguerite? Ashley?

— Não enlouquecemos. Estávamos fugindo daquele gnomo, condessa, mas ele me pegou — explicou Cora e indicou John antes de ir até Catarina e pegá-la pela mão. — É tarde para mim, mas os outros ainda têm uma chance se conseguirem se esconder atrás de uma árvore cor-de-rosa. Não é mesmo Marguerite?

— Sim! — Marguerite ajudou a incluir a irmã na brincadeira. — É uma árvore encantada e por estar em estado delicado não poderá se mover.

— Eu sou a árvore?! — Catarina se surpreendeu e olhou para si mesma.

Sem respondê-la, as amigas e os meninos retomaram a brincadeira. Satisfeita por ter Catarina com ela, Marguerite a abraçou pelas costas. Para sua surpresa a irmã retribuiu o abraço ao cobrir seus braços. Com o perdão da irmã e a verdade sobre cora revelada, Marguerite considerou que estavam livres e leves. Apesar de tudo, também estavam felizes.

A brincadeira só teve fim quando Beni surgiu, chamando-as. Ao ser atendido o criado repassou o recado do patrão sem esconder seu assombro:

— O barão mandou vir procurá-las. Temos visitas.

— Ai meu Deus!

A condessa se desesperou e escrutinou o próprio vestido. Desnecessário, pensou Marguerite, pois a irmã era a mais bem arrumada entre todos. Sua amiga parecia pensar o mesmo, pois ao segurar a mão que lhe ofereceu, sorriu de modo cúmplice antes que chamassem seus filhos.

— Vão me dizer agora o que aconteceu? — quis saber Catarina.

A questão era abrangente, muitas coisas tinham acontecido anos atrás e em poucos dias, mas apenas um detalhe deveria ser mencionado.

— Não tinha como ficar aborrecida com ela aqui, no pomar — disse Marguerite, fitando Cora. — Percebi a discrepância entre meu comportamento e a afeição que sempre lhe tive. Enfim, reencontrei uma amiga em Ashley.

Marguerite notou a emoção que brilhou nos olhos negros e sorriu. Cora podia se alegrar, pois doravante ela seria tão somente Ashley Walker: noiva de seu irmão, mãe de seu sobrinho, amiga amada e presente para toda vida.

※

Era uma fria e pálida manhã de quinta-feira, quando a carruagem de Logan cruzou os portões de Apple White. Ter a companhia de seu amigo e concunhado Henry Farrow por parte do caminho fora agradável e ajudara a distraí-lo de pensamentos inquietantes, mas não mitigou o desejo de logo estar com sua família. Foi com alegria que viu barão deixar a mansão e se posicionar para esperá-los.

Logan sorria ao saltar da boleia e cumprimentar o cunhado que desceu rapidamente os três degraus até o caminho frontal.

— Westling! — Logan apertou sua mão. — Como tem passado?

— Muito bem, Bridgeford — respondeu Edrick, também sorrindo. — Fez boa viagem?

— O anseio de estar com a duquesa e meus filhos tornou-a demorada. Minha sorte foi ter encontrado aquele senhor.

— Em breve a verá. Mark veio me avisar que se aproximavam, então pedi que Beni fosse chamar as damas no pomar — explicou o barão, olhando na direção indicada por Logan. Henry mirava seus amigos enquanto apeava de Sand Storm, o Frísio que pertenceu ao duque. — Perguntava-me se haviam combinado suas chegadas — gracejou Edrick, sinalizando para que seus criados fossem ajudar os recém-chegados. — Como foi sua viagem, Alweather?

— Muito boa — disse o conde, acariciando o pescoço do cavalo.

— Nada combinamos. — Logan olhou brevemente para o criado do barão que ia até o conde. — Foi uma feliz coincidência.

— Feliz de fato — confirmou Henry, passando as rédeas de seu cavalo ao cavalariço, porém com os olhos postos na entrada da casa. — Onde está Catarina?

— Como disse a Bridgeford, as damas estão... — Edrick se calou no momento exato em que Lionel chamou pelo pai.

Como seus amigos, Logan olhou na direção do chamado. Além de seus filhos, corria até eles outro menino, maior e mais velho. Lionel e John foram até o duque e, para surpresa deste, o desconhecido menino correu para Edrick, chamando-o de pai. Logan retribuiu o braço que recebia de seus filhos por reflexo, nem sequer notando o estado de suas roupas ou Nero a festejar sua chegada. Logan tampouco externou suas questões, pois Edrick levou seu olhar para as árvores que margeavam o jardim e fechou a expressão.

Distraído por tal olhar, Logan o imitou. Incontinenti arregalou os olhos ao ver se aproximar Marguerite, Catarina e uma jovem de cabelos negros. Todas bonitas, não havia dúvida, porém a apresentarem seus vestidos em péssimo estado. Para completar o quadro perturbador, a duquesa e a moça — tão desconhecida quanto o menino — amparavam a condessa. Tal detalhe não passaria despercebido ao conde que, tão logo entregou chapéu e capa a um criado, marchou decididamente até as três damas para encontrá-las a meio caminho.

— O que estiveram fazendo? — Logan perguntou a ninguém em especial, intimista.

— Estávamos brincando, papai — explicou Lionel. John assentiu, sorrindo.

— Tia Marguerite nos levou até o pomar, papai — disse o menino ao barão, desviando a atenção do duque. — Depois mamãe se juntou a nós e, por último, tia Catarina.

— Papai? — Logan perguntou ao amigo.

— Sim, mas esta é uma longa história — Edrick confirmou, sem deixar de olhar para as damas. — É melhor irmos até lá, uma vez que Alweather as interpelou antes que chegassem.

— Sim, vamos! — anuiu o duque. Para seus filhos pediu: — Esperem aqui.

— Você também, Benjamin, fique aqui — pediu Edrick ao filho.

Logan olhou de um ao outro e, reconhecendo haver semelhança, seguiu o amigo. Ao se aproximar da esposa e considerá-la muito bonita a despeito de seu estado, ele relegou a questão de seu amigo a outro plano. Naquele instante importava estar com Marguerite que sustentava seu olhar com um brilho indecifrável nas íris azuis.

— Mas que belo trio nós temos aqui! — Logan gracejou ao se juntar às damas e ao conde.

— Eu usaria preocupante ao me referir a esse trio — disse o barão, olhando para a jovem de cabelos negros. — O que aconteceu a vocês?

— Estávamos brincando com os meninos — disse Marguerite. Edrick quis saber ainda se corriam ao que ela respondeu, indo até Logan: — Ashley e eu, um pouco, sim.

Ao ter Marguerite perto depois de dias, Logan se curvou e a beijou castamente no rosto.

— Como a boa educação parece ter sido esquecida — Marguerite disse ainda —, serei eu a apresentá-la mais uma vez... Querido, está é Ashley Walker, a...

— A santa que operará o milagre e levará Westling ao altar — elucidou Logan, depois de piscar matreiramente para a esposa. — Encantado!

Por um segundo o duque acreditou que estivesse diante de Cora Hupert por seus cabelos e olhos negros; também pela vaga lembrança de um retrato falado feito por um detetive folgazão. O nome e os modos comedidos da noiva desfizeram sua confusão. Ao beijar a mão de Ashley e ter seu cumprimento correspondido com polidez, Logan soube estar diante de uma dama.

— Já que todos conhecem a noiva — Catarina chamou a atenção para si —, podemos entrar? Estou cansada.

— Claro! — Sem despedidas o conde tomou a esposa nos braços e marchou para a casa.

— Vamos — Edrick disse à noiva, oferecendo seu braço.

Para Logan pareceu uma ordem, mas não cometeria a indiscrição de comentar. Via ter diante de si uma história interessante a ser narrada, mas não naquele instante. Com isso, restou oferecer seu braço à esposa. Para o bem da verdade, sua própria história tinha muitos detalhes que o mantinham ocupado, mas ainda não era o momento de citar o pior deles, por isso sorriu para a duquesa e indagou:

— Querida, sabe que senti sua falta?

— Sim, eu sei... Também senti a sua — ela retribuía o sorriso. — Como foi sua viagem?

— Demorada e monótona sem minha família. E a sua?

— Gostaria de dizer o mesmo, mas tendo ao meu lado meninos animados com o que viam a viagem não foi menos que rápida e divertida — gracejou a duquesa.

— Agora que destruiu a ilusão de que faço falta à minha família, conte-me... — Logan fitava o barão e a noiva, mudos e tensos à sua frente. — Já conhecia esta Srta. Walker?

— Logan... — Marguerite começou e se calou ao ver a mãe diante da casa, olhando para ela e Ashley com assombro.

— Simplesmente não tenho saúde para isso — disse Elizabeth com ar derrotado, em bom tom. — Agora são adultas, em breve, todas casadas... Se vocês consideram isto adequado, voltem a agir como selvagens!

— Adoráveis selvagens, Lady Westling — Logan tentou defendê-las.

— Se pensa assim, duque, tranquilizo-me. E peço vossa licença para voltar à cozinha. Já estamos entretidas com os preparativos para o almoço que será servido depois do casamento.

— Fique à vontade, senhora — Logan se curvou com um floreio, desculpando sua sogra pela falta de cumprimento. Notava-se que a baronesa estava atarantada com seus afazeres e com o comportamento questionável das jovens damas.

— Brigdeford — Edrick chamou-o —, agora que está com Marguerite e conhece a casa tão bem, peço-lhe licença para ter um particular com minha noiva.

Algo grave acontecia e Logan tentou mais uma vez defender alguém com leveza e gracejo.

— Não vá arruinar o motivo de minha viagem. Nada de assustar a noiva a dois dias do casamento.

— Não há o risco. — O sorriso enviesado do barão não tranquilizou o duque.

— Edrick... — Marguerite tentou reter o irmão, sem sucesso.

— Vá com seu marido — este pediu. — Tenho certeza de que Ashley saberá me dizer o mesmo, caso fosse você a fazê-lo.

No tom de seu amigo Logan confirmou que, além de não existir defesa para a noiva, algo realmente grave acontecia. Livre do bom humor que demonstrava, ele indagou ao amigo:

— O que há? Se apenas brincavam, por que a seriedade? Perdi alguma coisa?

— Nada que a duquesa não o coloque a par — respondeu o barão. — Se ainda restarem dúvidas, depois terei prazer em saná-las, mas, até lá... Dêem-nos licença.

— Querida, vai me contar o que está havendo aqui? — indagou o duque, vendo Edrick guiar a noiva, provavelmente para a saleta; cômodo preferido naquela imensa casa.

— Milorde... — Marie surgiu antes que Marguerite respondesse. — Como foi vossa viagem?

— Foi exaustiva, Marie.

— Agora é Sra. Channing — informou Marguerite, esboçando um sorriso. — Marie foi promovida à governanta.

— Ora, ora! Parabéns, Sra. Channing! — Logan a cumprimentou com simpatia e admiração. Conhecia a resistência da baronesa em delegar as tarefas de Apple White. — Grande feito!

— O mérito é do barão, milorde — disse a governanta, desconcertada. — Por favor, deixe-me acompanhá-los até vosso quarto.

— Fique à vontade para voltar aos seus outros afazeres — Logan a dispensou. — Se fomos acomodados no mesmo quarto, sinto-me com liberdade suficiente de ir até lá sem sua escolta.

— Como queira, milorde... — Marie se voltou para a duquesa. — Milady, vossos filhos estão com Sofia.

Logan deixou que Marguerite respondesse à governanta e pedisse que esta dissesse à sua criada de quarto que providenciasse banho e roupas limpas, então, fez com que ela segurasse seu braço para que juntos subissem ao quarto. Logan cismava com o mistério que envolvia Westling e Ashley Walker, porém ao ver-se sozinho com a esposa, deixou a questão para depois.

— Enfim estamos sós! — disse ao prendê-la pela cintura tão logo fechou a porta.

— Logan?! — Marguerite sorriu, mas tentou afastar-se. — Vou sujá-lo!

— Quando isto foi um problema?

Sem dar-lhe chance de resposta, Logan segurou-a pelo pescoço e a atraiu para um beijo. A duquesa apenas exalou um logo suspiro e deixou que sua língua fosse capturada e provada com saudosa paixão. Batidas à porta os obrigou a quebrarem o beijo.

— Entre! — liberou o duque ao se afastar, sem deixar de mirar a corada esposa.

— Lorde Bridgeford! — Gertrudes o reverenciou e, mirando o piso, disse: — Vossas Graças, perdoem-me por incomodá-los, mas a Sra. Channing informou-me que a duquesa pediu que lhe preparasse um banho. Os criados trazem a tina e a água.

— Sabe onde colocá-la, Gertrudes — disse Marguerite, sustentando o olhar do marido.

Sem demora Gertrudes indicou o espaço próximo à lareira aos criados que carregavam a pesada tina de madeira e foi providenciar roupas limpas para sua senhora. Em silêncio o casal esperou que tudo fosse preparado.

— Tudo está como pediu, milady — falou Gertrudes, quando os criados deixaram o quarto. — Agora só precisamos que o duque nos dê licença. Se vossa graça não se importar, é claro!

— Eu não me importo... Há tempos não aprecio as obras destes corredores, Srta. Webb.

Marguerite ria e meneava a cabeça, quando Logan a deixou aos cuidados da criada. No corredor, Logan passou a analisar quadros e vasos, esperando o momento de retornar. Este não tardou a chegar. O duque não foi visto por Gertrudes quando esta saiu, deixando o caminho livre. Com largas passadas Logan retornou ao quarto, entrou e trancou a porta.

— Eu sabia que faria algo parecido quando disse que ficaria a apreciar as obras do corredor como se estivesse em um renomado museu — gracejou Marguerite, mergulhada na tina, a jogar água em um dos braços com a ajuda de uma esponja.

Logan parou por um instante, afetado pela cena. Os anos passavam, mas não havia meios de se habituar ao impacto sofrido sempre que via aqueles seios nus. Seu tesouro continuava pujante e atrativo, tanto que o duque logo saiu do torpor e se despiu. Não demorou a entrar na tina, mesmo que não fosse sua intenção banhar-se naquele dia.

— Não me recordo de ter dito ser este um banho para dois — ela voltou a gracejar, quando o duque se acomodou às suas costas.

— Agora é tarde para desfazer meu engano — Logan respondeu no mesmo tom, pegando a esponja para ser ele a banhá-la, jogando água de modo lento sobre os delicados ombros.

— Isso é bom... — Languidamente Marguerite se recostou no peito do marido.

— Isso é lindo... — ele murmurou roucamente, passando a levar água aos seios fartos. Ver os mamilos se eriçarem animou-o a tocá-los com a esponja, circulando-os com lentidão.

— Logan... Pensei que fôssemos conversar... Não temos muito... Oh! — ela gemeu, quando Logan abandonou a esponja para acariciar seus mamilos com as mãos. — Muito tempo...

— Sejamos breves, então... — ele determinou, descendo uma das mãos até o sexo feminino. Ao encontrar o sensível botão, estimulou-o, excitando-a até que com dois dedos a estocasse.

— Querido, por favor...

Logan não precisou de mais para fazer com que Marguerite girasse o corpo e, mesmo com o espaço exíguo da tina, encaixasse o quente sexo em sua ereção. Enquanto a esposa movia o quadril com experiência e segurança, como se nele cavalgasse, Logan se curvou sobre ela para chupar um hirto mamilo. Abraçando-a pelas costas, ainda a provar o seio, Logan ouviu-a gemer baixinho e estremecer com o gozo libertador. Acompanhá-la foi reflexivo e natural.

Depois de amá-la Logan manteve Marguerite junto a si, acomodada em suas pernas, até que os tremores orgásticos perdessem a força, até que a respiração de ambos regularizasse.

— Realmente sentiu minha falta, não foi? — ele indagou, sorrindo junto ao rosto dela. Para sua surpresa, ouviu-a soluçar. Quis afastá-la, mas foi fortemente abraçado. — Marguerite...? O que aconteceu? Por que está chorando?

— Oh, Logan! Senti tanto a sua falta... E não para... Não para tê-lo assim. Digo, também para tê-lo assim... Mas precisei de seu apoio... Tanto...

— De meu apoio? Para quê? — Logan estranhou. — Por favor, querida! Pare de chorar e me explique o que está acontecendo.

— Oh, querido... — Marguerite fungou e por fim se afastou para encará-lo. Logan se preocupou mais ao notar a tristeza que nublava os olhos azuis. Nos últimos anos habituara-se a vê-la chorar apenas de alegria. — É tão vergonhoso... — ela prosseguiu. — Encabula-me dizer o que deve saber... É um assunto delicado, de família...

— Estamos apenas nós dois aqui — disse pausadamente, acariciando o ombro nu. — Pelo que deduzo se trata de um assunto relacionado à Apple White, pois há anos cuido para que nossa família não tenha problemas.

— Sim... — ela confirmou com voz mais estável. — O assunto está relacionado ao meu pai, a Edrick e à Cora. Lembra-se dela, não?

— Sim... — falou Logan, policiando-se para não se empertigar ante a citação daquele último nome. Sua mente trabalhou rapidamente, mostrando a ele a bela dama de cabelos negros e olhos da mesma cor. Apesar do nome, teria de fato sido apresentado à Cora Hupert?! E o que pensar sobre o filho de seu amigo? Precisava das respostas. — O que tem sua antiga amiga?

— Logan, é ela... — Marguerite confirmou as suspeitas do marido, entre animada e aflita. — Cora é a noiva de Edrick.

— Por que me foi apresentada como Ashley Walker?

— Ela mudou de nome para não ser encontrada. E há Benjamin...

— Cora teve um filho de Westling? Por favor, conte-me tudo! Prometo não interrompê-la — Logan pediu, maldizendo West e Kelton em pensamento; um pelo trabalho incompleto, outro pela omissão, afinal, depois de ajudar na compra do bordel sempre que tinham um instante a sós o banqueiro dava notícias da *protegida* de ambos e em tempo algum mencionou a existência de um filho. Se soubesse do menino, talvez ele tivesse tomado outra decisão.

— Este é justamente o problema... — disse Marguerite, torcendo os lábios. — Não sei como dizer. A verdade me envergonha e entristece... Também me indigna.

— Querida! — Logan segurou-a pelo para que ela o encarasse. — Não me diga que se sente assim porque seu irmão teve um filho com sua amiga. Foi tão compreensiva com a história de Lowell que custo a crer que...

— Não! — Marguerite meneou a cabeça e esboçou um sorriso. Logo chorava ao dizer: — Nada me deixaria mais feliz que ter um sobrinho, filho de Edrick e Cora... Ela está grávida agora... E eles irão se casar, tudo mais será como devido. O problema é que... É que... Edrick mente ao dizer que o menino é seu filho. Não sei as razões que o levaram a isso, mas na verdade Benjamin é filho de nosso pai. Ele... Ele... Logan, ele abusou de Cora e a engravidou!

Logan nada falou, absorvendo a informação. De certo modo a verdade não era chocante, pois explicava a razão de a adolescente ser acolhida num bordel, explicava o silêncio, a mudança de nome.

— Não me diz nada? — Marguerite questionou, escrutinando seu rosto.

— Antes de tecer qualquer comentário, tenho uma confissão a fazer. — Logan mentiria se dissesse ter temido aquele diálogo, pois nunca imaginou que Cora voltasse a Apple White, mas se o destino entrelaçou o caminho de todos eles, eliminaria a omissão restante. Fitando os olhos da esposa, revelou: — Há alguns anos eu tenho conhecimento do paradeiro de sua amiga.

— De Cora?! — A duquesa uniu as sobrancelhas. — Impossível!

— Não, é tão possível quanto é verdade — ele retrucou. — Estávamos na primeira fase de nosso casamento, quando eu ainda tinha segredos...

— Pelo que percebo o senhor ainda os tem — observou Marguerite, seriamente.

— Apenas este, eu lhe juro! — Logan a segurou no lugar, quando ela fez menção de deixar a tina. — Escute-me! Depois de nossa primeira visita a Londres eu queria dar a você alguma alegria e decidi encontrar Cora. Contratei um detetive e ele trouxe todas as informações, porém eu não as pude usar. Não sei o quanto sabe, mas se tudo lhe foi dito tem de compreender meu silêncio. Como uma duquesa manteria amizade com alguém que ganhasse a vida num bordel?

— Em um bordel?! — A palidez de Marguerite indicou ao duque que ela nada sabia. — Está dizendo que Cora esteve por todos esses anos em um bordel?!

— Precisamente no mesmo bordel que me foi sugerido visitar, quando quis estar com você em seu quarto. — Não havia razão para ocultar. — Recorda-se?

— No conhecido bordel de Wisbury?! — Marguerite maximizou os olhos. — Tão perto?!

Saber que Logan ainda guardava segredos importantes a entristecia, mas sem dúvida a novidade sobre sua amiga era o que mais a abalava. Cora, uma prostituta? Com seu ato Ludwig a relegou ao calão mais vil e baixo? Ele jamais teria perdão!

— Este mesmo, querida... — Logan confirmou, preocupado com o forte rubor que eliminava a palidez. — Meu amor, diga alguma coisa.

— Milady! — chamou Gertrudes, girando a maçaneta com insistência. — Está trancada?

— Não se preocupe com vossa senhora, Srta. Webb — Logan falou alto o bastante para ser ouvido do corredor, antes que Marguerite respondesse à criada. — Será chamada quando seus serviços forem necessários. — Para a esposa ele disse: — Está feito! Logo desceremos e prefiro que tudo esteja esclarecido entre nós. Errei, mas nunca me orgulhei do que fiz. Ainda assim eu exijo saber o que está pensando.

— Esta é a segunda vez que citamos o passado — redarguiu Marguerite, encarando-o. — Comparada às mentiras iniciais esta omissão é de fácil compreensão, ainda que eu preferisse ter tido o poder de decisão. Hoje entendo de minhas funções com o ducado mais que há seis anos, mas em tempo algum eu tomaria qualquer atitude que depreciasse sua imagem ou a minha.

— Eu devia saber disso — aquiesceu o duque —, mas não posso voltar no tempo. Por favor, perdoe-me! Eu não suportaria ver desconfiança em seu olhar e...

Marguerite o calou com um beijo breve e terno.

— Não haverá desconfiança — ela assegurou. — Sei que tem sido extremamente sincero desde aquele incidente. Não vamos tornar essa sua ação impensada e defensiva em algo que não é. Grave e inquietante é saber que meu pai destruiu a vida de minha amiga. Cora ser neta da cozinheira não a impedia de sonhar. Era o que fazíamos juntas, sonhávamos e tentávamos prever nosso futuro, mas alguém sem escrúpulos roubou dela a chance de...

— Querida... — Logan a interrompeu, sentindo seu coração pacificado. — Não se torture. Esqueceu-se do motivo que nos trouxe até aqui? Não sei com o que sonhava a filha dos criados, mas, apesar de tudo, sua amiga se casará com um barão como queria, segundo você me contou quando disse desejar o mesmo. E pelo que entendi, ainda que mintam para nós, não há segredos entre eles. Não se aflija tanto agora que o destino deu uma nova chance à Cora.

— Tem razão! E, sim, Edrick sabe que Benjamin é nosso irmão. Provavelmente ele até mesmo saiba sobre o bordel e não se importa. Creio que somente nós conhecemos esse segredo, caso contrário mamãe e Catarina seriam veementemente contra esse casamento. Eu mentiria se dissesse que o passado de Cora não me choca. O que facilita meu entendimento é saber que ela seguiu por esse caminho por não ter opção, portanto, no que depender de mim, ninguém saberá a verdade. Posso contar com sua discrição?

— Querida, não é exatamente o que tenho feito todos esses anos? Prometo que continuarei a ser mero espectador que almeja um bom final para essa trama. — Quando Marguerite sorriu Logan a abraçou fortemente e, com seus rostos muito próximos, acrescentou: — O que me cabe é manter esse lindo sorriso e amá-la.

Marguerite retribuiu o beijo que recebeu, porém logo o quebrou.

— Logan... Em momento oportuno poderá me fazer sorrir e me amar... — ela acrescentou, maldosamente acariciando seu peito. — Agora, devemos nos apressar.

Logan anuiu, sendo subitamente invadido pela seriedade. Seria perfeito se fatos ocorridos no passado voltassem acompanhados de soluções, como acontecia com a ex-criada e o barão. Em seu caso com Marguerite não seria tão simples. Quando citassem o passado pela terceira vez este provocaria comoção maior do que vilania do antigo barão.

## Capítulo 29

Logan e Marguerite encontraram Edrick e Catarina com seus respectivos pares na Sala Rosa. Depois de deixar a esposa junto às damas, o duque foi se juntar aos cavalheiros.

— Bridgeford, Westling e eu especulávamos se havia nos esquecido — comentou Henry.

— A duquesa e eu apenas atualizávamos um ao outro quanto ao que nos aconteceu nos dias em que estivemos longe, mas pelo que eu vejo, nós não nos atrasamos.

— Espero que não tenha havido nada perturbador, tanto para um quanto para outro — disse Edrick, encarando-o atentamente.

Logan dera sua palavra à esposa, até mesmo cuidaria para jamais usar o nome antigo da noiva, mas não poderia simplesmente agir como se algo incomum não estivesse acontecendo.

— Não diria perturbador, mas vosso casamento com a ex-criada é extraordinário — falou Logan, despretensiosamente. — A duquesa me contou da amizade que tinha por sua noiva, Westling. E há um filho!

— Sim, meu filho — garantiu o barão, empertigado. Talvez por notar a rigidez da própria postura, Edrick relaxou os ombros e sorriu: — Falaremos sobre isto em instantes. Antes, deixe-me servir-lhe alguma bebida.

— Estou bem assim — Logan o freou. — Nada bebem, então, farei o mesmo.

— Como queira — anuiu o barão. — Dê-me notícias de seu irmão. Como está Lowell?

— Até onde sei, está bem. Divide seu tempo entre Dorchester e Londres.

— E Mitchell? Há tempos não o vejo — quis saber o conde. — Terá se habituado ao título? Quando o encontrei em Londres, pouco depois da fatalidade que levou seu pai e seu irmão, ele não me pareceu contente com suas novas responsabilidades.

— Infelizmente nossa amizade não é mais a mesma — revelou o duque. — Encontramo-nos em Londres apenas e pouco nós conversamos, mas ao que me parece, sim, habituou-se ao título.

— O que houve para abalar amizade tão sólida? — perguntou o barão.

— Nada que valha a pena ser mencionado. Prefiro que me conte sobre o menino. Pelo tanto que nós o conhecemos não é de se admirar que tenha um filho.

— Eu considero admirável — disse Henry, aceitando a mudança de assunto. — Apesar das farras, eu sempre nos imaginei como homens precavidos. E, pelo que soube, a mãe do menino era ainda muito jovem quando a engravidou.

— Pensei que dentre todas as pessoas o conde não fosse se apegar a esse detalhe — disse o barão, novamente empertigado.

— Porque me casei com sua irmã, por certo — redarguiu o conde, inabalável. — Sim, a condessa é muito mais nova que eu, mas nos casamos quando ela contava com vinte e um anos de idade. Quando engravidou a Srta. Walker ela estava com quinze anos. Era uma menina!

— Não uma menina, apenas jovem e, em minha defesa, afirmo que a amava — replicou Edrick. — Era minha intenção desposá-la, porém Ashley foi afastada de mim e só agora a encontrei. Não creio que seja tarde para corrigir meu mal feito.

— Não é — falou o duque, saindo em defesa de tão nobre amigo. Aquele era o limite a ser respeitado. — Se está certo do que pretende, Westling, cedo ou tarde todos irão compreendê-lo.

— É o que espero — o barão esboçou um sorriso —, mas, com o perdão de nosso amigo conde, não me ocuparei com as opiniões. Quero tão somente assumir meu filho e viver em paz com Ashley.

— Westling, não há o que perdoar — disse Alweather. — Não sou dado a ocultar o que penso e essa sua história me chocou, contudo está no caminho certo para ordenar as coisas. Eu rogo para que tenha tudo que almeja.

— Posso dizer que já tenho tudo — falou o barão. — Estou prestes a me casar com a mulher que amo, tenho um filho e estou cercado por amigos. Ou melhor, por minha família.

— Quem pensaria que algo assim pudesse acontecer — comentou Logan, apertando o ombro de Edrick. — Amigos de libertinagem convertidos a membros da mesma família!

— Eu não pensaria — respondeu Henry antes de olhar para a esposa.

O barão e o duque seguiram o olhar do amigo. Logan considerou curioso encontrar as damas a observá-los e não perdeu o gracejo.

— Graças aos céus estamos livres de nos preocupar ao ver três damas a cochichar enquanto nos olham atentamente. Já lhes pertencemos.

— Boa definição, mas não repita isso fora desta sala, na presença de estranhos. Ainda quero que acreditem ser o contrário — pediu o conde.

— O que precisa ser considerado o contrário? Sobre o que falavam? — questionou Elizabeth ao entrar. Foi seu filho quem respondeu:

— Apenas admitíamos a soberania feminina sobre nós. A grande verdade que não deve ser alardeada.

— Ou seja, tolices apenas — retrucou Elizabeth antes de anunciar o almoço servido e partir.

— Westling, por favor! Na ausência da baronesa, deixe que a futura anfitriã me conduza à mesa — Logan se prontificou a acompanhar Ashley, esboçando um sorriso.

Ashley olhou-o com indisfarçado espanto, porém sem alardes aceitou o braço que lhe foi oferecido depois da anuência do noivo. Para Logan não passou despercebido o tremor e o rubor de moça enquanto seguia ao seu lado, calada.

— Srta. Walker — ele sussurrou —, eu não sei o que disseram, mas não mordo.

— Sei que não, Lorde Bridgeford — disse Ashley com voz incerta, então riu mansamente e acrescentou: — Aliás, espero que não, pois não me falaram muito do senhor.

— Pois já ouvi muito sobre você. Marguerite me disse quem é e resumiu toda sua história com Westling. Sendo assim, sei que é a amiga que por vezes eu a ouvia lamentar ter perdido — Logan comentou de modo amável, apreciando aquele momento com sua protegida. Ao sentir o novo tremor, acrescentou: — Não sou o tipo impressionável, mas considerei espantoso saber que o barão tinha um filho crescido, sem que soubesse. E ainda mais espantoso que quisesse reparar o erro casando-se com a mãe do menino, pois não é algo comum... Enfim, antes que interprete erroneamente minhas palavras, apenas me surpreendi, mas não o condeno. Eu nunca soube de nada parecido, mas considerei válida tal atitude, com isso... Espero que essa união seja duradoura e que formem uma família honrada.

Ashley agradeceu timidamente e se calou. Para Logan foi gratificante confirmar a educação da jovem e seus modos contidos, exatamente iguais aos descritos por sir Frederick. Não era de se admirar que o banqueiro tivesse desenvolvido por ela grande afeição, como não causava surpresa que seu amigo barão tivesse se apaixonado. Em nada aquela moça se assemelhava às rameiras que conheciam e sem esforço passaria bem como uma refinada dama. Saber que seu dinheiro serviu para ajudá-la atenuou a culpa de mantê-la longe de Marguerite por tantos anos.

Se para a sociedade, assim como foi para Marguerite, seria chocante a revelação do passado de Ashley, ele faria o possível para atenuar os danos caso acontecesse. Logan reiterou esse pensamento durante o almoço. Apesar de seu próprio casamento ter sido citado, sendo mencionada ainda sua necessidade de uma licença especial — como Edrick fizera —, ele notou que a conversa teve seu foco na união do barão. Logan reparou também que Catarina parecia resignada e Elizabeth um tanto quanto resistente. Via-se que bravamente tolerava a nova nora. Sua sogra tinha as próprias razões para não apreciar aquele casamento. Não fosse pela origem da noiva, seria por não ser Madeleine a escolhida.

Muitos detalhes daquele episódio não diziam respeito ao duque, porém outros ele não ignoraria. Tanto que na primeira oportunidade, indagou ao amigo:

— Madeleine Kelton virá ao casamento?

Edrick exalou um som estranho, um sopro aborrecido. Naquele instante o duque notou que o barão estava tão ébrio quanto ele mesmo. Todos estavam alterados, bastava olhar também para o conde. Estavam no escritório da sidreria, despojados e descontraídos, bebendo a famosa sidra depois de terem cavalgado pelos pomares. As damas permaneceram em casa depois do almoço, cuidando dos últimos preparativos para o casamento.

— Bufar não é uma resposta, Westling — comentou o duque. — Estou esperando!

— O convite foi feito — respondeu o barão —, mas seria preferível que ela não viesse, por motivos óbvios.

— Era ela a noiva quase certa — disse Henry. — A condessa contou-me.

— Por muito pouco não foi a noiva de fato, mas o destino cuidou para que não acontecesse — Edrick confirmou, mirando a sidra que restava em seu copo.

— Não sente nem um pouco por isso? — especulou o duque. — Em momento algum você a amou?

— Por vezes acreditei que sim — confessou o barão, depois de beber um gole de sidra —, mas depois de reencontrar Ashley eu tenho a convicção de que jamais aconteceu. Em nada me incomoda ver Madeleine nos braços de outro homem. Nos bailes, quero dizer... Com Ashley...

— Eu o compreendo... Com Ashley tudo muda — completou Logan depois de beber outro gole, pensando em sua esposa. Confiava cegamente em Marguerite e depois de quase perdê-la para Mitchell não esteve sob nova ameaça, mas em nada isto o tranquilizava.

Como poderia quando o marquês escocês não dava mostras de ter se recuperado do amor que sentia por ela? Não diria aos amigos, mas por essa razão a amizade estava para sempre abalada. O mesmo se dava ali, em Apple White, quando Stuart Grings participava de alguma reunião. Os sentimentos do estafermo saltavam aos olhos sempre que via Marguerite, restando a ele, Logan, cuidar para que pouco os antigos vizinhos ficassem juntos. Somado a isso estava a popularidade conseguida pela duquesa em Bridgeford e em Londres. Por sua vontade, se fosse possível eles nem sequer deixariam Castle durante as temporadas.

Tolice! Considerou o ébrio duque. Marguerite era feliz sendo livre e, consequentemente, ele era feliz por ela. E havia no mundo homem mais ameaçador que Baskerville e Stamford, capaz de privá-lo de sua duquesa para sempre, ele pensou antes de beber um generoso gole. Tentando esquecer aquele tema, Logan prestou atenção à conversa regada a muita bebida. Falaram sobre tudo e sobre nada. Beberam e riram até que ficassem leves, desconexos, mas não ao ponto de não tratarem com consciência assuntos sérios. Tanto que a certa altura, quando falavam sobre amizade, Edrick lhes chamou a atenção para um comunicado.

— Hum... O tom ficou sério — Logan observou.

— O que seria, Westling? — indagou Henry. — Se for oferecer mais de sua sidra, eu aceito.

— Posso providenciar a sidra, mas não é disso que se trata.

— Diga logo, homem! — demandou o duque, erguendo a taça vazia. — E venha a sidra! Acho que não brindamos à saúde da rainha.

— Bem... Eu gostaria de dizer que os tenho em alta estima.

— Eu também o tenho, Westling — disse Logan quase em uníssono com o conde, mas não foi além depois de ver que o barão sinalizava para que apenas o escutassem.

— Já que sabem do meu apreço — ele prosseguiu —, gostaria que não se ofendessem por eu ter pedido a Philip que seja meu padrinho principal.

Logan olhou para Henry e novamente para o barão e disse com sinceridade:

— Westling, eu sequer tive tempo de esperar que viesse ao meu casamento.

— E não me ocorreu que pudesse me convidar para o posto. Então, se isso é um pedido de desculpas... — falou o conde.

— Não é. Apenas gostaria que soubessem e não se sentissem ofendidos.

— Não me sinto — disse Henry. — Apenas considero inusitado, mas se tem algo que sei a seu respeito é que não se apega aos padrões. Como prova, temos o casamento em si.

— Exatamente... — Logan aquiesceu. — Você poderia ter reconhecido o filho e se casado com qualquer outra, mas não... Vai reparar seu erro e eu o admiro por isso... Confesso que não faria o mesmo. Ou faria... Se estivéssemos falando de Marguerite... Não sei o que sua irmã fez comigo, mas por ela eu faria qualquer coisa.

Edrick e Henry asseguraram que fariam o mesmo por suas mulheres. O conde foi além, pedindo que fosse servida mais sidra. Philip, o padrinho, juntou-se a eles por ínfimos minutos antes de recusar a beber e partir. Foi quando o barão conferiu a hora e sugeriu que fizessem o mesmo.

— Sim, voltemos para casa! — concordou o duque. — Estamos fracos para a sidra e domados pelo amor... Que trio! Talvez as três malvadas sequer estejam pensando em nós. É melhor lembrá-las de nossa existência.

— Seria desculpável, afinal estão todas ocupadas — disse o conde.

— Não! Ocupo-me todos os dias e ainda assim, penso em minha esposa. Ela me deve o mesmo cuidado — retrucou Logan, enfaticamente. Henry nada disse e Edrick riu mansamente, causando estranheza. — De que está rindo, Westling? Ainda nem casou e já não se importa se sua noiva pensa ou não nessa sua feia figura?

— Ainda sei como dar a ela o que pensar — replicou o barão, provocando o riso do conde.

— Vocês dois me envergonham! — Logan levantou, exasperado. Perdeu o equilíbrio por um instante, mas logo se manteve ereto e, resoluto, acrescentou: — Temos de fazer alguma coisa! Se não deixamos nossas esposas felizes, outro vem e tenta levá-las...

— Já tentaram levar a duquesa? — Edrick indagou.

— Isso não vem ao caso — disse Logan, lutando para ajeitar sua gravata. Pareceu que tivesse mil dedos e desistiu, deixando-a desfeita. Durante a malfadada tarefa notou que o conde cochichou algo ao barão, mas não lhes deu atenção. Cada vez mais se tornava imperioso estar com Marguerite. Antes que partissem, Henry indagou:

— O que sugere, Bridgeford?

Logan não precisou de mais para compreender a questão e de súbito teve uma ideia.

— Vamos agora fazer uma serenata — determinou.

— Faltam-nos instrumentos — lembrou-o Edrick, rindo, divertido.

— Instrumentos?! — questionou Henry. — Falta-nos talento. A ideia é fazê-las se lembrar de nós ou afugentá-las?

— Podemos declamar um poema — disse o duque, vestindo seu casaco. — Se Romeu conseguia encantar Julieta com meia dúzia de palavras bonitas antes do canto da maldita cotovia, nós também podemos.

— Minha nossa! Agora ele nos compara a enamorados fictícios! — troçou o conde também a vestir seu casaco. — É melhor não contrariá-lo. Venha, Westling!

— Como?! — o barão se surpreendeu.

— Mexa-se, homem! — demandou o duque, empurrando o amigo para a porta.

Ao lado de Henry, Logan deixou que Edrick se despedisse de seus funcionários e, enfim, seguiram para casa, levando os cavalos pelas rédeas.

— Não estraguem tudo — pediu Logan, animado com seu plano.

— Eu decerto nada estragarei, pois não sei cantar — retrucou Edrick.

— Eu tenho meus momentos, mas não acho que nosso amigo duque vá levar a cabo está ideia — comentou Henry. — A voz dele é horrível!

— Para que fiquem cientes, cantei certa vez para a duquesa e ela não reclamou.

— Admiro esposas compreensivas — troçou Edrick.

— Apreciadora de boa música, Westling, é do que se trata — Logan redarguiu, divertido. Assim caminharam até a mansão, arreliando-se. Entraram depois que o barão incitou os três cavalos a voltarem para o estábulo, sozinhos. No *hall*, diante da escadaria, Logan segurou Edrick pelo braço e disse: — Aqui está bem.

— Para quê?! Não vai levar a cabo sua insanidade, não é?

Ignorando o amigo, Logan iniciou uma velha canção de amor. Logo era acompanhado por Henry. Como dito, Edrick não cantou, mas relaxou e, divertido, riu. Atraída pela cantoria a duquesa surgiu no alto da escada e passou a assistir à apresentação. Ao vê-la sorrir amplamente, Logan sentiu um estranho aperto no peito e cantou com afinco. Imaginar que pudessem estar sob ameaça real tornava todo instante de leveza algo precioso.

A chegada de Ashley e Catarina distraiu o duque de seus pensamentos. A noiva parecia comovida ao olhar para o barão, ao passo que a condessa era a representação da incredulidade. Logo a plateia aumentou, com a chegada da baronesa viúva e duas criadas, mas Logan e Henry não se calaram até que findassem a canção e se curvassem ao final da apresentação.

Logan ouviu os aplausos, mas não desviou sua atenção da esposa que descia. Quando a tinha perto, estendeu a mão para ela e beijou seus dedos sem deixar de encará-la. Edrick atribuiu sua ação à falta de juízo, ao que sua sogra fez coro. O duque respondeu a todos, porém com a ébria mente a potencializar o temor de que algo acontecesse à sua família. Por não acreditar que conseguisse disfarçar o que sentia, Logan aceitou a sugestão para que todos se preparassem para o jantar. Tendo a companhia de Henry e Catarina, Logan subiu com Marguerite. Despediram-se no corredor e seguiram para seus respectivos quartos.

— Lionel e John queriam vê-lo, mas creio não ser o melhor momento — gracejou a duquesa ao fechar a porta. — Quanta bebida os cavalheiros ingeriram?

— Muita — reconheceu Logan ao cair de costas na cama, livre do casaco.

— Seu irmão diz que não, mas tenho certeza de que fez algo para deixar a sidra mais forte.

— Ou os senhores estariam ficando fracos para sidras — Marguerite sugeriu de bom humor, sentando-se na beirada do colchão a mirar o marido que mantinha os olhos fechados. — Quer que eu peça a Ebert que prepare suco de tomate?

— Tenha piedade, não! — Logan torceu os lábios em desagrado, fazendo com que a esposa risse mais. Tão adorável som obrigou-o a encará-la. Com languidez ele ergueu a mão e tocou o adorável rosto. — Eu a amo tanto!

Marguerite estremeceu e o contentamento por ouvi-lo cantar como fizera quando souberam que Lionel estava em seu ventre se perdeu.

— Gosto quando se declara, especialmente depois de tantos anos juntos, mas agora soou diferente — disse seriamente, então, escrutinando os olhos do marido ela soube: — Tem algo a dizer, não é mesmo?

— Tenho... — Logan admitiu ao se sentar e correr as mãos pelo cabelo, desordenando-o mais. — Eu preferia contar em Castle, mas não conseguiria esconder isso de você.

— Logan, o que é? — Marguerite se aproximou. Nem sabia o que ouviria, mas já sentia seu peito oprimido. — Conte-me!

— É sobre Emery Giles — Logan revelou. — Soube que ele escapou da prisão.

— Oh, não! — Marguerite tentou se levantar, porém Logan a segurou no lugar.

— Acalme-se, querida! — pediu, odiando o álcool em suas veias que fazia tudo girar, que o tornava receoso e falastrão. Devia mesmo ter esperado. — Não vamos nos ocupar disso.

— Como não, Logan? — Marguerite tinha o coração aos saltos e a mente aflita. — Esse homem nos odeia. Ele pode...

— Giles não se atreveria a nos ameaçar. — Era no que Logan queria crer. — Seria estúpido da parte dele fazer algo contra nós. Agora que fugiu é provável que desapareça.

— Logan... — disse ela, embargada. — Hoje temos Lionel e John... Eu não suportaria se...

— Shhh... — Logan a abraçou. Não confessaria sentir o mesmo temor. — Os meninos estão seguros. Mackenzie não permitirá que não moradores se aproximem do castelo e pedi às autoridades que não medissem esforços para capturarem o fugitivo. Seja como for, vamos considerar que Giles seja inteligente e suma de uma vez.

— O que diz faz sentido, querido — disse Marguerite, encolhendo-se até que acomodasse a cabeça nas pernas do marido —, mas algo me diz que não será assim. Estou com tanto medo.

— Confie em mim! — Logan acariciou seu cabelo, enfim, sentindo-se mais estável. — Darei a minha vida se preciso for para que nada aconteça a você ou aos nossos filhos.

— Não repita isso nem por brincadeira, Logan! — ela rogou, sentando-se de chofre para encará-lo. — Nada deve acontecer a nenhum de nós.

— Não pense nisso. Ou melhor, esqueça-se disso! — Logan pediu, esboçando um sorriso. — Viemos para uma festa, você reencontrou sua amiga mais querida, está com sua família... Deve somente disso se ocupar. Não permita que o medo estrague esse momento.

— Tem razão, querido — Marguerite aquiesceu, por ele, por Edrick e por Cora. — Vamos viver um dia de cada vez. Nós nos manteremos vigilantes e se Emery Giles se atrever a tocar em um de meus filhos, ou em você, ele terá de se haver comigo!

— Está é a Marguerite que conheço! — Logan sorriu mais. — Valente e decidida.

— Decidida sim, valente nem tanto, mas serei forte por minha família.

— Serei forte por você nesse instante — Logan troçou para mitigar a seriedade. — Em breve teremos de descer, então, peça a Ebert que prepare o famigerado suco de tomate. Não quero ser repreendido por minha sogra durante o jantar.

Sacrifício vão! Logan pensou poucas horas depois ao depositar a taça de água sobre a mesa e pegar a de vinho. Depois de ele ter estado com os filhos e da breve reunião na saleta, anfitriões e convidados saboreavam deliciosos faisões recheados e legumes assados, ouvindo a discreta reprimenda da baronesa viúva pelo que chamou de "cantoria inapropriada para um lorde".

— Senhora, nós... os lordes, eu digo, somos feitos de carne, ossos e miolos como qualquer outro homem. Uns têm talentos, outros não. Fui agraciado com o dom do canto e por vezes permito que alguns tenham a boa sorte de comprovar o que digo. O que considera inapropriado, eu afirmo ser meu direito de agir como bem me aprouver. Aceitarei a bronca e me desculparei se tiver quebrado os cristais da casa.

— Não aconteceu, duque — garantiu Elizabeth, rindo como os demais à mesa. — Sendo sincera, considerei boa sua cantoria. E o conde acompanhou-o muito bem.

— Era a sidra de vosso filho cantando por mim, Lady Westling — garantiu Henry, sóbrio. — Desconheci-me.

— Pois eu gostei muito de ouvi-lo cantar, conde — disse Catarina. Até mesmo seus olhos sorriam para o marido. Este a correspondia, porém com discrição. Fato interessantíssimo!

Outra que não desviava a atenção de seu par era Ashley, Logan notou. Olhando para o barão, viu que este fazia o mesmo. Era surpreendente ver a transformação que se dera nele mesmo, refletida nos amigos. Decididamente os tempos de libertinagem foram esquecidos por eles.

E quem desejaria ser libertino quando tinha em sua vida a mulher que amava? Especulou o duque quando se deitou junto à esposa naquela noite. Abraçando-a por trás, passou a depositar beijos no ombro ainda coberto pela camisola.

— Comporte-se, Logan! — ela pediu num sussurro. Ele sabia ser outra a real vontade e passou a puxar a barra camisola para cima, lentamente. — Logan...

— Marguerite... — disse ele no mesmo tom, amparando um seio em sua palma, brincando com o mamilo que despontava. — Quero-a agora...

Sem nada dizer Marguerite deixou a cama e lentamente tirou sua camisola. Sustentando o olhar do duque que a imitava, livrando-se do camisão branco, ela despiu a pantalona. Bastou que Logan fizesse o mesmo e atirasse sua ceroula ao chão para que ela voltasse para junto dele. Incontinenti Logan a puxou para si e a beijou. Amou-a sem pressa, torturando e sendo torturado ao mover-se lentamente, acariciando-a, reverenciando-a com seu sexo até que experimentassem um orgasmo avassalador.

Ninguém, em tempo algum, podia ter a chance de separá-los, na vida ou na morte.

— Logan... — Marguerite o chamou como se não estivessem abraçados sob a coberta, já refeitos dos efeitos do sexo, distraindo-o de pensamentos terrificantes.

— Diga, querida!

— Talvez eu não devesse comentar esse tipo de coisa, mas, durante a prova do vestido de noiva, no quarto de Ashley, aconteceu algo divertido, porém constrangedor.

— O que aconteceu? Não faça suspense.

— Rosinda, a esposa de Philip, deve se lembrar... — Marguerite se ergueu para olhá-lo e sem esperar resposta, prosseguiu: — Bem, Rosinda escolhia o vestido que tomará emprestado de Ashley para usar no casamento quando derrubou uma caixa. E você não vai acreditar...

— Em quê? — Logan soergue-se e apoiou-se nos travesseiros. — Diga!

— A tal caixa abriu e de dentro dela saíram uma máscara e um delicado pano preto. Ashley desconversou, Rosinda acreditou na desculpa dada, mas eu tenho certeza de que vi o traje usado no bordel. Era uma máscara de borboleta... Uma borboleta negra.

— E você conversou com ela sobre isso?

— Eu não poderia. — Marguerite meneou a cabeça, recordando-se da cena. — Ashley ficou lívida quando tudo foi exposto. Eu tive de mostrar surpresa e fingir que acreditei no que ouvi. Se bem que parte do que ela falou deve ser verdade. Não duvido que Ashley use aquele traje para seduzir meu irmão. Se é que se pode chamar aquilo de traje! Era sumário!

Logan quis saber mais sobre o tal traje que causou tamanho assombro em sua esposa, mas calou sua iníqua e masculina curiosidade. Não magoaria sua esposa por causa de mal-entendidos que envolvessem a noiva de seu cunhado.

— Como você se sentiu quanto a isso? — ele indagou com carinho. — E quanto a ela?

— Foi chocante saber sobre o passado dela e mais estarrecedor confirmá-lo, mas nada sinto. Nada negativo, quero dizer... Ashley não é menos do que era para mim. Pode me compreender?

— Evidente que sim... São amigas.

— Somos... Mas eu gostaria que ela não guardasse tantos segredos. Não quero arreliá-la com o que passou e por certo ela se constrangeria. Sim, afinal, a vida em um bordel não deve ser um tema que se discuta durante o chá, mas há tanto que quero saber... — Marguerite exemplificou: — Ouvi um nome, Lily. E sei que Ashley mantém alguma relação com sir Frederick. Logo terei brotoejas de tanta curiosidade!

— E não queremos isto, não é mesmo? — Logan acariciou seu braço para confortá-la. Com um longo expirar, declarou: — Eu tenho as respostas.

— Tem?! — Marguerite se sentou, ignorando sua nudez. Sem que nada fosse dito, elucidou: — Evidente que sim, pois a investigou. Por que não me disse tudo?

— Porque fomos interrompidos por sua criada e não tivemos tempo para voltarmos a esse assunto — respondeu o duque, mais interessado em beliscar um mamilo.

— Não conseguirá o que quer se não me disser tudo que sabe agora mesmo — ela avisou, afastando a atrevida mão com um vigoroso tapa.

— Não resta muito — falou o duque depois de cruzar as mãos sobre o peito nu. — Lily Krane era a cafetina do bordel antes que sua amiga o comprasse.

— Ashley era a dona?! — Marguerite arregalou os olhos. — Como...?

— Como sei? — Logan antecipou a pergunta. Ao ver a esposa assentir, prosseguiu: — Espero que não se aborreça comigo, mas... Decidi mantê-la longe quando descobri a verdade, mas por ser sua amiga tão querida, quis ajudar de alguma forma. O detetive também descobriu que sir Frederick era uma espécie de bem-feitor de Cora, então fui até ele e ofereci ajuda. Foi quando eu soube que ela tencionava comprar o bordel para ser somente a dona, sem atender aos homens, e contribui para isso.

Sem dúvida um gesto nobre que livrou Ashley de se sujeitar ao meretrício, mas Marguerite se enregelou depois de um mau pensamento e ela não o calou.

— Logan, não minta para mim... Você alguma vez esteve no bordel... Você e Cora...?

— Não! — ele negou com veemência. — Nunca estive com Cora antes de conhecê-la, aqui. Não fui ao bordel quando o indicou nem em dia algum! Estive sim, no banco. Deve se lembrar daquela vez em que vim à fazenda para buscá-la e pedi que seu irmão me levasse até Wisbury.

— Agora que você mencionou, eu me lembro — respondeu Marguerite, sentindo o alívio invadi-la. — Mas Edrick estava com você. Ele não participou da conversa?

— Não... Por algum motivo ele nos deixou a sós e tudo foi arranjado. Por algum tempo sir Frederick me dava notícias de Cora, mas com o tempo o hábito se perdeu. E eu lhe juro que em momento algum ele falou do menino. Se eu tivesse sabido dele, teria contado tudo a você.

— Sei que teria — ela o tranquilizou, pensando em tudo que ouviu e também no que viu no quarto de sua amiga; na palidez ao ver a antiga veste e a máscara, o nervosismo que desmentia a desculpa dada... De súbito, Marguerite decidiu: — Se Ashley quiser manter sua história para si eu não a forçarei a contar.

— Concordo que deva agir assim... Deixe que seu irmão e sua amiga iniciem a nova história sem que sejam obrigados a revisitar o passado que os incomoda. Esqueça-se desse assunto!

— Qual? — Marguerite meneou a cabeça, encenando confusão, e acariciou uma das mãos do marido antes de segurá-la e colocá-la em seu seio. — Seria este assunto?

— Não sei do que falávamos, mas decididamente não quero que se esqueça desse assunto — disse o duque, puxando Marguerite para beijá-la.

Na manhã seguinte, durante o passeio matinal, Logan confirmou suas palavras. Apenas o passado da noiva teria o poder de roubar a atenção do barão somente por ela ter ido até a vila vizinha na companhia de Benjamin e Philip. Logan fez o que pôde para distrair o amigo, porém a tranquilidade voltou ao seu olhar de Edrick somente quando seu *filho* surgiu no estábulo, onde estavam para que o conde escolhesse um dos cavalos que pretendia comprar.

— Westling nega, mas algo o preocupa — comentou Henry, alisando o pescoço de um baio, quando o barão os deixou para receber Benjamin à entrada.

— O homem se casará com uma criada, correndo o risco de ser motivo de chacota ou vítima de preconceito. É compreensível que esteja consternado — disse Logan. Aquela era a única ocupação de Ashley que deveria ser lembrada e fixada em todas as mentes.

— Há algo mais, mas eu aprecio a discrição dele. Nem tudo precisa ser dito.

— Concordo! — Logan anuiu. Como seria diferente, tendo ele mesmo um passado nada louvável e um irmão bastardo? — De minha parte, comprometi-me a atenuar os danos, caso estes ocorram.

— Farei o mesmo — prometeu o conde. — A hipocrisia não deve atingir alguém honrado como Westling.

No que dependesse de Logan, não aconteceria. Horas depois, enquanto seguia com Edrick e Henry para Wisbury depois da visita a Westling Ville como sugerira no final do almoço, Logan percebeu que ao menos nos arredores não haveria comoção causada pela união atípica. Por onde Edrick passava os olhares o seguiam com curiosidade, porém com muito respeito, exatamente como Logan imaginou que aconteceria em semelhante ocasião, anos atrás. O barão de Westling era bem-quisto o que tornava seu taciturno mutismo algo demasiado.

Naquele momento Edrick seguia atrás dos cunhados, sendo ladeado por Philip. Nem mesmo em seu casamento arranjado às pressas o clima era tão lúgubre, Logan considerou.

— Westling, confesse! Considera-nos aborrecidos — ele disse ao amigo.

— Em absoluto! Por que pensa assim?

— Está calado há bons minutos. Talvez preferisse estar em casa, reservando forças para amanhã... Para a noite!

— Não necessito de tais cuidados, Bridgeford. Amanhã à noite terei força suficiente para contentar a nova baronesa — Edrick replicou com melhor humor.

— Forte como um touro, não? — perguntou o conde. — Se os tempos fossem outros eu sugeriria que nos divertíssemos em alguma casa mais animada, como uma despedida de sua solteirice, mas hoje não me animo a efetivamente ficar com uma mulher que não seja minha esposa. Apenas as admiro, pois não sou cego.

— Sei que em Wisbury há uma casa nesses moldes, muito bem frequentada pelos senhores da região — Logan não poderia deixar de comentar e aproveitou a oportunidade para testar um novo limite. Como Marguerite, gostaria que Edrick confiasse a ele seus segredos. — Dizem que a dona é tão linda quanto misteriosa. Parece que atende somente aos senhores cujos nomes constam em uma seleta lista... Seria interessante conhecê-la, mas hoje os tempos são outros. Padeço do mesmo mal, Alweather... Não me inspira ter outras mulheres. Sejam meretrizes, amantes avulsas ou fixas.

Logan não sabia exatamente o que esperava, e se surpreendeu com o silêncio de Edrick. Seria possível que o amigo não soubesse que a noiva era a referida dona? Curioso, Logan se voltou para encará-lo e insistiu:

— Mas o que diz o solteiro em questão? Iria a tal casa? O conde e eu poderíamos apenas beber e apreciar a vista enquanto se divertisse com uma das moças... Talvez com a própria dona, caso a conseguíssemos como um presente de casamento. Poderíamos oferecer uma soma que a tal borboleta negra não tivesse como recusar.

— Agradeço o oferecimento — Edrick refutou. A tranquilidade de sua voz era traída pela vermelhidão de seu rosto. Ele sabia! — Mas, mesmo ainda solteiro, considero-me casado. Até mesmo tenho um filho, esqueceu-se?

— De fato... Os tempos são outros — o duque aquiesceu.

— Já que abordamos esse tema, sobre amantes... — Edrick enfatizou. — O que foi feito de Ketlyn Shepway?

Revide merecido, mesmo que Edrick desconhecesse sua real intenção ao citar o bordel.

— Até onde sei, e não por vontade ou gosto — respondeu Logan com resignação e ombros eretos —, Ketlyn se casou com o velho marquês de Gassen e ostenta o novo título nos salões franceses. Há anos não a vejo.

— Eu a vi certa vez — disse o conde, distraindo Logan de suas lembranças. — Meses antes de voltar para a Inglaterra. Ainda é uma bela mulher.

— Não havia razão de deixar de ser. Ketlyn ainda é jovem e duvido que quando velha deixe de ser bela. Bom para o marquês. De minha parte, importa-me Marguerite — redarguiu o duque.

— Muito me alegra ouvir isso — disse Edrick. — Bem sabe o quanto esse casamento me consternou na época. Cheguei a considerar que usasse minha irmã para calar a sociedade.

— Bem sei, mas espero que essa impressão tenha sido esquecida.

— Por certo que foi... Não teria como ser mantida quando vejo a família que formou com Marguerite. Ou o quanto ela se mostra satisfeita por viver em Bridgeford Castle.

Logan respondeu ao amigo, valendo-se de algo dito pelo conde durante o almoço. Até mesmo Philip, calado desde os cumprimentos, participou da animada conversa. O duque troçou, conversou e riu, mas tinha sua mente inquieta. De fato a família que formou com Marguerite era admirável e justamente por isso devia causar a ira de quem julgava ter perdido tudo graças a ele.

Logan nada disse, mas tinha mais informações sobre Ketlyn. Por exemplo, ele não diria aos amigos que sua ex-amante fugiu de Bridgeford depois de seu marido atentar contra a vida de Marguerite e que meses depois ela ressurgiu nos salões londrinos sob a proteção de Gassen. Muito menos diria que tentou alertar o marquês e que o velhaco assegurou conhecer o passado de sua nova esposa, garantiu o rompimento dela com Giles e empenhou sua influência para defendê-la de qualquer incriminação. Ele também não poderia contar que desde então mantinha distância do novo casal. Não por ciúmes, sim, por não ter estofo para suportar canalhas.

O que também não diria, mas que faria com prazer, seria usar sua própria influência para manter seu amigo barão e sua protegida a salvo de possíveis maledicências, Logan considerou durante a visita feita ao banco, depois de uma pequena indelicadeza cometida por Frederick que os deixou em seu escritório para que conversasse a sós com o barão. Imaginando qual seria o tema, Logan tentou distrair a si mesmo, a Henry e a Philip, contando acontecimentos divertidos que envolviam seu cunhado. Todos davam boas risadas quando Edrick retornou com Frederick, ambos soturnos, levando o duque a confirmar que falaram sobre certa ex-meretriz.

Aquele foi o momento da decisão de Logan, quando ele entendeu que não importava o quanto o barão de Westling fosse respeitado, a delicada condição de sua futura esposa sempre pesaria em seus ombros. Silenciosamente o duque de Bridgeford sustentaria parte do fardo se preciso fosse. Se influências eram usadas para a proteção de ordinárias como Ketlyn Gassen, também seriam úteis para assegurar uma vida sem sobressaltos a Edrick e Ashley.

Que viesse o casamento! Logan pensou. E que, a partir do dia seguinte, o barão construísse junto com a borboleta negra uma vida tão admirável quanto à sua e de seu cisne azul.

# Capítulo 30

Marguerite se espreguiçou longamente, gemendo baixinho, lutando contra o torpor matinal. Mesmo de olhos fechados ela sabia ser tarde, pois a claridade era intensa. Sabia também que não estava sozinha, pois sentia o calor de um corpo ao seu lado. O riso manso de Logan provou seu pensamento e fez com que Marguerite abrisse os olhos. Seu marido apoiava a cabeça em uma das mãos e atentamente a observava.

— Bom dia, esposa dorminhoca! — cumprimentou-a, sorrindo.

— Bom dia, marido preguiçoso! — ela replicou, retribuindo o sorriso farto. — O sol está alto. Não deveria estar cuidando de seu ducado?

— Devia. — concordou o duque antes de atirar-se de costas no colchão e mirar o teto —, mas depois dos últimos acontecimentos eu decidi que nada será mais justo que reservar um dia ou dois para o ócio. Não pensa o mesmo? Ou já se sente preparada para retomar suas funções junto ao hospital, seus chás beneficentes ou meramente sociais e tudo mais?

— Definitivamente, não! — ela anuiu depois de exalar um longo suspiro. — O ócio será merecido depois de tudo pelo que passamos.

Marguerite fechou os olhos e reviu dias de alegria e horror. Fora tola ao imaginar que a festa de casamento de Edrick e Ashley terminaria como todas as outras mesmo depois da chegada de Jason Hunt na companhia da família Kelton. Inocente, ela os cumprimentou e ajudou Philip a recebê-los. Se soubesse o que fariam durante o baile na Sala Rosa que com primor ela decorou, Marguerite teria pedido aos criados que os expulsassem de Apple White. Porém, como prever o que viria se Jason e Madeleine em momento algum deram demonstrações do que fariam?

Tudo corria a contento, apesar da tensão dos nubentes a felicidade era notória. Até mesmo ela, Marguerite, experimentou o mesmo sentimento quando o marido foi até ela e a tomou dos braços de Stuart Grings em meio a uma dança, aborrecido como no dia de seu casamento. A bronca dele, entretanto, não durou mais que parcos minutos, pois a festa inspirava alegria. Tanta que Edrick nem mesmo objetou ao ver os músicos secretamente contratados por sua mãe.

Aquela deveria ter sido uma comemoração memorável por muitas razões, não pela ação de um homem rancoroso e vil como Jason Hunt que, em claro e bom tom, denunciou o passado abjeto da noiva a quem pudesse ouvir. Entre defesas e acusações, o denunciante passou por mentiroso, porém isso não impediu que o aviltado barão o desfiasse para um duelo. Graças a Henry Farrow, depois dessa ação Edrick não se tornou um barão morto, pensou Marguerite.

Pulha que era, desprovido de qualquer honradez, durante o duelo marcado para a manhã seguinte depois do casamento, Jason trapaceou e feriu o desafiante com um florete. O covarde não finalizou sua ação devido à presteza de um atirador misterioso que o matou. Coube ao conde, habituado aos ferimentos de batalha, retirar a arma trespassada no dorso de Edrick e aos medicamentos do doutor Morrigan o restabelecimento de seu irmão. Não poderia se esquecer do trato incessante de sua mãe e de Ashley; esposa devotada. Se restasse algum resquício de ressentimento no tocante à amiga, este foi extinto nos dias de expectativa e apreensão.

Era passado, disse Marguerite para si mesma. Agora que estava de volta a Castle ela deveria esquecer os momentos ruins. Também esqueceria a surpreendente revelação de que Jason Hunt era na verdade seu irmão e que seu pai não foi mais que um hipócrita, abusador de menores.

— Está pensando no que passou, não é mesmo? — indagou o duque ainda a mirar o teto.

— Você não está? — ela devolveu a questão.

Logan respondeu afirmativamente. Seria impossível não pensar que por muito pouco não perdeu seu amigo ou que ele mesmo teria desafiado certo conde Stamford pelo atrevimento de se aproximar da duquesa. Enfim, importava que nem uma coisa ou outra aconteceu.

— Tudo acabou bem — ele disse. — Deixamos Westling fora de perigo, casado e feliz. Até mesmo minha sogra encontrou a felicidade!

— Sem dúvida, esta ida a Apple White nos reservou muitas surpresas — Marguerite sorriu. — Quem poderia imaginar que Verne Zimmer e mamãe um dia se casassem?

— Eu não imaginaria! — Logan riu, divertido, mas voltou à seriedade. — Se minha sogra conhecia a índole do marido, terá a chance de ser realmente feliz.

— Mamãe sabia — Marguerite disse com segurança. — Ela jamais admitirá nem eu tocarei no assunto, mas por tudo que me disse antes que nos cassássemos, hoje sei que ela sabia de muitas coisas sobre meu pai.

— Bem, mudemos de assunto — Logan sugeriu ao notar o tom entristecido. — O que nós faremos em nosso dia de ócio?

— Tenho algumas coisas em mente... — Marguerite sorriu de modo sugestivo, mirando o teto como o marido. — Uma delas envolve uma ida à campina com nossos filhos, nossos cães e um falcão. Também me ocorre um piquenique no jardim de inverno depois da soltura de Krun, com sucos, frutas, bolos e muitas guloseimas... À tarde poderíamos ir até Bridgeford e...

— Volte para essa manhã! — pediu o duque, deitando-se sobre a esposa que incontinenti afastou as pernas para acomodá-lo melhor. Acariciando seus seios e friccionando seus sexos para excitá-los, detalhou: — Volte especificamente para essa cama. Educada e pacientemente esperei que acordasse para...

Logan se calou ao ouvir vozes animadas no corredor. No segundo seguinte a porta foi escancarada, obrigando-o a sentar em seu lugar e ocultar a evidência de seu excitamento sob um dos travesseiros antes que o quarto fosse invadido por dois filhos agitados.

— Acordem! Acordem! — pediu Lionel ao se jogar entre os pais. John fez o mesmo e, rindo, abraçou sua mãe. — Por que dormem tanto?

— Milorde... Milady... — Sofia chamou da porta, claramente constrangida. — Perdoem-me! Eu tentei detê-los, mas como veem...

— Perdeu a árdua batalha — disse Logan, mais divertido que aborrecido com a interrupção. — Deixe-os aqui e vá cuidar de seus afazeres.

— Obrigada e, mais uma vez, perdão — pediu a babá antes de fechar a porta e partir.

— Agora, nós três temos um assunto a tratar — disse Logan, obrigando-se a falar com seriedade. Conhecedores daquele tom, Lionel e John prestaram atenção. — O que já lhes foi dito sobre entrarem em quartos alheios sem se anunciarem?

— Que não devemos fazer isso... — disse Lionel de olhos baixos. — Desculpe-nos, papai!

— S-sim... Des... Desc... Desculpe, pa... pa... papai.

Marguerite imediatamente olhou para o filho caçula, como Logan e Lionel. Perdera a conta do tempo desde que ouviu a voz incerta e infantil pela última vez. Sem saber como agir por temer assustá-lo, Marguerite olhou para Logan. Ele fez o mesmo, igualmente confuso.

— John! — Lionel quebrou o silêncio, meneando a cabeça. — O que tratamos? Você só deverá falar quando fizer direito.

— Não — Marguerite interveio, surpresa por descobrir que os irmãos falavam entre si. Fazendo com que John a olhasse, disse: — Querido, fale sempre que quiser. Certo, errado... Seu pai e eu queremos apenas ouvi-lo. Faça novamente. O que mais pode nos dizer?

Era tarde. John meneou a cabeça e se fechou. Com dureza no olhar, ela encarou o filho mais velho, mas conteve-se antes de repreendê-lo. A diferença de idade entre os meninos era mínima e a fase era de descobertas. Brigar com um diante do outro podia gerar resultados catastróficos, alimentar rancores. Antes de tudo, queria que os filhos fossem amigos e que se amassem.

Com resignação Marguerite olhou para John, disse:

— Seu irmão quer ajudá-lo, mas isso não significa que deva se calar. Não é, Lionel?

— É que John não fala como se deve e... — O menino se calou ao notar que o pai o encarava com severidade. — Digo, sim, mamãe... John pode falar sempre que quiser.

— Está ouvindo, querido? — Marguerite indagou carinhosamente. — Diga algo.

John novamente meneou a cabeça, porém esboçou um tímido sorriso e moveu suas mãos, indicando que o faria, depois. Animados, Logan e Marguerite se entreolharam e sorriram.

— Bem! — disse o duque, pronto para deixar a cama. — Agora que nos acordaram, deixem que Gertrudes e Ebert venham nos ajudar a nos vestir. E estejam preparados, pois sua mãe tem grandes planos para este dia. Eu ouvi algo sobre um piquenique.

Os meninos aplaudiram. Com os ânimos revigorados eles deixaram o quarto.

— Percebe que temos nossas próprias questões a resolver? — Logan vestia o robe já a calçar os chinelos. — Sempre estaremos prontos para quando precisarem de nós em Apple White, em Alweather House, no Solar Welshyn ou em Londres. Até que nossa presença seja requisitada devemos deixar que nossos parentes cuidem de suas histórias enquanto nós vivemos a nossa.

— Quem é o sábio agora? — indagou Marguerite, indo até o marido para beijá-lo de modo casto e breve. Logan não se contentou com tão pouco.

Atraindo-a para mais perto, envolveu-a pela cintura e a beijou apaixonadamente. Ao soltá-la, sorriu de modo matreiro e seguiu para a porta que ligava seus quartos. O velho hábito de se separarem pela manhã para que seus criados os vestissem ainda era mantido.

— Milorde! — disse Ebert ao entrar, atendendo ao toque da sineta. Logo dava início aos cuidados de seu patrão. Começaria por separar os utensílios para barbeá-lo. — Folgo em ver que não está doente. Vossa demora em me chamar começava a me preocupar.

— Mesmo um homem saudável às vezes fica um pouco mais na cama. Vivi dias atribulados, então, concedi-me um pouco de descanso. Não lhe pareceu óbvio? Está perdendo o jeito, Ebert!

— Perdão, milorde! — O valete empertigou-se. — Eu deveria ter previsto que depois de tudo pelo que passou e da viagem de volta o senhor haveria de descansar um pouco mais.

Logan assentiu e se sentou ao lado do aparador para que o valete o escanhoasse. A tarefa foi iniciada e concluída em silêncio, causando estranheza no duque. Quando Ebert escovava seu casaco, finalizando sua arrumação sem que nada mais dissesse, Logan indagou:

— Há algo errado, Ebert? — Logan se voltou para encarar o criado. — Está tudo bem com Nádia? Com sua filha?

— Minha família vai bem, milorde, obrigado por perguntar... — Ebert se calou, respirou fundo e disse: — Temo que haja algum problema com vossa família.

— Por que diz isso? — O duque se pôs em alerta. Ebert sabia sobre a fuga de Giles e das cismas do patrão. — Soube ou viu alguma coisa?

— Não quero tomar a frente do Sr. Griffins, ele há de lhe contar, mas preocupa-me saber que Emery Giles foi visto em Bridgeford.

— Na vila ou no castelo? — Logan indagou duramente. — Fale homem!

— Na vila, a Sra. Reed o viu quando foi à igreja — respondeu, desconcertado como poucas vezes se viu. — Por favor, não me pergunte nada mais, milorde! Deixe que o Sr. Griffins o faça. Ele ansiosamente aguarda que desça. Não deveria ter me adiantado, mas me preocupo com o senhor, com a duquesa e vossos filhos. Tenho muito apreço por todos.

Desnecessária aquela afirmação. Desde que Ebert socorrera Marguerite depois da queda não restavam dúvidas de sua lealdade e apreço. Apertando um de seus ombros, Logan garantiu:

— Sei disso, Ebert! Agora vá e diga a Griffins que nada comente para a duquesa.

— Com vosso perdão, milorde... Seria sábio esconder esse assunto de vossa esposa?

— Não pretendo esconder, Ebert, somente me inteirar dos fatos antes de expô-los. Não quero preocupá-la sem razão.

Ebert assentiu e o reverenciou. Logan esperou que o valete partisse e caminhou a passos largos até sua escrivaninha. Situações extremas requeriam atitudes extremadas, determinou antes de ocultar uma pistola em sua cintura, sob o casaco.

No quarto ao lado a duquesa igualmente especulou sobre o silêncio de sua criada. Enquanto ajudava-a a se vestir Gertrudes alegou padecer de uma insistente dor de cabeça, razão de suas poucas palavras. Marguerite aceitou como verdade e não insistiu. A criada de quarto era sisuda e reservada, naturalmente pouco falava. Não havia muito que pudesse estranhar.

— Sendo assim, tire o resto da manhã de folga e descanse — disse Marguerite.

— Assim eu farei... — falou Gertrudes, reverenciando-a. — Precisa de algo mais?

— Não! Apenas descer, pois estou indo contra minhas próprias regras. Talvez o desjejum já tenha sido recolhido.

— Oh, não, milady! Todos em Castle a têm em alta conta. Asseguro-lhe que é esperada na sala de jantar.

— Então, devo mesmo me apressar — disse a duquesa, girando a saia de seu vestido amarelo ao se voltar e seguir para a porta. No corredor Marguerite riu pela coincidência de deixar o quarto no mesmo instante em que o marido. Por sua vez, Logan não se divertiu. — Não pareceu engraçado, sairmos ao mesmo tempo? — ela indagou enquanto ele se aproximava.

— Sim, foi divertido, mas a fome rouba meu humor — falou o duque, sério demais.

371

Marguerite segurou o braço oferecido e se deixou levar, observando o rosto de Logan. O que disse não condizia com o que conhecia dele, tanto que ela não calou seu pensamento.

— Não me recordo de tê-lo visto mal-humorado antes do desjejum — falou, quando já se aproximavam da escadaria. — Não estaria aborrecido com os meninos, não é mesmo? Eles não fizeram por mal e teremos muito tempo para... Você sabe!

Enfim Logan riu. Marguerite e suas particularidades sempre teriam esse poder. Despudorada na cama, recatada fora dela. Que mal havia em dizer a palavra?

— Não, eu não estou aborrecido porque os meninos impediram nosso sexo matinal, querida.

— Logan?! — Marguerite apertou seu braço e, rubra, indicou a armadura à sua frente. — O que Dom irá pensar ao ouvi-lo dizer essas coisas?

— Que somos um casal afortunado e que se ama como se o tempo não tivesse passado.

— Somos, não somos? — Marguerite sorriu.

Logan não falou menos que a verdade e, justamente por isso, temia. Eram afortunados, amavam-se, tinham filhos fortes e alegres, mas para ele apenas ela era merecedora de tantas graças. Logan não diria a ninguém, mas por vezes ficava a admirar a esposa durante o sono, especulando a razão de ainda não tê-la perdido. Ser bom marido e bom pai era antes de tudo um dever que ele cumpria com alegria, nada menos do que Marguerite merecia depois do que a fez passar, depois de quase perdê-la para a morte.

Marguerite falava sobre tempo futuro com certeza e tranquilidade, mas para ele os dias eram de incerteza. Vivia como um devedor a espera da cobrança sem remissão e imaginar que o castigo por ter desonrado o pai e mentido para alguém como sua esposa pudesse vir pelas mãos de Emery Giles, desestabilizava-o.

— Melhor irmos ao desjejum, querido — Marguerite o trouxe de volta de seus pensamentos. — Por vezes tem seus momentos de seriedade, mas esta manhã eu o desconheço.

— Ficarei melhor depois que tomarmos o café da manhã.

Por Marguerite ele se esforçou e esboçou um sorriso. Este minguou ao entrar na sala de jantar e trocar olhares com o mordomo.

— Vossas Graças! — cumprimentou Griffins, reverenciando-os brevemente. — Bom dia!

— Bom dia, Griffins — disseram quase em uníssono. — Bom dia, Alfie!

O lacaio respondeu ao cumprimento e se posicionou para ajudá-los a se servirem. Ao se acomodar à mesa, tendo Marguerite ao seu lado, Logan novamente trocou olhares com Griffins. Queria detalhes, mas não os pediria na presença da esposa.

— Griffins! — chamou-o despretensiosamente. — Ebert me passou seu recado. Quando eu terminar a refeição, poderemos passar ao gabinete para que tratemos de seu assunto particular.

— Está com algum problema, Griffins? — Marguerite indagou diretamente ao mordomo; há anos tratava-o pelo sobrenome apenas, sem formalidade. Eram amigos. — Se não for um tema masculino, saiba que pode contar comigo para ajudá-lo.

— É um tema masculino, duquesa — Joe Griffins apressou-se em dizer. — Agradecido!

— Tenho certeza de que serei tão útil quanto você, querida — disse Logan, sorrindo.

— Por que parece que conspiram? — indagou Marguerite, olhando de um ao outro.

— Porque sua mente continua imaginativa exatamente do mesmo modo de quando a conheci — disse Logan, capturando uma de suas mãos para beijá-la.

— Apelar para elogios e galanteios só piora minha impressão, querido — ela troçou com a verdade. — Se estiver acontecendo alguma coisa, não me escondam. — Antes que tivesse qualquer resposta, ela elucidou. Depois de largar os talheres e maximizar os olhos, falou: — É ele, não é? Emery Giles! Sabem de algo e tentam esconder de mim.

Como manteria tranquila alguém sagaz e participativa? Pensou Logan, dividido entre o pesar e a admiração. Gostaria mesmo de poupá-la. Resignando-se, olhou para o mordomo e assentiu.

— A duquesa sempre está a dois passos à minha frente, Griffins — disse Logan ao deixar seus talheres de lado e limpar o canto da boca. — Tentar preservá-la sempre será impossível. Venha! Aproxime-se e nos conte o que relatou Agnes Reed.

— Bem... — O mordomo se acercou da mesa e olhou da duquesa ao duque. — Tenho os relatos da Sra. Reed e de Mackenzie, milorde.

— Mackenzie viu Giles?! — Logan sentiu sua nuca eriçar. — Diga-nos, Griffins!

— Não sabemos se a pessoa que esteve rondando o castelo duas noites atrás era Emery Giles, mas deduzimos que sim, pois a Sra. Reed o viu na vila no mesmo dia. Ele estava à distância, mas ela o reconheceu.

— E não chamou a guarda? — questionou o duque.

— Sim, chamou, mas não encontraram ninguém com as características fornecidas.

— Como Giles pôde desaparecer assim?! — Logan meneou a cabeça, inconformado. — E o que disse Mackenzie? Será melhor ouvi-lo?

— Penso que sim, milorde — Griffins anuiu. — Ele saberá dizer o que viu melhor do que eu.

— Alfie, vá chamá-lo! — demandou Logan e voltou a segurar a mão da duquesa. — Era disso que eu queria poupá-la.

— Fico grata pelo cuidado, mas prefiro saber — garantiu Marguerite. Entre os sentimentos que a visitavam curiosamente não havia medo. — Eu creio que esse homem será capturado.

Logan não compartilhava daquela crença. Emery Giles era maldoso e vingativo. Também ardiloso, pois fugiu de Coldbath Fields e despistou os guardas da vila. Com tantos adjetivos negativos eles não poderiam baixar à guarda, nem pecar por excesso de confiança.

— Vamos torcer por isso — falou, esboçando um sorriso confiante. — E vamos comer enquanto aguardamos a chegada de Mackenzie.

Marguerite perdera o apetite, mas se obrigou a comer tudo que colocou no prato. Não sabia o que teriam de enfrentar e, fosse o que fosse, quando acontecesse, teriam melhor desempenho estando bem alimentados e fortes. Logan fez o mesmo e finalizava a refeição, quando deu voz à questão de Marguerite.

— Por que a demora, Griffins? Já não era para Alfie ter voltado com Mackenzie?

— Pensava o mesmo, milorde... — disse Griffins, mirando a porta. — Talvez eu devesse...

— Não! — Logan o interrompeu. Depois de pedir licença à esposa, deixou o guardanapo sobre a mesa e se levantou. — Irei eu mesmo até Mackenzie.

— Eu irei com você — prontificou-se Marguerite, pondo-se de pé.

— Será apenas uma conversa, querida... Prefiro que vá ficar com Lionel e John, ou que peça a Sra. Reed que providencie tudo que precisaremos para o piquenique que faremos depois da soltura de Krun.

— Seria seguro? Talvez seja uma péssima ideia deixarmos o castelo.

— Não se aflija — Logan pediu, tocando o queixo da esposa brevemente. — Não vamos deixar que Giles mude nossa rotina. Ocorre-me que talvez ele apenas queira exigir de mim algum dinheiro, como uma indenização, para que possa escapar para fora do país.

Marguerite duvidava que fosse tão simples, mas esboçou um sorriso para tranquilizar o duque e o manteve até que ficasse a sós com Griffins. Ainda de pé, apoiando as mãos na mesa, ela dividiu seu pensamento com o mordomo.

— Acredita que possa ser somente isso?

— Sinceramente, milady? Não creio. Ainda hoje e me arrependo de ter contratado Emery Giles. Desde o primeiro instante algo nele não me agradava, mas o homem tinha habilidade com a ave. O que eu poderia fazer?

— Não se culpe por nada, meu amigo — ela pediu, sorrindo sinceramente antes que voltasse a se sentar. — Emery Giles enganou a todos nós e... Oh, que desastrada!

Marguerite se interrompeu e levantou de um salto depois de ter esbarrado a mão em sua xícara e derrubado na mesa, no guardanapo em seu colo e no vestido o que restava do chá.

— Deixe-me ajudá-la, milady! — pediu Griffins, aproximando-se apressadamente.

— Não é necessário — Marguerite o desobrigou já a passar o guardanapo de Logan em seu corpete. Logo parou por saber que de nada adiantaria. Deixando o guardanapo na mesa, disse: — Preciso trocá-lo. Griffins, por favor, peça a Gertrudes que vá até meu quarto. Dei-lhe folga pela manhã, mas não contava com esse acidente.

— Assim farei, duquesa!

Marguerite agradeceu e se retirou. Tinha pressa de trocar o vestido para que pudesse descer e se inteirar sobre o que acontecia no castelo. Não sabia explicar, mas sentia-se em alerta, como se o perigo estivesse mais perto do que todos pudessem imaginar.

Na parte externa do castelo, Logan caminhou decididamente até os dois guardas que estavam de prontidão desde que receberam a notícia da fuga. A ordem era para que andassem aos pares para que facilmente pudessem lidar com um homem.

— Bom dia, Vossa Graça! — cumprimentou-o um dos guardas.

— Bom dia aos dois! — Logan olhou de um ao outro. — Sabem dizer onde posso encontrar Mackenzie? Pedi que o lacaio viesse chamá-lo, mas pela demora ele ainda não o encontrou.

— O Sr. Mackenzie está em ronda pelo castelo, milorde, talvez por isso vosso criado ainda não o tenha encontrado.

— É uma boa explicação — Logan concordou e respirou longamente antes de olhar de um lado ao outro. Sem uma direção certa a seguir seria uma volta e tanto, ele considerou. Todavia, talvez a caminhada inesperada o ajudasse a desanuviar suas ideias. Decididamente precisaria encontrar argumentos melhores para tranquilizar a esposa. Dizer que Giles talvez desejasse uma indenização podia ser considerado prova de sua pouca capacidade mental, Logan gracejou para distrair-se, dando início à sua própria procura. Antes que passasse a um pátio secundário, Dirk, Jabor e Maylon foram lhe fazer companhia.

— Como todos estão nesta manhã? — ele indagou aos cães que saltavam ao seu redor, sem interromper sua busca.

No portão que dava acesso ao pomar, área mais vulnerável, ele avistou outro par de guardas. Respondeu aos cumprimentou com um aceno e seguiu seu caminho. Alguns metros adiante Logan desceu um lance de degraus para o jardim ao lado do salão de baile e sorriu ao recordar ele mesmo procurando por Catarina com a ajuda de Henry. Talvez o interesse de seu amigo tivesse surgido naquela noite. Sua cunhada era ainda muito jovem, porém angelical, fresca e linda. Ainda que o primeiro adjetivo fosse um embuste, para um incauto homem solitário aquela seria uma combinação perigosa.

Logan ainda estudava a possibilidade de estar certo quanto àquele pensamento, quando ouviu o burburinho. Este aumentava à medida que ele se aproximava da lateral norte. No pátio restrito aos criados o duque se deparou com os portões abertos e uma pequena aglomeração em torno de três carroças. Os cães correram para farejar os cavalos, deixando seu dono sozinho a analisar a cena, como fazia Ebert e a cozinheira, parados à porta da cozinha. Distraindo os guardas estavam Griffins, Agnes Reed e algumas criadas argumentando entre si, com os carroceiros e os ajudantes destes.

— O que está acontecendo aqui? — A questão do duque cessou o falatório. Com exceção do mordomo, todos reverenciaram o recém-chegado. Os três condutores das carroças até mesmo tiraram seus chapéus em respeito ao duque. — E, então? Quem irá me explicar essa confusão?

— Confusão de fato, milorde — Griffins tomou a palavra. — Todos sabem que as entregas são feitas às segundas-feiras, mas por algum motivo esses senhores vieram hoje.

— Por acaso não deixou de recebê-los por não estarmos no castelo? — indagou o duque, analisando os entregadores.

— Absolutamente, milorde! Quando ficou evidente que Vossas Graças se demorariam em Somerset, apenas reduzimos os pedidos, mas frutas, verduras nos foram entregues normalmente. Há três dias estes senhores estiveram aqui, tornando este retorno injustificável.

— Perdão, Lorde Bridgeford — um dos entregadores chamou a atenção para si. — Nós tampouco entendemos os novos pedidos, mas estes nos foram feitos e cá estamos.

— E quem os fez? — Logan quis saber, ansiando resolver a questão doméstica para retomar a procura de Mackenzie e seu lacaio.

Por sua vez, Marguerite queria saber o que de errado acontecia com sua criada. Aquela era a terceira vez que Gertrudes trazia o vestido errado. Coberta apenas com a pantalona, o chemise e o espartilho, mantendo as mãos na cintura, ela indagou:

— Aconteceu algum acidente com o vestido que pedi? Todas as vezes que sai e volta, traz algo diferente. Já que arruinei o vestido amarelo, quero aquele rosado que meus filhos dizem gostar. Faremos um piquenique no jardim de inverno e gostaria de me vestir para eles.

— Nada aconteceu, milady — disse Gertrudes, sem encará-la, embargada.

— É por sua cabeça? — Marguerite se preocupou. — Ainda dói? Lamento tê-la tirado de seu repouso, mas é você quem cuida de mim. Quando nós terminarmos eu lhe darei o dia de folga, está bem? Se a dor persistir iremos até o hospital e... Gertrudes?! Está chorando?

— Oh, milady! — Gertrudes falou entre soluços, ainda de olhos baixos. — É tão boa! Comigo, com todos... E ama tanto vossos filhos...

— Não tenho porque não ser boa com quem me cerca e é evidente que amo meus filhos. — Marguerite aproximou-se, confusa. — Gertrudes, eu não a compreendo. O que...?

— Milady, perdão! — De súbito Gertrudes caiu ao chão e tentou segurar os pés da patroa. Marguerite saltou para trás, assistindo à tão absurda cena com olhos arregalados. Antes que pedisse à criada que se colocasse de pé, esta voltou a implorar: — Eu não queria...! Juro que não! Perdoe-me, milady! Tenha piedade!

— Gertrudes, o que você fez?! — questionou Marguerite, sentindo um estranho aperto em seu peito. Sua mente estudava várias possibilidades, todas alarmantes.

— Milady, eu...

Gertrudes se calou tão logo a porta entreaberta foi escancarada, desviando a atenção também da duquesa. Com o corpo enregelado Marguerite acompanhou a corrida de John até que ele fosse segurar suas pernas. Tão assustado quanto sua mãe, ele disse:

— Linel! Linel, mama! Ele pegou Linel!

Como se precisasse protegê-lo de um ataque iminente, Marguerite pegou John em seu colo e chispou o olhar para a criada que, de joelhos, chorava.

— O que você fez?! — bradou furiosamente. — Ajudou Emery Giles? Foi isso?

— Ele me obrigou — disse a criada entre um soluço e outro. — Ameaçou minha família se eu não o ajudasse...

Suas questões foram meramente reflexivas e retóricas, pois não tencionava esperar as respostas de uma traidora. Com John agarrado ao seu pescoço, Marguerite deixou o quarto. Não sabia o que faria nem como faria, sabia apenas que precisava salvar seus filhos. E se Lionel estava com Emery Giles, de alguma forma iria recuperá-lo.

— Onde está Lionel, John? — perguntou ao menino com calma que não sentia. — De onde você veio.

— Nosso quarto, mama — disse o menino, apertando-se mais a ela.

Marguerite nem mesmo podia festejar o fato de John estar falando, tamanho era o temor que alimentava sua determinação. Quase a correr ela seguiu para a ala infantil, porém estacou no corredor principal ao se deparar com Giles que vinha no sentido oposto, trazendo Lionel pelo punho. Ao vê-la o menino tentou se soltar.

— Mamãe! — Lionel a chamou ao ser preso com maior força.

— Está tudo bem, querido... — mentiu com voz instável. Prendendo John junto a si como se aquele homem pudesse tomá-lo, indagou:

— Sr. Giles... Aonde... Aonde pensa que vai com... com meu filho?

— Duquesa, quanto tempo! — Giles sorriu como se estivesse contente em vê-la. As roupas que usava eram largas, como se pertencessem à outra pessoa. Todas roubadas, certamente. Alargando o sorriso ele zombou: — Nossas ocupações nos afastaram, mas estou de volta.

— Não... — Marguerite pigarreou para limpar a voz. Demandando a si que mantivesse a calma, falou com firmeza: — Não me respondeu. Aonde pensa que vai com meu filho?

— Meu amiguinho e eu vamos dar um passeio e a mamãe não vai nos impedir.

Dito isto, Emery Giles afastou a lateral do casaco para revelar a grande faca rudimentar que tinha em sua cintura. Notar resquícios de sangue na arma e na camisa dele apavorou-a. Lionel novamente tentou se soltar e chorou quando não conseguiu, levando o irmão a fazer o mesmo.

— Mamãe, ele está me machucando...

— Sr. Giles — falou a duquesa, lutando para ignorar o pranto de seus filhos —, não sei o que pretende, mas...

— Ainda não sabe o que pretendo? Eu me lembrava de uma duquesa mais inteligente.

— Expressei-me mal... Sei o que pretende e por isso lhe digo que está agindo errado.

— Por vossa palidez, penso o contrário — ele replicou. — Talvez, se eu matasse o menino aqui, agora, assistir vosso desespero já valesse todo meu esforço.

— Mas não é apenas isso que quer... — Marguerite sentia uma estranha força apoderando-se dela, acalmando-a. — Meu desespero não basta. Precisa ter o mesmo do duque ou sua vingança não será completa. É ele a quem sempre quis atingir... Foi ele quem o mandou para a prisão e o afastou de Ketlyn.

— Não diga o nome daquela vadia! — Giles vociferou, assustando mais os meninos. — Mas tem razão, duquesa... Se aquela rameira covarde fugiu, abandonando-me à minha própria sorte isso se deve ao vosso marido. Apenas errou em um detalhe... Ele não precisa ver o que farei para que eu me sinta vingado.

— Milady... — Gertrudes chamou às suas costas e parou ao ver o invasor. Foi para ele que sibilou: — Você prometeu que nada faria às crianças.

— Como pôde acreditar no homem que ameaçou sua família? — Giles escarneceu.

— Penso que até mesmo os bandidos devam ter honra — redarguiu a criada, recuperada de seu acesso de choro. — Por favor! Eu fiz tudo que me pediu. Consegui distração para que entrasse, agora cumpra sua palavra. Deixe os meninos em paz!

— Cale-se! — ele ordenou, aborrecido. — Eu não trato com a plebe. Prefiro conversar com membros da nobreza, como minha boa amiga duquesa. Sempre nos demos muito bem...

— Não tão bem assim — corrigiu Marguerite. — Por minha causa perdeu seu emprego em Castle. Foi o começo da derrocada para você. E não se esqueça de que esteve preso todos esses anos apenas por atentar contra minha vida. Não teve competência para manter a esposa, não teve competência para me matar... Agora quer vingança tirando a vida de uma criança? — Ela riu com cênico deboche. — Chega a ser patético!

— Milady, não o enfureça... — sussurrou Gertrudes, apreensiva.

— Cale-se! — Giles vociferou, fazendo com que Lionel chorasse mais.

— Não chore, querido — ela pediu, sem nunca deixar de encarar Emery. — Lembra-se do malvado trapalhão da história que lhes conto antes que durmam? Pois então... Baseio-me neste senhor. Olhem bem para ele.

Vejam suas roupas folgadas, como as de um bobo da corte. Ele nem mesmo sabe arquitetar uma...
— Já basta! — Emery largou o punho de Lionel e avançou.
Ciente de ser ela o novo alvo, Marguerite não se importou quando Emery arrancou John de seus braços e praticamente o atirou para Gertrudes. — Veremos se sei ou não arquitetar uma vingança, milady. Não era o que diria?
Prendendo-a pelo braço Giles arrastou Marguerite rumo à escadaria. Ela o acompanhava com dificuldade, odiando o toque áspero e cheiro fétido de seu algoz. Curiosamente não temia. Antes disso, sentia-se realizada por ter livrado seus filhos do perigo. Agradeceria a ausência de Logan, quando do alto da escada viu o duque entrar no *hall* com Griffins e dois guardas, todos agitados.
— Logan! — Marguerite voltou a se desesperar quando o captor riu contente e torceu seu braço para trás e se ocultou às costas dela, usando-a como escudo.
— Finalmente! — Emery exultou, agitando os cabelos dela com seu bafo malcheiroso.
— Giles, solte-a! — Logan ordenou tão lívido quanto Griffins, ato contínuo sacou uma pistola do cós de sua calça, porém não fez mira. Os guardas permaneciam em alerta, como se esperassem apenas uma ordem para avançar. — Você não tem por onde escapar. O castelo está cercado!
— E quem disse que eu me importo, duque? — Emery estava fora de si, atraindo Marguerite mais para perto. — Vim terminar o que comecei. Se eu derrubar sua amada esposa agora, será que dessa vez ela sobreviverá? Eu aposto que ela quebraria o pescoço.
— Não! — gritou Gertrudes, atraindo a atenção de Emery.
Valendo-se da distração, Marguerite pisou com toda força em um dos pés do fugitivo, esmagando seus dedos com o salto de sua botinha.
— Desgraçada! — ele sibilou, soltando-a em seu atabalhoamento. Urrando de dor Giles segurou sua faca e tentou golpeá-la, porém Marguerite se esquivou para o lado, deixando a escada livre diante dele. Aflito, com seus olhos arregalados, Emery soltou sua arma e agitou os braços à procura de equilíbrio.
Reflexiva, Marguerite estendeu a mão para segurá-lo, e algo inimaginável aconteceu. Dom surgiu em seu campo de visão, tombou sobre Giles e com ele rolou escada abaixo. Estupefata Marguerite viu homem e armadura se estatelarem no piso, aos pés dos senhores que assistiam à cena. Estes ergueram seus rostos, olhando para além de Marguerite. Seguindo seu olhar, ela se voltou e viu Gertrudes, arfante, a mirar o homem caído.
— Eu o matei? — a criada indagou num rouco sussurro. — Eu...
— Está vivo! — informou o guarda que se abaixou para averiguar a pulsação no pescoço de Giles. — O que devemos fazer?

— Levem-no daqui! Não quero que este pulha morra em meu castelo — ordenou Logan.

Sem esperar nova ordem os guardas afastaram as partes da armadura desmantelada e removeram Emery do *hall*, ferido e inerte. Assim como Griffins que os seguiu, o duque saiu da catatonia e correu escada acima. Como num pesadelo os degraus se multiplicaram, impedindo-o de chegar o quanto antes até Marguerite. Ao fazê-lo, abraçou-a, afundando o rosto em seus cabelos. Não compreendia a falta de roupa que o chocou tanto quanto vê-la prisioneira de um homem vingativo e tinha ganas de descer para dar cabo do infeliz somente por imaginar ser ele o responsável, mas o que mais importava era ver sua esposa viva e bem.

— Querida! Meu amor! — Logan a afastou para apalpar os braços nus. — Está ferida?

— Não... — Marguerite estava dispersa, incrédula quanto a tudo que aconteceu. Alheia ao exame a que era submetida, indagou para Gertrudes: — Onde estão meus filhos? E Sofia?

— Deixei os meninos com a babá depois de soltá-la e pedi que se trancasse — Gertrudes informou, com olhos maximizados. — Eu o matei!

— Salvou minha vida — disse Marguerite, sem identificar o que sentia pela criada.

Para Logan não havia dúvida. Depois de tirar seu casaco e cobrir o dorso de Marguerite ele se voltou para a criada com a fúria brilhando em seu olhar.

— Nada menos do que ela lhe devia, Marguerite! — Logan ciciou. — Sua criada ajudou Giles a entrar em Castle.

— Milorde, se me deixar explicar...

— Que explicação pode haver para que tenha levado listas falsas aos comerciantes da vila, causando a confusão que permitiu Giles de burlar a segurança do castelo? O estafermo quase matou minha mulher! — Ao se calar Logan estava rubro, indiferente à comoção da criada. — Chore o quanto quiser, será presa com seu amigo!

— Logan... — Marguerite pousou uma das mãos no peito do marido para apaziguá-lo e disse junto ao seu ouvido. — Querido, foi gravíssimo o que Gertrudes nos fez, porém salvou minha vida. Ela também me ajudou a salvar a vida de Lionel. Não tome nenhuma atitude agora. Peça que ela permaneça na ala dos criados e depois nós nos ocuparemos dela.

Os acontecimentos recentes, possíveis graças à colaboração daquela mulher, não eram bons conselheiros de um duque nada propenso à clemência. Contudo, ao seu lado estava Marguerite, rogando por razão antes de qualquer ação. Com a respiração contida, Logan ordenou à criada:

— Desça para a ala dos criados e permaneça lá até que eu decida o que farei a seu respeito. Caso fuja eu a encontrarei onde estiver.

— Não fugirei, milorde! Milady, mais uma vez eu rogo, perdoe-me!

— Vá, Gertrudes. Conversaremos em outra ocasião e... Obrigada!

— Por favor, não me agradeça... Como disse Vossa Graça, eu não fiz mais que minha obrigação.

— Eu ainda preferia mandar que os guardas a levassem — Logan sibilou, seguindo a criada com o olhar. — Ela nos traiu, querida! E... Marguerite?!

— Foi horrível! — disse ela depois de subitamente abraçá-lo, tardiamente enfraquecida e trêmula. — Estava em meu quarto, trocando de vestido porque sujei o outro, então, John surgiu. Tão frágil e assustado... Logan, ele voltou a falar! Avisou-me que Giles estava com Lionel. E quando eu os encontrei... Ver aquele homem odioso e o medo nos olhos de meu filho!

— Shhh... Acabou, querida! — disse Logan com carinho, porém maldizendo Giles em pensamento.

— Ele pode voltar... Homem horrível! Ele nos odeia e eu... Eu tentei segurá-lo! O que há de errado comigo? Estaríamos livres se ele tivesse morrido...

— Sim, querida, mas não cabia a você tirar-lhe a vida. Tentou segurá-lo porque tem bom coração e não suportaria ter o peso de uma morte em sua consciência. Darei um jeito de enviá-lo para a Austrália. Nós nunca mais...

— Lorde Bridgeford! — chamou um dos guardas ao entrar apressadamente no hall. Logan apenas olhou para ele e assentiu para que prosseguisse: — Giles não resistiu. Nem tivemos tempo de colocá-lo na charrete para levá-lo ao hospital. O que devemos fazer?

— Não quero esse homem em minha propriedade. Sei que não é correto, mas levem-no para a vila e o entreguem ao inspetor. Diga-lhe o que ocorreu e em meu nome fale que estarei à disposição para todos os esclarecimentos que ele possa desejar.

O guarda inclinou a cabeça, deferente e se retirou. Não sem antes olhar fortuitamente para a duquesa. Alheia à avaliação, vazia de qualquer sentimento, ela procurou pelos olhos do duque.

— Não consigo lamentar... Estamos livres, Logan!

— Estamos, meu amor! Agora venha!

Experimentando profundo alívio o duque fez com que a esposa se movesse. Por sua vontade ele a deixaria no Quarto Josephine antes que fosse até os meninos, mas nem sequer tentou. Logo nos primeiros passos Marguerite tomou a liderança e não correu por ter sua mão fortemente presa pelos dedos do duque. Bastou que Sofia destrancasse a porta para que a duquesa a abraçasse.

— Sofia! O que o Sr. Giles fez a você?

— A presença dele assustou-me mais que qualquer outra coisa, milady...

— Graças ao bom Deus! — exclamou Marguerite, livrando-se do casaco para se ajoelhar e receber o abraço dos filhos. No instante seguinte ela os beijou entre lágrimas e risos.

Com o coração inflado por ver sua família unida, livre do perigo definitivamente, Logan se obrigou a dar atenção à babá que olhava de um ao outro com assombro.

— Então, aquele homem horrível é o mesmo que atentou contra a duquesa? — ela indagou. — O que aconteceu com ele? E Gertrudes? Foi ela que trouxe as crianças de volta e me soltou.

— A Srta. Webb está na ala dos criados e ele está... — Logan se calou ao ver Marguerite, ainda abraçada aos filhos, menear a cabeça. — Giles se *foi* e *nunca* mais voltará.

— Folgo em saber, milorde — Sofia respirou com alívio, compreendendo a ênfase. — Eu nunca senti tanto medo! Tentei impedi-lo de levar Lionel, mas falhei. Ele estava armado, por isso pedi que os meninos não se movessem. John não me obedeceu e correu assim que deve a chance, enquanto eu era amarrada.

— Eu devia ter desobedecido — disse Lionel com fraca fúria infantil. — Sou maior.

— Não — refutou seu pai, indo até ele para tocar seu cabelo. — Ser maior não o desobriga da obediência. Desde já deve entender que não deve reagir, especialmente quando alguém estiver armado. John será desculpado justamente por ser ainda muito novo e não compreender. Você agiu como devido e estou orgulhoso por isso.

Receber um amplo sorriso animou o duque a bagunçar o cabelo do filho e também a se abaixar para que todos ficassem face a face. Sorrindo para John, indagou:

— E você, pequeno? Será como sua mãe? Gosta de correr? Diga!

— Gosto, pa... papai.

— Este não é um dos melhores sons que você já ouviu em toda sua vida? — perguntou Marguerite, comovida.

— É, sim, querida! — ele anuiu, tocando uma das mãos de Marguerite, sabendo o quanto aquele som significava para ela. Com o tempo, a culpa que atribuía a si mesma pelo mutismo seria esquecida. Apesar da queda e do parto adiantado, John era perfeito. E estava a salvo como todos eles. Não havia motivos para alimentar temores nem adiar a retomada de assuntos pendentes. Ao se pôr de pé, Logan estendeu a mão para ela. — Agora que a paz retornou a Castle, venha! Deve se vestir para que me ajude a cuidar do que ainda resta.

Marguerite assentiu, beijou demoradamente a bochecha de seus meninos e aceitou a ajuda para se levantar. Além de decidir o que fariam com Gertrudes Webb, ela já oferecera espetáculo suficiente ao deixar o quarto em trajes sumários.

— Quando será nosso piquenique? — perguntou Lionel, demonstrando não ter se abalado com o ocorrido, para a tranquilidade de seus pais.

— Não vejo razão para que não aconteça, Lionel — disse Logan. — Apenas esperem até que sua mãe e eu resolvamos assuntos que requerem nossa atenção imediata.

— Está mesmo bem, Sofia? — Marguerite indagou ainda preocupada.

— Estou, milady! Meus punhos ficaram marcados, mas logo a vermelhidão desaparecerá. E se aquele homem não irá voltar, não temos mais com o que nos preocuparmos.

Marguerite sorriu para a babá, então deixou que o duque voltasse a cobri-la e, depois de se despedir de seus pequenos, com ele deixou o quarto.

— Sei que tudo acabou, mas gostaria de entender... — ela disse, quando não seriam ouvidos. — Como Emery Giles conseguiu entrar, mesmo com a ajuda de Gertrudes? Mackenzie e os guardas estavam de prontidão.

— Eles guardavam apenas os portões, não as portas do castelo. Gertrudes entregou listas de compras falsas aos comerciantes que nos fornecem mercadorias semanalmente. No pedido ela estipulou o horário sob pena de todos terem seus serviços dispensados. Com isso formou-se uma verdadeira confusão no portão norte. Os comerciantes não se lembravam do nome de quem esteve em suas lojas, mas bastou que descrevessem a mulher para que chegássemos à Gertrudes Webb e percebêssemos o que estava acontecendo. A porta da cozinha estava bloqueada pelos criados e sabíamos que todas as outras estavam trancadas, então, com a ajuda dos guardas do portão norte eu passei a vasculhar o entorno do castelo.

— Deixe-me adivinhar... — pediu Marguerite. — Gertrudes deixou uma das portas abertas para que Giles entrasse sem ser visto.

— Sim, ela deixou, porém Giles foi visto. Mackenzie o surpreendeu à entrada do salão de baile, mas não foi capaz de detê-lo. Eu passei por lá e não o vi caído. Provavelmente Giles tivesse acabado de entrar, pois nossos cães não viram nada que lhes chamasse a atenção.

— Ele poderia estar escondido. Lembre-se de que Dirk e Jabor conheciam Giles e que Maylon prefere perturbá-los a farejar cheiros desconhecidos.

— Tem razão! Seja como for, encontramos Mackenzie desacordado, ferido à faca, mas não se preocupe. Ele está vivo. Resta encontrarmos Alfie, que não voltou e...

— Perdão, milorde!

— Griffins! — Logan se surpreendeu ao ser abordado pelo mordomo no corredor.

— Não pude deixar de ouvir o que dizia — falou o senhor a mirar o chão, constrangido pelos trajes da duquesa. — Vim informá-lo que Alfie foi encontrado próximo ao pomar. Por sorte não foi ferido como o chefe da vigilância, mas Giles o surrou até que perdesse os sentidos. Ele está muito machucado.

— Pobre Alfie! — Marguerite se compadeceu e intimamente agradeceu pela justiça divina que preferiu tirar a vida de Emery a dar-lhe uma nova chance. Por certo ele se recuperaria e se tornaria ainda pior. — Como ele está?

— Foi socorrido e, como Mackenzie, foi levado ao hospital.

— Fez muito bem Griffins. Obrigado por vir avisar!

— É minha função, milorde! — Antes que se retirasse, ainda a fitar o piso, Joe parou e indagou: — Posso saber como está a duquesa?

— Agora que tudo terminou estou muito bem, Griffins! — Marguerite garantiu, divertindo-se com o desconcerto de seu amigo. — Como disse o duque, a paz retornou a Castle.

— Que esta tome Castle como morada, milady! — desejou Griffins, reverenciando-os para em seguida deixá-los.

— Que assim seja! — disse ela, olhando para o marido enquanto seguiam pelo corredor. Com um suspiro, livre do breve humor, Marguerite indagou: — O que faremos com Gertrudes?

— Conhece minha vontade. Por mim ela seria presa pela traição.

— Quando percebi o que fez eu também a odiei, Logan. Contudo, sei que ela se arrependeu e que não agiu por vontade própria. Giles ameaçou a família dela. Não deveríamos nos colocar no lugar dela? Só eu sei o que senti quando vi Lionel com aquele homem. Se havia alguma dúvida, agora tenho certeza de que eu seria capaz de fazer o que fosse para proteger quem amo. Por isso eu considero extremado mandar que ela seja presa.

— Não me sinto magnânimo, mas deixarei que você decida. Respeitarei e confiarei em seu julgamento.

— Obrigada, querido!

Para Logan a prisão seria justa e merecida, porém não esqueceria o atenuante mais relevante: movida por obrigação ou por afeto pela patroa, Gertrudes Webb lhe deu a chance de ter a esposa ao lado. Também somente ele sabia o que sentiu ao ver Marguerite no alto da escada, em poder de Giles, seminua, tendo o braço torcido, sob ameaça. Com horror paralisante viu-a rolar escada abaixo e cair aos seus pés, viu o corpo em posição estranha, o longo cabelo espalhado no piso, a vida roubada. Era certo que fosse daquele modo e enquanto aguardava o trágico desfecho sentiu seu pior temor potencializado. Em sua concepção tinha chegado a hora da cobrança e esta seria executada sem piedade. Entretanto, nada do que anteviu aconteceu, Logan pensou ao entrar no quarto de Marguerite e trancar a porta atrás de si.

— Logan...? — Marguerite uniu as sobrancelhas e escrutinou seu o rosto contrito. — Tem certeza de que está certo de sua decisão?

Não houve resposta. Com a recente lembrança a oprimir seu peito, Logan avançou um passo e fez com que seu casaco caísse ao chão. Incontinenti tomou a esposa nos braços e a beijou com volúpia própria aos saudosos. Compreendendo tamanha urgência Marguerite retribuiu com a mesma paixão, enlaçando-o pelo pescoço. Logan desceu suas mãos pelas costas macias até que chegasse ao arredondado traseiro. Em sintonia com sua vontade Marguerite o abraçou também com as pernas. Foi o bastante para que Logan a levasse até a cama para que juntos tombassem no colchão.

O beijo foi quebrado para que o duque deixasse sua arma no criado-mudo.

— Você o teria matado? — Marguerite indagou, mirando a pistola, trêmula.

— Por você ou por nossos filhos? Sim, sem hesitar. Se não o fiz por aquele estafermo usá-la como proteção e depois, tudo aconteceu muito rápido, mas... Esqueça-se dele! Preciso de você.

— Também preciso de você — ela fez coro e não mentia. Depois do que passou ansiava senti-lo, sentir-se viva e vibrante.

Sem nada mais dizer, Logan se descalçou e ajudou a duquesa a tirar as botinhas. Sustentando seu olhar ele desprendeu os colchetes do espartilho, puxou a fita da pantalona e despiu sua esposa; tirando até mesmo as longas meias. Por seu lado Marguerite soltou os botões de suas casas para abrir o colete, a camisa branca, a calça, porém coube ao duque despir a si mesmo sem nunca deixar de encará-la.

Nua, com Logan a engatinhar acima dela, Marguerite se esgueirou até que acomodasse a cabeça nos travesseiros e ele pudesse se estender sobre seu corpo. Nada diziam, pois seus olhos explicitamente exibiam todo amor, toda alegria, toda gratidão por estarem juntos. Um beijo reiterou tais sentimentos e a união dos sexos renovou o compromisso assumido há anos. Com sorte, teriam muito tempo para amarem-se e respeitarem-se até que a morte os separasse.

## Epílogo

Marguerite Bridgeford, confesse que algumas partes do que me contou não passam de fantasias criadas por sua imaginação!
— Não, Ashley Westling! Tudo que lhe disse é a mais pura verdade — corrigiu a duquesa, sorrindo para sua cunhada.
Com seus rostos protegidos do sol por belos chapéus de abas largas, as ladies estavam acomodadas nas bordas em uma toalha de linho branco na qual dispuseram chás, sucos, bolos e sanduíches. Seus maridos conversavam entre si, afastados alguns passos enquanto seus filhos brincavam mais ao longe com Dirk, Jabor e Maylon. Krun completava a cena, pousado no fino poleiro fixado no solo, movendo a cabeça de um lado ao outro. O falcão-peregrino foi usado como prova do que dizia.
— Como pode duvidar de mim, Ashley? — indagou Marguerite. — Inúmeras vezes você me viu soltar Krun.
— Essa parte da história não causa assombro, afinal, você é cativante — Ashley a elogiou, sorrindo. — Não é admirável que conquistasse até mesmo uma ave. Considero mirabolante a parte em que um invasor rolou escada abaixo depois que aquela armadura foi derrubada sobre ele. Dom me parece estar em perfeito estado.
— Depois do ocorrido, Logan providenciou que as peças fossem recuperadas. Dom é praticamente um membro de nossa família.
— Sei que sim... — Ashley riu brevemente. — Não me dê ouvidos. É evidente que não duvido de você.
— Sei que não! — Marguerite sorriu de súbito e segurou a mão enluvada de sua amiga. Mirando seus dedos entrelaçados, indagou: — E, então? Como lhe pareceu minha história? Seria um bom conto de fadas?
— Empolgante e ao mesmo tempo inquietante — classificou Ashley, olhando para Logan. — Custo a crer que no início ele fosse como o descreveu. O duque é outro homem!
— O homem que eu amo!
— Percebo bem — gracejou a baronesa, tocando a barriga de Marguerite com a mão livre. — Quando o bebê virá?

— Daqui a quatro meses... — Marguerite cobriu a mão de Ashley e a corrigiu: — Mas o certo é "a bebê". Sinto de dessa vez terei uma menina. Como acertei das outras vezes...

— Acertará dessa também e Charlotte terá uma prima. Espero que sejam boas amigas, apesar da diferença de idade. Quatro anos não é muito!

— Não é! Elas se amarão como nós — a duquesa profetizou. — Nossos destinos sempre estiveram de tal forma entrelaçados que hoje somos cunhadas.

— É verdade, mas não vamos mudar o rumo de nossa conversa — Ashley pediu. — Ainda quero saber mais de sua história. Pelo o que eu entendi, Nádia voltou a trabalhar em Castle depois de você ter dispensado os serviços de Gertrudes Webb. Você não a perdoou?

— Como não perdoaria? Gertrudes salvou a minha vida, entretanto, perdeu minha confiança — Marguerite respondeu depois de um expirar. — Pedi que a Sra. Reed lhe desse uma carta de recomendação e uma boa soma para que se mantivesse até que conseguisse outro emprego. Eu concordei com Logan quando ele comentou que Gertrudes poderia ter denunciado Emery Giles. Mackenzie e seus guardas teriam armado uma armadilha e o prenderiam antes que fossemos ameaçados. Ela não confiou em nós, então...

— Não havia como confiar nela — Ashley concluiu. — Eu compreendo. E Mitchell Dempsey? Tem notícias dele?

— Ele não voltou a se hospedar em Castle com isso eu o via somente em Londres, mas já faz algum tempo que ele tem estado ausente. Rogo todas as noites para que esteja bem.

— Por certo ele está — Ashley considerou. — Notícias ruins sempre chegam antes.

— Tem razão! — Marguerite assentiu, sorrindo.

— Não devia sorrir para mim desse jeito! — Ashley simulou estar aborrecida. — Por que você demorou tanto para me contar todas essas coisas?

— Não sei! Encontramo-nos muitas vezes, mas raras foram as oportunidades de ficarmos sozinhas. Creio ter escolhido hoje por me sentir especialmente nostálgica. Eu sofri ao descobrir as mentiras de meu marido, mas por horas apenas. Antes da descoberta e depois, quando resolvi ficar, tive bons motivos para me alegrar. Caso eu pudesse escolher, iria querer que tudo fosse exatamente igual. Mudaria as partes em que rolei a ribanceira e que Lionel foi ameaçado, no mais...

Desejaria tudo do mesmo modo, Marguerite reiterou em pensamento. Não havia uma razão específica ou talvez fosse a visita de sua amiga de infância que a deixasse emotiva e saudosa, então, antes que percebesse estava contando como conheceu o duque, como foram os primeiros dias juntos, a prisão de Lowell, as provocações de Ketlyn e a amizade de Alethia. Marguerite deixou fora da narrativa a verdadeira paternidade de seu cunhado e os detalhes íntimos de sua relação com o marido. A prova da duradoura sintonia estava ali, crescendo em seu ventre.

Enfim, com atraso ela cumpriu o que tinha dito à amiga antes que deixasse Apple White quando se reencontraram. Isso há... Há muito tempo! Marguerite riu de súbito, divertida.

— Também tem razão de aborrecer-se — reconheceu. — Demorei apenas cinco anos para contar minha história!

— Vou desculpá-la, pois sempre foi péssima em contá-las. — Os olhos negros de Ashley reluziram, porém por alguma razão o brilho se extinguiu. Seu tom era incerto, quando disse: — Na verdade, eu não posso cobrá-la. Sei que no passado prometemos não citarmos aquele assunto quando sir Jason falou para quem quisesse ouvir que eu era uma...

— Por que está quebrando a promessa? Nem sequer me recordo do que foi dito por aquele senhor — Marguerite a interrompeu amavelmente. Depois de tantos anos não havia razão para sua amiga se constranger ou se entristecer, mencionando sua vida no bordel. Agora Ashley era uma dama sem máculas em sua vida e assim deveria ser para sempre. — O que passou, passou.

— Obrigada! — Ashley voltou a sorrir e, indicando que nada diria sobre si mesma, falou: — Sabe? Voltando à sua história, não importa que tenha demorado a me contar... Gostei de ouvir. Não se casou por amor como Edrick imagina, mas isso mudou e hoje é feliz. E não se preocupe! Para o barão sempre valerá sua versão. Como disse... O que passou, passou.

— Obrigada, minha querida! — Marguerite sorriu mais, contente.

De onde estavam os lordes olhavam suas esposas com atenção.

— Gostaria de saber o que tanto elas conversam — disse Logan.

— Declaram-se uma a outra — elucidou Edrick. — Basta ver como se olham e sorriem.

— Deve estar certo, pois Marguerite ama sua esposa.

— O mesmo digo de Ashley — o barão fez coro, sorrindo, porém voltou à seriedade. — Por falar em amor... Saberia dizer-me como está Ketlyn Gassen? Não que você ainda nutra sentimentos por ela, não é isso. Eu apenas...

— Acalme-se, Westling! — Logan esboçou um sorriso para tranquilizar o amigo. — Entendi a associação de ideias. Curiosamente hoje tenho notícias de Ketlyn, graças a Lowell que esteve em Castle na semana passada. E digo que não me surpreendi.

— Com o quê? — Edrick franziu o cenho e coçou reflexivamente o cavanhaque que há alguns anos voltou a ostentar. — Conte-me, homem!

— Eu disse a você que Ketlyn se casou com meu pai e depois se juntou a mim por interesse — começou o duque. Aquilo fora tudo que revelou ao amigo, pois se fosse além teria de falar sobre a ligação com Giles e todo o resto. Edrick assentiu, incentivando-o a prosseguir: — Pois bem! Era evidente que ela se aproximou de Gassen pelo mesmo motivo e quando não há amor não há nada mais... O marquês descobriu isso da pior forma.

Não me olhe assim, Westling, eu vou lhe dizer... Lowell contou que Gassen flagrou Ketlyn com um amante e os matou.

Repetir o que ouviu de seu irmão tampouco causava nele alguma emoção. Era como se falasse de uma estranha. Pensando friamente, Ketlyn nunca foi mais que isso.

— Também não me surpreende — falou Edrick, assentindo distraidamente. — Ela encontrou o fim que procurou. E Gassen, foi preso?

— Sim, mas por uma noite apenas... Legítima defesa da honra. Bem sabe como funciona...

— E quando o desonrado é um nobre influente tudo é resolvido rapidamente.

— Exatamente! Enfim, não vamos ocupar nossas mentes com quem nada nos acrescenta — determinou o duque, assistindo a algazarra feita pelas crianças. — Fale-me de Benjamin.

— O que posso dizer sobre ele que ainda não foi dito? — indagou Edrick com orgulho. — Eu não poderia ter tido filho melhor que Benjamim. Cada dia mais ele se interessa pela sidreria, é bom irmão, atencioso e bem educado.

Logan mirava seu amigo com admiração. Depois de tantos anos Edrick não se sobressaltava ao ouvir aquela questão, prova de que a mentira adquiria ares de verdade. Tanto melhor, pensou o duque, pois como desejou o barão tinha formado uma família tão digna e honrada como ele mesmo. Eram ex-libertinos de sorte!

— Do que tratam os senhores? — Marguerite perguntou ao se aproximar e se apoiar no braço do marido, olhando dele ao irmão com curiosidade.

— Sobre nós, espero! — disse Ashley depois de também segurar o braço do barão.

— De certo modo, falávamos... — anuiu o duque. — Westling elogiava Benjamin.

O sorriso de Ashley iluminou seu rosto e ela olhou para aqueles que corriam pela campina.

— Sei que não houve exageros — ela disse. — Aliás, todos nós tivemos sorte com nossos filhos. Vejam como se dão bem! Benjamin, mesmo sendo o mais velho, não se importa de distrair os menores.

— Espero que ele ainda possa brincar com Josephine — Marguerite murmurou, acariciando a barriga discretamente distendida.

— Querida, o que já conversamos? — Logan indagou amavelmente. — Não quero que nossa filha tenha o nome de um quarto.

— Nossa filha terá o nome da pessoa que dá nome ao quarto — replicou Marguerite.

— Desista, Bridgeford! — Edrick ria da agrura de seu amigo. — Já devia saber que batalhas como essas são perdidas para nós. Graças a Benjamin, minha filha tem o nome de um doce.

— O que nossas mulheres e filhos fizeram conosco, Westling?

— Tornaram-nos melhores? — Edrick sugeriu, rindo da cênica expressão do duque.

— Disso não tenho dúvida — Logan concordou —, mas não me darei por vencido. Nossa filha terá outro nome.

— Boa sorte, duque! — desejou Ashley, rindo como seu marido. Para a amiga ela disse: — Tenha o nome que tiver a bebê não precisa esperar para brincar com Benjamin.

— O que quer dizer com isso, baronesa?! — Logan preocupou-se. O estranho substituto de sir Leonard não impôs qualquer restrição ao constatar a nova gestação e até mesmo questionou a necessidade de repouso na anterior, porém ele ainda preferia que a esposa se resguardasse. — Por favor, não lhe dê ideias! A duquesa não pode...

— Não farei esforço, querido! — Marguerite o interrompeu já a descobrir sua cabeça loira.

— Eu tomarei conta dela! — Foi a promessa de Ashley também a revelar seu cabelo negro, preso numa trança frouxa.

Depois de abandonarem seus chapéus, rindo, de mãos dadas elas foram se juntar aos filhos.

— Mamãe! — John exclamou ao ver Marguerite se aproximar, levando-a a sorrir mais. Por vezes ela ainda se emocionava ao ouvi-lo falar. — A tia Ashley e a senhora vieram brincar conosco?

— Diz que sim, tia Marguerite! — pediu Charlotte, uma linda criança de cabelos castanhos escuros e olhos azuis, indicando outra menina. — Bianca disse que a senhora sempre brinca com ela.

Marguerite notou o tom enciumado da pequena sobrinha ao falar da filha de Nádia e Ebert, menina que praticamente era criada junto a Lionel e John desde que sua antiga criada de quarto voltou ao trabalho. Queria-a como a uma filha.

— Sim, meus queridos — disse Marguerite ao filho e à sobrinha. — Participaremos da brincadeira, mas eu serei apenas a árvore encantada.

Ashley riu com gosto antes de incitar todos a correr. De tão encantada, Marguerite foi uma árvore que corria atrás de gnomos e tróis, estes representados pelos meninos maiores, Lionel e Benjamin. Marguerite também perseguia Ashley, a fada. Sempre que a capturava, ambas se abraçavam, rindo de genuína felicidade.

— O que dissemos? — Logan perguntou ao barão sem deixar de olhar para Marguerite e Ashley. De tão unidas o vento morno daquele verão agitava as saias de seus vestidos como se fossem um e misturava as mechas soltas de seus cabelos, entrelaçando os fios loiros aos negros.

— Sabe o que acontecerá se nada fizermos — disse Edrick, divertido. — Elas esquecerão que existimos e, se passarem ao pomar, nós as perderemos para sempre.

Logan gargalhou e bateu amistosamente no ombro do barão.

— Sempre exagerado, não? Mas concordo em parte... Quando estão juntas elas se esquecem de que são adultas. Devemos lembrá-las.

Sem mais palavras ambos foram ao encontro de suas esposas. Já estavam separadas, distantes uma da outra quando seus respectivos pares as abordaram. A baronesa abraçou o marido, desmentindo suas palavras; ela jamais o esqueceria. Por sua vez, Logan não esperou que Marguerite fizesse o mesmo, sendo ele a abraçá-la por trás. Marguerite cruzou os braços sobre os dele, sorriu e fechou os olhos, apreciando o contato do corpo forte junto ao seu.

Depois de longamente cheirar o cabelo de seu raro cisne azul, ele sussurrou ao seu ouvido:

— Eu a amo!

— Isso é muito bom porque eu também o amo!

— O que também é muito bom porque a senhora está desejável e pretendo...

— Logan! — ela o interrompeu, envaidecida. — Sei bem o que pretende, mas terá de ser quando estivermos a sós. Até lá, comporte-se!

— Farei o que estiver ao meu alcance, senhora! — prometeu o duque, divertido, com os olhos postos na cena que se desenrolava. Aquele era um dia para se recordar. De repente um pensamento fortuito fez com que indagasse: — Marguerite, eu consegui? Eu a faço feliz?

Voltando a olhar seu entorno a duquesa analisou a questão. Sabia que sua mãe vivia bem com Verne Zimmer; Catarina e Henry também; Lowell permanecia solteiro, mas há anos não se metia em encrencas; Edrick e Ashley eram felizes e presenças constantes em sua vida; Lionel e John eram filhos exemplares e logo teriam Josephine. Se ainda não estivesse satisfeita bastaria se apegar ao detalhe que a contentaria e acalentaria de modo irrefutável: era amada e desejada pelo novo Logan Airy Haltman de Bolbec.

Ter deixado a tranquilidade do pomar para conhecê-lo na Sala Rosa não foi nada aborrecido afinal. Como dissera para sua boa amiga, sofreu, porém por ínfimo período em comparação a todos os outros momentos de alegria, de diversão e de muito amor. Diante disso, não haveria no mundo outra questão cuja resposta seria legítima e direta.

— Sim! — Marguerite confirmou, voltando-se para encará-lo. Escrutinando o rosto iluminado por um amplo sorriso e o cabelo bagunçado, reiterou: — Você me faz feliz todos os dias, meu amado duque!

www.lereditorial.com

@lereditorial

Impressão e acabamento